Regards sur Debussy

Sous la direction de
Myriam Chimènes et Alexandra Laederich

Regards sur Debussy

Préface de Pierre Boulez

Ouvrage publié avec le soutien

du ministère de la Culture et de la Communication
(Mission aux Commémorations nationales
et Direction générale de la création artistique)

du Centre de documentation Claude Debussy

de l'Institut de recherche sur le patrimoine musical en France
(CNRS/BnF/ministère de la Culture)

de Eastman School of Music
(Université de Rochester, États-Unis)

et de la Fondation Francis et Mica Salabert

Fayard

En couverture :
Claude Debussy à Pourville en 1904

Maquette Josseline Rivière

ISBN : 978-2-213-67258-8

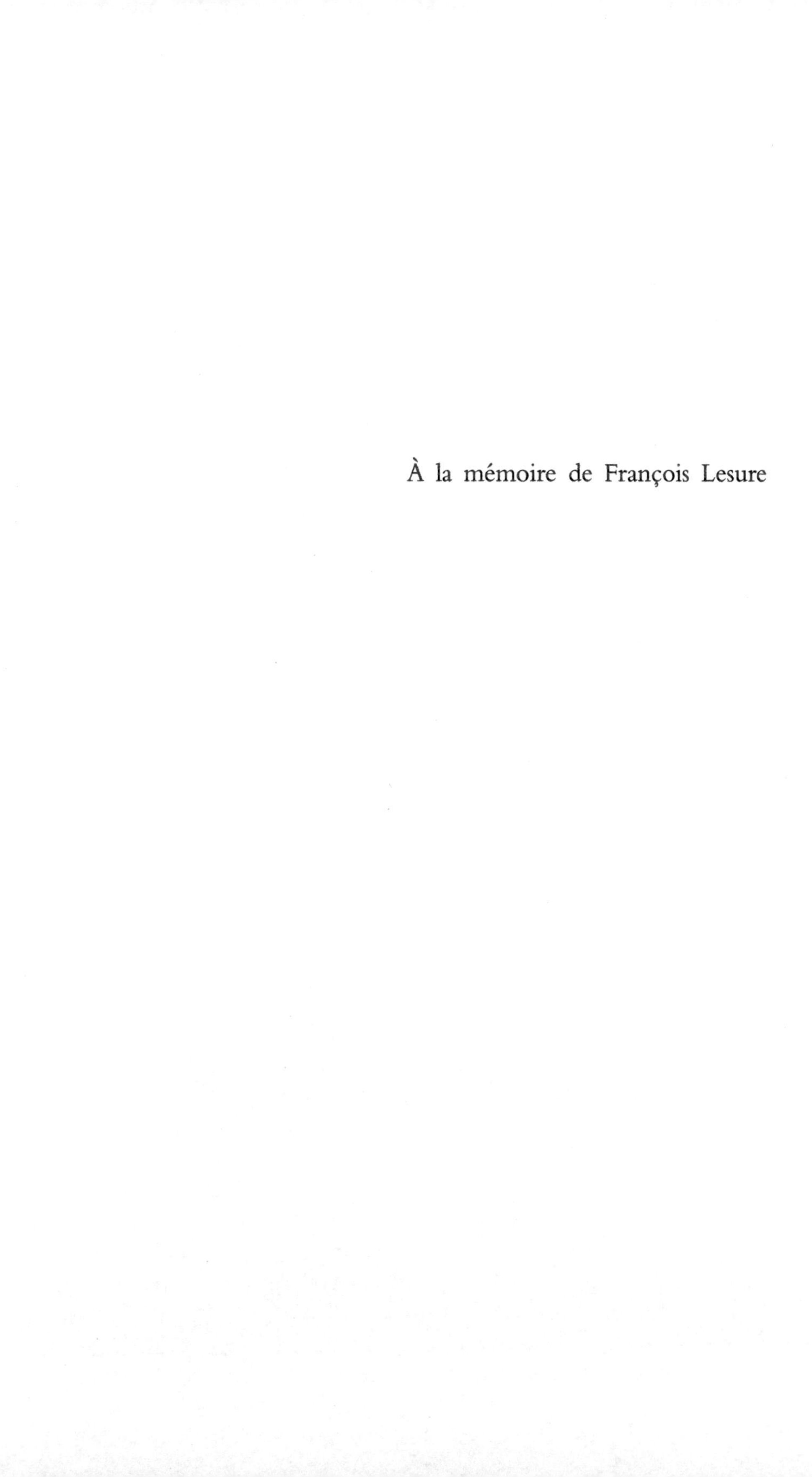

À la mémoire de François Lesure

Préface

Pierre Boulez

C'est à mon professeur de piano à Saint-Étienne que je dois d'avoir découvert Debussy en jouant les *Arabesques*. J'étais surtout impressionné par la première, dont l'écriture était très différente de ce que je connaissais, c'est-à-dire Haydn, Mozart, Beethoven, Schubert et Schumann. J'ai ainsi sauté littéralement de Schumann à Debussy. Aujourd'hui encore, lorsque j'écoute la *Première Arabesque* je retrouve mon impression de tout jeune garçon. La fluidité avant tout est remarquable : la *Première Arabesque* commence par un arpège fluide. Même dans des œuvres plus tardives, comme les *Reflets dans l'eau* ou les « Arpèges composés », on trouve toujours cette fluidité de l'écriture pianistique qui m'avait beaucoup marqué et continue à me frapper quand j'entends ces pièces. À la première approche, je fus saisi par la nouveauté de cette musique. Mon professeur me fit ensuite aborder quelques-uns des deux Livres de *Préludes*. Je ne voyais pas alors les liaisons entre les thèmes : étant habitué aux thématiques de l'école viennoise classique, les sons dans Debussy me paraissaient très désarticulés et sans continuité. C'est un réel problème : parfois très courts, ces *Préludes* ont un discours discontinu, qui rapproche les idées sans montrer comment. Avec déjà une oreille de « composition » sinon de compositeur, j'essayais de comprendre comment se développait cette musique. De nombreuses années plus tard, toujours comme pianiste, j'eus l'occasion de jouer à deux pianos avec Yvonne Loriod *En blanc et noir* et les *Six Épigraphes antiques*, œuvres que j'avais choisi d'inscrire à un programme soumis aux radios allemandes et comprenant mes *Structures*.

Étudiant en composition, j'ai pu me familiariser avec les œuvres d'orchestre. J'assistais aux cours de Messiaen qui n'analysait pas tellement Debussy mais qui avait une dévotion pour *Pelléas*, œuvre sur laquelle il s'attardait beaucoup. Je l'entendis aussi analyser les *Nocturnes* et *La Mer*. Messiaen nous demandait parfois de faire un devoir dans le style harmonique des *Préludes*. Il tenait à ce que l'on comprenne bien que l'harmonie est une chose qui évolue et non pas un dogme (comme cela pouvait être enseigné au Conservatoire), ce qui renforça mon intérêt et m'ouvrit de nouveaux horizons. Quand on analyse le style harmonique de Debussy, il y a vraiment beaucoup à découvrir et c'est à ce moment-là que j'ai fait mes découvertes. *Jeux* m'a été révélé en l'écoutant dirigé par Manuel Rosenthal. Je fus d'abord surpris et pas très sûr de savoir qu'en penser. Réflexion faite, rétrospectivement, je ne suis pas certain que les interprètes de cette époque aient pu vraiment très bien jouer cette œuvre. Il est vraisemblable que, surtout, ils ne savaient qu'en faire. *Jeux* est une musique de ballet : une histoire est racontée, qui détermine une forme, et leurs interprétations ne révélaient pas une compréhension de la forme. Je sentais qu'il manquait quelque chose, l'œuvre n'était pas saisie dans son ensemble. Telle fut ma première approche.

Enseignant à mon tour, pendant les trois ans qu'a duré mon cours d'analyse à Bâle, j'ai utilisé une méthode universitaire en sélectionnant un certain nombre d'œuvres que j'analysais longuement. La moitié de l'année était consacrée aux *Études* que j'analysais dans le grand détail, sans les éloigner du corpus de piano de Debussy et en mettant en évidence leurs rapports avec les autres œuvres. Il y avait beaucoup à dire, les *Études* étaient négligées et sous-estimées et je tenais à leur donner toute leur valeur : elles sont à mes yeux très importantes, non seulement pour l'écriture du piano mais pour la conception musicale. Et c'est une des œuvres auxquelles Debussy tenait le plus.

Devenu chef d'orchestre, j'ai choisi d'inscrire deux œuvres de Debussy, *Jeux* et *Ibéria*, au programme du premier concert symphonique que j'ai dirigé – en 1956 à Caracas. C'est à la même époque que j'ai accepté d'écrire l'article consacré à Debussy pour l'*Encyclopédie de la musique* éditée par Fasquelle. Afin d'expliquer ma position sur les œuvres de Debussy, j'ai également tenu à écrire moi-même les textes des pochettes de mes disques. Mes interprétations ayant été assez attaquées, je voulais me défendre en exposant ma conception de compositeur et de chef d'orchestre. Debussy « est le seul musicien français qui soit universel » : je souscris aujourd'hui à ce que j'écrivais alors. Même si je pense que Ravel aussi est universel, sa portée est très différente et sa trajectoire vraiment beaucoup moins schématique. Selon moi, Debussy est plus universel et Ravel plus typiquement français.

À la demande de François Lesure, j'ai accepté de faire partie, dès sa fondation, du comité de rédaction de l'édition critique des œuvres complètes de Debussy car je jugeais ce travail indispensable. Un musicien de cette envergure méritait d'être distingué par des études spécifiques et c'est la raison pour laquelle j'ai souhaité à la fois soutenir cette entreprise et m'impliquer personnellement, en particulier en travaillant à l'édition de *Jeux*. Mon expérience me permettait d'être utile. La mise à disposition et la mise au jour de sources inédites peuvent aider à comprendre l'œuvre plus profondément. Sans être plus importantes que celles de la maturité, les œuvres de la toute-jeunesse permettent d'observer la formation progressive du style : on comprend comment, à partir de différentes directions, Debussy arrive à se forger un style vraiment tout à fait personnel.

C'est dans la même optique que j'ai tout naturellement accepté de succéder à François Lesure à la présidence du Centre de documentation Claude Debussy, cette structure de recherche dont il avait été le fondateur. Debussy, c'est un monument « inévitable ». C'est la raison de mon engagement, car je suis conscient que la collaboration entre musicologues, compositeurs et interprètes peut être fructueuse.

Le colloque marquant la célébration en France du 150e anniversaire de la naissance de Debussy s'est ouvert à la Cité de la musique, un lieu où l'on ne s'adonne pas habituellement à la musicologie spéculative en tant que telle. Pour ma part, je me livre plutôt au jeu d'une musicologie d'action parce que j'estime que cette discipline devrait réserver une place essentielle aux pratiques qui se forgent dans la vie musicale d'aujourd'hui, au moins autant qu'aux perspectives ou rétrospectives historiques. Je reproche aux musicologues d'être parfois très vagues, au meilleur sens et au sens le plus vague... La question du classicisme des dernières œuvres de Debussy est un exemple. A-t-on jamais trouvé dans le style de ces œuvres une explication à ce classicisme, sinon qu'il s'agit de sonates ? Le fait que Debussy décide de composer des sonates alors qu'il n'en a jamais écrit suffit à en déduire que c'est le classicisme qui le prend. Y a-t-il plus de classicisme dans *En blanc et noir* que dans les *Sonates* ? Que cela a-t-il à voir avec le néoclassicisme plus tardif de Ravel, de Stravinsky ou de Schoenberg ? Voici des interrogations qui demeurent sans réponses. Debussy fut influencé par Stravinsky, mais pas par le Stravinsky néoclassique. Si l'on parle de classicisme, c'est parce que cela nous paraît classique. Mais y a-t-il un lien avec une tradition française des clavecinistes ? Avec le rapport de Debussy à Rameau ? Si je compare l'*Hommage à Rameau* aux trois dernières *Sonates*, je ne discerne pas ce qui lie conceptuellement les deux œuvres. Il y en a une qui est purement Debussy, c'est l'*Hommage à Rameau*. Les *Sonates* sont plus courtes, plus ramassées. Quel vocabulaire cela implique-t-il ? Pourquoi cela nous paraît-il classique ? La démarche de Debussy réside d'abord dans son intention, ce que je n'ai jamais vu expliqué vraiment par le style même. De nombreuses autres questions restent posées, telle l'utilisation du folklore. Pourquoi Debussy compose-t-il tout à coup *Ibéria* ? Est-ce une référence à la tradition, à Chabrier en particulier ? Pourquoi choisit-il un thème écossais et compose-t-il la *Marche écossaise* ? Pourquoi utilise-t-il le folklore français avec *Nous n'irons plus au bois* ? Dans ses articles, il attaque souvent le recours au folklore français, sans citer ouvertement d'Indy qu'il vise pourtant de toute évidence. Pourquoi Debussy décide-t-il de faire de tels emprunts dans trois de ses œuvres ? Le problème n'est pas résolu.

Toutes les questions traitées dans le présent ouvrage soulignent un trait de la vie ou de l'activité de Debussy. Celle des enjeux politiques retient mon attention car Debussy s'est certainement montré patriote, spécialement pendant la Première Guerre mondiale, mais il ne brandissait pas son drapeau à tous les instants de son existence. S'il fut antidreyfusard, c'était sans doute par affinité – ci-inclus l'antisémitisme – avec la classe sociale à laquelle il essayait d'accéder – sans se donner beaucoup de mal, d'ailleurs. Il est difficile de l'oublier quand on compare son activité à celle de Ravel qui, au contraire, fit preuve d'un courage certain, surtout pendant la Grande Guerre, en prêchant pour la liberté de jouer la musique des pays ennemis.

Autrefois, un exercice de rhétorique appelé « Dialogues des morts » consistait à imaginer la rencontre, au-delà des siècles, de personnalités qui n'avaient jamais eu quelque dialogue que ce soit ; par exemple : « Eschyle rencontre Racine sur les bords du Léthé, imaginez leurs échanges sur la nécessité de la Tragédie. » Je me souviens de la difficulté, et même de l'absurdité de ce genre d'exercice ; cependant, il ne serait pas sans intérêt de savoir exactement où on en est aujourd'hui de cette confrontation entre les cultures, au même moment de l'histoire ou bien à travers les siècles. Ainsi pourrait-il en être de ce rendez-vous manqué entre les cultures musicales germanique et française.

Debussy s'est affirmé musicien-français, trait d'union oblige... et cela de plus en plus avec les années, tout spécialement à l'heure de l'hostilité ouverte. On raconte cette anecdote à l'occasion d'une exécution de la *Deuxième Symphonie* de Mahler : il aurait quitté la salle ostensiblement, avec un cigare aux lèvres, pour aller fumer loin de l'hystérie post-romantique[1]. Anecdote, à vrai dire, très controuvée, probablement inventée par Alma Mahler qui n'était pas avare de ce genre d'invention[2]. Quant à Mahler, il dirigea en première audition les *Rondes de printemps* dans un de ses concerts avec le New York Philharmonic ; c'est donc qu'il reconnaissait une qualité certaine à cette musique qu'il faisait découvrir.

À l'autre bout de l'échelle, Debussy écrivait – en privé – à propos de Stravinsky cette phrase surprenante : « Stravinsky lui-même incline dangereusement du côté de Schönberg[3]. » Mais on ne voit pas exactement de quel côté penchait le pilier Stravinsky – si ce n'était, lui donnant cette illusion, la crainte qu'éprouvait Debussy à voir Stravinsky s'impliquer dans le développement d'une musique qu'il n'appréciait pas, sans la connaître vraiment... Ravel, au contraire, exalté par la description que lui en faisait le même Stravinsky, se battait déjà dans les années d'avant guerre pour organiser la première

1. Voir Henry-Louis de La Grange, *Gustav Mahler*, Paris, Fayard, 1984, t. III, p. 686-687.

2. Ce récit est également considéré par François Lesure comme « rocambolesque » (*Debussy*, Paris, Fayard, 2003, p. 324).

3. Lettre de Claude Debussy à Robert Godet, 14 octobre 1913, *Correspondance (1872-1918)*, édition établie par François Lesure et Denis Herlin, annotée par François Lesure, Denis Herlin et Georges Liébert, Paris, Gallimard, 2005, p. 1946.

audition du *Pierrot lunaire* dans le cadre de la Société internationale de musique.

D'autre part, si on considère l'autre versant du problème, Richard Strauss assista à une représentation de *Pelléas et Mélisande* parce qu'il en avait beaucoup entendu parler et que cela l'intéressait de savoir ce que Debussy avait fait d'un texte alors très courtisé par les musiciens. Il semble qu'il soit sorti de la représentation en disant très brutalement : « Est-ce que c'est toujours comme cela ? Rien de plus ?... Il n'y a rien... Pas de musique[1]... » Je doute que ces mots aient été prononcés si crûment, mais il y a un poids réel dans ce résumé plus que succinct.

Il s'agissait non seulement d'une lourde incompréhension mais d'une totale disparité entre ce qui conditionnait le jugement et l'objet jugé. On trouve le même phénomène pour la littérature ou la peinture : Schiele et Klimt étaient tout à fait ignorés en France, et de nos jours encore ils ne bénéficient pas de la même qualité de regard que Picasso ou Matisse. Ils sont considérés comme une sorte de spécialité provinciale, mais pas à la valeur qu'ils représentent réellement.

Il y a donc bien là une connexion qui fonctionne mal. Après la fin de la Seconde Guerre mondiale – par un retour de flamme envers la culture austro-germanique – on a considéré que les musiciens de l'école de Vienne, notamment, avaient poursuivi et maintenu une tradition beaucoup plus innovante que les musiciens ayant travaillé à Paris, où leurs prestations avaient bien peu aidé à ce que la musique adhère à son époque, et participe activement à sa forme. Le fait est que les deux cultures s'ignoraient encore, mais dans le cas de la France avec un sentiment d'infériorité : beaucoup de jeunes musiciens se sont alors précipités, et même d'une façon excessive, c'est-à-dire académique, sur l'école de Vienne pour justifier leurs prises de positions, même celles qui étaient parfaitement contradictoires.

J'aimerais pouvoir conseiller d'étudier l'influence réciproque de ces deux segments culturels, d'analyser l'ignorance affichée et désastreuse suivie d'une obédience rigide, jusqu'à ce que s'établisse un équilibre fragile, mais indispensable, entre imagination formelle et créativité sonore. Un passage très significatif d'une lettre de Diderot à Sophie Volland exprime le tracé de la pensée dans le jugement

1. « Richard Strauss et Romain Rolland. Correspondance et fragments de Journal », *Cahiers Romain Rolland*, n° 3, Paris, Albin Michel, 1951, p. 159-160.

que l'on peut porter soit sur une œuvre soit, plus généralement, sur une époque que l'on découvre. Cette trajectoire pourrait servir de guide d'exploration des liens entre deux cultures, en particulier germanique et française. Diderot explique que face à ce que l'on qualifierait aujourd'hui d'objet culturel nouveau, on pense à l'analyser pour pouvoir le comprendre et expliquer sa nécessité. Vous exposez alors cet objet culturel à la lumière de votre esprit et pensez le posséder pour en faire profit. Vous poursuivez votre investigation et, écrit-il, vous retombez dans l'obscurité la plus totale. Vous essayez vainement de trouver une clef pour aller plus loin. Mais le secret que vous pensez déchiffrer gardera son mystère. C'est ainsi que toute musicologie qui va plus loin que la lettre bute toujours et ne peut que buter sur le secret de la création. Et c'est cela le plus profond de sa force.

Introduction

Myriam Chimènes et Alexandra Laederich

> Je travaille à des choses qui ne seront comprises que par les petits-enfants du vingtième siècle.
>
> Claude Debussy[1]

Les célébrations peuvent fournir prétexte à susciter des manifestations scientifiques et la recherche est ainsi susceptible de se trouver conjuguée à la commémoration. En 1962, un « Comité national pour la célébration du centenaire de Claude Debussy » est institué et présidé par Louis Pasteur Vallery-Radot, alors l'un des rares survivants parmi les amis du compositeur. C'est dans ce cadre que se tient à la Sorbonne le premier colloque monographique consacré au musicien et intitulé *Debussy et l'évolution de la musique au XXe siècle*[2]. L'impulsion donnée par ce rassemblement fondateur contribue à mettre en évidence la progression spectaculaire de la recherche au cours des cinquante dernières années et autorise plus largement à dresser un bilan de l'évolution de l'historiographie debussyste, à l'aune de la notoriété du compositeur et de la réception de son œuvre.

Le présent ouvrage est issu du colloque international organisé à Paris en 2012 à l'occasion du 150e anniversaire de la naissance de

1. Lettre de Claude Debussy à Pierre Louÿs, [22] février 1895, *Correspondance 1872-1918*, édition établie par François Lesure et Denis Herlin, annotée par François Lesure, Denis Herlin et Georges Liébert, Paris, Gallimard, 2005, p. 242.
2. *Debussy et l'évolution de la musique au XXe siècle*, études réunies et présentées par Édith Weber, Paris, Éditions du CNRS, 1965, 365 p.

Claude Debussy. Cette réunion scientifique impliquant des institutions musicales et culturelles de premier plan – la Cité de la musique, le Conservatoire national supérieur de musique et de danse de Paris, l'Opéra-Comique et le Musée d'Orsay – se voulait aussi un écho au colloque de 1962.

Reconnu dès 1884 par l'Institut avec le prix de Rome, Debussy se distingue dans le milieu musical grâce au *Prélude à l'Après-midi d'un faune* et doit sa célébrité à *Pelléas et Mélisande* en 1902 – âgé de quarante ans, il est désormais un compositeur consacré. En contrepoint de l'élargissement de sa production, les indices de sa notoriété sont divers : il est décoré de la Légion d'honneur en 1903, signe un contrat d'exclusivité avec les éditions Durand en 1905, est nommé au Conseil supérieur du Conservatoire en 1909, accorde de nombreuses interviews à des journalistes français et étrangers, jouit d'une audience internationale et engendre les termes « debussysme » et « debussyste ». Outre critiques et articles, il fournit matière à des livres : le premier, centré sur *Pelléas*, paraît aux États-Unis en 1907[1] ; deux biographies sont publiées en 1908, l'une à Londres[2] et l'autre à Edinburgh[3] ; l'année suivante, celle écrite par Louis Laloy est la première en français[4]. Puis, à la suite du succès d'un article de Raphaël Cor intitulé « Debussy et le snobisme contemporain », une enquête paraît en 1909 dans la *Revue du temps présent*, attestant à la fois la singularité de la position de Debussy mais aussi les controverses qu'il déclenche. Compris ou incompris, admiré ou contesté, adulé ou haï, ce musicien est loin de susciter l'indifférence. Les questions posées méritent d'être citées :

> – Quelle est l'importance réelle et quel doit être le rôle de M. Claude Debussy dans l'évolution de la musique contemporaine ?
> – Est-il une individualité originale, seulement accidentelle ?
> – Représente-t-il une nouveauté féconde, une formule et une direction susceptibles de faire école, et doit-il faire école en effet ?

---

1. Lawrence Gilman, *Debussy's Pelléas et Mélisande : a Guide to the Opera*, New York, Schirmer, 1907, 84 p.

2. Louisa [Franz] Liebich, *Claude Achille Debussy*, London, Lane, « Living Masters of Music », 1908, 92 p.

3. William Daly, *Debussy. A Study in modern music*, Edinburgh, Methuen Simpson, 1908, 47 p.

4. Louis Laloy, *Debussy*, Paris, Dorbon, 1909, 113 p.

Cette enquête traduit l'importance accordée à la réception de la musique de Debussy et révèle que sa postérité est déjà envisagée de son vivant. L'article de Raphaël Cor et les réponses recueillies seront repris sous forme d'un livre intitulé *Le Cas Debussy* et publié en 1910[1]. Alors inédite, la fameuse interview de Debussy relative à Wagner y tient lieu en partie de préface. Ernest Ansermet juge que l'influence de Debussy « n'est ni à souhaiter ni à craindre, elle est immanquable ». Quant à Arthur Coquard, il affirme qu'il s'agit d'« un musicien d'une personnalité indiscutable et curieuse, mais purement accidentelle[2] ».

Debussy était assez visionnaire pour pressentir les difficultés de compréhension que poserait son langage. Il prévoyait que ses successeurs n'en découvriraient les mécanismes que tardivement : « Je travaille à des choses qui ne seront comprises que par les petits-enfants du vingtième siècle », écrivait-il à Pierre Louÿs dès 1895, ajoutant que « eux seuls [verraient] que "l'habit ne fait pas le musicien"[3] ». Il n'en fut pas moins reconnu et apprécié à sa juste valeur par certains de ses confrères et notamment de ses cadets, Falla ou Stravinsky en particulier. Debussy meurt le 25 mars 1918, en pleine guerre. Ultime hommage officiel au compositeur : le gouvernement dépêche un ministre pour suivre le convoi funèbre d'un Debussy qui, par nationalisme, a tenu à signer ses dernières œuvres « Claude Debussy, Musicien français ». Cette étiquette sera exploitée. Pendant l'entre-deux-guerres, celui que D'Annunzio avait surnommé « Claude de France » va être récupéré comme un compositeur national, libérateur avant tout de l'emprise wagnérienne sur la musique française.

Dès 1918, moins de six mois après la mort de Debussy, Gaston Gallimard sollicite sa veuve pour publier ses articles en volume et *Monsieur Croche antidilettante* paraît en 1921. En 1920, à l'initiative d'Henry Prunières et vraisemblablement avec les encouragements de Jacques Rivière, *La Revue musicale*, qui paraît sous l'égide de *La NRF*, consacre à Debussy un numéro spécial accompagné d'un supplément musical, le *Tombeau de Claude Debussy*, constitué d'œuvres

1. C.-Francis Caillard et José de Bérys, *Le Cas Debussy*, Paris, Librairie Henri Falque, Bibliothèque du temps présent, 1910, 144 p.
2. *Ibid.* p. 55 et 76.
3. Lettre de Claude Debussy à Pierre Louÿs, [22] février 1895, *Correspondance 1872-1918*, *op. cit.*, p. 242.

inédites commandées spécialement à dix compositeurs, parmi lesquels Ravel, Stravinsky, Falla et Bartók. Puis le culte posthume s'illustre par la décision en 1932 d'ériger deux monuments à la mémoire de Debussy, à Paris celui des frères Martel et à Saint-Germain-en-Laye celui de Maillol. Sous l'Occupation, Debussy est le compositeur français disparu le plus célébré, tout particulièrement en 1942 pour le quarantième anniversaire de la création de *Pelléas* et en 1943 pour le vingt-cinquième anniversaire de sa mort. Repris à l'Opéra-Comique, où est organisée la première exposition consacrée à Debussy, *Pelléas* est enregistré pour la première fois intégralement.

L'étape suivante est amorcée au lendemain de la Seconde Guerre mondiale par les cours d'analyse d'Olivier Messiaen qui constituent une nourriture très appréciée de la nouvelle génération de compositeurs. Ces « petits-enfants du vingtième siècle », au premier rang desquels Pierre Boulez, vont ainsi s'approprier l'œuvre de Debussy, l'analyser et comprendre un langage dans lequel ils décèlent le germe de la musique contemporaine. La prophétie de Debussy se voit ainsi enfin réalisée. Pour Pierre Boulez, « la musique moderne s'éveille à *L'Après-midi d'un faune* » et *Jeux* marque « une date capitale dans l'histoire de l'esthétique contemporaine[1] ». Debussy devient en quelque sorte un initiateur posthume de l'avant-garde. Tous les éléments de sa musique vont être considérés, analysés voire exploités dans leur nouveauté, qu'il s'agisse de l'aspect formel, de l'utilisation du temps ou de la fonction du timbre. On s'aperçoit que *Jeux* et *Le Sacre du printemps* ont été créés par les mêmes Ballets russes dans le même Théâtre des Champs-Élysées à deux semaines d'intervalle et que la nouveauté de *Jeux* a été injustement éclipsée par le scandale déchaîné par *Le Sacre*.

L'intérêt des musicologues et des musiciens se fait jour à l'occasion de l'hommage national rendu à Debussy pour la célébration du centenaire de sa naissance. Relativement importante[2] avant 1962, la bibliographie debussyste comportait déjà les monographies de Léon Vallas, Edward Lockspeiser, Heinrich Strobel et Vladimir Jankélé-

1. Pierre Boulez, « Debussy », *Encyclopédie de la Musique*, Paris, Fasquelle, 1958, repris dans *Relevés d'apprenti*, Paris, Seuil, 1966, p. 336 et 345, rééd. dans *Points de repère,* t. I, *Imaginer*, Jean-Jacques Nattiez et Sophie Galaise (éd.), Paris, Christian Bourgois/Seuil, 1995, p. 211 et 219.

2. Voir Claude Abravanel, *Claude Debussy : a Bibliography*, Detroit, Information coordinators, Detroits Studies in Music Bibliography 29, 1974, 214 p.

vitch ainsi que les livres et articles écrits par des musiciens comme Kœchlin, Maurice Emmanuel, Inghelbrecht, Boulez et Barraqué. En 1962, parmi les participants au colloque du centenaire figurent André Schaeffner, André Souris, Edward Lockspeiser, Stefan Jarociński et François Lesure. Ce dernier, qui a récemment publié son premier article consacré à Debussy, intitulé « Debussy et Stravinsky[1] », fait alors une communication sur « Debussy et Edgard Varèse ». Son propos est nourri par un entretien qu'il a eu avec Varèse et par les lettres de Debussy que Varèse lui a confiées. De manière fort pertinente, Lesure commence par privilégier les sujets nécessitant de recueillir les témoignages de personnalités encore vivantes ayant connu Debussy. À l'issue de ce colloque, Schaeffner, Lockspeiser et Lesure (qui est aussi le commissaire de l'exposition Debussy organisée au même moment à la Bibliothèque nationale), pointent les lacunes qui méritent d'être comblées, en premier lieu l'absence d'un catalogue général de l'œuvre « sérieux et complet » et l'absence d'édition des écrits et de la correspondance générale de Debussy[2]. Jusque-là en effet, des séries de lettres ont été publiées, mais toujours regroupées par destinataires.

À partir de 1962, la bibliographie debussyste s'élargit considérablement. Les aspects les plus divers de l'œuvre de Debussy sont abordés : études techniques de son langage, recherche de méthodes d'analyse, mise en perspective avec la poésie et les arts plastiques, appréciation de son influence, etc. En France de surcroît, le développement de la recherche debussyste va de pair avec le renforcement du statut de la musicologie, discipline qui acquiert son autonomie à l'université, et s'inscrit plus largement dans celui des sciences humaines et en particulier historiques. François Lesure joue un rôle capital, renforcé à partir de 1970 par sa position de directeur du département de la Musique de la Bibliothèque nationale : alors que la cote marchande de Debussy est en pleine ascension, il favorise l'acquisition de manuscrits et contribue ainsi à leur sauvegarde dans les collections patrimoniales. À l'occasion des recherches effectuées pour l'exposition de 1962, il a eu accès à des collections privées qui conservaient des sources précieuses. Le premier fruit de cette

1. François Lesure, « Debussy e Stravinski », *Musica d'Oggi*, n° 6, Milan, Ricordi, juin 1959, p. 242-244, repris dans les *Cahiers Debussy*, n° 35, 2011, p. 5-8.
2. « À propos de la publication des lettres de Debussy. Discussion », *Debussy et l'évolution de la musique au XXe siècle*, *op. cit.*, p. 361-363.

récolte est l'édition d'un numéro spécial de la *Revue de musicologie* contenant des « Textes et documents inédits[1] ». François Lesure va ensuite réunir et publier les écrits[2], éditer le catalogue de l'œuvre[3] et en fac-similé les esquisses de *Pelléas*[4] qui illustrent pour la première fois le processus de composition, et une iconographie[5] – ouvert à l'étude des relations entre Debussy et les arts visuels, il est également commissaire avec Guy Cogeval de l'exposition *Debussy e il Simbolismo* organisée en 1984 à la villa Médicis[6]. Et il commence sa longue collecte de lettres en vue de la publication de la correspondance générale – deux volumes successifs de correspondance choisie en forment les étapes[7], et sa mort en 2001 l'empêchera d'achever lui-même et de voir publié le fruit de nombreuses années de recherche[8]. Au début des années 1990, François Lesure s'autorise enfin à écrire une *Biographie critique* de Debussy[9]. Par ailleurs, il crée dès 1972 le Centre de documentation Claude Debussy, destiné aux chercheurs spécialisés, et les *Cahiers Debussy* qui se fixent pour but de témoigner de l'état de la recherche debussyste dans les domaines

---

1. « Claude Debussy, Textes et documents inédits », numéro spécial de *La Revue de musicologie*, édité par François Lesure, Paris, Société française de musicologie, Heugel et Cie, 1962, 143 p.
2. Claude Debussy, *Monsieur Croche et autres écrits*, Paris, Gallimard, 1971, 332 p.
3. François Lesure, *Catalogue de l'œuvre de Claude Debussy*, Genève, Minkoff, 1977, 167 p.
4. Claude Debussy, Esquisses de *Pelléas et Mélisande* publiées en fac-similé, introduction de François Lesure, Genève, Minkoff, 1977.
5. François Lesure, *Iconographie musicale Debussy*, Minkoff-Lattès-Congdon, 1980, 189 p.
6. Voir le catalogue *Debussy e il Simbolismo*, Rome, Fratelli Palombi Editori, 1984, 297 p. Ces travaux ont été poursuivis par Jean-Michel Nectoux, en particulier dans son ouvrage *Harmonie en bleu et or, Debussy, la musique et les arts*, Paris, Fayard, 2005, 256 p.
7. Claude Debussy, *Lettres 1884-1918*, réunies et présentées par François Lesure, [édition illustrée], Paris, Hermann, 1980, 293 p. et Claude Debussy, *Correspondance 1884-1918*, réunie et présentée par François Lesure, Paris, Hermann, coll. Savoir : sur l'art, 1993, 399 p.
8. Claude Debussy, *Correspondance* (*1872-1918*), édition établie par François Lesure et Denis Herlin, annotée par François Lesure, Denis Herlin et Georges Liébert, Paris, Gallimard, 2005, 2330 p.
9. François Lesure, *Claude Debussy avant* Pelléas *ou les années symbolistes*, Paris, Klincksieck, 1992, 262 p. et *Claude Debussy*, Biographie critique, Paris, Klincksieck, 1994, 498 p., réédition augmentée du catalogue de l'œuvre, Paris, Fayard, 2003, 614 p.

musicologique, historique et esthétique. En 1983, lorsque l'œuvre de Debussy tombe dans le domaine public, François Lesure entreprend, avec le soutien de l'État, l'Édition critique des œuvres complètes de Debussy, qui se trouve ainsi placée sous le haut patronage du ministère de la Culture, de la Bibliothèque nationale et du CNRS. L'édition critique, dont la vocation essentielle est de fournir un outil aux interprètes, offre aussi de nouvelles perspectives de recherches. Comme en littérature, l'étude génétique des sources permet désormais d'appréhender l'œuvre à la lumière des manuscrits préparatoires. Heureux bénéficiaires des chantiers qu'il avait ouverts, tous les debussystes sont aujourd'hui redevables à François Lesure, légitimant ainsi l'hommage que lui rend ce livre.

Du chercheur reconnu au doctorant, les participants au colloque Debussy de 2012[1] et contributeurs au présent ouvrage ont ainsi proposé d'approfondir la réflexion sur des sujets variés et, forts de problématiques inédites, d'apporter des éclairages neufs sur le créateur et sur son œuvre, la pluridisciplinarité procurant en outre un enrichissement considérable. De l'étude de la figure du personnage, dans ses dimensions politique, sociale et littéraire, à celle de la réception, de la postérité et de l'influence de sa musique, en passant par l'examen de ses procédés de composition, l'analyse spécifique de certaines de ses œuvres et l'écoute de ses propres enregistrements, il résulte un corpus de textes constituant un éventail significatif de l'état actuel de la recherche debussyste et ouvrant de nouvelles perspectives.

Parmi celles-ci, l'approche d'historiens de la culture et de la littérature. Conjuguée à celle de la littérature *musicologique* et *musicale* publiée dans les trente années qui suivent sa mort, la lecture des écrits de Debussy permet à Pascal Ory d'étudier le destin mémoriel du compositeur et de son œuvre au regard de l'usage posthume de la formule « Claude de France », tout en pointant le duel symbolique entre ce « génie national » et Wagner. Pendant la Grande Guerre, la musique est la seule arme de Debussy et Annette Becker rend justice au compositeur en expliquant notamment que, loin d'être exagérées, les paroles de l'emblématique *Noël des enfants qui n'ont plus de maison* se font l'écho de réalités dont il était alors bien informé.

1. Pour des motifs divers, quelques participants au colloque n'ont pas souhaité ou pas eu la possibilité de publier leur communication dans ce livre.

Notant que Debussy et Maurice Barrès sont nés à trois jours de distance, Philippe Gumplowicz rappelle que, succédant à sa passion wagnérienne, le nationalisme culturel de Debussy date de 1902 et il s'interroge en particulier sur l'utilisation paradoxale que le compositeur fait du ragtime. Christophe Prochasson, quant à lui, constate que la musique est curieusement absente de la pensée politique des socialistes et révèle que Marcel Sembat, l'un des rares à exprimer ses goûts musicaux, proclame son enthousiasme pour *Pelléas*.

Debussy était un musicien particulièrement curieux des autres formes d'expression artistique et littéraire. S'il fréquenta nombre de peintres, sculpteurs et écrivains, il eut l'occasion de croiser Proust sans pour autant le compter au nombre de ses relations. En rappelant que l'auteur d'*À la recherche du temps* perdu s'impose parmi les écrivains mélomanes, Jean-Yves Tadié met au jour la proximité entre les deux créateurs, dont il brosse un portrait croisé, et il analyse la parenté entre leurs œuvres. D'autre part, Timothée Picard observe que, devenu lui-même sujet d'inspiration, Debussy fournit régulièrement matière, dans la littérature de la fin du XIXe siècle à nos jours, à la construction de personnages de fiction.

L'enregistrement sonore, qui vient bouleverser la carrière des musiciens, constitue une source complémentaire fondamentale qui mérite d'être interrogée et exploitée, d'autant plus lorsque le compositeur est son propre interprète. Les musicologues ne peuvent ignorer cette réalité et se doivent de prendre en compte ces archives précieuses à la fois par ce qu'elles enseignent de la tradition de l'interprétation et par ce qu'elles sont susceptibles d'apporter à l'édition critique. Plusieurs contributions le prouvent, la chronologie de l'invention du disque coïncidant suffisamment avec celle de l'activité de Debussy, comme le souligne Élizabeth Giuliani, qui note qu'historiquement l'interprétation de ses œuvres est généralement jugée à l'aune d'un génie national. Jumelée à l'étude des partitions et comparée éventuellement à des interprétations postérieures, l'écoute attentive des enregistrements pré-électriques effectués en 1904 par Debussy et Mary Garden, enregistrements historiques aujourd'hui reportés sur CD, fournit matière à réflexion à David Grayson, à Roy Howat et à Mylène Dubiau-Feuillerac avec des approches différentes. L'air « Mes longs cheveux » ainsi que trois des *Ariettes oubliées* offrent la possibilité d'entendre Debussy au piano. Elles révèlent aussi les aménagements spéciaux auxquels se livre le compositeur lorsqu'il grave des extraits de *Pelléas*. Mais à quel point les libertés prises par les deux interprètes communiquent-elles l'interprétation « idéale » souhaitée par le compositeur, eu égard à la mauvaise qualité sonore et aux limites techniques ?

Cortot, cadet de quinze ans de Debussy, se fait son interprète dans ses enregistrements, comme dans ses concerts et ses écrits. François Anselmini note qu'après la mort du compositeur, cet ardent germanophile aborde ses œuvres pour défendre l'idée, nouvelle pour lui, selon laquelle la musique est devenue le domaine d'excellence de l'art français et s'emploie à faire connaître cet art du piano sur le point de disparaître. Jumelant l'étude des sources avec des témoignages de professeurs assurant la filiation, Marie Duchêne-Thégarid et Diane Fanjul montrent que cette tradition de l'interprétation trouve son lieu d'élection au Conservatoire de Paris, où quelques pédagogues ne négligent pas le recours aux enregistrements historiques. En s'attachant à comparer le langage musical de Debussy avec celui, chorégraphique, de Nijinsky, Gianfranco Vinay traite pour sa part d'une autre forme d'interprétation, celle offerte par la danse.

Les interprètes sont aujourd'hui les premiers bénéficiaires des progrès accomplis par les musicologues dans la recherche et l'identification des sources musicales. Paolo Dal Molin s'interroge sur le classement et l'étude des documents de genèse des œuvres de Debussy – depuis les esquisses, ébauches, brouillons préliminaires partiels et plus ou moins raturés jusqu'à l'état final du manuscrit livré à l'éditeur. La reconstitution de la chronologie nourrit tant les études historiques que celles de la fabrique de la musique. Il est arrivé à Debussy de remettre sur le métier une œuvre qu'il jugeait non aboutie. Marianne Wheeldon prend l'exemple des *Chansons de Charles d'Orléans*, qui s'inspirent du genre de la chanson du XVIe siècle et dont la version de 1898 est remaniée en 1908, passant de deux chœurs écrits pour amateurs à trois chœurs *a cappella*. Ce recyclage illustre la volonté du compositeur, alors à l'apogée de sa carrière, de contrer les jugements selon lesquels sa musique était réduite à une série de formules, de réfuter en quelque sorte le debussysme.

L'analyse musicale, pratiquée ici sous diverses formes, éclaire l'œuvre de Debussy : comparative pour Adrien Bruschini et Jean-Louis Leleu qui mettent en regard les *Proses lyriques* (dont Debussy signe à la fois le texte et la musique) et les *Serres chaudes*, recueil contemporain composé par l'ami Ernest Chausson sur des poèmes de Maeterlinck ; comparative encore avec l'étude de Marie Rolf qui rapproche la version initiale inédite et celle définitive de *Colloque sentimental* ; herméneutique enfin avec Jonathan Dunsby qui élabore une analyse du *Tombeau des Naïades* mettant notamment en évidence l'influence de Wagner.

Les liens entre la musique de Debussy et celles du passé se révèlent aussi, comme le montre Richard Langham Smith, dans le choix des titres de ses œuvres : en témoigne le terme « prélude » utilisé pour des œuvres orchestrale (*Prélude à l'Après-midi d'un faune*) ou pianistique (24 *Préludes* pour piano) et qui est une allusion à Bach et à Chopin mais aussi aux clavecinistes – et il tente d'élucider les liens originels entre la *Diane au bois* de Banville, *L'Après-midi d'un faune* de Mallarmé et la célèbre œuvre de Debussy. Par ailleurs, Rameau est élu père de la musique française classique par Debussy ; l'association Rameau-Debussy a connu une fortune que Julien Dubruque et Jean-Claire Vançon examinent en remettant en cause quelques lieux communs musicaux ou idéologiques. Cette résurrection de la musique du passé est à l'œuvre dans *Pelléas et Mélisande* qui se situe dans un Moyen Âge fictif. Opéra gothique ? Matthew Brown rappelle que Debussy était un grand amateur d'Edgar Poe et il précise que la structure formelle de *La Chute de la maison Usher* (qui fournit plus tard matière à un livret d'opéra inachevé) sert de modèle à *Pelléas et Mélisande* ; décrivant l'influence de l'histoire d'horreur gothique sur l'œuvre de Maeterlinck et de Debussy, il explique également pourquoi la musique de Debussy a pu être utilisée par Alfred Hitchcock.

Même si *Pelléas et Mélisande* a déjà largement alimenté la littérature musicologique, certains aspects méritent encore d'être étudiés, à la lumière parfois de sources inédites. Cette œuvre clé dans l'histoire de l'opéra s'inscrit, selon Gianmario Borio, dans le développement du théâtre d'avant-garde au XXe siècle et y joue un rôle important. S'appuyant sur des sources de mise en scène, Michela Niccolai montre que la production de l'œuvre constitue un point de non-retour dans le domaine de l'esthétique musicale et visuelle et qu'Albert Carré utilise en particulier la présence ou l'absence de lumière pour caractériser les personnages et souligner ainsi leur psychologie.

La fortune critique de Debussy et la richesse de l'historiographie le concernant autorisent divers types d'études. Après la mort du compositeur, des débats virulents opposent Henry Prunières, Léon Vallas et Émile Vuillermoz, trois musicologues et journalistes de premier plan ; Barbara L. Kelly s'interroge sur les enjeux mémoriels qu'ils traduisent en mettant l'accent sur la possible légitimité tirée de la fréquentation personnelle du compositeur. Nicolas Southon centre pour sa part son propos sur la douzaine de textes qu'André Schaeffner, qui se définissait lui-même comme « auditeur de Debussy », lui consacre, contribuant à faire évoluer la recherche debussyste vers la scientificité – François Lesure le qualifiait de « rénovateur des études debussystes ».

Poursuivant les travaux suscités à partir des années 1980 par François Lesure à destination des *Cahiers Debussy*, Sylvia Kahan, Renata Suchowiejko, Justine Comtois et Michel Rapoport offrent trois types d'approche de la réception et de la diffusion de la musique de Debussy à l'étranger, du vivant du compositeur et après sa mort, qu'il s'agisse de sa réception critique aux États-Unis dès 1884, de la manière dont Debussy s'inscrit à partir de 1901 dans le débat des artistes polonais en quête d'identité et du rôle qu'il joue dans le renouvellement musical italien dû à la *generazione dell'ottanta* dans la première moitié du XXe siècle, ou de la présence marquée du compositeur qui apparaît depuis 1904 comme l'une des figures françaises majeures des *Proms* de Londres.

Inscrit dans la postérité du compositeur, le travail pionnier et méconnu entrepris dès 1920 par le théoricien viennois Ernst Kurth sur la musique de Debussy est présenté par Jean-Louis Leleu qui en évalue la portée historique. L'influence de Debussy plane sur l'univers de nombreux compositeurs et Messiaen n'y échappe pas, analysant inlassablement *Pelléas et Mélisande*, œuvre qu'il vénère d'autant plus qu'elle aurait décidé de sa vocation de compositeur. S'appuyant sur un précieux exemplaire annoté pendant ses cours, Yves Balmer et Christopher Brent Murray rappellent que la musique de Debussy constitue une source dans laquelle Messiaen puise pour nourrir son propre travail créatif. Dans le sillage de Messiaen, le compositeur d'obédience sérielle Jean Barraqué introduit grâce à son analyse systématique de *La Mer* une dialectique féconde présentée par Laurent Feneyrou. Quant à Anne-Sylvie Barthel-Calvet, elle étudie la position restée assez méconnue de Xenakis à l'égard de Debussy, qu'il découvre en 1944, mais qui, plus tardivement, contribue à lui permettre d'élaborer une théorie des structures temporelles dans laquelle sa conception du temps musical doit beaucoup à Debussy. Lauréat du Prix de Rome, Debussy n'en affirmait pas moins son hostilité à cette « fameuse tradition[1] ». Son influence est pourtant

1. Claude Debussy, *Monsieur Croche et autres écrits, op. cit.*, p. 289.

persistante au sein de cette institution. Malika Combes étudie ainsi la référence debussyste chez les compositeurs français séjournant à la villa Médicis depuis sa réforme en 1968 : Debussy y constituerait un rempart à l'attrait du sérialisme.

Debussy découvre les musiques extra-européennes à l'occasion de l'Exposition universelle de 1889. En examinant soigneusement la *Fantaisie*, Michael Fend souligne la manière dont il assimile des codes musicaux différents et s'inspire de procédés compositionnels qu'il juge infiniment plus élaborés que ceux de la musique occidentale. Inversement, Mauro Fosco Bertola montre l'influence du style de Debussy sur Toru Takemitsu, qui favorise ainsi dans la deuxième moitié du XXe siècle un dialogue entre l'Est et l'Ouest.

Par-delà la distinction entre deux conceptions du monde à la fois opposées et complémentaires, Debussy, personnalité entière s'il en fut mais non moins pétrie de contradictions, ouvre la voie à une musique universelle qui, surmontant les particularités, contribue, selon les termes de Takemitsu, à une « compréhension mutuelle interculturelle ». Cette musique est désormais si largement diffusée que « Clair de lune », extrait de la *Suite bergamasque*, fait aujourd'hui figure de « tube » international, qu'il illustre des films hollywoodiens ou soit gratuitement téléchargeable sur Internet pour servir de sonnerie aux téléphones portables…

Remerciements

Pierre Boulez, président du Centre de documentation Claude Debussy, a accepté d'ouvrir le Colloque Debussy réuni à Paris en 2012 avant d'écrire la préface du livre qui en résulte. Nous tenons à lui exprimer notre très profonde reconnaissance.

Au sein du comité scientifique constitué pour la programmation de ce colloque nous étions entourées de musicologues et d'historiens dont l'expertise a été précieuse : Esteban Buch, Rémy Campos, Denis Herlin, Emmanuel Hondré, Catherine Massip, Pascal Ory, Talia Pecker-Berio, Christophe Prochasson, Marie Rolf et Manuela Schwartz. Nous leur témoignons notre gratitude.

Le Colloque Debussy s'est tenu du 2 au 5 février 2012 à Paris : nous remercions vivement pour leur accueil Laurent Bayle à la Cité de la Musique, Bruno Mantovani au Conservatoire national supérieur de musique et de danse de Paris, Jérôme Deschamps à l'Opéra-Comique et Guy Cogeval au Musée d'Orsay. Nous associons à ces remerciements celles et ceux qui ont joué un rôle essentiel dans la bonne organisation de cet événement : Florence Gétreau, Cécile Grand, Martine Kauffman, Pierre Korzilius, Cédric Segond-Genovesi et Agnès Terrier.

Ce volume a bénéficié du soutien du ministère de la Culture et de la Communication (Mission aux Commémorations nationales et Direction générale de la création artistique), du Centre de documentation Claude Debussy, de l'Institut de recherche sur le patrimoine musical en France (CNRS/BnF/ministère de la Culture) ainsi que d'Eastman School of Music, Université de Rochester (États-Unis) qui a financé la traduction de trois textes.

Il convient de souligner que Sophie Debouverie nous a spontanément proposé d'accueillir les actes de ce colloque dans la collection qu'elle dirige aux éditions Fayard. Attentive et exigeante, elle a apporté tous les soins nécessaires à la qualité de réalisation de cet ouvrage. Nous l'en remercions très chaleureusement.

Ont collaboré à cet ouvrage

François ANSELMINI, agrégé d'histoire, attaché temporaire d'enseignement et de recherche à l'Université de Caen Basse-Normandie, doctorant à l'Université Paris I-Panthéon Sorbonne.

Yves BALMER, maître de conférences et directeur du département des arts à l'École normale supérieure de Lyon et professeur d'analyse musicale au Conservatoire national supérieur de musique et de danse de Paris.

Anne-Sylvie BARTHEL-CALVET, maître de conférences en musicologie du XXe siècle à l'Université de Lorraine.

Annette BECKER, professeure d'histoire contemporaine à l'Université Paris-Ouest-Nanterre.

Mauro Fosco BERTOLA, enseignant en musicologie à l'Université de Heidelberg (Allemagne).

Gianmario BORIO, professeur de musicologie à l'Université de Pavie (Italie).

Matthew BROWN, professeur de théorie musicale à Eastman School of Music, Université de Rochester (États-Unis).

Adrien BRUSCHINI, doctorant en musicologie à l'Université de Nice.

Malika COMBES, doctorante au Centre de recherche sur les arts et le langage/EHESS, ingénieur de recherches, ANR Hermès/Université Paris 7-Denis Diderot.

Justine COMTOIS, docteur en musicologie.

Paolo DAL MOLIN, chercheur en musicologie et littérature comparée au Dipartimento di Storia, Beni culturali e Territorio de l'Università degli studi di Cagliari (Italie) dans le cadre du programme ministériel « Rita Levi Montalcini ».

Mylène Dubiau-Feuillerac, professeur agrégée en musique à l'Université de Toulouse.

Julien Dubruque, professeur de latin et de grec en lettres supérieures au Lycée Victor Hugo (Paris) et responsable éditorial au Centre de musique baroque de Versailles.

Marie Duchêne-Thégarid, doctorante en musicologie à l'Université François Rabelais de Tours.

Jonathan Dunsby, professeur de théorie musicale à Eastman School of Music, Université de Rochester (États-Unis).

Diane Fanjul, doctorante en musicologie à l'Université de Lille 3.

Michael Fend, Reader in Musicology at King's College London (Angleterre).

Laurent Feneyrou, chargé de recherches au CNRS (laboratoire STMS, CNRS/Ircam/Université Pierre et Marie Curie).

Élizabeth Giuliani, directrice du département de la musique de la Bibliothèque nationale de France.

David Grayson, professeur de musicologie à l'Université du Minnesota (États-Unis).

Philippe Gumplowicz, professeur de musicologie à l'Université d'Evry Val d'Essonne.

Roy Howat, Keyboard Research Fellow at Royal Academy of Music London (Angleterre).

Sylvia Kahan, professeur de musique au Graduate Center, City University de New York (États-Unis).

Barbara L. Kelly, professeur de musicologie et directrice de recherche en sciences humaines à l'Université de Keele (Angleterre).

Richard Langham Smith, Research Professor at Royal College of Music London (Angleterre).

Christopher Brent Murray, post-doctorant en musicologie à l'Université libre de Bruxelles (Belgique).

Michela Niccolai, chargée de recherche et de catalogage à la Bibliothèque historique de la Ville de Paris.

Pascal Ory, professeur d'histoire à l'Université Paris I-Panthéon Sorbonne.

Timothée Picard, professeur de littérature générale et comparée à l'Université Rennes 2 et membre de l'Institut universitaire de France.

Christophe Prochasson, directeur d'études à l'EHESS-CESPRA.

Michel Rapoport, professeur honoraire d'histoire contemporaine de l'Université Paris Est-Créteil et chercheur associé au Centre de recherches en histoire européenne comparée (CRHEC) et au Centre d'histoire culturelle des sociétés contemporaines.

Marie Rolf, directeur associé et professeur de théorie musicale à Eastman School of Music, Université de Rochester (États-Unis).

Nicolas Southon, docteur en musicologie.

Renata Suchowiejko, professeur de musicologie et responsable de la Section Méthodologie et histoire de la musique XIX-XXIe siècles à l'Universite Jagellonne de Cracovie (Pologne).

Jean-Yves Tadié, professeur émérite de littérature française à l'Université de Paris-Sorbonne.

Jean-Claire Vançon, docteur en musicologie, professeur agrégé à l'Université Paris-Sud et conseiller artistique à l'Ariam Île-de-France.

Gianfranco Vinay, maître de conférences en musicologie à l'Université de Paris 8-Saint Denis.

Marianne Wheeldon, professeur associé de théorie musicale à l'Université du Texas à Austin (États-Unis).

Abréviations

Correspondance	Claude Debussy, *Correspondance (1872-1918)*, édition établie par François Lesure et Denis Herlin, annotée par François Lesure, Denis Herlin et Georges Liébert, Paris, Gallimard, 2005, 2330 p.
Monsieur Croche	Claude Debussy, *Monsieur Croche et autres écrits*, introduction et notes de François Lesure, édition revue et augmentée, Paris, Gallimard, 1987, 362 p.
Lesure, *Debussy*	François Lesure, *Claude Debussy*, Paris, Fayard, 2003, 614 p.
Cahiers Debussy	*Cahiers Debussy*, Paris, Centre de documentation Claude Debussy.

Politique et littérature

Debussy, c'est la France ?
Destins d'une musique et d'un auteur dans la littérature *musicologique* et *musicale* française, d'une fin de guerre à l'autre (1918-1949)

Pascal Ory

Mon propos ne sera pas ici celui d'un musicologue, encore moins d'un historien de la musique, mais d'un historien de la culture. Cette histoire culturelle n'est pas une sorte de version élargie de l'histoire « des arts » – comme, au reste, de l'histoire « des sciences » ou de l'histoire « des idées » –, mais comme une histoire de la société appréhendée au travers de ses représentations, donc de ses pratiques, qui vont de l'équation mathématique à la bande dessinée en passant par la sonate. Au sein de l'histoire culturelle, l'un des défis les plus urgents est celui qui vise à construire une histoire de la mémoire culturelle, autrement dit l'analyse de la circulation dans le temps des objets culturels. En l'espèce, il s'agira ici d'interroger le destin d'un *auteur* et/ou de ses *œuvres* – notions elles-mêmes problématiques, qu'on n'interrogera pas plus outre –, œuvres (au pluriel) et auteur (au singulier) constituant tous ensemble *un* œuvre. L'intérêt porté à la mémoire culturelle est fondé sur un constat simple, voire trivial, à savoir que la relation qu'une société entretient avec une œuvre qui sur la durée s'y enracine est *ipso facto* une relation a posteriori, un rapport de contemporanéité décalée. Le phénomène est sensible dans le domaine artistique, et tout particulièrement en matière de musique, le cas extrême étant sans doute atteint avec le public actuel de l'opéra, qui peut fort bien ignorer souverainement la création lyrique de son temps tout en manifestant une connaissance précise et exigeante du « répertoire ».

Dans cette analyse précisons, d'une part, qu'il ne s'agit nullement de se limiter à ce que l'histoire classique des arts connaît bien, à savoir la « fortune critique » – l'histoire de la mémoire culturelle pure et parfaite intégrerait en effet toutes les formes mémorielles, allant de l'article de journal à la dénomination de voie publique – et, d'autre part, que le destin ultime d'un œuvre est, bien entendu, dans son écho au sein de l'œuvre des pairs, cadets et successeurs, une heure, un siècle ou un millénaire après son surgissement. Cette dimension proprement musicale ne sera pas retenue ici[1]. Reste que les destins mémoriels sont de poids très variable. Non seulement leur importance générale n'est pas sans lien avec celle accordée à l'œuvre elle-même, mais encore il en est qui suscitent plus que d'autres ce qu'on pourrait appeler l'émotion sociale. Et c'est là que Claude Debussy apparaît clairement comme un exemple achevé de vie posthume bien remplie, dans laquelle quantité d'acteurs de l'histoire auront investi leurs propres intérêts, lui conférant par là une contemporanéité très riche, renouvelée d'âge en âge. Il y a un « cas Debussy », situable essentiellement sur le terrain métonymique[2]. Car ce n'est pas donné à tout le monde d'être devenu de son vivant – avec l'aide d'un poète étranger – « Claude de France », et de l'être si bien resté au-delà[3].

La question de l'instrumentalisation de la figure de Debussy sous l'Occupation, et par les trois principaux camps politiques qui se partagent le champ musical comme ils se partagent tous les autres champs de la société de l'époque (les vichystes, les collaborationnistes et les résistants), est désormais bien connue grâce aux travaux de Yannick Simon[4] et, plus récemment encore, de Sara Iglesias[5]. Cet

1. À ce stade il importe de rendre hommage à deux collègues qui, en France et sur le terrain de la musique, ont remarquablement œuvré dans ce domaine et dans cet esprit : Esteban Buch et Joël-Marie Fauquet.

2. Ce qui le distingue, par exemple, de la vie posthume d'un Albéric Magnard ou d'un Granados – pour citer deux noms de compositeurs morts eux aussi pendant la Première Guerre mondiale et, au reste, morts de cette guerre.

3. Voir Barbara L. Kelly, « Debussy and the making of a *musicien français* », dans *French Music, Culture and National Identity*, Barbara L. Kelly (dir.), Rochester, University of Rochester Press, 2008, p. 58-76.

4. Yannick Simon, « Claude de France, notre Wagner. Le culte de Debussy sous l'Occupation », *Cahiers Debussy*, n° 30, 2006, p. 5-26.

5. Sara-Elena Iglesias-Munoz, *Science, musique, politique : la musicologie française sous l'Occupation, 1940-1944*, thèse de doctorat en co-tutelle sous la direction d'Esteban Buch et Hermann Danuser, soutenue le 30 novembre 2011 à l'EHESS, 427 p.

épisode à la fois très court et très dense illustre la perspective plus générale qui sera développée ici : de tous les compositeurs français du XXe siècle – et peut-être de tous les siècles – Debussy est celui qui aura suscité le plus de discours métonymiques l'assimilant à l'essence même du génie national.

Crainte de trop embrasser, j'avancerai ce qui suit sous la réserve de trois restrictions :

– Considérant que le passage de vie à trépas des héros culturels les reconfigure *ipso facto*, je me limiterai à la vie posthume de Claude Debussy, étant bien entendu qu'elle est éclairée par la glose anthume, elle-même double : celle des commentateurs et celle de l'auteur lui-même – Debussy ne fut pas de la catégorie des artistes taiseux.

– Considérant que le terrain à explorer est déjà assez vaste ainsi, je me limiterai aux effets de discours : riche corpus, mais qui n'épuise évidemment pas le champ du mémoriel. Ainsi y aurait-il beaucoup à tirer de l'analyse des programmations de concerts, des programmations radiophoniques, des stratégies discographiques, etc.

– Enfin, considérant que la tonalité discursive dominante appliquée au cas Debussy est celle du rapport à l'identité nationale, je me suis limité à l'espace chronologique s'étendant des derniers temps de la Première Guerre mondiale aux premiers lendemains de la Seconde, avançant l'hypothèse que ces derniers constituent la fin d'un cycle – et, par là même, le début d'un autre.

Modes de mémoire

La « disparition » d'un auteur qui aura été de son vivant remarqué – et, plus encore, discuté – entraîne communément dans les premiers temps qui la suivent un surcroît d'« apparitions ». Dans le cas qui nous occupe la période délimitée est celle où se constitue une bibliothèque debussyste digne de ce nom, composée des apports de la littérature *musicologique* (scientifique ou supposée telle) comme de la littérature *musicale* (esthétique ou supposée telle). Mais la nature spécifique de la mémoire debussyste va, dès les premières heures de sa vie posthume, susciter l'établissement de gloses allant bien au delà des frontières du « monde musical », faisant entrer en jeu aussi bien la société civile – par le biais, par exemple, de la presse généraliste –, que la société politique – dans sa fonction symbolisante.

On connaissait jusqu'à présent surtout la littérature musicale, celle des prises de position de compositeurs ou d'interprètes, d'une part, des essayistes et des critiques, de l'autre. En matière de glose posthume, l'archétype en est fourni par le Jean Cocteau du *Coq et l'Arlequin*, daté du 19 mars 1918 mais publié après la mort de Debussy. L'auteur y stigmatise Wagner mais n'épargne pas le Français, en vertu du syllogisme : « Debussy a dévié, parce que de l'embûche allemande, il est tombé dans le piège russe[1] », il exalte Satie et « sa petite route classique », qu'il associe à Ingres – quand Debussy est associé à Claude Monet –, il appelle à « reprendre le fil perdu dans le labyrinthe germano-slave », puisque aussi bien « Wagner, Stravinsky et même Debussy, sont de belles pieuvres[2] » de l'enlacement desquelles il importe que la jeune musique française se libère. Reste que le plus important tient surtout à la faible prescriptibilité d'un tel manifeste, signé non d'un compositeur mais d'un poète. Quand l'une des têtes pensantes du groupe des Six, baptisé en 1919, Georges Auric, rendra compte au début de 1921 dans *La NRF* de la représentation de *Jeux* par les Ballets suédois[3], il en profitera pour saluer « le *Prélude à l'Après-midi d'un faune*, les *Nocturnes*, les *Chansons de Bilitis*, *Pelléas* » « ce qui sauva vraiment la musique française ». Même si c'est pour ajouter : « Oublions un instant que c'est ce qui, hier, faillit la perdre » ; tout ici est dans le « hier » : par définition, Auric écrit aujourd'hui. Debussy, compositeur d'avant-hier, peut être devenu « un poncif nouveau » : il « permettait en tout cas à une musique de France de grandir en liberté » – on aura noté « musique de France » –, en un mot c'est un aîné allié qui nous est décrit là par un des jeunes-turcs du moment, le libérateur des « disciplines fatales » qui ont nom, elles, « Beethoven, Wagner, sonates, grands opéras ».

À partir de là, si le discours artiste dans son style 1920 exprime de telles prémisses, on n'est pas autrement surpris de les retrouver durcies dans le discours musicologique. Soit un ouvrage intitulé *Panorama de la musique contemporaine*, publié en 1928 aux éditions Kra. Son auteur intitule son premier chapitre « Sous le signe du "national" » (guillemets compris) et ses trois premières phrases sont : « Longtemps l'on a cru que la musique n'était qu'un langage international. Mais

---

1. Jean Cocteau, *Le Coq et l'Arlequin*, Paris, Éditions de la Sirène, 1918, p. 28.
2. Jean Cocteau, *Le Coq et l'Arlequin*, *op. cit.*, p. 30.
3. *La Nouvelle Revue Française*, n° 88, janvier 1921, p. 103.

chaque race a son style musical. Parce que durant des siècles ce fut la langue musicale allemande ou la langue musicale italienne que parlèrent les compositeurs du monde entier, on en voulait conclure à l'internationalisme des sons. » On saisit déjà à ce stade quelques linéaments du raisonnement nationaliste : non seulement il importe de nationaliser le musical, mais il se nationalise tout seul. En un mot, la modernité est nationale, l'internationalisme est obsolète. Et c'est ainsi que le temps est venu d'une hégémonie française.

L'auteur de ce commencement en fanfare est un jeune homme qui saura faire entendre sa voix, assez singulière, pendant encore une vingtaine d'années : André Cœuroy[1]. Mais il importe de se rappeler qu'un tel ton, une telle argumentation sont alors présents dans tous les domaines de la culture française. C'est, par exemple, le cas au grand Congrès international d'histoire de l'art tenu à Paris en 1921 – sans un Allemand mais avec une section Musique[2]. La suite des événements a fait oublier à quel point l'entre-deux-guerres et, pour commencer, les années 1920 ont été le temps d'un apogée des certitudes culturelles françaises, au lendemain d'une guerre longue et atroce qui s'était terminée par une victoire, sanglante mais indéniable. C'est à cette lumière qu'il faut interpréter les discours proprement appliqués à Debussy.

Prenons, à titre d'exemple, la première monographie classique publiée après la mort du héros, œuvre de Léon Vallas, et parue en 1926[3]. Notons déjà le nom de l'éditeur, Plon, nettement marqué à cette époque au sceau du patriotisme voire du nationalisme[4] ; notons aussi que Vallas publie ce *Claude Debussy* en le faisant suivre, quelques mois plus tard, par un autre livre intitulé *Les Idées de Claude Debussy, musicien français* et paru, lui, à la Librairie de France, éditeur encore plus connoté en ce sens. Quand il s'agit d'aborder la relation de

1. Que les travaux de Philippe Gumplowicz commencent à éclairer avec précision. Voir *Les Résonances de l'ombre. Musique et identité, de Wagner au jazz*, Paris, Fayard, 2012, 321 p.

2. Voir Pascal Ory, « Entre délectation et cours du soir. Le débat muséal français juste avant l'ère des masses », *La Culture comme aventure*, Paris, Complexe, 2008, p. 53-70.

3. Léon Vallas, *Debussy*, Paris, Plon, 1926, 189 p. et *Les Idées de Claude Debussy, musicien français*, Paris, Éditions musicales de la Librairie de France, 1927, 252 p.

4. En train de devenir le grand éditeur des « militaires sachant écrire » (ou se faire écrire) – ce sera, par exemple, à partir de 1938, l'éditeur de Charles de Gaulle.

Debussy à la nation, Vallas fait déjà feu de tout bois, dans l'analyse comme dans la synthèse. Ainsi pointe-t-il sans hésiter dans *En blanc et noir*, œuvre composée à l'été 1915, l'épigraphe « Qui reste à sa place/Et ne danse pas/De quelque disgrâce/Fait l'aveu tout bas », pour y voir une « allusion évidente et ironique aux hommes qui, durant la guerre, se maintinrent hors de la danse macabre des combats et firent ainsi l'aveu discret de quelque disgrâce physique[1] ». Mais, plus subtilement, c'est chez lui qu'on trouve déjà le topos biographique qui assimile décidément le destin de l'individu Debussy à celui de la nation tout entière. Il y pourvoit au moyen d'une phrase toute simple, apparemment anodine, mais lourde de signification : « Au moment de la dernière offensive allemande, le 26 mars 1918, il mourut[2] » : on ne dirait pas plus clairement que Claude de France est mort au combat.

Qu'on tienne là un dispositif littéraire capital pour l'assimilation du destin individuel au destin collectif, on n'en veut pour preuve, parmi plusieurs autres, que le traitement narratif du même *finis coronat opus* chez un autre musicologue de l'époque, René Dumesnil. La citation est d'autant plus remarquable qu'elle est signée d'un auteur qui, publiant *La Musique contemporaine en France* deux ans après Cœuroy, a tenu par ailleurs à nuancer la prise de position, à ses yeux trop raide, du nationaliste – non il est vrai pour la récuser totalement mais pour affirmer que l'histoire de la musique est, quoi qu'il en soit, plus internationalisée que celle, par exemple, de la littérature. Or les quelques lignes que Dumesnil consacre dans l'ouvrage aux derniers instants de Debussy sont une version développée de la phrase métonymique de Vallas : « Sa santé déjà mauvaise fut aggravée par la tristesse des temps. Il éprouva d'atroces souffrances ; il se rendit compte des progrès de son mal. Outre l'*Ode à la France*, il préparait une *Cantate sur Jeanne d'arc et la Victoire de nos armes.* Il ne voulait laisser derrière lui rien qui ne fût amené au point de perfection qu'il souhaitait et détruisit lui-même ses papiers, et, au moment où les Allemands se livraient à leur dernière et furieuse attaque, il mourut, le 26 mars 1918[3]. »

Jusqu'au bout de la période considérée ici la mort à la Debussy servira ainsi d'autres intérêts que les siens. Les exemples fourmillent

1. Léon Vallas, *Les Idées de Claude Debussy*, *op. cit.*, p. 173-174.

2. *Ibid.*, p. 178.

3. René Dumesnil, *La Musique contemporaine en France,* Paris, Armand Colin, 1930, vol. I, p. 120-121.

pendant l'Occupation. On les connaît mieux, grâce aux travaux cités précédemment. Ainsi Louis Laloy termine-t-il la partie biographique de son *Debussy*, achevé sous Vichy et paru à l'automne 1944, après sa mort, non par cet effet « mars 1918 » mais par la création posthume, dix ans plus tard, de l'*Ode à la France*, occasion pour lui, au passage, de célébrer « Mme Germaine Lubin, notre grande tragédienne lyrique, admirable de voix, de style et d'émotion profonde », et, surtout, d'affirmer – et c'est le dernier mot du biographe – que « par la musique de l'*Ode à la France* l'existence terrestre de Claude Debussy obtient sa fin chrétienne »[1].

Mais, au fond, tout n'avait-il pas été dit dès les premières heures de la vie posthume, dans les articles nécrologiques, pris en charge par la première ligne des commentateurs, autrement dit par la critique musicale ? À cet égard, on nous permettra de faire un sort particulier au texte, proportionnellement abondant, compte tenu des restrictions de toutes sortes auxquelles la presse de l'époque était astreinte (une colonne entière d'un journal grand-folio), paru le 27 mars 1918 dans un quotidien national alors à l'apogée de son influence sur la société française – un titre qu'à ce moment précis, comme il en témoigne dans son *Journal*, un André Gide lit tous les jours – : *L'Action française*. Un texte signé Jean Darnaudat, pseudonyme de Pierre Lasserre[2], y salue en termes très élogieux le disparu, ce « musicien très français imprégné de l'esprit de notre vieille musique du seizième siècle », auquel son « extrême finesse d'esprit [...] fit ressentir de bonne heure ce qu'il y a de gros et de lourd, de profondément inassimilable au génie français dans l'art de Wagner », un artiste qu'« un certain raffinement apparent de sa manière d'écrire [...] a fait passer pour un musicien abscons », mais qui, à l'instar de Paul Verlaine auquel il est explicitement comparé, est maintenant intégré dans le canon (« Cette impression est aujourd'hui dissipée »). « Saluons en lui un maître qui a fait honneur à sa patrie » est la conclusion de cet article.

L'usage métonymique de Debussy explique sans doute que la société politique ait peu d'autonomie par rapport à une société civile qui,

1. Louis Laloy, *Claude Debussy*, Paris, Aux armes de France, 1944, p. 126.
2. Pierre Lasserre (1867-1930), agrégé de philosophie, vient de publier, en 1917, *L'Esprit de la musique française de Rameau à l'invasion wagnérienne*, dont le titre dit tout.

dès la mort du héros, s'est empressée de s'exprimer. Ce qu'elle dira, elle le fera essentiellement par le moyen de la politique symbolique[1]. Encore sur ce terrain-là est-elle menée par des porte-parole de la société civile, à commencer par des artistes. Ainsi est-ce Maurice Denis, natif de Saint-Germain-en-Laye, qui, dans une lettre au maire de la ville en date du 3 juillet 1919, lance la longue suite d'initiatives commémoratives qui s'échelonnent tout au long du premier quart de siècle suivant la mort du héros. La ville accorde donc à l'enfant du pays, outre une plaque rue au Pain (1923), un nom de conservatoire rue de Mantes (1920), une voie publique (1931), et, pour couronner le tout, un monument sculpté, inauguré le 9 juillet 1933[2]. Celui-ci, commandé à Aristide Maillol, est situé dans le square de ce que notre époque appellerait le nouveau centre culturel de la ville, réunissant bibliothèque et musées municipaux. L'ensemble est couronné par le projet d'un « Salzbourg français », installé à Saint-Germain, où Debussy eût occupé la place de Mozart. Lancé au moment de l'Anschluss – et, là aussi, sous l'égide de Maurice Denis –, le projet est contemporain de celui du Festival de Cannes et, comme lui, étayé par un argumentaire antitotalitaire, le Salzbourg français ayant vocation, comme le fait déjà Lucerne, à accueillir les musiciens chassés par les régimes de l'Axe Rome-Berlin – les noms de Toscanini et de Bruno Walter sont, en 1939, explicitement cités[3].

Dans la capitale, le discours commémoratif utilise les mêmes instruments mais la centralité française leur confère une visibilité beaucoup plus grande. Après 1926 qui voit l'ouverture, cinq ans avant Saint-Germain, d'une rue Claude-Debussy dans le quartier des Ternes, l'une des nombreuses voies publiques ouvertes par la Ville de Paris sur les anciennes fortifications – ce qu'on a tout loisir de sur-interpréter –, le boulevard Lannes va accueillir le grand moment de célébration collective du héros, fixé en 1932 et prenant pour prétexte le soixante-dixième anniversaire de sa naissance : la dimension arbitraire de cet anniversaire, qui fait fi des cinquantenaires ou centenaires, n'est pas pour étonner, mais elle en dit long sur la nécessité où se trouvent les Pouvoirs publics de récupérer à leur profit le prestige de « Claude de France ».

---

1. Voir Pascal Ory, « Pour une histoire des politiques symboliques », *La Culture comme aventure*, *op. cit.*, p. 71-86.
2. Ce monument fait l'objet de la couverture de *L'Illustration* du 15 juillet 1933.
3. *Le Petit Réveil*, 12 janvier 1939.

Il est assez facile de repérer les dimensions politiques et esthétiques en jeu dans l'érection, au sein d'un square Claude-Debussy lui-même ouvert l'année précédente, du monument de référence, produit de la statuomanie tertio-républicaine. Ici aussi l'initiative du monument est venue d'un acteur privilégié de la société civile, Gabriel Astruc, le grand médiateur musical de son temps, celui-là même qui venait d'être à l'origine de l'hommage à Ravel – bien vivant, lui – à Ciboure en 1930. Considérée de plus près, cette journée du 17 juin 1932 apparaît dès lors comme une assez juste récapitulation du système commémoratif de l'époque. Le monument du boulevard Lannes a été commandé aux jeunes (trente-six ans) frères Jean et Joël Martel. Ces co-fondateurs de l'Union des artistes modernes (UAM) sont des représentants typiques du modernisme modéré désormais accepté par l'administration des Beaux-Arts, sans doute fortement encouragée en ce sens par Astruc. Comme Maillol à Saint-Germain, les artistes ont recouru au vocabulaire classique de l'allégorie, traduite dans des formes figuratives passées à l'aune d'un cubisme assagi. L'inscription officielle, quant à elle, dit tout, du patronage de l'État et de la source non étatique de l'initiative. Le « comité d'action » du monument se présente comme l'émanation de l'État français dans sa quintessence puisqu'il est placé, pour citer l'inscription, « sous le haut patronage du Président de la République, du corps diplomatique, des ministères des Affaires étrangères et de l'Instruction publique et des Beaux-Arts » et sous l'autorité du directeur général des Beaux-Arts. Cette configuration est confirmée par la présidence de la cérémonie de dévoilement officiel dudit monument, confiée au nouveau président de la République, Albert Lebrun. Cette forme extrême de la reconnaissance justifie que sur les cinq prises de parole deux aient été confiées aux représentants de l'État – le préfet de la Seine – et de la Ville de Paris – le président du conseil municipal –, symétriques des deux prises de parole des représentants des sociétés d'auteurs, le discours central étant, logiquement, confié au directeur des Beaux-Arts. L'origine civile de l'initiative est manifestée sur le monument des Martel par la place accordée au public des « admirateurs », mentionnés sous la forme, originale, d'une longue litanie de villes, classées de A à Z, d'« Albi » à « Zara ».

La communion autour du compositeur culminera le soir en un gala au Théâtre des Champs-Élysées, marqué par une prouesse technique – la retransmission radiophonique en direct depuis Bâle de la version orchestrale des *Préludes* sous la baguette de Felix Weingartner – et par la présence *in situ* de Toscanini, venu spécialement diriger *La Mer*. C'est l'occasion pour le commentateur du quotidien de référence en matière culturelle, *Comœdia*, de récapituler, lui aussi, la thématique claude-de-franciste, comme en témoigne son incipit : « La musique française a vécu l'autre soir une de ces heures glorieuses qui ne comptent pas seulement dans les annales mondaines mais aident à mieux fixer dans le temps le génie de la race et son impérissable vitalité[1]. » Il n'est pas sans importance de donner le nom de ce commentateur, journaliste d'occasion : Paul Le Flem.

Le cas de politique symbolique le plus surprenant se situera cependant dix ans plus tard, sous Vichy et, même, à Vichy, à l'occasion du premier anniversaire de la Légion française des combattants, le 31 août 1941. Réunissant les anciens combattants français qui se reconnaissent dans l'idéologie de la Révolution nationale, soit jusqu'à un million cinq cent mille membres, la Légion a été créée pour servir de pilier populaire au nouveau régime. Avec le recul, les festivités du 31 août peuvent passer pour l'apogée de la Légion et, par là, de l'État français. À Vichy, en présence du chef de l'État, président en titre de la Légion, le cérémonial du 31 août va enchaîner un défilé de masse, avec remise d'étendard par Pétain, une messe, non moins massive, en plein air dans un stade, et enfin, le soir, un grand « gala lyrique » dans la salle de l'Opéra de Vichy – là même où la République avait été solennellement enterrée le 10 juillet 1940. Dans cette tripartition rituelle, où les trois autorités traditionnelles, civiles, militaires et religieuses, se combinent étroitement, le moment d'art culmine avec ce que son auteur – entendons par là non pas Debussy mais Désiré-Émile Inghelbrecht, chef du bien nommé « Orchestre national » – avait déjà transformé avant guerre en cérémonie de la francité à soi toute seule : la version concert de *Pelléas et Mélisande*[2]. Au début de la période, Émile Vuillermoz félicitait Debussy de n'avoir pas été de son vivant de ces prophètes auxquels on dresse banquets et statues de bronze[3] : les trente années qui suivront se seront empressées à combler cette lacune.

1. *Comœdia,* 19 juin 1932.
2. Voir, parmi d'autres, le compte rendu de Noël Boyer dans *L'Action française* des 7-8 septembre 1941.
3. *Le Ménestrel,* 11 juin 1920.

Ondes de choc

L'histoire de la mémoire culturelle ne se réduit cependant pas à une sorte d'instrumentarium mémoriel, dont les acteurs joueraient librement, indépendamment des conjonctures. L'intérêt de la période considérée ici est qu'elle aura été prise en étau entre deux grands moments d'extrême tension collective, parcourues par deux ondes de choc issues de deux guerres mondiales, aux effets aisément perceptibles, quoique contradictoires.

À cet égard, comme, au reste, à tous les autres, le texte matriciel est celui du numéro spécial de *La Revue musicale* consacré, à la fin de l'année 1920, à Debussy. Là aussi l'histoire culturelle demande à ce qu'on n'oublie pas l'environnement de cette publication. Si le fameux texte de Paul Valéry « Nous autres, civilisations, etc. » a eu l'écho que l'on sait, c'est que, indépendamment de la thèse qui y était avancée, il était porté par deux supports remarquables : le nom du nouveau grand-poète-français, littéralement né de la guerre – cette guerre qui en avait tué tant d'autres –, Paul Valéry, et, d'autre part, le numéro de reparution de *La Nouvelle Revue Française*, après cinq ans d'interruption. Le numéro spécial de *La Revue musicale* – liée à l'époque à *La NRF* – est, de même, le deuxième numéro de la revue, fondée quelques semaines plus tôt par Henry Prunières, et le coup d'éclat qui l'installe durablement au centre de la presse musicale française. Qu'au-delà de l'hommage convenu ce soit toute une renaissance nationale qui passe par ce numéro spécial, c'est ce que confirme le *Tombeau de Claude Debussy*, supplément musical du numéro, constitué d'un ensemble de partitions signées d'une élite de compositeurs pour la plupart français ou culturellement naturalisés, de Ravel à Stravinsky en passant par Manuel de Falla. Quant aux gloses qui précèdent ces œuvres, elles furent, à l'instar de plusieurs de celles-ci[1], jugées assez importantes par certains de leurs auteurs pour qu'ils les reprissent en ouvrage séparé. Ce fut le cas d'Alfred Cortot pour son étude *La Musique pour piano de Claude Debussy*, éditée en 1930, d'Émile Vuillermoz pour un texte inclus en 1923 dans *Musiques d'aujourd'hui* et, surtout, d'André Suarès, dont le *Debussy*, publié en 1922, reprend le long texte qui ouvre le numéro de la revue.

1. On sait que, par exemple, le duo de Ravel donné à *La Revue musicale* constituera le premier mouvement de la *Sonate* pour violon et violoncelle.

Si Suarès, à contre-courant de la tonalité générale de cet immédiat après-guerre, se paye le luxe de rendre hommage à des musiciens allemands comme Bach, Beethoven et même Wagner, il est ici au diapason d'un Cœuroy quand il ouvre son texte par le constat d'une musique française qui serait « à présent, comme au vivace Moyen Âge et aux temps tumultueux de la première Renaissance, l'exemple et la parure de l'Europe », et d'un Vallas quand il pose en principe que ce primat, « on ne le doit réellement qu'au seul Debussy »[1]. Il n'est pas le dernier à pointer que « la guerre » aura « révélé passionnément à son pays » un compositeur qui découvre à cette occasion qu'il « a des racines » puisqu'« un peuple et des siècles l'ont fait », en un mot qu'« il représente toute une culture »[2]. À l'aune de ce point de vue – de loin le moins nationaliste de tout le numéro –, on peut mesurer la tonalité générale qui sera celle de la production musicologique et musicale de l'époque. L'identification de Debussy au « génie » de la « race » s'installe durablement comme topos, chaque personnalité glosant à sa manière sur ce canevas.

Auréolé de son double prestige de grand interprète et de patriote engagé, le Cortot de 1920 est ici la voix la plus autorisée quand il postule que « ce n'est peut-être pas une erreur, ni une exagération sentimentale, qui nous porte à supposer que la magnifique et grave effusion lyrique de l'*Hommage à Rameau* s'adresse, par delà le symbole d'un nom préféré, à toute la lignée des clairs génies issus de notre sol, de la filiation desquels se réclamait si justement Claude Debussy, musicien français, ainsi qu'il se plaisait à se désigner lui-même », bref que « c'est l'âme profonde de la race qui se reconnaît dans ce noble chant[3] ». Reprenant sur cet exemple particulier un topos opposant la génération de l'immédiat avant-guerre – programmée à l'Union sacrée de 1914 – et celle qui l'a précédée, Debussy devient le parangon de ce retour au national, contre une culture fin-de-siècle « où compositeurs, interprètes et critiques se souciaient assez peu

1. André Suarès, « Debussy », *La Revue musicale*, numéro spécial consacré à Debussy, 1er décembre 1920, p. 98.
2. *Ibid.*
3. Alfred Cortot, « La Musique pour piano de Debussy », *La Revue musicale*, numéro spécial consacré à Debussy, *op. cit.*, p. 138. Il écrit encore : « Cette gloire qu'il préférait, semble-t-il, à toute autre, de demeurer dans nos mémoires fidèles, Claude Debussy, musicien français », p. 150.

de notre grandeur musicale propre[1] ». L'entre-deux-guerres, entre discours des autorités et gloses des experts, n'aura dès lors plus qu'à décliner diverses variations sur le même thème, résumé par le dispositif du monument Martel de 1932, qui remplit bien ici sa fonction de transformation en « lieu commun » de la rhétorique dominante : sur sa face tournée vers l'espace le plus ouvert au public, il porte tout simplement, sur le côté gauche : « À Claude Debussy » et sur son côté droit : « musicien français ».

Cette inscription au patrimoine de la nation explique sans doute que lorsqu'à l'onde de choc d'une victoire, fût-elle chèrement payée, allait succéder, à partir de 1940, celle d'une défaite, l'investissement de la figure debussyste s'en soit trouvé non pas diminué mais accru, et aussi bien de la part des nouveaux pouvoirs publics que de la société musicale et musicologique, où ceux-ci trouvaient de nombreux partisans. La célébration de dates aussi forcées que le vingt-cinquième anniversaire de la mort, ce qui donne 1943, ou le quarantième de la création de *Pelléas*, ce qui donne 1942, dit tout de cet investissement, auquel le volontarisme vichyste confère une dimension systématique. En l'espace de quelques mois toute la gamme est parcourue – éditions de sources, initiatives documentaires, éditions musicales, concerts, représentations lyriques, discographie, bibliographie, expositions... –, et le partenariat de 1932 entre société politique et société civile prend cette fois la forme, d'esprit corporatiste, d'un partenariat avec l'entreprise privée, en l'espèce Pathé-Marconi, dont le directeur, Jean Bérard, est d'un côté le président du Bureau du disque, institution para-étatique, de l'autre l'initiateur de la première intégrale discographique de *Pelléas*, ainsi que le financeur de l'exposition qui, au foyer de l'Opéra-Comique, en accompagne en mai 1942 la sortie. Si la thématique visant à faire de Saint-Germain-en-Laye un « Salzbourg français » paraît plus que jamais délicate à manier, il n'est pas sans intérêt de noter que le projet d'un Centre Debussy s'ébroue quand même quelque temps, sous l'égide d'un comité *ad hoc*, intégrant, aux côtés des officiels attendus, des Beaux-Arts à la RTLN (Réunion des théâtres lyriques nationaux) ou à la Bibliothèque nationale de Guillaume de Van, divers représentants de la société musicale, de Bérard à Désormière.

---

1. Georges Jean-Aubry, « L'Œuvre critique de Debussy », *La Revue musicale*, numéro spécial consacré à Debussy, *op. cit.*, p. 199.

En écho à ces initiatives officielles, la prise de parole de la société musicale permet, dans l'atmosphère générale de révision déchirante des valeurs de l'avant-guerre, une prise de parole positive de quelques-unes des personnalités en vue de l'anti-debussysme du précédent après-guerre. Cocteau accepte de livrer un *Hommage à Debussy* au catalogue de l'exposition et c'est dans le même catalogue que Francis Poulenc reprend à son compte « la leçon de Debussy », « dont doivent se souvenir, plus que jamais, les jeunes musiciens français », dès lors qu'elle peut se résumer en : « écrire de la musique purement de chez nous, qu'elle découle de Couperin, de Berlioz ou de Bizet[1] ». Dès les débuts du nouvel âge, dans rien de moins que le premier numéro de *La NRF* reparaissant sous la direction de Drieu La Rochelle[2], le Georges Auric de 1940, allant plus loin que le Georges Auric de 1921, avait, quant à lui, éprouvé le besoin de revenir sur « tout ce qui, vers 1918, nous séparait profondément de l'admirable Claude Debussy » pour conclure sur la profonde actualité du compositeur, l'« humanité si profonde » d'une œuvre qui « jamais » « ne nous a semblé aussi proche, aussi précieuse ». Le lien entre les deux conjonctures de guerre est fait ici par le moyen du « drame », terme dont la polysémie s'applique à la fois à *Pelléas* et à la situation de la France en 1940 (« Était-il maintenant un musicien pour ne point suivre ce drame ? »).

Rien d'étonnant, dès lors, à ce que les plus éminentes figures de la musicologie française de l'époque participent au concert, à commencer par Norbert Dufourcq, nommé en 1941 à la classe d'histoire de la musique du Conservatoire de Paris. Il n'est pas sans intérêt de noter que l'organiste et historien est aussi, cette même année, l'auteur de l'un des premiers essais critiques parus sous le nouveau régime ayant pour objet non un quelconque aspect de l'histoire musicale française mais l'histoire politique récente du régime déchu[3].

---

1. Francis Poulenc, « La Leçon de Claude Debussy », dans Auguste Martin, *Catalogue de l'Exposition Debussy* organisée du 2 au 17 mai 1942 au foyer de l'Opéra-Comique, précédé d'un hommage et de souvenirs de Henri Busser, Jean Cocteau, Léon-Paul Fargue, Francis Poulenc, Paris, RTLN, 1942, p. XIII ; rééd. dans Francis Poulenc, *J'écris ce qui me chante*, Nicolas Southon (éd.), Paris, Fayard, 2011, p. 315-317.

2. *La Nouvelle Revue Française*, n° 322, 1er décembre 1940.

3. Norbert Dufourcq, *La Fin de la Troisième République et la guerre. 4 juin 1936-11 juillet 1940,* Paris, Larousse, 1941, 76 p. La virulence de l'attaque contre

Le « Claude de France » que Dufourcq salue en 1942 dans sa *Petite Histoire de la musique en Europe*[1] se situe dans le cadre de la stratégie vichyste d'exaltation de la grandeur nationale puisqu'elle propose aux lecteurs d'un pays battu et diminué une périodisation faisant succéder à un âge de « suprématie allemande », que l'auteur fait aller de Beethoven à Wagner, celui d'une « suprématie française », ouvert par Gounod, où Debussy sert à avoir « "libéré" la France de l'emprise wagnérienne » – guillemets compris[2] – et dont tout laisse entendre qu'elle se poursuit. Le Léon Vallas de l'*Achille-Claude Debussy* paru aux jeunes Presses universitaires de France au lendemain de la libération de Paris mais écrit au temps de Pétain, n'hésite pas non plus à vichyser son héros – dont on aura noté la mise en avant du premier prénom. L'auteur, qui peut aller, au passage, jusqu'à qualifier de « Révolution nationale[3] » l'évolution intellectuelle du dernier Debussy ou à définir Emma Debussy comme issue de « la société juive, alors toute-puissante », fait de « l'idée sublime de la rédemption par la souffrance[4] » le sens ultime, au-delà de l'*Ode à la France*, de l'œuvre debussyste tout entière, transposition à l'échelle d'une monographie artistique du discours politique tenu en haut lieu par l'État français.

L'extrême plasticité du claude-de-francisme se révèle cependant quand on porte ensuite son regard vers les textes, nécessairement succincts mais pas si rares, que la presse clandestine de la Résistance s'est sentie obligée de consacrer à celui qu'elle récupère elle aussi pour sa cause. Comme Vichy, la Résistance voit en Debussy un artiste en capacité de délivrer, pour reprendre les mots des *Lettres françaises*, « un message toujours valable, une leçon toujours vraie et un exemple toujours grand[5] ». L'embarras intellectuel de la Résistance, partagée entre tradition patriotique et tradition internationaliste, est perceptible dans ce texte, dont l'auteur, anonyme, va jusqu'à prétendre que « Debussy ne mobilise pas la musique » pendant la Grande Guerre.

---

la république suscita un débat chez l'éditeur, où certaines voix s'élevèrent pour critiquer un texte peu conforme aux traditions, supposées d'objectivité, de la maison Larousse.

1. Norbert Dufourcq, *Petite Histoire de la musique en Europe,* Paris, Larousse, 1942, 164 p.
2. *Ibid.*, p. 137.
3. Léon Vallas, *Achille-Claude Debussy*, Paris, PUF, 1944, p. 52.
4. *Ibid.*, p. 205. Même thématique chez le dernier Laloy (*Comœdia*, 27 mars 1943).
5. *Les Lettres françaises*, 19, août 1944, p. 3 et 5.

Au reste, cette voix est peu audible dans le concert musicologique des opposants de Vichy où, à l'instar de Péguy ou de Jeanne d'Arc, le « Debussy, musicien français » continue à servir, comme dans le camp d'en face, à témoigner de « la pureté et la noblesse du sang français » – citation de 1915 reprise à son compte par le clandestin *Musiciens d'aujourd'hui* d'octobre 1942[1]. Et le même procédé qui transformait dans l'entre-deux-guerres le mort de mars 1918 en mort-pour-la-France fait de Debussy dès juin 1943 un « libérateur[2] ».

Face à cette union sacrée des deux patriotismes, ce ne sera que du côté des collaborationnistes que continueront de s'exprimer certaines réserves, renvoyant à l'obsolescence d'un « "musicien d'avant guerre" » (guillemets compris) chez André Cœuroy, franchement « démodé » chez Lucien Rebatet. Ces deux appréciations paraissent successivement, en 1942 et 1944, dans la revue par excellence de l'amitié intellectuelle franco-allemande, *Deutschland-Frankreich*, et à propos du même livre, le *Claude Debussy* d'Heinrich Strobel, d'abord dans sa version allemande, parue en 1940, puis dans sa traduction française, confiée à Cœuroy qui en écrit aussi la préface, sortie en 1943 aux éditions collaborationnistes Balzac (Calmann-Lévy aryanisées)[3]. Au reste, le compte rendu de Rebatet lui sert surtout à gloser moins sur la musique que sur la Collaboration, faisant de Strobel un « excellent musicien » et un « bon Européen » – et, dans la foulée, d'« un Allemand, l'incomparable Walter Gieseking », « le plus grand interprète debussyste du monde ».

Faut-il dès lors s'étonner que le discours le plus remarquable qui s'exprime à la Libération autour de Debussy soit un discours moins historique que philosophique, en la personne de Vladimir Jankélévitch, dont le tout premier texte publié après la mise entre parenthèses de l'Occupation[4] est une réflexion sur les figures de *Pelléas* et *Pénélope* et un parallèle Debussy/Fauré ? Encore cette démarche conduisant, de fait, à une dés-historicisation de la figure du héros est-elle fondée, on le sait maintenant, chez Jankélévitch – le musicographe comme le philosophe – sur l'exclusion de toute figure

1. *Musiciens d'aujourd'hui*, n° 4, octobre 1942.
2. *Musiciens d'aujourd'hui*, n° 6, juin 1943.
3. André Cœuroy, « Heinrich Strobel : Claude Debussy », *Deutschland-Frankreich*, 1942, p. 159-160. Lucien Rebatet, « Debussy vu par un Allemand », *Deutschland-Frankreich*, 1944, p. 106-109.
4. Vladimir Jankélévitch, « *Pelléas* et *Pénélope* », *Revue historique et littéraire du Languedoc*, n° 6, 1er juin 1945, p. 123-130.

germanique, comme une version radicalisée des jugements musicaux du dernier Debussy. Désormais, quand il abordera de front l'œuvre d'un musicien, celui-ci ne s'appellera pas Beethoven ou Bruckner mais Albéniz, Chopin ou Fauré – et, de plus en plus, Debussy.

Ce que français veut dire

Le Debussy de ce discours tenu à l'ombre des deux « Grandes guerres » est donc bien une figure métonymique. Ce qu'elle entend nous dire de la nation – voire de la « race » – française ne fait sans doute pas preuve d'une particulière originalité par rapport au discours tenu au même moment sur la France par d'autres voix autorisées, qu'elles soient politiques, économiques ou culturelles. Mais tout sera dans la manière, celle qu'a mise l'intéressé lui-même à exposer au public non seulement des sons mais des « idées » – pour reprendre la formule du principal historiographe debussyste de cette génération.

La manière sera ici généalogique, Debussy ayant fourni à ses commentateurs tous les éléments leur permettant de le faire entrer, sans l'effort parfois nécessaire pour d'autres, dans la cohorte de la Tradition nationale. La référence à la Renaissance, au couple Rameau-Couperin est un incontournable de cette glose et un Cœuroy lui-même sait qu'il peut toujours aligner Debussy comme héritier des « vieux maîtres français », « gens de sa chair et de son sang »[1]. À l'opposé, en apparence, de cette conception ethniste du génie musical, Suarès n'en est cependant pas éloigné quand, définissant subtilement ce génie national comme « sacrifice exquis de l'artiste à sa propre et plus parfaite beauté », il cite en référence Racine, Stendhal ou les « sublimes exemples » du « porche de Chartres »[2]. La conciliation autour de Debussy des différentes écoles esthétiques s'opère dès lors par le biais de l'opération rhétorique qui récupère sa modernité comme preuve paradoxale de soumission à la tradition, via le concept de « nature[3] ». Ce naturel-là ouvre la voie aux stéréotypes

1. André Cœuroy, « Heinrich Strobel : Claude Debussy », article cité, p. 160.
2. André Suarès, « Debussy », article cité, p. 120-121.
3. C'est, par exemple, l'argumentation de Louis Laloy (*Claude Debussy*, *op. cit.*, p. 83).

classiques d'une identité française où entreraient en jeu la netteté, la concision et la légèreté[1]. Notons au passage que l'on retrouve les mêmes qualificatifs sous la plume d'un Allemand, Strobel, certes supposé francophile mais publiant sous l'Occupation, quand il met en avant « la clarté, l'élégance, une déclamation simple, naturelle[2] », sans en faire nettement, conjoncture oblige, une généralité nationale.

La particularité de la période considérée sera, justement, d'expliciter ce que cette caractérisation du génie national peut signifier en termes de comparaison avec les caractéristiques germaniques, c'est-à-dire leur inversion, et le destin de Debussy offrira vaste carrière au parallèle avec Wagner, devenu exercice de style, entre désaffiliation et duel symbolique. Suarès lui-même, admirateur des deux, construit sa démonstration sur l'opposition entre « la mesure[3] » du premier et « l'insistance formidable » du « Titan Wagner », qui « ignore la satiété »[4]. Deux génies, où « la réserve de Claude Achille est le génie contraire ». À quelques pages de là, Émile Vuillermoz fait du *Martyre de saint Sébastien* le *Parsifal* de Debussy, tout en regrettant que « ce *Parsifal* attend(e) toujours son Bayreuth[5] ! ». Jusqu'à la guerre la production musicologique française s'attachera à circonscrire prophylactiquement l'espace de l'influence wagnérienne sur Debussy. C'est, entre autres finalités, le sens des ouvrages de Vallas.

Sous l'Occupation, déterminer la place du compositeur français par rapport à celui dont les contemporains connaissent le poids au sein de la vie culturelle du nouveau Reich – et dont les biographes de Hitler ont, en effet, depuis confirmé l'importance déterminante sur sa sensibilité[6] – devient un enjeu capital pour la musicologie française, à replacer dans le travail plus vaste auquel se livre l'intelligentsia nationale pour reconstruire la position de la France tout entière dans le monde qui sortira du conflit mondial. Aucun texte un tant soit peu développé

---

1. C'est, par exemple, l'argumentation de Paul Landormy (*La Musique française de Franck à Debussy*, Paris, Gallimard, 1943, p. 207).
2. Heinrich Strobel, *Claude Debussy*, Paris, éditions Balzac, 1940, p. 169-170.
3. André Suarès, « Debussy », article cité, p. 121.
4. *Ibid.*, p. 120.
5. Émile Vuillermoz, « Autour du *Martyre de saint Sébastien* », *La Revue musicale*, numéro spécial consacré à Debussy, *op. cit.*, p. 158.
6. Il n'y a rien d'exagéré à considérer Richard Wagner comme le principal « maître » du futur Führer, d'autant plus que le seul idéologue politique dont l'influence ait été clairement reconnue par l'intéressé, Houston Stewart Chamberlain, auquel l'unissaient des liens étroits, en était le gendre et l'analyste.

sur Debussy ne peut faire l'économie du parallèle, qui se stabilise sur celui de *Pelléas* avec *Tristan*. La conjoncture ne permet guère de proclamer la supériorité du cadet sur son aîné ; l'idée dominante est celle d'une réponse, d'une symétrie : *Pelléas* est le *Tristan* de Debussy chez le vieux Paul Landormy[1], qui meurt en 1943, l'anti-*Tristan* chez le jeune Jacques Chailley[2]. Vichystes stricts, donc patriotes, un Vallas ou un Laloy s'en sortent en faisant la part du feu, résumable dans la formule du premier, parlant d'une influence « passagère mais profonde[3] ». Discrètement anti-allemand, Landormy va plus loin, en niant toute réelle empreinte[4]. Là aussi l'argument du « naturel » entre en jeu, par le biais de la déclamation et d'un rapport musique/drame où la première serait au service du second. Il faut être franchement collaborationniste pour esquisser une comparaison en défaveur de Debussy. Suggérée par Cœuroy dans son compte rendu de l'ouvrage de Strobel[5], celle-ci s'étale, par exemple, dans les colonnes de *La Gerbe*, hebdomadaire par excellence et par antériorité de la culture « européenne » sous hégémonie allemande, dont la critique musicale, Louise Humbert, oppose le héros pelléassien, « sans muscles, sans chair » à « ceux qui animent de leur vaillance et de leur ardeur belliqueuse l'épopée wagnérienne[6] ».

1. Paul Landormy, *La Musique française de Franck à Debussy*, *op. cit.* p. 231, note 40.
2. Jacques Chailley, « Le symbolisme des thèmes dans *Pelléas et Mélisande* », *L'Information musicale*, n° 64, 3 avril 1942.
3. Léon Vallas, *Achille-Claude Debussy*, *op. cit.*, p. 63.
4. Le périodique qui remplace, avec le même directeur, Robert Bernard, *La Revue musicale* pendant l'Occupation, *L'Information musicale* (voir Myriam Chimènes, « *L'Information musicale* : une "parenthèse" de la *Revue musicale* ? », *La Revue des revues*, 1997, p. 91-110) rendra compte avec réserve du livre de Landormy. Yannick Simon y voit un signe d'alignement sur les positions collaborationnistes.
5. Les analyses de Yannick Simon et de Sara Iglesias ont montré la position inconfortable de Strobel, se stabilisant provisoirement autour de l'hypothèse d'une autonomie complète des deux auteurs, l'aîné étant transformé rhétoriquement en « maître qui libère » (*Claude Debussy*, p. 52). Les textes allemands publiés dans *Deutschland-Frankreich* et la *Pariser Zeitung* révèlent cependant un Strobel plus wagnérocentré.
6. *La Gerbe*, 19 décembre 1940.

Anges et Walkyries

Cette homologie du discours par rapport aux idéologies de ses auteurs n'est pas une découverte pour l'historien de la culture. Il ne signifie aucunement l'adhésion à une théorie du « reflet ». Le regard culturaliste invite simplement à relire avec un œil attentif les paroles et les actes des acteurs de l'histoire, dont aucun, de Wagner à Debussy, de Norbert Dufourcq à Jacques Chailley, ne peut être décrété a priori étranger aux contingences ni aux conjonctures. Il conduit, par exemple, à voir dans la prière finale du *Pelléas et Pénélope* de Vladimir Jankélévitch, texte dont on rappelle qu'il fut publié en pleine Libération, le cri du cœur d'un penseur et d'un musicien touché de plein fouet par l'exclusion la plus radicale, frôlé par l'aile de la mort et témoin du retour des camps : « Divine musique, délivrez-nous aussi, nous qui ne sommes pas morts comme les morts mais comme des vivants, c'est-à-dire laids, nauséabonds et cadavériques, délivrez-nous des profondeurs ; ne refusez pas à nos âmes de trépassés votre lessive mystique ; et que vos anges mélodieux chassent à jamais loin de nous les soucieuses Walkyries de la colère[1]. »

Le dernier ouvrage philosophique publié par l'auteur portait sur *Le Mensonge*, le premier publié après la guerre portera sur *Le Mal*. Il n'est pas sans résonance dans ce qu'on essaie d'exprimer ici que ces deux textes aient été chacun suivis par deux publications sur la musique : en 1942 une courte étude sur *Le Nocturne*[2], et en 1949 un livre consacré à Claude Debussy, abordé pour la première fois avec autant d'attention que celle qui avait été portée avant guerre à Ravel et à Fauré. L'une des clés du livre, publié non pas en France mais en Suisse[3], figure peut-être dans son titre, qui met en avant une notion sinon redoutable du moins redoutée du chercheur[4] : le *mystère*.

1. Vladimir Jankélévitch, « *Pelléas* et *Pénélope* », article cité.
2. Vladimir Jankélévitch, *Le Nocturne*, Lyon, M. Audin, 1942, 45 p.
3. Vladimir Jankélévitch, *Debussy et le mystère*, Neuchâtel, Éditions de La Baconnière, 1949, 152 p.
4. Celle-là même que Pierre Boulez a posée en clé de voûte de son intervention à l'ouverture de ce colloque.

Debussy en Grande Guerre

Annette Becker

« Je ne suis qu'un pauvre atome roulé par ce terrible cataclysme ; ce que je fais me semble si misérablement petit[1] ! […] Il est presque impossible de travailler ! À vrai dire on n'ose pas… Les à côtés de la guerre sont plus pénibles qu'on ne le pense[2]. […] Je n'ai pas écrit une note ni touché un piano : c'est sans importance mis en regard des évènements, je le sais bien […] mais à mon âge le temps perdu est à jamais perdu[3]. » Debussy est fort lucide : entre août 1914 et mars 1918, son existence est en effet percutée par une guerre et une maladie mortelle. Il va se battre sur les deux fronts : en donnant de sa personne pour les œuvres de bienfaisance, en vilipendant les ennemis, en mettant le pauvre champ de bataille que devient peu à peu son corps au service de son art, autant dire, pour lui, de son pays, pays devenu « héroïque ». Composer et réfléchir à l'expression des valeurs de l'art véritable est pour le patriote non mobilisé sa façon de lutter contre la « *Kultur* boche » tout en magnifiant l'esthétique et la grandeur de la France. Tous les peuples belligérants se sont construits et détruits dans la guerre, y ont été rendus autres. Tous, sur les fronts militaires et domestiques, ont vécu patriotisme voire nationalisme, élans et médiocrités, horreur devant la mort et le deuil, interrogations sur la conduite de

1. Lettre de Claude Debussy à Jacques Durand, 8 août 1914, *Correspondance*, p. 1843.
2. *Idem*, 3 août 1914, *Correspondance*, p. 1843.
3. *Idem*, 21 septembre 1914, *Correspondance*, p. 1847.

la guerre, noblesse et mesquinerie. Debussy lui-même, son cercle de proches, d'amis, de correspondants, nous offrent un miroir de ces temps de dilection, d'effroi, de déréliction ; la guerre, la nation, l'ardeur, l'enthousiasme, le désarroi, est-ce que cela s'entend ? En tant que musicien qu'a-t-il écouté de la guerre, qu'en a-t-il fait écouter ? « Ce sera dur, long, impitoyable aux douleurs, mais pour nous, hommes de la ville, contenons notre angoisse, travaillons pour cette beauté dont les peuples ont l'instinctif besoin, plus forts d'avoir souffert[1]. »

L'antigermanisme de Debussy le conduit à une fureur obsidionale. Son ton ironique mais mesuré devient brutal tant il est persuadé qu'une infiltration allemande a été préparée de longue date politiquement et culturellement. Aussi applaudit-il aux mesures d'expulsion puis de mise en camps de concentration (acception 14-18) des étrangers :

> Depuis que l'on a nettoyé Paris de tous ses métèques, soit en les fusillant, soit en les expulsant, c'est immédiatement devenu un endroit charmant[2]. [...]
> Notre prétendue décomposition ne venait-elle pas de cette vague d'étrangers qui inonde Paris de ses horreurs variées, trouvant l'occasion de les accomplir plus librement qu'en leur propre pays[3] ?

Debussy va jusqu'à animaliser les ennemis, responsables et de la guerre et des atrocités. « Le fait brutal de descendre un boche doit contenir une sorte d'apaisement ? – Ils sont si bêtement malfaisants[4]. » Malfaisants sur le front militaire et aussi jusque sur le front domestique, où les pénuries se font bientôt sentir ; le charbon lui manque cruellement l'hiver, et encore plus le matériel nécessaire à son art : « J'ai été à l'état d'une simple *Russie* ! Plus de munitions, c'est-à-dire plus de ce papier à musique[5]. » Aussi voit-il son *Bechstein* comme une prise de guerre ; non seulement le « piano boche » n'a

1. *Idem,* 22 juillet 1915, *Correspondance*, p. 1911.
2. *Idem,* 3 août 1914, *Correspondance*, p. 1843.
3. *Idem,* 22 juillet 1915, *Correspondance*, p. 1911.
4. Lettre de Claude Debussy à Robert Godet, 1er janvier 15, *Correspondance*, p. 1863.
5. Lettre de Claude Debussy à Jacques Durand, 28 août 1915, *Correspondance*, p. 1924.

pas encore été payé mais encore il le fait accorder pour qu'il soit « en état de sonner à la "française"[1] ! »

Malfaisants enfin sur le front musical, Allemands et Autrichiens ; on touche ici au cœur de la culture de guerre du musicien : « Quant aux Viennois ils peuvent tous mourir. Ce sont des danseurs maniaques. – Je ne parle pas des Allemands parce qu'il n'y a pas de mot pour cet emploi[2] ! » Alors pourquoi lui font-ils si peur, ces compositeurs allemands, Beethoven que l'on peut penser flamand ou russe (Betho-grad), Wagner surtout, toujours et encore Wagner.

Jouer à la française, composer de la musique française : cela n'est en rien nouveau pour lui, mais devient alors un but de guerre, son but de guerre. Il veut devenir stratège et tacticien, contre les influences délétères allemandes. Le crime des Allemands, enfin, est d'avoir préparé cette guerre pour anéantir l'esprit français, en particulier dans son âme musicale. Travailler à la victoire c'est défendre puis regagner cet espace, celui de la musique :

> C'était lâcheté de ne penser qu'aux horreurs commises sans essayer de réagir en reconstruisant, selon mes forces, un peu de cette beauté contre laquelle ces « gens » s'acharnent selon cette brutalité minutieuse qui est bien « *Made in Germany* »[3]. [...]
> Je veux travailler, non tant pour moi, que pour donner une preuve si petite soit-elle qu'y eût-il 30 millions de Boches on ne détruit pas la pensée française, même après avoir essayé de l'abrutir autant que de l'anéantir. Je pense à cette jeunesse de France, fauchée stupidement par ces marchands de *Kultur*, dont nous avons perdu, à jamais, ce qu'elle devait apporter de gloire à notre patrimoine[4].

Sollicité comme tous les artistes pour organiser des concerts et donner des partitions éditées ou des manuscrits dont les bénéfices de la vente aux enchères seront offerts aux victimes de la guerre, Debussy participe de ces flux d'œuvres (au double sens du mot)

1. Lettre de Claude Debussy à Jacques Durand, 29 mai 1915, *Correspondance*, p. 1897.
2. Lettre de Claude Debussy à Arthur Hartmann, 24 juin 1916, *Correspondance*, p. 2004-2005.
3. Lettre de Claude Debussy à Robert Godet. 14 octobre 1915, *Correspondance*, p. 1947.
4. Lettre de Claude Debussy à Jacques Durand, 5 août 1915, *Correspondance*, p. 1915.

qui relèvent à la fois de la charité et de la propagande. Il aide ainsi matériellement les soldats blessés ou prisonniers, et les civils occupés, réfugiés. Debussy file les métaphores militaires, son œuvre devient ses œuvres de bienfaisance envers ceux qui souffrent le plus. « Ce sont des fleurs de guerre[1]. » C'est ainsi qu'il offre à Emma une page d'album « Pour le vêtement du blessé ». De même il interprète ou fait interpréter de sa musique pour « L'œuvre des tuberculeux pendant la guerre » ou le « Vêtement du prisonnier de guerre », ainsi *Le Promenoir des deux amants* ou les *Chansons de Bilitis.* Mais alors que musiciens et machinistes sont au front, que « la fleur des électriciens [est] employée aux "fils barbelés" », Debussy renonce à produire de nouveau *Pelléas.* Il ne peut souffrir la moindre imperfection. « Je me suis permis de m'en aller vers des endroits où ne fleurit aucun théâtre, – par contre on y rencontre beaucoup de blessés. Hélas, c'est toujours le Théâtre de la guerre qui fait les plus grosses recettes[2]. »

Car pour le grand musicien, composer ou jouer pour et dans la France en guerre c'est faire de la vraie bonne musique française, c'est-à-dire de la musique tout court, la sienne, ne jamais se compromettre artistiquement.

Aussi répond-il à la première commande collective qu'il reçoit par une œuvre au titre et à la musique oxymore, la *Berceuse héroïque.* Il exprime sa compassion pour la « pauvre petite Belgique » envahie, démembrée, occupée, par le thème de son hymne national, *La Brabançonne,* et tient à y associer tous les combattants en dédiant l'œuvre à la fois au roi des Belges[3] et à ses soldats. Mais persuadé que l'amour de la patrie passe par l'enracinement d'origine[4] il avoue n'avoir pas vraiment su se mettre à la place d'un Belge : « Ça [a] été très dur, d'autant plus que, *La Brabançonne* ne verse aucun héroïsme dans le cœur de ceux qui n'ont pas été élevés "avec"[5]. »

---

1. Lettre de Claude Debussy à sa femme Emma, 4 juin 1915. Avec la dédicace « Pour le "vêtement" de la petite Mienne son Claude », *Correspondance,* p. 1900.
2. Lettre de Claude Debussy à Raymond Geiger, 13 juillet 1915, *Correspondance,* p. 1908.
3. *King' Albert's Book. Berceuse héroïque « Pour rendre hommage à S. M. le roi Albert 1er de Belgique et à ses soldats » ;* Saint-Saëns, Messager, Paderewski, Mascagni et Elgar participent aussi à cet hommage publié par le *Daily Telegraph.*
4. Voir Philippe Gumplowicz, *Les Résonances de l'ombre,* Paris, Fayard, 2012.
5. Lettre de Claude Debussy à Robert Godet, 1er janvier 1915, *Correspondance,* p. 1863.

Sa conclusion à la suite de cette première commande est définitive, bien qu'elle porte en elle-même sa propre contradiction : « La musique de guerre ne se fait pas en temps de guerre. À proprement parler, il n'y a pas de musique de guerre[1]. » Il n'en variera plus. À son ami Louis-Pasteur Vallery-Radot, médecin militaire en première ligne, qui le presse de « traduire musicalement l'étrange beauté des nuits sur le front[2] », il précise : « Ces choses-là ne se "rendent" pas cela serait mesquin, en regard de la réalité. Pourrait-on essayer, tout au plus une transposition ? Il y manquera toujours : l'atmosphère, la couleur du ciel, la figure des hommes et, surtout, l'héroïsme de votre âme, en ces moments-là[3]. »

Et pourtant, il conçoit encore son *Noël des enfants qui n'ont plus de maison* pour lequel il écrit paroles et musique, œuvre totale de Debussy en guerre totale. « Punissez-les ! Vengez les enfants de France ! Les petits Belges, les petits Serbes et les Polonais aussi[4]... »

Ces paroles extrêmement vindicatives s'inscrivent banalement dans la vague de réprobation mondiale contre les atrocités allemandes de l'été 1914. Il faut les resituer dans leur contexte pour les comprendre : la gravure de Dufy « La fin de la Grande Guerre » parue dans *Le Mot,* journal d'avant-garde créé alors par Jean Cocteau, illustre la même horreur sacrée – au sens étymologique – devant ces prêtres et ces enfants qui semblent avoir été spécifiquement visés par la *furor Teutonnica,* comme le confirme le jeu de mots sur le ceinturon-antiphrase porté par les Allemands, *Gott mit uns* : « Ils tuèrent : / des prêtres, / des enfants, / des femmes / et dirent : / "Dieu avec nous !" »

Debussy comme Dufy, Cocteau ou tant d'intellectuels français alors relie l'issue nécessairement heureuse de cette guerre déjà vue comme « grande » en 1915 à la justesse de la cause française ; tous se situent entre eschatologie et dénonciation, dans ce balancement si caractéristique de ces temps à la ferveur horrifiée. Debussy est persuadé de la véracité des faits qu'il dénonce. Très longtemps après la guerre,

---

1. Lettre de Claude Debussy à Émile Vuillermoz, 25 janvier 1916, *Correspondance,* p 1969.
2. Louis-Pasteur Vallery-Radot, *Tel était Debussy, suivi de lettres de Debussy à l'auteur,* Paris, Julliard, 1958, p. 57.
3. Lettre de Claude Debussy à Louis-Pasteur Vallery-Radot, 4 octobre 1915, *Correspondance,* p. 1941-1942.
4. *Noël des enfants qui n'ont plus de maison,* décembre 1915, Paris, Durand, 1916.

sous l'influence du pacifisme, on pensera à l'inverse que ces atrocités avaient été entièrement inventées pour les besoins de la propagande. Il a fallu attendre les travaux des historiens contemporains pour faire la part entre les rumeurs et les mythes (dont celui des mains coupées) et les réalités dont les enfants réfugiés avaient été témoins, tels les viols, l'utilisation de boucliers humains, les exécutions sommaires de notables dont les prêtres[1].

Debussy compose pour un piano qu'il veut le plus discret possible et refuse à plusieurs musiciens d'instrumenter plus lourdement sa composition : « Il ne faut pas perdre un mot de ce texte inspiré par la rapacité de nos ennemis. C'est ma seule manière de faire la guerre[2]. » Il ne se fait cependant pas d'illusion sur le ressort profond du succès de l'œuvre : les paroles seules sont goûtées du public des salons de bienfaisance qu'il ne croit pas forcément capable d'apprécier sa musique. Il a pourtant tort ; une infirmière nous permet de percevoir comment il est parfois aussi écouté :

> Oh ! Petite chose poignante de grandeur ! [...] Comment se peut-il que l'auteur semble avoir senti la guerre avec plus d'acuité que ceux dont elle broie ou meurtrit la chair ? [...] Sachez, à l'éloge de l'auditoire, que *Noël* provoque son acclamation unanime, tumultueuse ainsi qu'un phénomène de la nature. C'était comme si la corde commune à tous les cœurs français avait été touchée par les doigts d'un musicien doué d'un pouvoir surhumain[3].

Discrétion, certitudes, musique, c'est ce qu'on retrouve dans *En blanc et noir.* Chacun des mouvements est dédié à un combattant, et on doit lire les épigraphes comme une dénonciation des ennemis de l'extérieur, les Allemands, et de ceux de l'intérieur, les embusqués, comme le montre en effet le choix explicite de *Roméo et Juliette,* « Qui reste à sa place/Et ne danse pas/ De quelque disgrâce/Fait l'aveu tout bas[4] ». Dans le second mouvement on entend vaguement

1. Annette Becker, *Les Cicatrices rouges, France et Belgique occupées,* Paris, Fayard, 2011. Manon Pignot, *Allons Enfants de la patrie, Génération Grande Guerre,* Paris, Seuil, 2012.
2. Rapporté par Henri Busser à propos du *Noël des enfants qui n'ont plus de maison* dans *De* Pelléas *aux* Indes galantes... *de la flûte au tambour,* Paris, Fayard, 1955, p. 204.
3. Réaction rapportée par Robert Godet dans sa lettre à Claude Debussy, 23 janvier 1918, *Correspondance,* p. 2178.
4. « J'ai un peu changé la couleur du n° 2 des *Caprices* (*Ballade de Villon contre les ennemis de la France*) c'était trop poussé au noir, et presque aussi tragique qu'un

le clairon de type militaire mais *La Marseillaise* est si discrète qu'elle est encore moins audible que *La Brabançonne* de la *Berceuse*. Un choral sert de fil conducteur à l'œuvre, car Debussy ne considère pas Luther et Bach[1] comme des Allemands mais comme des maîtres du patrimoine universel[2]. Si, en 1915, il avait eu connaissance de la sur-utilisation de Luther dans la fabrication de l'âme allemande de guerre, il en eût été fort perturbé. La guerre, c'est aussi un front délétère de silence et d'ignorance par l'arrêt total des communications culturelles et des échanges.

Debussy reconnaît en mars 1915 dans un article pour *L'Intransigeant* que dans un premier temps les besoins de la guerre pouvaient très momentanément l'emporter sur ceux de l'art : « Depuis sept mois, la musique est soumise au régime de la réquisition militaire. Tantôt sévèrement consignée dans ses dépôts, tantôt envoyée, en service commandé, au secours d'œuvres charitables, elle a eu généralement moins à souffrir de son immobilité que de sa mobilisation. Le public a d'ailleurs consenti ce sacrifice avec tant de fervente allégresse qu'il est difficile d'apprécier exactement le degré d'héroïsme de ce renoncement et de savoir jusqu'à quel point il a été douloureux ; il est donc prématuré et, peut-être, hélas, indiscret de laisser des problèmes aussi inactuels que ceux de la musique retenir aujourd'hui une attention que tant d'émouvants objets sollicitent[3]. » Gagner la guerre à la française c'est aussi gagner sur le plan de la culture : « Il faut que nous comprenions enfin que la victoire apporte à la conscience musicale française une libération nécessaire[4]. » D'ailleurs sans cette culture, cette victoire serait impossible. C'est là que Debussy trouve tout son rôle. « Et pourtant nous savons que la grande consolatrice

---

Caprice de Goya ! » (Lettre de Claude Debussy à Jacques Durand, 14 juillet 1915, *Correspondance*, p. 1909.)

I. [Épigraphe] : « Qui reste à sa place/Et ne danse pas/ De quelque disgrâce/Fait l'aveu tout bas (J. Barbier et M. Carré, *Roméo et Juliette*).

II. [...] Car digne n'est de posséder vertus/Qui mal vouldroit au royaume de France (F. Villon, *Ballade contre les ennemis de la France*) [...]. Dédicataires Koussewitsky (I), Jacques Charlot (II), Igor Stravinsky (III), voir Lesure, *Debussy*, p. 561.

1. Au même moment Debussy a accepté de réviser une série d'œuvres de Bach.
2. Sur tout ceci je suis très redevable à Glenn Watkins et à son remarquable *Proof through the Night : Music and the Great War*, University of California Press, 2002.
3. *L'Intransigeant*, 11 mars 1915, repris dans *Monsieur Croche*, p. 258-259.
4. Lettre de Claude Debussy à Robert Godet, 28 décembre 1916, *Correspondance*, p. 2064.

aura bientôt à reprendre sa magnifique tâche interrompue. Nous pensons même qu'elle sortira de l'épreuve du feu plus pure, plus brillante et plus forte. Il faut que la fortune de nos armes ait son retentissement immédiat dans le prochain chapitre de notre histoire de l'art ; il faut que nous comprenions enfin que la victoire apporte à la conscience musicale française une libération nécessaire[1]. » Pour lui, les Allemands n'ont fait que réactiver à partir du XIXe siècle les défauts français datant du XVIIIe, et il espère fortement que le choc de la guerre, enfin, sera salvateur. Clarté française contre dégénérescence allemande[2].

Le nationalisme politique de Debussy est si fort qu'il peine à supporter l'idée même de guerre mondiale. Pour lui on vit une nouvelle guerre franco-allemande, et les différents peuples agrégés comme alliés ne lui paraissent que dévaloriser la lutte française. Au moment de l'entrée en guerre des Japonais il se laisse aller au sarcasme : « Pourquoi pas les habitants de Mars pendant qu'on y est ? Tout cela ne peut que donner plus d'orgueil aux Boches[3]. » « Cette misérable guerre [...] perd chaque jour un peu de sa grandeur. C'était déjà très bête de croire aux Bulgares. Ça l'est bien davantage d'avoir cru à n'importe quoi des Grecs ! Ces gens cultivent le mensonge depuis trop longtemps. Et le roi Georges a l'air d'un marchand de crayons – sans mine[4]. »

Debussy chantre de la culture nationale est d'autant plus angoissé qu'il sait depuis le début du siècle que les Français ne sont pas exempts d'influences germaniques, même et surtout parmi ceux qui sont engagés dans la défense de la musique française, tels d'Indy ou Saint-Saëns dont il ose dire : « C'est l'esprit le plus bochard qui soit, sans parler des autres[5] ! » Furieux, Saint-Saëns le traite en retour de cubiste « capable d'atrocités », à la parution de *En blanc et noir*. Si cette musique est inaudible pour Saint-Saëns, elle ne peut être que

1. *Idem*.
2. Voir Jean-Christophe Branger, « La réponse de Debussy à une enquête du *Cri de Paris* pendant la Grande Guerre », *Cahiers Debussy*, n° 35, 2011, p. 97-108.
3. Lettre de Claude Debussy à Jacques Durand, 5 août 1915, *Correspondance*, p. 1915.
4. Lettre de Claude Debussy à Robert Godet, 3 décembre 1916, *Correspondance*, p. 2052.
5. Lettre de Claude Debussy à Robert Godet, 14 octobre 1915, *Correspondance*, p. 1947.

de Kultur allemande, responsable d'atrocités culturelles, kubiste en un mot, selon la croyance que l'invention picturale de l'Espagnol Picasso et du Français Braque possédait la nationalité abjecte de leur marchand, Kahnweiller. En réalité, Saint-Saëns traque les tendances modernistes chez Debussy depuis longtemps et la guerre ranime ce front malgré une façade d'union sacrée de la pure musique française, dont on croit exprimer, des deux côtés, la même sincérité.

Le compositeur ne peut être que rasséréné par son ami Robert Godet qui lui a raconté qu'un blessé autodidacte avait vu quarante fois *Pelléas* et s'accompagnait de ses souvenirs debussystes à Verdun[1]. « L'histoire de votre blessé m'a profondément touché[2]. »

Sans doute arrangé par Godet, le récit du soldat se fait très précis : « La France ! J'en défends tout, c'est sûr, et je monte la garde devant ses richesses [...] Quelques livres, quelques musiques (du folklore à Debussy). Le petit autel plus intime où je m'arrête ne fait point tort au grand, où devant une allégorie la foule se presse au son de la *Marseillaise*[3]. » Le soldat fait ici la nuance entre le patriotisme partagé par tous, celui pour la France comme entité, et celui qu'il s'est choisi, personnellement, intimement, patrie et petite patrie. Des espaces électifs qui sont ici ceux de la culture sonore, le rassemblement collectif ardent autour de la Marseillaise et la dilection autour de certains airs folkloriques, et pour lui Debussy. Godet conclut sur le compositeur : « Monter la garde devant vos richesses c'est – exactement – défendre la France[4]. »

Dans une lettre à Stravinsky, Debussy dévoile ce nationalisme de l'âme musicale. Il est persuadé que le compositeur russe est à même de le comprendre car la Russie est l'alliée de la France ; surtout elle possède le terreau de l'enracinement culturel susceptible de résister :

> Vous êtes assurément un de ceux qui pourront combattre victorieusement ces autres « gaz », aussi mortels que les autres, contre lesquels nous n'avions pas de « masques ».

1. Chez Debussy, je « retrouve toujours de quoi préciser ce que je vais défendre » aurait écrit ce combattant comme le précise Godet à un ami (voir *Correspondance,* p. 1964, note 2).
2. Lettre de Claude Debussy à Robert Godet, 4 janvier 1916, *Correspondance,* p. 1964.
3. Godet cite le même soldat dans une autre lettre à Debussy du 26 novembre 1917, *Correspondance,* p. 2164.
4. *Ibidem.*

> Cher Strawinsky, vous êtes un grand artiste ! Soyez de toutes vos forces, un grand artiste russe ! C'est si beau, d'être de son pays, d'être attaché à sa terre comme le plus humble des paysans. Et quand l'étranger met ses pieds sur elle, comme les blagues internationalistes sont amères ! [...] Comment n'avons-nous pas deviné que ces gens tentaient la destruction de notre art, comme ils avaient préparé la destruction de nos pays ? Et surtout, cette vieille haine de race qui ne finira qu'avec le dernier des Allemands ! Y aura-t-il jamais un dernier Allemand[1] ?

Au même moment, le jeune Jean Cocteau qui a toujours su humer les vents qui lui sont contemporains tente un coup d'essai de critique musicale, dans sa revue *Le Mot*. Sous couvert de la guerre et d'une réponse à « de jeunes musiciens » (probablement Varèse, qu'il ne cite pas), Cocteau invente le topos d'un Schoenberg cérébral contre un Stravinsky tellurique. Par ignorance ou provocation, Cocteau ne se contente pas de s'en prendre à la musique allemande, il critique aussi la musique en France qui aurait été mise en lambeaux par Debussy puis Ravel.

> En musique ç'avait été l'époque des entrelacs du fil mélodique ;
> puis des ondulations et des nœuds du fil mélodique ;
> puis Debussy vint, décomposant, dénervant, déchiquetant doucement le fil ;
> puis Ravel jouant avec la charpie sonore.
> Et il fallut refaire le chanvre[2].

Il est impossible de savoir si Debussy a eu connaissance de ce texte à très faible diffusion dans la microscopique avant-garde, mais Cocteau avait touché en partie juste[3]. Si Debussy admirait Stravinsky il avait peur qu'il ne se laisse aller lui aussi à l'influence allemande.

Vie artistique, vie politique, joies et surtout douleurs intimes. Le compositeur se sent toujours inférieur aux soldats, quasi embusqué, et il est particulièrement heureux quand Lucien Durosoir, Maurice

1. Lettre de Claude Debussy à Igor Stravinsky, 24 octobre 1915, *Correspondance*, p. 1952-1953. Voir François Lesure, « Debussy et Stravinsky », *Cahiers Debussy*, n° 35, 2011, p. 5-8.

2. Jean Cocteau, « Nous voudrions vous dire un mot. Réponse à de jeunes musiciens », *Le Mot*, n° 12, 27 février 1915, p. 2.

3. Ornella Volta, « Les musiques de Jean Cocteau », dans *Jean Cocteau sur les pas d'un magicien*, Robert Rocca et Michel Bepoix (dir.), Thalia Édition, 2010, p. 53-57.

Maréchal et André Caplet jouent ses œuvres, quelquefois littéralement jusque sous les obus, l'emmenant ainsi en première ligne. Il écrit à André Caplet qui a lu sa *Sonate pour violoncelle et piano* avec Maurice Maréchal : « Hardi comme un lion vous trouvez le moyen d'avoir un piano, un violoncelliste, une sonate, de réunir le tout à quelques mètres des Boches... c'est bien là cette élégante bravoure qui est et sera toujours "bien française"[1] ; il parle de la musique de Caplet « si belle parmi le sang et la fumée[2]. »

De plus en plus épuisé par la maladie, le musicien n'arrive plus à donner de sa personne tout ce qu'il voudrait. Les images de guerre récurrentes qu'il utilise sont souvent celles de défaites, mais heureusement pas sur le front français : « Je travaille comme si je devais capituler comme une simple "Varsovie"[3]. »

Quand le cancer le terrasse, il tente avec un humour courageux de définir son mal comme un retour au cœur de la guerre qu'il ne peut pas faire. Blessé, comme un soldat, envahi, comme les départements de l'Est et du Nord que ces mêmes soldats n'ont pas pu défendre malgré leur héroïsme, Debussy file les métaphores et l'ironie : « Que je n'écrive plus de musique n'est pas une catastrophe comparable à la perte de Verdun, c'est entendu[4]. [...] Je suis à peu près semblable à une tranchée que l'on garde une heure et que la maladie reprend l'heure suivante[5]. » [...] « J'ai beau lutter je suis toujours envahi[6] ! »

Debussy disparaît en effet au moment où la dernière offensive allemande du printemps 1918 menace d'être victorieuse et où les bombardements des canons à longue portée atteignent Paris.

C'est sans doute son ami Caplet qui, dans une conversation tenue au front avec Maréchal, rend le plus bel hommage au compositeur compris dans la ferveur de guerre :

---

1. Lettre de Claude Debussy à André Caplet, 12 juin 1916, *Correspondance*, p. 2000-2001.
2. Sur la mélodie de Caplet « *Quand reverrai-je hélas* ! », voir lettre de Claude Debussy à André Caplet, [29 mars 1917], *Correspondance*, p. 2092.
3. Lettre de Claude Debussy à Jacques Durand, 7 août 1915, *Correspondance*, p. 1917.
4. Lettre de Claude Debussy à Paul Dukas, 23 mai 1916, *Correspondance*, p. 1995.
5. Lettre de Claude Debussy à Jacques Durand, 27 mai 1916, *Correspondance*, p. 1997.
6. Lettre de Claude Debussy à Paul Dukas, 19 mai 1917, *Correspondance*, p. 2111.

> Pour entendre du Debussy, il faudrait être […] toujours en état de grâce ! Il y a des gens qui ont besoin, pour ressentir une émotion, qu'on la leur amène longtemps à l'avance, qu'on la leur prépare. Avec Debussy ils sont perdus. Sa pudeur et sa distinction naturelles l'empêchent de trop extérioriser le sentiment. […] Debussy était un souffrant. Car sa recherche d'expressions neuves était constante pour la traduction de ce qu'il avait besoin d'exprimer[1].

1. « Carnets de guerre de Maurice Maréchal », 7 mai 1918, Maurice Maréchal, Lucien Durosoir, *Deux musiciens dans la Grande Guerre,* Paris, Tallandier, 2005, p. 335.

Un nationalisme au miroir du cake-walk

Philippe Gumplowicz

> Le nationalisme est la sauvegarde due à tous ces trésors qui peuvent être menacés sans qu'une armée étrangère ait passé la frontière, sans que le territoire soit physiquement envahi.
>
> Charles Maurras[1]

Dans une critique musicale publiée par le quotidien *Gil Blas* le 2 février 1903, Claude Debussy rend compte d'une audition des premier et deuxième actes de *Castor et Pollux* dirigée par Vincent d'Indy à la Schola Cantorum. Les « accents justes », la « déclamation rigoureuse du récit », la « tendresse délicate et charmante » de cette tragédie lyrique viennent de lui révéler l'existence d'une « pure tradition française[2] ». Rien n'est dit sur les chanteurs ou sur l'interprétation musicale. Ce sont les liens du livret et de la musique, l'atmosphère de probité musicale de la Schola cantorum, « petit coin de Paris, où l'amour seul de la musique commande[3] », la compo-

1. Charles Maurras, *Mes idées politiques*, Paris, A. Fayard, 1937, p. 264, cité par Pierre-André Taguieff, « Le nationalisme des "Nationalistes". Un problème pour l'histoire des idées politiques en France », dans *Théories du nationalisme, Nation, Nationalité, Ethnicité*, Gil Delannoi et Pierre-André Taguieff (dir.), Paris, Éditions Kimé, 1991, p. 56.
2. Claude Debussy, « À la Schola Cantorum », *Gil Blas*, 2 février 1903, repris dans *Monsieur Croche*, p. 89.
3. Cité par Lesure, *Debussy*, p. 236.

sition de l'auditoire où se coudoient « l'aristocratie, la bourgeoisie tranquille de la Rive gauche, des artistes et de rudes artisans » (les forces vives de la nation ?) qui concourent à susciter une émotion encore vivace le mois suivant[1]. Debussy n'a pas attendu la Grande Guerre pour avoir la révélation du national. Deux sens du mot « révélation » : apparition soudaine d'un état sous-jacent par-delà l'apparence, comme on peut le vérifier dans l'invention récente de la photographie ; choc émotionnel qui *révèle* une vérité de l'être, comme dans la conversion religieuse.

Impression de « source jaillissante », sentiment d'une « magnifique douceur [qui] apaise[2] » ; l'appartenance nationale est la « nappe qui fournit toutes les fontaines de la cité », elle est le « point fixe », l'« axe » de l'existence[3] : Maurice Barrès a connu lui aussi la révélation qui amène à la conversion. La sienne est politique. Après avoir tenté d'en restituer l'intensité par l'image de la source nourricière, il utilise la métaphore musicale pour en établir l'évidence : plutôt le « chant naturel » qu'une « cantilène apprise »[4]. La simplicité de la formule contient le b.a. ba du nationalisme. Claude Debussy et Maurice Barrès sont nés à trois jours d'intervalle lors de l'été 1862. Ils ont été wagnériens l'un et l'autre jusqu'au moment où la révélation du national les saisit pour les conduire à se dresser contre le « germanisme[5] ». Une cause, un combat, une nécessité vitale.

Nationalisme. Le terme nourrit des enjeux singuliers, recoupe une panoplie d'idées, d'opinions, de comportements[6]. Il ne figure pour-

1. « Rameau, par votre amicale volonté a vraiment récompensé au-delà de mon désir, un méchant article où j'avais très sincèrement essayé de dire mon émotion en même temps que mon regret qu'on ne la partage pas davantage » (lettre de Claude Debussy à Jacques Durand, mercredi 18 février 1903, *Correspondance*, p. 718).

2. Maurice Barrès, *Scènes et doctrines du Nationalisme*, [1902], [1925], rééd. 1987, Paris, Éditions du Trident, p. 14.

3. *Ibid.*

4. Maurice Barrès, *Romans et voyages, Les Amitiés françaises*, Paris, Robert Laffont, 1994, t. 2, p. 126.

5. Voir Philippe Bedouret, *Barrès, Maurras et Péguy face au germanisme, 1874-1914*, Thèse soutenue à l'EPHE, 2002.

6. Les travaux sur le nationalisme dans la France du tournant du siècle sont légion. En voici une liste non exhaustive. Philippe Bedouret, *Barrès, Maurras et Péguy face au germanisme*, *op. cit.* ; Isaiah Berlin, « Le nationalisme : dédains d'hier ; puissance d'aujourd'hui », dans *À contre-courant, Essai sur l'histoire des idées*, Paris, Albin Michel, 1988 ; Isaiah Berlin, *Le Bois tordu de l'humanité, Romantisme, nationalisme*

tant pas dans les articles ou la correspondance de Debussy. Pas plus que n'y apparaissent, à l'exception d'une occurrence, les noms de Maurice Barrès[1] ou de Charles Maurras. Si ce n'est que les thèmes abordés dans les écrits de Debussy à partir de 1903 – authenticité associée à une origine, action dissolvante de l'étranger, communion d'un auditoire par-delà les classes sociales, aspiration à restaurer une grandeur tombée – puisent dans les eaux profondes de ce qui pourrait être bien plus qu'une idéologie ou une pure réaction politique.

Celui qui s'arc-boute désormais dans ses écrits contre l'influence musicale étrangère avait accueilli la musique de Bali en 1889, le cake-walk en 1900, Moussorgski en 1901[2] comme des ferments de renouvellement de son langage musical. Déjà, lors de son voyage en Russie en 1879, la rencontre émerveillée avec la liberté mélodique de la musique populaire russe s'était répercutée sur son œuvre. Le tournant nationaliste de Debussy en 1903 ne serait-il pas le symptôme d'une crispation française, le signe d'une fermeture à ce qui advient de l'extérieur, un déni de l'autre, une sclérose ? Le compositeur n'entrerait-il pas alors dans la pénombre de ces « craintes limitantes[3] » qui amènent un révolutionnaire de vingt ans à devenir réactionnaire à l'aube de la quarantaine ? Ces questions banales n'appellent que des réponses banales. Préférons-leur celles-ci : quels enjeux musicaux recouvre le terme « nationalisme » dans l'itinéraire

---

et totalitarisme, Paris, Albin Michel, 1992 ; Pierre-André Taguieff, « Le nationalisme des "Nationalistes". Un problème pour l'histoire des idées politiques en France », article cité ; Jacques Droz, *Le Romantisme politique en Allemagne,* Paris, Armand Colin, 1963, et aussi : *Le Romantisme allemand et l'État. Résistance et Collaboration dans l'Allemagne napoléonienne*, Paris, Payot, 1966 ; Ernest Nolte, *Le Fascisme dans son époque,* 1. L'Action française, Paris, Julliard, 1970 ; Zeev Sternhell, *Maurice Barrès et le Nationalisme français*, Paris, Presses de Sciences-po, 1972, rééd. Paris, Fayard, 2000 ; Michel Winock, *Nationalisme, antisémitisme et fascisme en France*, Paris, Seuil, 1982.

1. Pierre Louÿs mentionne Barrès à propos d'un écrivain mineur dans une lettre à Debussy le 6 février 1899. « C'est moins élégant que du Maurice Barrès » (*Correspondance*, p. 469).

2. « Personne n'a parlé à ce qu'il y a de meilleur en nous avec un accent plus tendre et plus profond ; il est unique et le demeurera par son art sans procédés, sans formules desséchantes. Jamais une sensibilité plus raffinée ne s'est traduite par des moyens aussi simples ; cela ressemble à un art de curieux sauvage » (Claude Debussy, « La chambre d'enfants de Moussorgsky », *La Revue blanche*, 15 avril 1901, repris dans *Monsieur Croche*, p. 29).

3. André Breton, « Introduction au discours sur le peu de réalité », [1927], *Œuvres complètes*, t. II, Paris, Gallimard, Bibliothèque de la Pléiade, 1992, p. 54.

d'un grand compositeur ? Les frontières élevées par Monsieur Croche ne sont-elles pas contredites par l'œuvre de Claude Debussy qui abolit les frontières au profit des fondus enchaînés de toutes sortes ? Faudrait-il séparer les propos de Monsieur Croche, musicographe idéologue, et la musique de Claude Debussy, compositeur inspiré ? Quoi qu'il en soit, le cas Debussy permet d'ouvrir une réflexion sur l'histoire de la réception sociétale du nationalisme dans les milieux intellectuels et artistiques ; plus encore, il nous permet d'entrer dans cette zone grise qui sépare indistinctement nationalisme doctrinal et nationalisme d'opinion, il entrouvre la porte sur ce que l'on pourrait appeler le nationalisme culturel[1].

Une tradition (re)trouvée ?

Le converti se heurte d'ordinaire à la difficulté de rapporter le sentiment d'évidence éprouvé lors de la révélation. Comme Barrès, Debussy franchit aisément l'obstacle. La voici donc, la « pure tradition musicale française » : opposée à l'« affectation à la profondeur allemande », elle évite de « souligner à coups de poing, d'expliquer à perdre haleine[2]... ». Naturelle et raffinée, libre de toute « afféterie », elle échappe aux « tortillements de grâce louche[3] ». Que le « naturel » soit le fruit d'un raffinement relève du paradoxe mais qu'importe : l'oxymore nourrit le souci des nuances, l'architecture légère, invisible qui s'efface dans le frémissement, l'esquive, la syntaxe ordonnée. Les

1. Pierre-André Taguieff établit un examen critique de la distinction de Jean Touchard entre nationalisme doctrinaire et nationalisme sociétal. « Les historiens des idées politiques postulent notamment que les textes signés par des auteurs se déclarant "nationalistes" sont les matériaux privilégiés de leurs investigation. Telle est la situation de la recherche française sur "le nationalisme" : hégémonie traditionnelle, toujours constatable, des historiens, centration sur l'analyse des textes réputés nationalistes, et plus particulièrement des textes de doctrine, analysés selon les méthodes classiques de l'histoire littéraire (analyse des contenus avec un souci comparatif), parfois complétées par des enquêtes portant sur la diffusion et la réception des "œuvres". Car les exposés expressément doctrinaux constituent l'objet privilégié des analyses historiennes » (Pierre-André Taguieff, « Le nationalisme des "Nationalistes". Un problème pour l'histoire des idées politiques en France », article cité, p. 47).
2. Claude Debussy, « À la Schola Cantorum », article cité, p. 89.
3. *Ibid.*, p. 91.

sentiments fugitifs sont rendus par une écriture maîtrisée, spirituelle, élégante, parfois railleuse. Une définition clinique de cette tradition tombe sous la plume de Debussy : « une émotion sans épilepsie[1] ». La formule touche à l'os.

Comme toute révélation, celle de Debussy avait été précédée de prémisses. Entre mai 1901 et février 1903, les écrits du « jeune » critique musical (sa vocation naît à l'âge de 39 ans) cinglent de philippiques qui visent les « boniments haut casqués et sans mandat bien précis » des « faisandés chefs-d'œuvre de Richard Wagner[2] ». Combattre le « règne de Richard Wagner sur le drame lyrique[3] » devient chez lui une idée martelée. La partition de *Pelléas et Mélisande* vient d'être donnée à l'éditeur après des mois d'efforts. La phrase souvent citée – « chercher *après Wagner* et non *d'après Wagner*[4] » – ne désigne plus l'objectif d'un conquérant mais la réussite d'un projet.

En octobre 1902, le combat contre Wagner et le wagnérisme devient une opposition d'essence entre des traditions nationales. D'un côté, « la clarté », le « ramassé dans l'expression et dans la forme », posées comme qualités du « génie français » ; de l'autre côté, « la métaphysique wagnérienne » et le « fait divers italien[5] ». La chronique de janvier 1903 vise « l'influence allemande dans la musique française », une influence qui « n'a jamais d'effet néfaste que sur les esprits susceptibles d'être domestiqués[6] ». Le même mois de la même année, Debussy se laisse aller à un déchaînement anti-Wagner, « ombre fuligineuse et inquiétante ». Les contours de cette ombre sont aussi indistincts que ses effets sont repérables. Les « effluves de marais » de sa musique auraient laissé en héritage « une empreinte

1. Lettre de Claude Debussy à Robert Godet, 14 octobre 1915, *Correspondance*, p. 1948. Citation entière : « Où sont nos vieux clavecinistes, où il y a tant de vraie musique ? Ceux-là avaient le secret de cette grâce profonde, de cette émotion sans épilepsie, que nous renions comme des enfants ingrats. »

2. Claude Debussy, « La *Neuvième symphonie* », *La Revue blanche*, 1er mai 1901, repris dans *Monsieur Croche*, p. 37.

3. Claude Debussy, « L'Ouragan », *La Revue blanche*, 15 mai 1901, repris dans *Monsieur Croche*, p. 41.

4. Claude Debussy, « Pourquoi j'ai écrit *Pelléas* », repris dans *Monsieur Croche*, p. 62.

5. Claude Debussy, « L'orientation musicale », *Musica*, octobre 1902, repris dans *Monsieur Croche*, p. 67.

6. Claude Debussy, « L'influence allemande dans la musique française », *Mercure de France*, janvier 1903, repris dans *Monsieur Croche*, p. 64.

de fièvre inguérissable, un étirement de cavale fourbue tellement Wagner, tyrannique et volontaire la traînait sans pitié à la suite de son égoïste besoin de gloire[1] ».

Nationalismes

Le nationalisme de Debussy est le plus souvent interprété comme une incongruité, une étrangeté sans conséquence, un travers mineur sur lequel il serait inutile – voire sacrilège – de s'appesantir. L'outrance des propos les ferait relever, écrit François Lesure « du billet d'humeur[2] ». Dans les dernières années de sa vie, le contexte de la Grande Guerre, la perception des réelles atrocités allemandes en Belgique et dans le nord de la France exagérées par la presse, les avancées de sa maladie pourraient servir de circonstances atténuantes à la violence de certains de ses écrits[3]. Les déclarations fracassantes de 1915 reprendront ce qu'il écrivait quelque dix ans auparavant :

> Voilant et étouffant les fines ramures de l'arbre généalogique de notre art, combien de végétations parasites ont trompé les observateurs inattentifs ! Car notre indulgence pour les naturalisés est sans bornes. En fait, depuis Rameau, nous n'avons plus de tradition nettement française. Sa mort a rompu le fil d'Ariane qui nous guidait au labyrinthe du passé. Depuis, nous avons cessé de cultiver notre jardin, mais, par contre, nous avons serré la main des commis-voyageurs du monde entier. Nous avons écouté respectivement leurs boniments et acheté leur camelote. Nous avons rougi de nos précieuses qualités dès lors qu'ils se sont avisés d'en sourire[4].

Le nationalisme musical de Debussy est pourtant bien antérieur aux bombardements allemands – qu'il croit volontaires – sur la cathédrale de Reims. C'est bien en 1903 que la découverte de Rameau précipite la révélation de cette « pure tradition française ». La récurrence

1. Claude Debussy, « Le Prince Louis-Ferdinand de Bavière », *Gil Blas*, 19 janvier 1903, repris dans *Monsieur Croche*, p. 78-79.
2. Lesure, *Debussy*, p. 237.
3. Voir dans ce volume Annette Becker, « Debussy en Grande Guerre », p. 57-68.
4. Claude Debussy, « Enfin seuls !... », *L'Intransigeant*, 11 mars 1915, repris dans *Monsieur Croche*, p. 259-260.

de ce thème dans les écrits ultérieurs de Debussy indique que ce n'est pas une tocade.

Ce nationalisme est si peu politique qu'il permet à son auteur d'éviter de se voir stigmatisé comme « réactionnaire ». Rien à voir ici avec le nationalisme de Barrès à propos duquel André Breton et Aragon évoqueront en 1921 une *chute* dans les « idées conformistes les plus contraires à celles de sa jeunesse[1] ». « Comment l'auteur d'*Un homme libre* a-t-il pu devenir le propagandiste de *L'Écho de Paris*[2] ? » La conversion que les surréalistes assimilent à une apostasie a été vécue par Barrès comme un épanouissement[3]. « Il me faut m'asseoir [...] au point exact d'où les choses se disposent à la mesure d'un Français. [...] Le nationalisme net, ce n'est rien d'autre que de savoir l'existence de ce point, de le chercher et, l'ayant atteint, de nous y tenir pour prendre de là notre art, notre politique et toutes nos activités[4]. » En 1892, l'auteur anarchisant du « culte du moi » avait consacré le terme nationaliste dans un article du *Figaro*. « Les littératures étrangères nous donnent ces curiosités de bouche si nécessaires à des lettrés français fatigués de la table nationale trop bien servie. Vive la France. Elle est parfaite. Mais surtout Vive l'Europe ! Elle a pour nous ce mérite d'être un peu inédite. Elle nous réveille par des poivres et des épices nouveaux. Nos maîtres français sont des épiciers dont nous avons épuisé la boutique[5]. »

Voici donc qu'une dizaine d'années plus tard, Debussy découvre à son tour un maître français – Rameau. Il émanerait de sa musique un « esprit du sol » qu'aucune influence étrangère ne « domestiquait ». Debussy complète cet « esprit du sol », par l'incapacité contemporaine à parer les influences étrangères, le sentiment d'injustice à réparer[6], l'aspiration à retrouver la saveur d'une grandeur tombée,

1. Cité par Zeev Sternhell, *Maurice Barrès et le nationalisme français*, *op cit.*, rééd. Fayard, 2000 pour l'avant-propos et la préface, p. 11-12.

2. *Ibid.*

3. « Je n'abjure point mes erreurs car je ne les connais point. [...] elles demeurent, toujours fécondes, à la racine de toutes mes vérités » (Maurice Barrès, *Scènes et doctrines du Nationalisme*, *op. cit.*, p. 16).

4. Maurice Barrès, *Scènes et doctrines du Nationalisme*, *op. cit.*, p. 15.

5. Maurice Barrès, « La querelle des nationalistes et des cosmopolites », *Le Figaro*, 4 juillet 1892, cité par Philippe Bedouret, *Barrès, Maurras et Péguy face au germanisme*, *op. cit.*, p. 94.

6. « Pour beaucoup de personnes, Rameau est l'auteur du rigodon de *Dardanus* et c'est tout » (Claude Debussy, « À la Schola cantorum », article cité, p. 88).

la conviction que son œuvre s'y nourrira en son meilleur. Il était pourtant toujours passé à côté de la ferveur, de l'engagement ou de l'expression d'idées politiques nationalistes. La création de la Ligue des Patriotes en 1882 (il a vingt ans) le laissa indifférent. Rien, dans sa correspondance, ne transparaît des émois nationaux qui électrisent la IIIe République. Peu après son retour de la villa Médicis, en mars 1887, éclate l'affaire Schnaebelé[1]. Pour Barrès, l'amorce de la révélation du nationalisme. « Un sentiment se substitua au souci particulier : un état parut qu'on peut appeler l'âme nationale[2]. » On connaît peu de choses de Debussy dans une période où *Lohengrin* est donné à Paris, mais on l'imagine plus préoccupé par son début de carrière, ses devoirs vis-à-vis de l'Institut[3] et la vie de café que par les tressaillements nationalistes de l'opinion. Apolitique par excellence, Debussy ne s'exprime pas durant l'affaire Dreyfus, alors que « les journaux et les passants ne parlent que de ça », comme lui écrit Pierre Louÿs dans une lettre datée du 5 février 1898[4]. Le séisme civil qui divise la France en deux camps le laisse indifférent : quoi qu'il en soit, il ne manifeste pas le moindre sentiment antidreyfusard d'autant plus qu'il est soutenu par des salons dreyfusards. Esprit libre dans sa pensée comme dans sa vie privée, Debussy est si peu prédisposé à adhérer aux thèses d'un nationalisme alors indissociable de l'antisémitisme qu'à la fin de l'année 1903, quelques mois après son article sur Rameau, il amorce une relation amoureuse avec Emma Bardac, née Moyse, d'ascendance juive, qu'il épousera quelques années plus tard et dont il aura cet enfant – Chouchou – dont nous reparlerons. Le tournant de 1903 pourrait-il se rabattre sur un simple dévissé réactionnaire ?

1. Un espion français d'origine mosellane, Guillaume Schnæbelé, avait été interpellé par des policiers allemands déguisés en ouvriers agricoles sur le territoire annexé puis retenu en Allemagne et menacé d'être déféré devant une cour martiale. Cela fut interprété comme un *casus belli* par l'opinion française rangée derrière le général Boulanger.

2. Maurice Barrès, « L'appel au soldat », *Romans et voyages, Les Amitiés françaises*, Robert Laffont, 1994, t. 1, p. 778. Cité par Philippe Bedouret, *Barrès, Maurras et Péguy face au germanisme*, *op. cit.* p. 22.

3. Lesure, *Debussy*, p. 96.

4. Lettre de Pierre Louÿs à Claude Debussy, *Correspondance*, p. 390. Voir dans ce volume Christophe Prochasson, « La musique est-elle de droite ? », p. 87-97.

Nationalisme musical

Le monde musical ne pouvait pas rester à l'écart du nationalisme post-Sedan qui « refonde sur de nouvelles bases l'idée et la définition même de la nation[1] ». La Société nationale de musique s'était créée en février 1871 autour de la revendication d'un *Ars Gallica*. Marquer les oppositions entre les traditions musicales nationales devient banal dans les colonnes de la presse musicale française[2]. Du constat posé de la différence entre traditions, on glisse vers la dénonciation des influences étrangères, allemandes et italiennes, et on expurge les programmes de concerts de toute présence du musicien « étranger[3] ». Ce qui sera le cas jusqu'en 1880. Face à une Allemagne qui connaît des réussites industrielles, démographiques, commerciales, culturelles, la France se perçoit comme affaiblie, craintive, malgré des conquêtes coloniales et une créativité artistique sans précédent. Saint-Saëns ou d'Indy représentent cette France sur la défensive, porte-paroles du « nouveau nationalisme qui condamne et rejette la conception généreuse, universaliste et ouverte de la nation qui prévalait depuis Valmy, au profit d'une "nation citadelle" fermée au monde[4] ».

Comment expliquer la présence de Debussy dans ce tableau mental de citadelle assiégée ? Il est le dernier dont on s'attendrait qu'il verse dans un nationalisme de « crise ». Alors que la création récente de *Pelléas et Mélisande* le hisse au sommet de la notoriété, rien ne le prédispose au « ressentiment[5] ». La revendication d'un *Ars Gallica* à la Société nationale de musique le laisse indifférent ; la limitation du nombre de compositeurs étrangers dans les programmes de concert est hors de son horizon mental ; l'harmonisation de la musique

1. Philippe Bedouret, *Barrès, Maurras et Péguy face au germanisme, op. cit.*, p. 10.
2. Didier Francfort, *Le Chant des Nations, Musique et Cultures en Europe, 1870-1914*, Paris, Hachette Littérature, 2004, p. 11.
3. La propension à séparer des traditions musicales, consécutive à la débâcle de 1870, peut être comparée avec l'aspiration d'un Joseph d'Ortigue à réunir « le style vocal de Rossini [et] le style instrumental de Beethoven », écrit François Lesure dans sa préface à Joseph d'Ortigue, *Écrits sur la musique, Textes réunis, présentés et annotés par Sylvia L'Écuyer*, Paris, Société française de musicologie, 2003, p. 8.
4. Philippe Bedouret, *Barrès, Maurras et Péguy face au germanisme, op. cit.*, p. 11.
5. Pierre-André Taguieff, « Le nationalisme des "Nationalistes". Un problème pour l'histoire des idées politiques en France », article cité, p. 52.

populaire des provinces de France aiguise son ironie[1]. Ce nationaliste n'adhère pas plus au nationalisme politique qu'au nationalisme musical d'un Camille Saint-Saëns ou des disciples de Vincent d'Indy. Mais il perçoit la nation sous les auspices d'un patrimoine spirituellement envahi : « La sentimentalité particulière au peuple français [...] le pousse à adopter frénétiquement aussi bien des formules d'art que des formules de vêtements, qui n'ont rien à faire avec l'esprit du sol[2]. » Cette insistance est la contribution de Debussy à l'arsenal idéologique du nationalisme musical.

Restauration

Un mois avant la parution de la chronique musicale de Claude Debussy, Charles Maurras publie « Intelligence et patriotisme » dans *La Gazette de France*[3]. Cet article entend refonder le corps du nationalisme sur le terrain des idées et non sur l'humeur ou sur le seul dépit de la revanche. Il incrimine les « patriotes timorés qui prétendent tout résoudre par un appel au cœur », pourfend les dreyfusards universalistes et universitaires habitués à faire remonter des « lamentables associations de vocables » à « l'héritage intellectuel de la Révolution[4] ». Maurras fait ressortir la « durée de la réalité française » en deçà de l'enchaînement Luther-Rousseau-Kant-Principes de 1789-Fichte-pangermanisme-judéité-Franc-maçonnerie, qu'il perçoit comme pièce rapportée, accident de l'histoire, dévoiement coupable. « On nous parle d'idées françaises : il faut montrer, et ce n'est pas très difficile, que ces prétendues idées françaises sont des suisses ou des juives, encore reconnaissables sous le déguisement que leur ont imposé, depuis Jean-Jacques, nos écrivains romantiques[5]. »

1. « Nous entendîmes aussi *Un jour d'été à la montagne* de Vincent d'Indy. C'est du d'Indy "de derrière les Cévennes". Il m'a semblé qu'on y faisait un emploi immodéré du basson, on s'y étonne d'y entendre un piano » (Debussy, *Correspondance*, p. 941).

2. Claude Debussy, « À la Schola Cantorum », *article cité*, p. 88-89.

3. Charles Maurras, « Intelligence et Patriotisme » *La Gazette de France*, 5 janvier 1903.

4. *Ibid*.

5. *Ibid*.

Le nationalisme maurassien voit dans la restauration un remède et un programme. Debussy ne partage ni l'antisémitisme de l'Action française ni le rejet de la République[1]. Mais l'idée selon laquelle la marche en arrière du temps permettrait de remédier aux désordres du temps s'enracine dans un terreau qui dépasse la sphère monarchiste. La quête d'un état premier par-delà une modernité échevelée sert de ressort à des écrivains aussi différents que Huysmans, Barrès ou Proust[2] ; elle sous-tend l'idéal d'une grande partie de l'élite artistique européenne du tournant du siècle (« *Tornate all'Antico, Sarà un progresso* », proclamait Verdi) ; elle colore les récits de conversion[3]. Les programmes politiques, les démarches spirituelles, les projets artistiques qui visent à renouer avec une éthique ancienne ou exhumer les trésors écartés par la marche de la civilisation recherchent désormais la vérité ou la beauté *à rebours*.

Situé à l'intérieur de ce cadre de pensée « originiste[4] », Debussy exalte un territoire dont les frontières n'apparaissent sur aucune carte mais qui transparaît dans la manière de percevoir le monde et de le dire (composer, écrire, écouter, voir, aimer). Ce n'est pas l'enlèvement de l'Alsace-Moselle qui aiguise son nationalisme mais l'effritement du goût public. L'inspiration créatrice dont l'art, la langue, le geste, l'intonation ont traduit l'écho à travers les siècles lui semble en passe de disparaître dans le panier percé du libre-échange musical. Le goût étranger, surtout allemand, obscurcit le goût ancien, promesse de restauration créatrice.

« Ancien » est-il synonyme de « Français » ? C'est là que tout se joue. Depuis Berlioz, les musiciens français font aller de pair élargissement du langage musical et exhumation d'un socle enseveli. Le moyen ? Le recours aux modes archaïsants du Moyen Âge et de la Renaissance. Les compositeurs français du tournant du siècle voient dans les modes anciens le sol nourricier *qui permettrait le* renouvellement de leur langage musical. Simultanéité des contraires. Le lien entre tradition et innovation, principe de répétition et principe d'aventure, désir d'ancien et besoin de renouveau a été épinglé

1. Voir Laurent Joly, « Les débuts de l'Action française (1899-1914) ou l'élaboration d'un nationalisme antisémite », *Revue historique*, 2006/3, n° 369, p. 695-718.
2. Voir Philippe Gumplowicz, *Les Résonances de l'ombre*, Paris, Fayard, 2012.
3. Voir Frédéric Gugelot, *La Conversion des intellectuels au catholicisme en France 1885-1935*, Paris, CNRS Éditions, 1998.
4. Philippe Gumplowicz, *Les Résonances de l'ombre*, *op. cit.*

par un témoin bien informé, Romain Rolland. « Au rebours des écoles laïques de France, qui font dater le monde de la Révolution française, les musiciens regardaient celle-ci comme une chaîne de montagne qu'il fallait gravir pour contempler, derrière, l'âge d'or de la musique, l'Eldorado de l'art[1]. »

Déjà, lors de ses études au Conservatoire de Paris, Debussy s'était montré rétif à l'harmonie tonale. S'en tenir au pré carré de la résolution des accords ? *La Damoiselle élue* (1887-1888) use du coloris modal. Jusqu'au *Noël des enfants qui n'ont plus de maison* composé lors de la Grande Guerre, le recours au mode ancien répond au chromatisme post-wagnérien. Il épouse l'aspiration primitiviste à une simplicité d'écriture qui se traduirait par un oxymore de primitivité et de raffinement. L'obsession de l'origine, la recherche de forces d'expression que la civilisation aurait laissées en chemin est un mouvement de longue durée né avec le romantisme. La proclamation de Gustave Flaubert – « La civilisation n'a point usé chez moi la bosse du sauvage[2] » – permet de comprendre à quelles attentes répond la vogue de l'art nègre dans les arts plastiques, contemporaine de Debussy. « Je crois qu'il y a en moi du Tartare et du Scythe, du Bédouin et du Peau-Rouge[3] » continuait Flaubert.

Claude Debussy *versus* Monsieur Croche

Une aspiration comparable se retrouve chez Debussy. Elle se traduit par une écriture débarrassée des principes de l'harmonie d'école. Cette quête d'une fraîcheur première, d'une innocence, d'une pureté originelle transparaît dans ses goûts musicaux. De son séjour romain où il fit de Roland de Lassus et de Palestrina, compositeurs du XVIe siècle, ses modèles, jusqu'à la sympathie que lui inspirent les « Russes [qui] ont ouvert, dans notre triste salle d'études où le maître

1. Romain Rolland, *Jean-Christophe* [1907] 1948, p. 686, cité par Jacques Cheyronnaud, « Éminemment français, Nationalisme et musique », *Terrain* n° 17, octobre 1991, p. 92.

2. Gustave Flaubert, « Lettre à Louise Colet », mercredi 14 décembre 1853 ; *Préface à la vie d'écrivain*, Paris, Seuil, 1965, p. 159.

3. *Ibid.*

est si sévère, une fenêtre qui donne sur la campagne[1] », le recours à l'ancien – ce qu'il perçoit comme archaïque – fait office de source d'inspiration qui se démarquerait du projet wagnérien. De ce point de vue, l'antigermanisme du Français Debussy et l'anti-wagnérisme du musicien se recoupent mais doivent être distingués.

L'anti-germanisme de Debussy s'inscrit dans l'histoire du nationalisme en France. Son retournement antiwagnérien épouse une nouvelle époque dans laquelle l'Allemagne n'est plus tant alors le pays victorieux de 1870 qui a enlevé l'Alsace-Moselle que la deuxième puissance mondiale qui fait rétrograder la France à la quatrième place. Le sentiment d'un péril germanique est devenu une hantise intérieure chez Monsieur Croche. Le temps fort du wagnérisme en France se repérait à travers la qualité éditoriale de *La Revue wagnérienne,* entre février 1885 et juillet 1888. Une dizaine d'années plus tard, Debussy perçoit le wagnérisme sur le mode d'une invasion des consciences et d'un dévoiement du goût.

L'aspiration primitiviste de Debussy, marquée par la dilection pour le Franco-flamand Lassus, le Romain Palestrina, les Russes Moussorgski ou Stravinsky mue dès lors vers l'« originisme ». À la différence du primitivisme, celui-ci ne voit pas dans l'origine une pure référence esthétique mais en fait un modèle identitaire à atteindre. Pure disposition esthétique, le primitivisme devient nationalisme lorsqu'il se réfracte en un territoire supposé être origine spirituelle de la communauté nationale. C'est le chemin qu'emprunte Debussy en 1903 lorsqu'il évoque la patrie des « vieux clavecinistes où il y a tant de vraie musique [...] que nous renions comme des enfants ingrats[2] ». Le choix unique de Rameau signale une réfraction vers le national. C'est le choix d'une frange de l'opinion française cultivée.

Reste le moyen d'expression principal utilisé par Debussy, par-delà les qualités littéraires de Monsieur Croche : la musique. Le langage musical de Debussy grandit selon une courbe qui lui est propre et qui n'épouse pas forcément les opinions de Monsieur Croche. Entre la composition de *Pelléas et Mélisande* et celle de *La*

---

1. Claude Debussy, « *Jeux* », *Le Matin*, 11 mai 1913, repris dans *Monsieur Croche*, p. 237.
2. Lettre de Claude Debussy à Robert Godet, 14 octobre 1915, *Correspondance*, p. 1948.

Mer Debussy laisse de côté les influences musicales exotiques de ses années de formation. Ses proclamations nationalistes signalent la réussite de cette émancipation ; leur véhémence montre le travail acharné qu'il lui a fallu abattre pour y parvenir ; elle témoigne aussi de la crainte constante de retomber sous la coupe de la « domestication wagnérienne », perceptible au moment où, par exemple, Debussy avait dû rallonger les intermèdes musicaux de *Pelléas*, qui firent immanquablement penser à du Wagner. La hantise de l'étranger n'est pas tant l'étranger à soi-même que l'étranger en soi-même. L'ange opposé à l'épanouissement créatif n'est pas posté aux frontières mais dans les méandres de l'intime. L'empreinte de Wagner a été plus influente que l'« usine du néant » du *bel canto* italien[1]. Le nationalisme de Debussy est la transcription d'une aspiration artistique à un geste naturel, personnel en somme, culte du moi artiste.

Cake-walk

Cinq ans plus tard, entre *Pagodes* et les *Préludes,* Debussy publie *Children's Corner.* Ces pièces didactiques destinées à sa fille pourraient représenter une pause récréative. Elles sont à prendre avec sérieux, ne serait-ce que pour la place qu'occupe leur dédicataire dans l'univers du compositeur. Arrivée tardivement dans l'existence du musicien, Chouchou est si choyée qu'aucun correspondant de Debussy n'omettrait d'écrire un petit mot pour elle dans les lettres envoyées à son père. Une ironie corsetée court au long de ces pièces que les variations de dynamique et quantité d'indications expressives ne rendent pas si faciles à jouer. Qui plus est, le thème de l'enfance permet des résonances avec la préoccupation esthétique du compositeur : la recherche d'un naturel en art. Le primitif des civilisations est leur âge premier. Il trouve son répondant et sa projection dans l'enfance.

Le cake-walk est une danse qui accompagne le ragtime. Elle en est le produit d'appel et le produit dérivé. Popularisés durant l'Exposition universelle de Chicago en 1893, ses mouvements spectaculaires

1. Claude Debussy, « Reprise de la *Traviata* à l'Opéra-Comique », *Gil Blas,* 16 février 1903, repris dans *Monsieur Croche, op. cit.*, p. 99.

(un pied levé très haut pour atteindre un gâteau imaginaire) avaient frappé les esprits et contribué à la diffusion du ragtime. Un même élan s'était produit lors de l'Exposition universelle de Paris en 1900. À la suite d'une prestation de l'orchestre de la marine des États-Unis, une « cake-walkomanie » avait gagné Paris et donné lieu à l'édition de nombreuses « fantaisies nègres » et autres danses de salon.

Cake-walkomanie

Enclin à se décrire comme un nègre au travail, Debussy fait sien ce que les Américains appellent une « obsession nationale ». *Golliwogg's cake walk* conserve le modèle du ragtime : séquences de plus ou moins huit mesures, pulsation marquée à la main gauche avec une basse qui précède un renversement d'accord, « syncopettes » à la main droite, traits piqués – procédés d'écriture que Jean Wiéner désignera après guerre comme une « rhapsodie sur du béton armé ». Une première écoute laisse entendre les quatre parties (*strains*) du ragtime, mais la troisième partie est drolatique et rapsodique : une citation des premières mesures de *Tristan et Isolde*, *la*, *fa*, *mi*, *ré*♯, sous-titrée par une indication ironique : « avec une grande émotion ».

Claude Debussy, *Children's Corner*, « Golliwogg's cake walk », mesures 53 à 62

Ragtime, pentatonisme, réminiscence de forme sonate : le libre échange musical est plus affirmé que jamais. Où est la « pure tradition française » prônée par Monsieur Croche ? Debussy joue les emprunts les uns contre les autres. Les influences s'annulent dans l'esprit du jeu. En premier, la plus vénéneuse d'entre elles, celle de Wagner. L'ironie signale une déprise des influences. Chose remarquable : le pentatonisme du thème A préfigure le déploiement de l'accord de Tristan (*fa*, *si*, *ré*♯, *sol*♯) avec l'ajout d'un *si* bémol.

Claude Debussy, *Children's Corner*, « Golliwogg's cake walk », mesures 1 à 9

L'écriture de *Golliwogg's cake walk* oppose un démenti à la véhémence nationaliste des déclarations de Monsieur Croche. Claude Debussy aurait pu nourrir sa fille de berceuses du terroir. Il préfère des emprunts qu'il concasse. Conjuguée au singulier, l'identité est meurtrière ; les cumuler les annihile. Telle est la quête de la nudité première que Vladimir Jankélévitch associe à un espace borné d'aucune frontière : « Impression d'immensité, d'espace et de plein air. On a envie de crier pour faire penser à Pelléas : “Et maintenant, tout l'air de toute la mer”[1]. »

Comment comprendre aujourd'hui le nationalisme de Debussy alors que la mixophobie sonore nationaliste a laissé la place à une mixophilie planétaire ? Au XIXe siècle, les influences étrangères étaient peu avouables, tant étaient considérées comme mineures les *fantaisies* ou *airs variés*, synonymes de musique légère à la facture musicale hâtive et caricaturale (songeons aux *espagnolades*, ou aux *viennoiseries*). Au soupçon que Debussy faisait peser sur l'influence étrangère, s'est substitué l'éloge inconditionnel des influences et des sons mêlés. Le caractère *varié* d'une musique la rend musicalement correcte et mondialement consommable. L'humanité d'antan était séparée par des anamnèses particulières ; notre modernité rassemble en un brouet infini les brouillons épars – souvent ravagés – des parties. À l'âge où les « communautés imaginaires » sont proposées à la déconstruction, la seule mention d'une « pure tradition française » suscite le ricanement ou, pire, inquiète.

Entre-temps, il y eut la Grande Guerre. Et, pour ce qui nous concerne dans le monde musical, la réinvention par les « Six » de la notion d'emprunt dans l'immédiate sortie de guerre. Pour un temps – pour un temps seulement – le nationalisme s'ébrèche. « Aujourd'hui, et ceci fixe bien la fatigue d'une époque, nous avons dû réinventer le “nationalisme”. Je veux penser comme je l'entends, maintenant que me voici d'aplomb. Le Jazz-band nous a réveillés : bouchons-nous les oreilles pour ne plus l'entendre[2]. » Un auditeur contemporain renverrait les propos « réactionnaires » de Debussy à une « crispation » hexagonale récurrente. Il pourrait en faire la matrice de l'hypertrophie identitaire qui gagne les milieux musi-

1. Vladimir Jankélévitch, *Debussy et le mystère*, Éditions de la Baconnière, Neuchâtel 1949, p. 60.
2. Georges Auric, *Le Coq*, n° 2, juin 1920.

caux des années 1930[1]. Il oublierait que l'homme et le musicien ne sont pas si dissociables et que le musicien Debussy avait besoin de l'« enfermement » de Monsieur Croche pour que son langage s'épanouisse.

1. Philippe Gumplowicz, « Musicographes réactionnaires des années trente », *Le Mouvement social*, juillet-septembre 2004, p. 91-123.

La musique est-elle de droite ?
Socialisme et musique à la Belle Époque

Christophe Prochasson

Qui pénètre dans le périmètre de la culture ordinaire des socialistes français au tournant des XIXe et XXe siècles y rencontrera surtout des références littéraires, un intérêt certain pour le théâtre et un petit musée imaginaire composé de quelques œuvres de peintres ou de sculpteurs. Rien de bien démarqué, somme toute, de la culture républicaine qui depuis les années 1880 se répand progressivement dans l'ensemble du corps social par le truchement de l'école. Si la musique n'est pas tout à fait absente de ce bagage, elle relève d'abord d'une *musique sociale*, conçue comme un instrument dans la fabrique de la citoyenneté ou dans la mobilisation des énergies militantes. La musique telle que les socialistes la connaissent et la pratiquent est d'abord celle des chansons et des hymnes, des chorales, des fanfares et des orphéons, une musique qui rassemble, unit et pousse à l'action.

Les exemples ne manquent pas à une époque à laquelle, il faut le souligner, la musique demeure souvent à l'écart des horizons populaires pour demeurer dans le cadre de pratiques élitistes. Hors le concert, il n'est en effet pas d'accès démocratique à elle. Les quelques places gratuites de l'Opéra ne suffisent pas à la peine. Seule la « musique sociale » atteint le plus grand nombre. Dans le cadre éducatif des Universités populaires, souvent proches du mouvement socialiste, ayant surgi dans le cours des années 1890, la musique dispose d'une place, bien moins grande sans doute que celle qui est accordée à l'art dramatique, mais qui n'est pas tout à fait négligeable.

On y organise des concerts et dans leur sillage se créent de façon plus ou moins durable chorales et orphéons[1].

Le mouvement socialiste ne négligea pas ces groupes musicaux qu'il put concevoir comme des lieux possibles de politisation. Pour couvrir ses propres besoins militants lors de rencontres et de rituels faisant appel à la musique, il se dota aussi de sociétés musicales propres. Localement on vit se constituer des associations musicales socialistes ou des chorales ouvrières comme en connaissaient tant l'Allemagne et l'Autriche[2], auxquelles d'ailleurs purent se joindre des sociétés de musique subventionnées par des municipalités socialistes dont l'histoire reste encore à écrire. À Paris existent plusieurs « harmonies socialistes » dont celle du 12e arrondissement est l'une des plus actives. C'est surtout dans le Nord de la France que l'on trouve les sociétés musicales les plus nombreuses et les plus dynamiques. Les sociabilités politiques propres au socialisme septentrional[3] favorisent cet appel à la musique. Les fanfares ouvrières municipales, celle de Lens étant l'une des plus réputées, sont régulièrement mobilisées lors des fêtes et des ducasses traditionnelles que les socialistes ont su s'approprier.

Dans les réunions, meetings et congrès socialistes, les chansons et hymnes socialistes retentissent. De ceux-ci, pourtant, tout semble indiquer qu'on retient d'abord les paroles. La musique est seconde, tant et si bien d'ailleurs que la mémoire socialiste – comme l'attestent quelques articles commémoratifs – n'a retenu de *L'Internationale*, l'hymne socialiste par excellence à partir de 1889, que le nom du parolier, Eugène Pottier. Il est vrai qu'une malencontreuse querelle opposa les deux frères Adolphe et Pierre Degeyter, l'un et l'autre revendiquant la paternité de la partition[4].

Dans les colonnes des revues et journaux socialistes, on accorde peu d'espace à la musique, quel que soit son genre. Un intérêt pour

1. Voir Philippe Gumplowicz, *Les Travaux d'Orphée. Cent cinquante ans de vie musicale en France. Harmonies, chorales, fanfares*, Paris, Aubier, 1987.

2. Voir Maurizio Ridolfi, *Il PSI e la nascita del partito di massa*, Rome-Bari, 1992 et Vernon Lidtke, *The Alternative Culture. Socialist Labor in Impérial Germany*, Oxford, 1985.

3. Voir Bernard Ménager, Jean-François Sirinelli, Jean Vavasseur-Desperriers (dir.), *Cent ans de socialisme septentrional*, Villeneuve d'Ascq, Université Charles de Gaulle-Lille III, 1995.

4. Voir Jacques Estager et Georges Bossi, *L'Internationale, 1888-1988*, Paris, Messidor-Éditions sociales, 1988.

la musique s'est pourtant peu à peu répandu, au-delà des cercles les plus élitistes, au cours des années 1890. La principale revue socialiste, *La Revue socialiste*, créée en 1885, consacre alors aux œuvres musicales une attention soutenue. Entre novembre 1895 et janvier 1898, il y eut même une rubrique quasi mensuelle de critique musicale confiée à Jacques-Gabriel Prod'homme (1871-1956). Musicologue et germaniste, ayant étudié à l'École pratique des hautes études, grand voyageur ayant parcouru l'Italie, l'Allemagne et l'Angleterre, Prod'homme avait été l'un des fondateurs de la Société française de musicologie. En 1902, il créa avec Lionel Dauriac et Jules Écorcheville la section française de la Société internationale de Musique[1]. Collaborateur du *Temps*, du *Mercure de France*, de la *Revue de Paris*, de *La Revue musicale* et de plusieurs autres périodiques, il devint donc le critique de *La Revue socialiste* où il fut en mesure d'exprimer des options musicales inspirées de ses passions multiples, allant de Wagner à Berlioz, mais en oubliant Debussy.

Plus inattendue est l'absence d'intérêt pour la musique émanant de deux revues d'avant-garde qui jouèrent un rôle important dans la promotion d'une nouvelle culture socialiste à la veille de la Grande Guerre. *L'Effort*, bientôt devenu *L'Effort libre*, revue lancée en 1910 par l'écrivain Jean-Richard Bloch, qui plus est ami de Romain Rolland dont on connaît l'importance dans l'histoire de la musicologie[2], et les *Cahiers d'aujourd'hui*, fondés en 1912 par le critique d'art et collectionneur George Besson, ne ménagèrent aucun accueil particulier à la musique. La révolution culturelle à laquelle l'une et l'autre appelaient semblait donc pouvoir faire l'économie d'une dimension musicale. Absence d'autant plus étonnante dans le cas des *Cahiers d'aujourd'hui* que, bien qu'il n'y contribuât pas (à l'inverse de Maurice Ravel), Debussy n'en fréquenta pas moins les allées[3].

---

1. Madeleine Garros, « J.-G. Prod'homme (1871-1956) », *Revue de musicologie*, n° 39, juillet 1957, p. 3.
2. Selon l'historienne Jane Fulcher, « une importante figure dans l'acculturation musicale de la gauche politique avant la Première Guerre mondiale » (« an important figure in mediating the perspectives and concerns of the political Left and the musical world before World War I. », *French Cultural Politics and Music. From the Dreyfus Affair to the First World War*, Oxford, Oxford University Press, 1999, p. 128).
3. Francis Jourdain, « D'une amitié », *Europe*, 135-136, mars-avril 1957, p. 26-27.

L'Humanité fit aussi à la musique une place très seconde au regard du quotidien socialiste italien *Avanti*[1]. Même en ces belles années culturelles, dans les premiers mois de son lancement puis à partir du 25 janvier 1913, lorsque le quotidien socialiste passa à six pages qui permirent l'ouverture de nouvelles rubriques, les articles consacrés à la musique sont rares. Si les programmes des concerts et drames lyriques sont fidèlement publiés, les critiques musicales sont beaucoup moins nombreuses et régulières que celles vouées à la présentation de spectacles théâtraux, d'œuvres littéraires ou d'expositions. À l'inverse d'*Avanti*, l'équipe rédactionnelle de *L'Humanité* n'a pas réservé les questions musicales à un seul de ses collaborateurs. Outre quelques textes anonymes, ce sont des non-spécialistes qui interviennent aussi sur des sujets littéraires voire politiques, encore que quelques-uns fassent preuve de véritables compétences musicologiques comme l'attestent leurs commentaires de l'écriture musicale. Se distinguent parmi eux un militant socialiste bien connu, issu d'un milieu aisé et cultivé, François Crucy (pseudonyme de Maurice Rousselot) et, plus encore, un plus mystérieux « B. Marcel », auteur d'un acte, *La Valise*, édité en 1889 et d'un récit, *Petits bonshommes*, paru en 1903 et dont *L'Humanité* publia quelques bonnes feuilles l'année suivante. Si *L'Humanité* consacre des rubriques spéciales à la littérature, aux sciences voire à l'art dramatique, le quotidien socialiste disperse la musique en de très irréguliers articles de critique ou d'histoire musicale. Lorsqu'on y parle d'« art », la musique est curieusement absente : seuls les arts plastiques, l'architecture voire les arts décoratifs sont considérés.

Depuis la fin du XIXe siècle, ouvrages et périodiques socialistes s'échinaient à développer les lignes d'un « art social » s'en prenant aux esthétiques autonomistes de l'art pour l'art[2]. Ce qui vaut pour la peinture, la sculpture ou l'architecture vaut aussi pour la musique. « En quelle estime, s'interroge l'écrivain Georges Chennevière dans les colonnes de *L'Effort libre*, pourrons-nous donc tenir un compositeur qui regarde la musique comme un moyen d'expression, et non pas comme une fin en soi ; qui se sert des sons pour traduire

1. Marco Gervasoni, « Musique et socialisme en Italie (1880-1922) », *Le Mouvement social*, 208, juillet-septembre 2004, p. 31 et 38.
2. Christophe Prochasson, *Les Intellectuels et le socialisme*, Paris, Plon, 1997, p. 243-260.

et suggérer des sentiments, des idées, des émotions, et qui, aggravation inexcusable, prétend régénérer son inspiration au contact de la vie et du lyrisme *contemporains* ? C'est pourtant lui qui a raison[1]. » Dans le même mouvement, Chennevière s'en prend vivement moins à Debussy, dont l'œuvre parfaitement singulière impose le respect, qu'aux « musiciens d'aujourd'hui » qui « piétinent sur place », arrêtés par le formalisme musical qu'ils ont tiré de l'œuvre de Debussy. De ce dernier, ils n'ont retenu que des « procédés » et n'ont d'autre souci, selon Chennevière, que « l'enrichissement du langage sonore » :

> À force de n'envisager que la valeur *sonore* de la musique, on réduit celle-ci à une énervante virtuosité. Car le son ne se suffit pas à soi-même, un accord isolé ne signifie rien et une mesure, à elle seule, ne crée pas un rythme. Ainsi conçue, la musique actuelle a atteint deux points extrêmes, qu'il lui sera impossible de dépasser sans se nier en tant qu'art : c'est d'une part la description purement matérielle de Stravinsky, qui n'est pas si éloignée qu'on le pense de l'onomatopée ; et de l'autre, la pure abstraction sonore de Schoenberg[2].

Georges Chennevière n'est nullement isolé. La critique musicale des socialistes, telle qu'on peut la lire par exemple dans *L'Humanité*, soutient des points de vue analogues qui font de Debussy le grand oublié des quelques chroniques musicales publiées. Lorsque *L'Humanité* évoque « les plus grands noms de notre musique nationale », la liste se limite aux cinq compositeurs suivants : Charles Gounod, Ambroise Thomas, Jules Massenet, Camille Saint-Saëns et Vincent d'Indy[3]. Gustave Charpentier, non cité, relève pourtant du canon socialiste où il figure d'ailleurs en première place. Dans les pages de *La Revue socialiste*, Jacques-Gabriel Prod'homme fait de Charpentier « le chef de notre école contemporaine[4] » et salue aussi César Franck comme « l'un des plus grands parmi les modernes[5] ».

1. Georges Chennevière, « Sur une œuvre d'Albert Doyen », *L'Effort libre*, mars 1914, p. 375.
2. *Ibid,* p. 374-375.
3. *L'Humanité*, 14 juin 1913.
4. J.-G. Prod'homme, « L'Évolution de la Musique vers une forme sociale », *La Revue socialiste*, 131, novembre 1895, p. 575.
5. J.-G. Prod'homme, « Chronique des concerts », *La Revue socialiste*, 144, décembre 1896, p. 758.

Quels qu'en soient leurs auteurs, les chroniques musicales publiées s'inscrivent dans le même système de valeurs esthétiques valorisant « simplicité », « authenticité », « santé », quitte à ce que l'œuvre en perde une profondeur que n'apprécient guère que les élites.

Exprimé par des choix et des goûts dans le quotidien socialiste qui vise à encourager ses lecteurs, militants ou électeurs, à se rendre aux spectacles, le système musical des socialistes trouve sa théorie dans *La Revue socialiste* sous la plume de Jacques-Gabriel Prod'homme. La première de ses chroniques explicite le rôle qu'il assigne à la musique : « Il ne faut donc pas que la musique soit rabaissée – pas plus qu'aucun autre art – au rôle d'amuser, ou de délasser, à l'usage des digestions lentes d'estomacs fatigués par la bonne chère, ou encore de dilater la rate des gens enclins à l'hypocondrie[1]. » Le thème est récurrent : la musique demeure encore par trop un divertissement de classe. Il convient donc de l'émanciper de cet enfermement en lui conférant une dimension universelle. Le snobisme fin-de-siècle, porté par une bourgeoisie aux goûts avilis, est souvent visé par les critiques socialistes. Il affecte, en les dégradant, littérature, arts plastiques, musique.

La promotion de nouvelles valeurs artistiques et d'un véritable art moderne sont à l'ordre du jour. Selon Prod'homme, au même titre que l'architecture, dont elle partage aussi la même dépendance à l'égard des progrès techniques, la musique fait partie de l'environnement moderne. À ce titre, elle « se doit d'être la grande éducatrice de l'avenir[2] ». La musique n'échappe pas à la mission sociale assignée à tous les arts. *Sociale* et non *socialiste*, populaire mais non vulgaire : « *La Damnation* [*de Faust*] est aujourd'hui de la *musique populaire* dans le bon sens du mot », note Prod'homme[3]. Ces critiques n'appellent pas les musiciens à mettre leur art au « service du parti » et à se muer en propagandistes serviles, ligotés par des priorités politiques. Ils n'en délivrent pas moins la musique du seul carcan d'injonctions esthétiques venues d'élites coupées du peuple pour lui proposer une fonction : assurer l'élévation morale des peuples.

1. J.-G. Prod'homme, « L'Évolution de la Musique vers une forme sociale », *op. cit*, p. 574.
2. *Ibid.*, p. 575.
3. J.-G. Prod'homme, « Chronique des concerts », *La Revue socialiste*, 136, avril 1896, p. 490.

Sur fond de ces principes esthétiques se dégagent des choix dont nous avons cité les principaux bénéficiaires du côté de la musique française, Charpentier étant le compositeur contemporain sur lequel les critiques s'accordent le plus uniment. Du côté de la musique allemande, la grande rivale, Wagner continue d'emporter tous les suffrages, jusqu'à la Première Guerre mondiale, quand bien même ses premiers soutiens français avaient entamé depuis plusieurs années une opportune retraite. Dans la presse socialiste, le génie de Bayreuth ne subit aucune érosion. En une de *L'Humanité*, le 28 mai 1913, François Crucy célèbre le centenaire de Wagner, tout en s'en prenant certes vigoureusement au « wagnérisme ». Il n'empêche, Wagner est le « plus grand génie musical moderne », est-il écrit dans un « chapeau » présentant des extraits du neuvième volume des *Œuvres* de Wagner traduites par Prod'homme en cours de parution[1].

Parmi les grandes figures du socialisme français, rares sont ceux qui ont fait état de leurs goûts musicaux. Ceux qui le firent font aussi de Wagner le grand génie musical de leur temps. L'un d'entre eux, Charles Bonnier, l'un des intellectuels marxistes les plus en vue de la fin du XIXe siècle, théoricien du mouvement guesdiste, fut même dans les années 1880 un « pèlerin » de Bayreuth. Il fait le récit de ses pèlerinages dans des *Souvenirs* sans doute rédigés avant 1914 et publiés de façon posthume. La singularité même du cas Bonnier est intéressante tant il se distingue de la culture musicale moyenne des intellectuels socialistes dont on a vu à quel point la musique était chez eux un horizon très lointain. Ayant obtenu une chaire à Liverpool en 1900, il y fit vite la connaissance de Cyril Scott (1879-1970), le « Debussy » britannique, très en vogue au début du siècle et ami de l'écrivain Stefan George. Les deux hommes partagèrent la même demeure, cinq années durant.

Bonnier avait été tôt initié à la musique. Étudiant préparant l'École des Chartes à Lille, il se rendait souvent à l'Opéra-Comique de la capitale du Nord où, au début des années 1880, il découvrit les œuvres de Meyerbeer et d'Halévy. Aux concerts Martin de l'Hippodrome, il s'immergea dans celles de Saint-Saëns et de Massenet. Mais ce fut surtout Wagner qui emporta alors son enthousiasme. En 1882, avec quelques amis, il se rendit à Bayreuth, entendit du Wagner dans plusieurs villes allemandes (Cologne et Francfort-sur-le-Main)

1. « Richard Wagner et le patriotisme », *L'Humanité*, 28 mai 1913.

mais arriva à Bayreuth après la fin des représentations[1] ! En 1883, il reprit la route de Bayreuth, cette fois-ci avec des places retenues. Il y retourna en 1888. Durant ce séjour, il eut même l'occasion de se compter parmi les invités d'un dîner donné en l'honneur de Cosima Wagner, en compagnie de quelques élèves de Franck. Charles Bonnier fut le plus wagnérien des socialistes français, collaborateur de la *Revue wagnérienne* que l'écrivain Édouard Dujardin dirigea entre 1885 et 1888. Bonnier introduisit aussi le wagnérisme au sein du mouvement socialiste français. Il est sans doute le premier auteur à avoir rédigé une étude sur Wagner dans la presse socialiste[2] comme il est l'un des rares intellectuels socialistes à disposer d'une véritable culture musicale, plus encore d'une sensibilité aux avant-gardes, à l'exclusion, encore une fois, de Claude Debussy auquel il ne consacre pas la moindre ligne de ses *Souvenirs*.

Son cas est assez proche de celui de Léon Blum. Ce dernier avoua aussi son wagnérisme. Né dans un milieu bourgeois, Blum est familier de musique et de musiciens. Le milieu amical qui l'entoure avant 1914 comprend Thérèse Pereyra, qui devint en 1933 sa deuxième épouse, femme très férue de musique, dont la sœur Suzanne épousa Paul Dukas. Autour de Lise et Léon Blum, interprètes et compositeurs se comptent nombreux. Parmi eux, l'ami « Fred », Alfred Cortot, de cinq ans plus jeune que Blum, entamait déjà dans la décennie qui précède la Grande Guerre sa carrière internationale de virtuose. Reynaldo Hahn (qui tenta en vain de convaincre Proust du talent de Blum) figure aussi parmi les visiteurs les plus assidus du salon Blum. Il arrive aussi à Maurice Ravel et à Gabriel Fauré de s'y rencontrer[3]. De Claude Debussy, en revanche, nulle trace, alors même que le compositeur fréquenta le milieu de *La Revue blanche* (il y collabora six mois durant en 1901), périodique auquel Blum contribuait aussi et où il publia en 1892 un article consacré à Debussy. Blum n'en fut pas moins un wagnérien pendant de longues années[4].

Reste un dernier cas à côté duquel il n'est guère possible de passer, tant il incarne le socialisme français au temps de Debussy. À l'inverse

1. *Les Souvenirs de Charles Bonnier. Un intellectuel socialiste européen à la belle époque*, présentés et annotés par Gilles Candar, préface de Madeleine Rebérioux, Villeneuve d'Ascq, Presses universitaires du Septentrion, 2001, p. 89.

2. Charles Bonnier, « Art et socialisme », *Le Socialiste*, 10 avril 1886.

3. Ilan Greilsammer, *Blum*, Paris, Flammarion, 1996, p. 83 et 110-111.

4. *Ibid.*, p. 474.

de Bonnier ou de Blum, Jean Jaurès dispose d'une culture musicale plus ténue. Il lui arrive certes de se rendre à l'Opéra, comme le font tous ceux qui appartiennent à la bourgeoisie intellectuelle de ce temps mais dans cette habitude il convient sans doute de reconnaître plus qu'une passion une routine, un style de vie, un divertissement un peu mécanique, qui irrite tant, comme on l'a vu, les critiques de *L'Humanité* ou de *La Revue socialiste*. De formation classique et universitaire, Jaurès est un homme du livre. Le peu de temps libre que lui laisse une vie saturée de tâches politiques est consacré d'abord à la lecture.

Dans l'une de ses conférences les plus connues, prononcée le 13 avril 1900 à la Porte-Saint-Martin, Jaurès développe sa propre conception des relations entre l'art et le socialisme. Au regard de ce qui a déjà été dit, on ne s'étonnera pas de voir les exemples puisés surtout dans la littérature et les arts plastiques. Jaurès y défend une conception collective de l'art, contribution à sa manière à l'édification théorique d'un « art social », où l'artiste est appelé à sortir « des limites étroites et misérables de son individualité » pour donner « à son œuvre une valeur impersonnelle et éternelle[1] ». Annonçant l'avènement d'un artiste réconcilié avec le tout, ayant renoncé à son individualisme pour embrasser l'humanité tout entière, Jaurès reconnaît en Wagner un précurseur.

Dès lors, il faut bien chercher dans le corpus des textes socialistes disponibles traitant d'art et de musique pour faire son miel d'une référence à Debussy. Dans ses *Cahiers noirs*, Marcel Sembat est l'un de ceux qui y renvoie sans doute le plus souvent. Encore ses notes sont-elles très lapidaires. Debussy est néanmoins le musicien dont le nom est le plus fréquemment cité. Ainsi, à la page du 12 avril 1905, Sembat mentionne une représentation de *Pelléas et Mélisande*, créé à l'Opéra-Comique trois ans auparavant : « Revenu hier et nous avons été à *Pelléas et Mélisande*. Plus enthousiaste et plus remué chaque fois que je réentends ce chef d'œuvre[2]. » Lors de sa création, en 1902, le journal socialiste *La Petite République* avait également salué l'œuvre de Debussy en en soulignant le « classicisme[3] ».

1. Jean Jaurès, « L'art et le socialisme » dans *Œuvres de Jean Jaurès*, t. 16 : *Critique littéraire et critique d'art*, édition établie par Michel Launay, Camille Grousselas et Françoise Laurent-Prigent, Paris, Fayard, 2000, p. 412-413.

2. Marcel Sembat, *Les Cahiers noirs. Journal, 1905-1922*, Paris, Viviane Hamy, présentation et notes de Christian Phéline, 2007, p. 92-93.

3. Jane Fulcher, *French Cultural Politics and Music*, *op. cit.*, p. 179.

Dans les organes socialistes, comme déjà signalé, il est très peu fait cas de Debussy. On peut néanmoins s'interroger sur le fait de savoir si les propos antiélitistes de la critique musicale socialiste concernent ou non, moins Debussy lui-même que ses amis et partisans, les « debussystes ». L'une des critiques les plus détaillées de Debussy fut publiée dans *L'Humanité* fin janvier 1913. Elle a trait aux *Images* pour orchestre interprétées aux Concerts Colonne. L'auteur (« Cyrille ») fait état de sentiments mitigés :

> La principale attraction du concert était *Images*, de M. Debussy, fraîchement orchestrées. Comme l'indique son titre, *Images* est une suite d'impressions, sortes d'aquarelles colorées et vivantes, mais légèrement factices. Cette suite débutait par la *Ronde de printemps*, brouillard musical, fouillis d'instruments – le mouvement s'accélère, c'est le tournoiement de la ronde – mais une ronde grisaille sans reliefs. – Le n° 2 est intitulé *Gigue*, mélancolique et âpre, c'est une déformation en mineur du motif connu de la gigue nationale écossaise. Ici on retrouve la griffe du maître. C'est du Debussy sincère. – n° 3, *Iberia*, Espagne de l'imagination, Espagne factice et connue avec des bruits de castagnettes, de tambourins, ses chants d'amour et de gaieté ; Espagne inspirée par les souvenirs de Carmen, d'Albéniz et, peut-être aussi... de petites danseuses espagnoles de Montmartre. Malgré tout, rien de cela n'est indifférent. La dernière partie d'*Iberia* dépeint le matin d'un jour de fête. On assiste au réveil des rues avec le calme de la nuit, c'est la joie populaire qui éclate, brillante et bruyante[1].

On décèle à l'œuvre dans cette critique bien des valeurs propres à la critique esthétique des socialistes que l'on a déjà mis en évidence : l'« art social » que beaucoup souhaitent promouvoir en appelle à la « sincérité » et à l'évocation d'une modernité où les foules doivent occuper toute l'attention de l'artiste. Le « Debussy sincère » s'oppose ainsi à un Debussy factice, intellectualisé par des disciples trop zélés. Dans les *Images*, rien n'est meilleur que la peinture de la « joie populaire » où le talent du musicien semble se redresser après qu'il a brossé une « Espagne de l'imagination », au mauvais sens du terme, une « Espagne factice ».

L'œuvre, trop identifiée avec le snobisme bourgeois, ne pouvait attirer la sympathie des socialistes. La sensibilité politique du compositeur n'était pas non plus à même de rencontrer les idées

1. *L'Humanité*, 30 janvier 1913.

socialistes. On impute parfois à Debussy un tempérament anarchiste dont il aurait hérité d'un père non conformiste. Il n'est pas avéré que cet « anarchisme » soit très différent de celui que partageaient bien des artistes de ce tournant du siècle, prompts à défendre leur indépendance absolue, sous la forme d'un individualisme radical, et où se mêlent symbolisme, décadentisme provocateur et mépris pour les élites bourgeoises. Rien chez Debussy n'atteste vraiment l'homme de gauche. Durant l'affaire Dreyfus, à l'encontre des anarchistes politiques très engagés dans la défense du capitaine injustement condamné, il manifesta beaucoup de prudence, signant la pétition de troisième voie qu'était l'Appel à l'Union[1]. À partir de 1903, son itinéraire politique le déporta progressivement vers la droite nationaliste et le conduisit d'ailleurs à se rapprocher de la Schola Cantorum dans une France devenue « radicale[2] ».

Dans sa conférence de la Porte-Saint-Martin, Jaurès rassurait les artistes en leur annonçant la bonne nouvelle socialiste de la démocratisation des arts. Le socialisme assurerait aux artistes la conquête de nouveaux publics. Car aux yeux des socialistes, l'art nouveau relève de l'ordre collectif, rompant ainsi avec une conception bourgeoise qui fait de l'expérience esthétique une aventure strictement individuelle. On comprend mal dans ces conditions que la musique ait si peu retenu leur intérêt comme art social. Sauf à mettre en évidence le statut encore réservé à la musique à la fin du XIXe siècle et au début du siècle suivant : un art élitiste, inaccessible au plus grand nombre. La musique savante est ainsi renvoyée par les socialistes à un divertissement accaparé par une classe où pullulent les snobs. L'attaque en règle contre les wagnériens, et dans une moindre mesure contre les « debussystes », illustre cette représentation négative de la musique. La musique, dans ses développements les plus contemporains, semblait enfin s'offrir par des voies différentes de celles empruntées par la littérature. Les notes font appel à l'émotion, les mots à la raison. Les socialistes savent manier la première mais, en héritiers des Lumières qu'ils se veulent, font davantage confiance à la seconde.

1. Donnellon, Deirdre, « The anarchist movement in France and its impact on Debussy », *Cahiers Debussy*, n° 23, 1999. Je remercie Myriam Chimènes d'avoir porté cet article à ma connaissance.
2. Voir Jane Fulcher, *French Cultural Politics and Music*, *op. cit.*, *passim.*

La « valeur Debussy » à la bourse de la littérature du XXe siècle[1]

Timothée Picard

Mettre en lumière les lieux communs qui ont présidé au façonnement de la « figure Debussy », puis rendre compte des fluctuations de sa « valeur » à la bourse de la littérature et de l'histoire des idées, tel est notre propos. Et, partant de l'idée qu'au sein des conceptions et représentations de la musique à travers l'imaginaire européen, toute figure de compositeur se voit assigner une fonction précise, notre hypothèse est qu'il a été conféré à celle de Debussy la mission d'interroger les plis critiques et les avatars historiques et « imagologiques » propres à la notion complexe de « modernité », et que le répertoire de valeurs et de notions qui en a été dégagé – particulièrement en France – a induit une nouvelle manière de rendre compte de la musique dans l'écriture.

Quelles sont les formes de présence de Debussy à travers la littérature ? Cette présence est tout d'abord importante dans la littérature francophone, certes, mais aussi dans les littératures étrangères : allemande avec, par exemple, Thomas Mann ; anglaise avec Aldous Huxley ou Anthony Burgess ; italienne avec Alberto Savinio ; latino-américaine avec Alejo Carpentier ou Julio Cortázar, etc.

Dans ce cadre, et pour des raisons qui tiennent aux positions de Debussy lui-même, de son affranchissement par rapport à Wagner

1. Ce titre nous a été inspiré par un propos de Proust sur Debussy. Voir Marcel Proust, *Sodome et Gomorrhe*, *À la recherche du temps perdu*, Paris, Gallimard, Bibliothèque de la Pléiade, t. III, 1988, p. 210.

à son autoconstitution en tant que « musicien français », la composante « imagologique » – les conceptions et représentations croisées des identités nationales – joue évidemment un rôle important. À bien lire les propos des écrivains mélomanes, on peut même dire qu'elle apparaît comme décisive dans le processus d'identification et de promotion de Debussy en tant que chef de file d'une forme spécifique de modernité musicale mettant en cause plus d'un siècle d'hégémonie allemande, réelle ou fantasmée.

Cette présence est effective au sein des genres « non fictionnels », bien sûr – critiques ou essais d'écrivains et philosophes – mais aussi, ce qui est plus rare, dans le roman ou la nouvelle. De Catulle Mendès[1] et Camille Mauclair à Anthony Burgess en passant par Georges Duhamel, on recense en effet une présence non pas massive mais régulière, d'une borne à l'autre de la chronologie, de Debussy en tant que personnage de fiction. Et il peut alors apparaître de manière secondaire ou à titre principal, explicite ou implicite. Ainsi en va-t-il, par exemple, dans *Le Soleil des morts* (1898), roman à clef de Camille Mauclair dans lequel le nom du compositeur (Claude-Éric de Harmor), les caractéristiques sociologiques qui lui sont conférées (être le chef de file de la nouvelle école), et l'œuvre fictive décrite (un « prélude » fort proche de celui de *L'Après-midi d'un faune*), ne laissent pas de doute possible[2]. Voilà qui place Debussy au rang des tout premiers musiciens du patrimoine musical européen, et paraît d'autant plus étonnant qu'à l'exception de l'affaire Lilly/Emma, qui est par exemple censée avoir servi de patron à la pièce d'Henry Bataille intitulée *La Femme nue* (1908), sa vie ne possède pas de traits particulièrement saillants, leviers en principe nécessaires pour toute entreprise de « mythicisation » ou, tout au moins, de « fictionnalisation » d'un personnage réel[3].

Il n'en reste pas moins que la tentation d'une approche physiognomonique, habituelle à l'époque des Liszt, Wagner et autres Verdi, demeure encore singulièrement opérationnelle, au début du XXe siècle, dans le cas de Debussy : des témoignages de proches (le numéro de *La Revue musicale* de 1926 consacré à la jeunesse

1. *Le Chercheur de tares*, 1898. Les autres références sont données au fil du texte.
2. Camille Mauclair, *Le Soleil des morts*, dans *Romans fin-de-siècle*, Paris, Robert Laffont, coll. Bouquins, 1999, p. 893 *sqq.*
3. Voir Lesure, *Debussy*, p. 296.

de Debussy[1]) aux œuvres de fiction dans lesquelles il apparaît, les caractéristiques physiques du compositeur, supposées révéler des spécificités morales, bientôt reversées sur sa musique, et transformées en traits esthétiques, fascinent – ainsi, notamment, des « rondeurs » et de la « mollesse », qui annoncent indéfectiblement, du côté de l'œuvre, l'« arabesque » et la « volupté ». En la matière, l'un des lieux communs les plus galvaudés consiste par exemple à rabattre les caractéristiques du faune sur son auteur, et l'un des exemples les plus représentatifs en termes de propension physiognomonique est le long portrait qui clôt l'étude d'André Suarès, d'abord parue dans le numéro spécial de *La Revue musicale* de 1920, et complétée en 1936[2].

Ici, l'œuvre de fiction la plus poussée qui lui ait été consacrée, tissu virtuose de tous les lieux communs de l'imaginaire debussyste, est la nouvelle de Burgess intitulée *1889 et le mode du diable* (*The devil's mode*, 1989[3]). Elle nous montre Debussy s'interrogeant, à partir du problème esthétique posé par la fameuse « quarte augmentée », sur la question des liens entre musique et moralité, problème récurrent dans l'œuvre de Burgess, et dont la résolution est considérée par lui, via Debussy, comme décisive pour le devenir de la musique – et, en particulier, pour ce qui fonde la modernité musicale.

Au-delà de ces apparitions en tant qu'homme, Debussy est surtout présent, en littérature, à travers l'évocation de ses œuvres, à commencer par le récit de la création tumultueuse de *Pelléas*[4] (et, dans une moindre mesure, de *L'Après-midi d'un faune*). Notons que, là encore, cette évocation peut parfois faire le détour par des œuvres fictives d'inspiration plus ou moins explicitement debussyste, et connaissant un sort similaire à celui de leurs modèles : pour s'en faire une idée, on peut par exemple se reporter à *La Symphonie lacustre* de Paul de Villars dans *La Pêche miraculeuse* de Guy de Pourtalès (1937), ou aux *Phosphorescences de la mer* d'Adrian Leverkühn dans le *Docteur Faustus* de Thomas Mann (1949)[5]. Pour les écrivains, il est évident qu'il

1. *La Jeunesse de Claude Debussy*, numéro spécial de *La Revue musicale*, 1er mai 1926.
2. André Suarès, *Debussy*, Paris, Éditions Émile-Paul Frères, 1922-1936, p. 180 *sqq.*
3. Anthony Burgess, *1889 et le mode du diable*, dans *Le Mode du diable* (*The devil's mode*, 1989), Paris, Grasset, 1999.
4. Voir Alejo Carpentier, *Le Recours de la méthode* (*El recurso del metodo*, 1974), Paris, Gallimard, 1975, p. 46 *sqq.*
5. Respectivement : Quatrième Livre, « Louise », chap. 2 et chap. XVIII.

s'agit là, au cœur de la geste moderniste, du paradigme de l'« événement artistique » : celui qui suscite la cabale et engendre le scandale, interroge en profondeur le sens et la substance de l'art, remet en question les critères qui présidaient jusqu'alors à la formulation d'un jugement de valeur, et segmente le public. Ainsi Proust décrit très bien la façon dont, au grand dam de Madame de Cambremer et de son assurance snobe et naïve dans l'idée d'une progressivité de l'art, le récit moderniste est en train de connaître un enchevêtrement particulièrement complexe de plis et replis critiques[1].

Et s'il y a paradigme, c'est aussi que l'importance du *Faune* ou de *Pelléas* a beau apparaître comme incontestable aux yeux des écrivains, leur triomphe ne leur semble cependant jamais définitivement acquis. La « naturalité » de la musique de Debussy leur apparaît en effet comme éminemment ambivalente : comme une réponse cultivée et sophistiquée, sincère insincère, artificielle dans tous les sens favorables ou défavorables du terme, au défi wagnérien – Proust l'explique très bien dans une lettre à Reynaldo Hahn du 4 mars 1911[2]. D'où la tentation, particulièrement représentée, de Proust, Jean Lorrain, et Romain Rolland, à Carpentier et Cortázar, de pasticher l'œuvre, et caricaturer ses thuriféraires – un trait certes partagé avec Wagner, sauf qu'ici c'est non pas le sublime de l'œuvre et l'hypnose consentante du public qui semblent en cause, mais leur maniérisme et leur snobisme.

Notons encore deux caractéristiques de la présence de l'œuvre et de la figure de Debussy en littérature. Pour maints de ces concerts réels ou fictifs dont elle rend compte, il semble que la *Soirée avec Monsieur Teste* de Valéry (1896), dont on sait qu'elle influença le *Monsieur Croche* de Debussy, ait joué le rôle de canevas décisif : maints traits stylistiques, motifs, enjeux rémanents d'un texte à l'autre, semblent l'attester – à commencer par l'évocation mi-fascinée mi-critique d'un temps de communion collective s'effectuant dans la musique, caractéristique du rapport ambivalent que les écrivains entretiennent avec le principe de « religion de l'art ». Par ailleurs, en tant que figure clef de la modernité musicale, Debussy semble représenter un incontournable de la plupart des « romans de formation de l'artiste » de la première moitié du XXe siècle, qu'il s'agisse de *Jean-Christophe*

1. Marcel Proust, *Sodome et Gomorrhe, op. cit.*, p. 207-208.
2. *Correspondance de Marcel Proust*, Paris, Plon, 1983, t. X, 1910-1911, p. 257-258.

de Romain Rolland (1904-1912), *La Montagne magique* de Thomas Mann (*Der Zauberberg*, 1924), *Marina di Vezza* de Huxley (*Those barren leaves*, 1925), *La Pêche miraculeuse* de Guy de Pourtalès (1937), *La Chronique des Pasquier* de Georges Duhamel (1945), *Le Docteur Faustus* de Thomas Mann (*Doktor Faustus*, 1947), *Les Épis mûrs* de Lucien Rebatet (1954), etc.

D'un bout à l'autre de la chronologie, l'imaginaire debussyste se trouve saturé de motifs récurrents et autres « lieux communs » par lesquels les musicographes donnent prise au discours.

Le premier lieu commun, qui est à mettre en rapport avec les affinités littéraires du compositeur, consiste à avancer que l'œuvre de Debussy n'aurait réussi à s'imposer que grâce à l'intervention des hommes de lettres et d'artistes non musiciens – lieu commun qui, en leur temps, a également concerné Gluck, Berlioz, ou Wagner. Ce faisant, Debussy se trouve lui-même ici et là comparé à un écrivain, tantôt à l'avantage des deux artistes (Rimbaud selon Suarès), tantôt en leur défaveur (Gide selon Savinio[1]).

Le deuxième lieu commun revient à distinguer Debussy de ses thuriféraires, le plus souvent au détriment de ces derniers. Il se divise en deux volets. Comme on l'a fait pour Wagner, on avance l'idée – à l'instar de Rivière dans un numéro de *La NRF* de 1910[2] – que le debussysme a précédé Debussy : que celui-ci a répondu à un désir collectif d'époque qui lui préexistait. Ce désir est envisagé en termes tantôt positifs quand on pense qu'il s'agit là de mettre fin aux grandes orgues du romantisme à la Wagner ; tantôt négatifs, quand on y décèle, à la manière d'un Rolland, les symptômes d'un hypothétique tarissement vital, annonciateur d'une supposée décadence[3]. Dans le sillage des caricatures d'aficionados wagnériens, et d'une approche clinique de leur passion, mais en y ajoutant la particularité des personnages maeterlinckiens, qui est d'incarner un tragique non pas mythique mais quotidien, on isole alors deux types spécifiques : l'esthète, parfois érigé de manière polémique en éphèbe homosexuel, et « la debussyste ». Concernant le premier, rappelons

1. André Suarès, *Debussy*, *op. cit.*, p. 91 ; Alberto Savinio, *La Boîte à musique* (*Scatola sonora*, 1977), Paris, Fayard, 1989, p. 286 (texte de 1925).

2. Jacques Rivière, *Études (1909-1924)*, Paris, Gallimard, 1999, p. 198.

3. Romain Rolland, *Musiciens d'aujourd'hui*, Paris, Hachette, 1908, 16e éd., p. 198 *sqq*.

que le texte le plus représentatif en la matière, *Les Pelléastres* de Jean Lorrain (1910), s'inspire d'un article qu'une quinzaine d'années plus tôt le polémiste allemand Oskar Panizza avait concocté à l'intention des wagnériens, et dans lequel il faisait de *Parsifal* un signe de ralliement pour les homosexuels – hypothèse qui avait offusqué Willy[1]. Mais Rivière – qui n'était pas homosexuel – signale lui-même sans ironie à quel point fut décisive, pour le très jeune debussyste qu'il fut, la découverte de *Pelléas*[2]. Concernant « la debussyste », on peut évoquer le personnage de Madame Verdurin, dont les cernes, dit le narrateur proustien, marquent sur elle l'effet de *Pelléas* mieux que ne le ferait la cocaïne, ou encore cette admiratrice qui, dans la nouvelle *Les Ménades* de Cortázar (*Las ménades*, 1956), ne cesse de murmurer, tout au long d'une exécution de *La Mer*, le mot fétiche d'« ineffable », avec un visage qui, précise le narrateur, semble tantôt « sortir d'une douche », tantôt s'apparenter à un « radis » – le tout pour dénoncer, tel Mauclair, les travers de la « debussyte », maladie comparable à cette « wagnérite » moquée en son temps par les opposants à Wagner[3].

C'est que, nourri par les textes fameux de Nietzsche, Nordau ou Tolstoï contre Wagner – un héritage explicitement revendiqué par Raphaël Cor dans son pamphlet intitulé « M. Claude Debussy et le snobisme contemporain[4] », et reconnu comme tel par les figures qui ont participé à l'enquête de la *Revue du Temps présent* –, le troisième lieu commun consiste en effet à associer Debussy (et, avec lui, l'orbe symboliste) au schème philosophico-historique de la décadence. Dans les pamphlets, caricatures et pastiches évoqués plus haut, quatre données reviennent alors systématiquement pour caractériser le monde de Debussy. La première d'entre elles est l'évocation d'une atmosphère morbide, saturée par toutes les formes de l'élément aquatique.

1. Voir Michel Schneider, *Prima Donna, Opéra et inconscient*, Paris, Odile Jacob, 2001, p. 245-246.

2. Jacques Rivière, *Études (1909-1924)*, *op. cit.*, p. 229.

3. Marcel Proust, *Sodome et Gomorrhe*, *op. cit.*, p. 734 ; Julio Cortázar, *Les Ménades*, *Nouvelles, histoires et autres contes*, Paris, Gallimard, coll. Quarto, 2008, p. 274 ; Camille Mauclair, « La debussyte », *Le Courrier musical*, 15 septembre 1905, cité par Jean Barraqué dans *Debussy*, Paris, Seuil, coll. Solfèges, 1994, p. 166.

4. Raphaël Cor, « M. Claude Debussy et le snobisme contemporain », dans C.-Francis Caillard et José de Bérys, *Le Cas Debussy*, Paris, Bibliothèque du Temps présent, Librairie H. Falque, 1910.

De l'usage répété de l'adjectif « méphitique » par Proust au portrait acerbe de Debussy en « *Magister Humidus* » par Savinio, en passant par le « brouillard » dans lequel « l'on attrape du mal » selon Cocteau[1], les tropes du « malsain », du « pourri », et du « brouillé » dominent ces textes. Il est ensuite question d'une conception pernicieuse du genre humain, illustrée par des personnages qui, face aux supposés « surhommes » de la musique allemande, apparaîtraient comme apathiques et minuscules. On s'en prend encore à la fausse simplicité, au faux primitivisme dans lesquels baignerait l'œuvre : ils constitueraient des vices de formes tout à la fois éthiques et esthétiques[2]. Enfin, on s'interroge sur le mode d'écoute spécifique que suscite l'œuvre de Debussy, et l'on en vient à dénoncer chez le « debussyste » une forme de passivité ; et, plus généralement, des conception et représentation de l'homme en tant qu'entité agie et non pas agissante[3].

Car l'ensemble de ces éléments sont mis en rapport avec les caractéristiques esthétiques de l'œuvre elle-même, notamment quand il s'agit d'évoquer la question de la forme. Il est ainsi très régulièrement question, sous la plume des uns et des autres, d'une organicité exsangue, ascétique, et dévertébrée. On s'attaque également au langage musical. Dans une image érotique promise à un bel avenir, Lorrain évoque ainsi cet art des préliminaires sans fin, exaspérants à rendre fou, qui seraient selon lui le propre de la musique de Debussy. De la même façon, la notion, en principe connotée favorablement, du « goût », et, plus précisément, du « bon goût », se charge de traits ambivalents lorsque, comme c'est le cas ici, elle est opposée à celle de « force vitale », supposée caractéristique du génie créateur authentique[4]. Et le propos s'élargit alors en dénonciation de certaines des apories qui, à en croire les figures concernées, seraient le propre de la modernité musicale. Selon Rolland, Savinio ou Thomas Mann, le « cas Debussy » permettrait ainsi d'évoquer cette brillante stérilité qui en serait la substance : inhumaine à force d'être archi-musicale,

1. *Correspondance de Marcel Proust*, *op. cit.*, p. 257 ; Alberto Savinio, *La Boîte à musique*, *op. cit.*, p. 289 *sqq.* ; Jean Cocteau, *Le Coq et l'Arlequin*, dans *Romans, poésies, œuvres diverses*, Paris, La Pochothèque, 1995, p. 446.

2. Voir Alejo Carpentier, *Le Recours de la méthode*, *op. cit.*

3. Voir *Comprendre la musique. Contributions de Boris de Schlœzer à* La Nouvelle Revue Française *et à* La Revue Musicale *(1921-1956)*, édition établie et présentée par Timothée Picard, Rennes, Presses Universitaires de Rennes, 2011, p. 267-268.

4. Voir en particulier l'étude de Romain Rolland déjà citée.

sans descendance possible, fruit d'un artiste qui, sorti du romantisme, ne croirait plus à l'art, mais s'en jouerait sans espoir ni désir de ne plus rien fonder.

Si seuls ont été évoqués jusqu'à présent des lieux communs essentiellement préjudiciables à Debussy, il en va au demeurant de même pour ceux qui lui sont favorables. C'est le cas par exemple des comparaisons « élémentaires », « atmosphériques » ou « climatologiques » utilisées pour qualifier sa musique, et dont l'origine vient bien sûr des titres choisis par le compositeur lui-même pour ses œuvres. C'est le cas aussi, à l'opposé des brumes postromantiques évoquées plus haut, mais toujours en conformité avec un certain imaginaire nietzschéen, de l'évocation du caractère cette fois supposé méditerranéen, à la fois classique, sensuel et solaire, de certaines pages du compositeur[1]. Ou encore de l'utilisation, pour caractériser cette œuvre, de catégories dérivant du vocabulaire de la critique de peinture impressionniste, et de la philosophie de Bergson puis de Bachelard : une telle donnée, qui se développe avec Proust ou Rivière, culmine de manière très évidente dans l'œuvre de Jankélévitch[2]. Plus largement, certaines macro-catégories comme le « charme », « l'exactitude », en même temps que « la volupté », deviennent, en matière d'imaginaire debussyste, de véritables poncifs d'écriture. Enfin, en sens inverse, on constate qu'est régulièrement exprimé le désir de délivrer Debussy de certaines des catégories esthétiques qui lui ont été le plus souvent associées, comme par exemple le « symbolisme », l'« impressionnisme », ou l'« objectivité », de même encore que le « naturel ». Le plus souvent, c'est cependant pour le réinsérer dans un autre lieu commun, guère éloigné, au bout du compte, de celui qui avait été dénoncé – l'essai de Suarès s'avère en la matière exemplaire.

Le dernier lieu commun engage les questions d'« imagologie ». Deux leviers permettent alors d'ériger progressivement Debussy en parangon de la modernité française. En premier lieu, on recense trois variations sur le thème de « Claude de France ». Il s'agit tout d'abord de commenter le souci debussyste de restituer le « français d'opéra » dans ses droits, au moyen d'un travail novateur sur

1. Voir en particulier les chapitres « Neige » (« *Schnee* ») puis « Flots d'harmonie » (« *Fülle des wohllauts* ») de *La Montagne magique* de Thomas Mann.

2. Voir Vladimir Jankélévitch, *De la musique au silence II, Debussy et le mystère de l'instant*, Paris, Plon, 1976.

la prosodie et la déclamation. Poncif pluriséculaire : l'idée, ici, est que la culture allemande se réaliserait tout entière dans la musique, tandis que la civilisation française aurait davantage besoin du verbe – et donc, à l'opéra, d'un meilleur équilibre entre musique et langage – pour se réaliser. Dès lors, voir dans *Pelléas* quelque chose de « racinien », et lui comparer *Bérénice*, est affaire courante[1]. Par ailleurs, parmi les multiples projets avortés de Debussy, il en est un qui fait l'objet d'une élection particulière, celui de composer un « *Tristan* de France » : dans plusieurs romans apparaissent ainsi des personnages de compositeurs fictifs qui, sous la tutelle assez évidente de Debussy, expliquent avec force détails ce que serait, à leurs yeux, et contre Wagner, un *Tristan* « à la française[2] ». Enfin, il est un dernier motif qui court de Suarès[3] à Romain Rolland[4] et à Richard Millet[5] aujourd'hui : celui d'un compositeur qui aurait su rendre en musique le « ciel d'Ile-de-France », c'est-à-dire l'âme et l'essence mêmes de la francité. Coïncidant avec la redécouverte de la musique française de la fin du Moyen Âge, ce motif permet de rêver à l'avènement d'un nouvel âge d'or[6].

Le second levier consiste, en un jeu de comparaisons et d'oppositions instructives, à disposer certaines grandes figures de compositeurs autour de Debussy. On doit se contenter ici d'évoquer pour mémoire quelques associations secondaires, mais dont les implications sont loin d'être négligeables, qu'il s'agisse de compositeurs du passé (Monteverdi, Rameau ou Couperin) ou contemporains (Massenet, Satie, Ravel, Puccini ou Webern). Car, sous le signe de la dialectique « rupture / continuité », l'un des plus évidents lieux communs consiste bien évidemment à évoquer et mesurer le wagnérisme – et dans une moindre mesure le caractère russe – de la musique de Debussy. Soit la rupture est considérée par qui l'avance comme réelle,

1. Romain Rolland, *Musiciens d'aujourd'hui*, *op. cit.*, p. 206.

2. Voir par exemple Guy de Pourtalès, *La Pêche miraculeuse*, Paris, NRF Gallimard, 1937, p. 152-153 et Georges Duhamel, *La Chronique des Pasquier* (1933-1944), Paris, 1999, « Le désert de Bièvres », chap. 7, p. 545-546.

3. André Suarès, *Debussy*, *op. cit.*, p. 97.

4. Romain Rolland, *Musiciens d'aujourd'hui*, *op. cit.*, p. 206.

5. Richard Millet, *Vie secrète*, Paris, Gallimard, coll. « L'un et l'autre », 2004, p. 205-206.

6. Voir notamment Georges Duhamel, « Hommage à la musique française » (1951-1955), appendice à *La Musique consolatrice* (1944), Monaco, Éditions du Rocher, 1989.

et on peut même avoir tendance à l'accentuer pour les besoins de la cause : voir Suarès aux abords de la Seconde Guerre mondiale. Soit elle est au contraire dénoncée comme relevant de l'illusion : voir *Le Coq et l'Arlequin* de Cocteau (1919) au sortir de la Première. Quoi qu'il en soit, parmi les éléments les plus récurrents venant nourrir ce propos, notons : la comparaison topique entre *Pelléas* et *Parsifal* ; et l'opposition entre le supposé bon goût « civilisé » de Debussy et l'hypothétique force vitale « barbare » de Wagner. En effet, par le biais de ces deux figures, le thème de la civilisation française qui constituerait un rempart contre la barbarie allemande s'accentue bien évidemment durant la première moitié du XXe siècle. Enfin, la confrontation entre Debussy et Wagner se rejoue en des termes similaires avec le contemporain Richard Strauss : Rolland pratique ainsi une comparaison frontale entre les deux compositeurs, stigmatisant, de part et d'autre, l'effet d'une décadence généralisée, mais montrant tout de même sa préférence pour celle qui s'effectue dans l'excès (Strauss) plutôt que pour celle qui s'effectue dans le retrait (Debussy)[1].

Telle est donc la somme des lieux communs associés à la présence de Debussy en littérature. On peut ensuite les ramasser dans une proposition de récit.

Il est tout d'abord évident que la question du lieu de la « modernité Debussy » occupe singulièrement les écrivains et philosophes mélomanes. Placée tantôt sous le signe d'une progressivité, tantôt sous celui d'une décadence – voire d'une dégénérescence, puisque la métaphore biologique est souvent en jeu – celle-ci semble d'ailleurs engager la question de la substance, du fonctionnement, et de la valeur de la modernité en général, et ce, sous un angle à la fois esthétique, éthique, et politique. Comme on l'a vu, ce questionnement revêt dans l'Europe des nations un aspect « imagologique » important et, à ce titre, on peut, semble-t-il, dénouer ce nœud en trois moments distincts.

Dans le sillage de la critique nietzschéenne du symbolisme européen, considéré comme un surgeon français – c'est-à-dire cosmopolite – du wagnérisme, Debussy est d'abord placé du côté d'une

1. Voir Romain Rolland, *Jean-Christophe*, Paris, Le Livre de Poche, 1986, vol. I, p. 446.

modernité post- et ultra-wagnérienne, considérée dans un même mouvement comme la cause et le symptôme d'une décadence : c'est le cas chez ses immédiats contemporains, mais aussi, dans un second temps, des avant-gardes. Mais, durant la première moitié du XXe siècle, par un renversement progressif du rapport de force entre « culture nordique » et « civilisation méditerranéenne » – cliché « imagologique » particulièrement en vogue à l'époque –, et ce, en faveur de cette dernière, la figure de Debussy s'affranchit progressivement de cette ambivalence pour finir par incarner, contre l'hégémonie d'une esthétique musicale allemande dont les récupérations historiques semblent attester les travers, une modernité française considérée comme plus saine, désirable, et nécessaire. Au sortir de la Seconde Guerre mondiale, ce renversement culmine dans l'opposition définie par Jankélévitch entre un « indicible » associé à la musique allemande, et rejeté par le philosophe, et un « ineffable » propre à la musique française, et qui, lui, est plébiscité[1]. Dans tous les cas, il s'agit, pour les écrivains, de cerner un répertoire de catégories et de valeurs esthétiques, et d'inventer une écriture qui en restituerait un peu de la substance. Ce faisant, plus on approche de l'époque contemporaine, plus ceux qui se réclament de ce basculement paradigmatique, de Benoît Duteurtre à Richard Millet[2], par exemple, semblent parer cette modernité d'accents « antimodernes[3] » : en effet, l'enjeu pour l'écrivain mélomane qui se place sous le signe de Debussy est alors d'inventer ou de pérenniser un « parler » et un « écrire français » que la culture mondialisée mettrait en péril.

1. Vladimir Jankélévitch, *La Musique et l'Ineffable* (1961), Paris, Seuil, 1983.

2. Richard Millet, *Pour la musique contemporaine*, Paris, Fayard, 2004, et *Le Sentiment de la langue*, Paris, Éditions de La Table Ronde, La Petite Vermillon, 2003 ; Benoît Duteurtre, « Debussy et son siècle », dans *Ma Belle époque, Chroniques*, Paris, Bartillat, 2007, p. 221 *sqq*.

3. Antoine Compagnon, *Les Antimodernes : de Joseph de Maistre à Roland Barthes*, Paris, NRF Gallimard, 2005.

Proust et Debussy

Jean-Yves Tadié

Les deux hommes se sont vus, se sont connus, ne se sont pas fréquentés. Proust, au restaurant Weber, comparait la première épouse du compositeur, Lilly, qui avait les cheveux blonds ou châtains, à Mélisande, et son mari à… Golaud. Il essaya de l'inviter, en vain. Claude, écrit leur ami commun René Peter, l'avait poliment mais catégoriquement envoyé promener, s'excusant d'être un ours, mais parfaitement décidé à le rester. Et ce fut tout. Proust, racontant l'histoire, dit alors : « Allez, allez, nous l'admirons ensemble et ne le disons pas à Reynaldo. C'est un secret "tombeau" celui-là[1] ! »

On peut cependant rechercher ce qui apparente les deux hommes et les deux œuvres, par la structure, la conception du temps, le style de leurs phrases, la recherche d'une voix, leur position face à, ou plutôt dans la modernité. Ils n'ont pas trouvé d'emblée ce qui fait leur génie. *Printemps*, *La Damoiselle élue* sont l'équivalent musical des *Plaisirs et les jours*, des œuvres charmantes, mais qui n'échappent pas à leur temps.

Les sujets traités sont apparentés. À l'entrée des deux œuvres, on note un même goût pour l'enfance, celle de *Chidren's Corner* ou de *Du côté de chez Swann*. On rencontre ensuite les jeunes filles, la *Damoiselle élue*, *La Fille aux cheveux de lin*, Mélisande. L'amour est bientôt présent, et la jalousie : l'auteur de *Nuits blanches* et Golaud sont aussi dévorés de cette passion que Swann ou que le Narra-

1. René Peter, *Une saison avec Marcel Proust, souvenirs*, avant-propos de Dominique Brachet, préface de Jean-Yves Tadié, Paris, Gallimard, 2005, p. 79.

teur de *La Prisonnière.* Mélisande n'est-elle pas prisonnière dans son château ?

Debussy n'a rien écrit sur Proust. C'est donc d'abord dans la correspondance et dans le roman de Proust qu'on cherchera des traces du compositeur. En 1894, Proust, qui a vingt-trois ans, cite déjà « Debussy qu'on dit un grand génie bien supérieur à celui de Fauré[1] ».

C'est en 1911 que se trouvent les allusions principales. Proust a la révélation de *Pelléas* retransmis au théâtrophone depuis l'Opéra-Comique. Elle lui donne l'impression de tomber sous un charme, un ensorcellement « qu'il n'a pas connu depuis Mayol » :

> Je demande perpétuellement *Pelléas* au théâtrophone comme j'allais au Concert Mayol. Et tout le reste du temps il n'y a pas un mot qui ne me revienne. Les parties que j'aime le mieux sont celles de musique sans parole. [...] Il est vrai que celle du souterrain méphitique et vertigineux par exemple, est si peu méphitique et vertigineuse qu'elle me paraîtrait aller très bien sur *la Fontaine de Bandusie.* Mais à côté de cela par exemple quand Pelléas sort du souterrain sur un « Ah ! Je respire enfin » calqué de *Fidelio,* il y a quelques lignes vraiment imprégnées de la fraîcheur de la mer et de l'odeur des roses que la brise lui apporte. Cela [...] est d'une poésie délicieuse [...]. [Tout cela n'est] que « notation » fugace au lieu de ces morceaux où Wagner expectore tout ce qu'il contient de près, de loin, d'aisé, de difficile sur un sujet (seule chose que j'estime en littérature)[2].

Il avait d'abord noté que cela ne lui paraissait pas étranger à Fauré et même à Wagner, pas autant que « cela a la prétention et la réputation d'être. Mais enfin en me reportant à la personne de Debussy, comme Goncourt étonné que le gros Flaubert ait pu faire une scène si délicate de *L'Éducation sentimentale* que d'ailleurs Goncourt n'aimait pas, je suis étonné que Debussy ait fait cela[3] ». Ce qui confirmera le récit de René Peter sur les rencontres de Debussy chez Weber. Il est d'ailleurs amusant de voir Proust faire du Goncourt ou du Sainte-Beuve. Il faut aussi se souvenir que Proust écrit ici à Reynaldo

1. Lettre à Pierre Lavallée, [30 septembre ? 1894], Marcel Proust, *Correspondance,* texte présenté et annoté par Philip Kolb, Paris, Plon, 1970-1993, t. I.

2. Lettre à Reynaldo Hahn, [4 mars 1911], Marcel Proust, *Correspondance, op. cit.*, t. X.

3. Lettre à Reynaldo Hahn, [21 février 1911], Marcel Proust, *Correspondance, op. cit.*, t. X.

Hahn, qui déteste Debussy (et réciproquement) et qu'il s'efforce de ménager son interlocuteur.

C'est encore à Hahn que Proust envoie des fragments de son célèbre pastiche (posthume) de *Pelléas*, de mars 1911, dont nous citons le préambule :

> Notre ami Marcel Proust dont les lecteurs du *Figaro* connaissent les pastiches, a une immense admiration pour le *Pelléas et Mélisande* de Debussy. L'autre jour, il sortait d'une réunion avec un ami qui ne pouvait pas trouver son chapeau. Marcel Proust improvisa le duo suivant. Que le lecteur mette sous les questions la déclamation pressante, rapide, sous les réponses de gravité mélancolique, la mystérieuse cantilène de Debussy, et il sentira la justesse extrême de ce petit pastiche non pas de la pièce de Maeterlinck mais du livret de Debussy (il y a une nuance).

Et le pastiche se termine par ces mots : « Ainsi Marcel Proust divertissait sa mélancolie, tout en retournant travailler à une œuvre considérable qu'on ne connaîtra pas avant l'année prochaine[1]. »

La cantilène, on la retrouve dans les « cris de Paris » de *La Prisonnière* :

> « Les escargots, ils sont frais, ils sont beaux », c'était avec la tristesse et le vague de Maeterlinck, musicalement transposés par Debussy, que le marchand d'escargots, dans un de ces douloureux finales par où l'auteur de *Pelléas* s'apparente à Rameau (« Si je dois être vaincue, est-ce à toi d'être mon vainqueur ? ») ajoutait avec une chantante mélancolie : On les vend six sous la douzaine[2]...

Un peu plus loin, le ton est qualifié de « mystérieux comme le secret qui fait que tout le monde a l'air triste dans le vieux palais où Mélisande n'a pas réussi à apporter la joie, et profond comme une pensée du vieillard Arkel qui cherche à proférer dans des mots très simples toute la sagesse et la destinée ». De même que Proust superpose le soulagement de Mme de Cambremer apprenant que Chopin, grâce à Debussy, est de nouveau à la mode, à la phrase de Pelléas au sortir du souterrain et au chant des prisonniers de *Fidelio*, de même ici, il superpose au cri de Paris Debussy, puis Rameau (en fait il s'agit de

1. *Cahiers Marcel Proust* n° 3, *Textes retrouvés,* recueillis et présentés par Philip Kolb, édition revue et augmentée, Paris, Gallimard, 1971, p. 283-284.

2. Marcel Proust, *À la recherche du temps perdu*, Paris, Gallimard, Bibliothèque de la Pléiade, t. III, 1988, *La Prisonnière*, p. 624.

l'*Armide* de Lully) : trois niveaux de sens, une véritable symphonie, un superbe travail harmonique, qui par son imprévu (puisqu'au départ il s'agit d'un détail infime) arrache le sourire.

En revanche, en mai 1911, après la première qui a lieu le 21 mai au Châtelet, Proust porte un jugement très sévère sur le *Martyre de saint Sébastien*, « musique agréable mais bien mince, bien insuffisante, bien écrasée par le sujet[1] ».

On sait qu'Emma Bardac, après avoir été la maîtresse de Fauré, est devenue la femme de Debussy. En 1913, Proust note avec ironie, *L'Intransigeant* ayant écrit que Fauré et Debussy avaient choisi la même héroïne, Mélisande : « Sigismond Bardac pense peut-être qu'ils auraient dû se contenter de celle-là[2]. » Proust était en effet ami d'Henri Bardac, diplomate ami de Morand et cousin de Dolly et Raoul Bardac.

En 1917, au moment où Proust compose le septuor de Vinteuil (*La Prisonnière*) il écrit à Gautier Vignal qu'il ira chez lui (sans doute pour écouter un quatuor), parce que c'est Franck et Debussy qu'actuellement il préfère entendre.

À la même époque, Proust introduit dans *Sodome et Gomorrhe* d'intéressantes remarques sur Wagner et Debussy, non pas de manière abstraite mais en romancier, c'est-à-dire en les prêtant à un personnage. Mme de Cambremer Legrandin, se croyant

> avancée et (en art seulement) jamais assez à gauche, se représentait non seulement que la musique progresse, mais sur une seule ligne, et que Debussy était en quelque sorte un sur-Wagner encore un peu plus avancé que Wagner. Elle ne se rendait pas compte que si Debussy n'était pas aussi indépendant de Wagner qu'elle-même devait le croire dans quelques années, parce qu'on se sert tout de même des armes conquises pour achever de s'affranchir de celui qu'on a momentanément vaincu, il cherchait cependant, après la satiété qu'on commençait à avoir des œuvres trop complètes où tout est exprimé, à contenter un besoin contraire. Des théories, bien entendu, étayaient momentanément cette réaction [...]. D'ailleurs le jour devait venir où, pour un temps, Debussy serait déclaré aussi fragile que Massenet et les tressautements de Mélisande abaissés au rang de ceux de Manon[3].

1. Lettre à Reynaldo Hahn, [23 mai 1911], Marcel Proust, *Correspondance*, *op. cit.*, t. X.
2. Lettre à Reynaldo Hahn, [31 janvier 1913], Marcel Proust, *Correspondance*, *op. cit.*, t. XII.
3. Marcel Proust, *À la recherche du temps perdu*, Paris, Gallimard, Bibliothèque de la Pléiade, t. III, 1988, *Sodome et Gomorrhe*, p. 210.

Allusion au groupe des Six, dont Cocteau formule les théories dans *Le Coq et l'Arlequin* (1919) tout comme Georges Auric dans le journal *Le Coq*.

Cette admiration de Proust pour Debussy s'explique, non seulement par la commune recherche d'un langage nouveau, mais parce qu'ils ont eu un monde commun, des thèmes partagés. L'enfance de « Combray », d'*À l'ombre des jeunes filles en fleurs*, nous la trouvons aussi dans *Children's Corner*, ou chez le petit Yniold. La *Damoiselle élue* est parente des jeunes filles en fleurs comme de la fille aux cheveux de lin. Les passions, l'amour et la jalousie, sont au cœur de mélodies comme *Nuits blanches.* Golaud est aussi jaloux que le Narrateur ou que Swann.

Les éléments jouent aussi leur rôle, particulièrement la mer. Elle a toujours eu une influence bénéfique sur la création de Debussy, dont témoigne son grand poème symphonique. En 1915, à Pourville, il retrouve son inspiration entamée par la maladie, et compose ses sonates. Sur la même côte normande, mais plus à l'ouest, en 1908, à Cabourg, Proust commence, après un silence de deux ans, ce qui deviendra *Du côté de chez Swann*. Parmi les tomes suivants de la *Recherche*, *À l'ombre des jeunes filles en fleurs*, *Sodome et Gomorrhe*, contiennent de vibrants hommages à la mer.

Cependant Debussy est comme Proust un homme de l'intériorité : « Il n'y a pas de plus grand plaisir, écrit-il, que de descendre en soi, mettre en mouvement tout son être, chercher des trésors nouveaux et enfouis[1]. » Le voile qui semble entourer, recouvrir les *Préludes* traduit cette descente, cet enfouissement, comme s'il fallait creuser profondément pour atteindre la musique. Comme si tout était englouti, et pas seulement la cathédrale. C'est aussi par ce qu'il descend en lui-même au lieu de regarder autour de lui que Debussy se protège des influences extérieures, du monde musical contemporain. Il formule la même théorie des deux moi qu'on lira beaucoup plus tard dans *Contre Sainte-Beuve*, qui n'est publié qu'en 1954 : « Je sens la différence qu'il y a en moi entre Debussy le compositeur et Debussy l'homme. » « Le monde extérieur n'existe presque plus pour moi[2] », dit-il au moment où il se débat contre *La Chute de*

1. Interwiew parue à Budapest dans *Azest*, 6 décembre 1910, reprise dans *Monsieur Croche*, p. 311.
2. Lettre de Debussy à Jacques Durand, 18 juillet 1908, *Correspondance*, p. 1102.

la maison Usher. De même, au début de la guerre de 1914, au mois d'octobre, il écrit : « Wagner [...] a eu assez de génie pour qu'on oublie peu à peu ses faiblesses d'homme[1]. » L'aspect bipolaire du caractère (et de la musique) de Debussy se voit dans la scène du souterrain de *Pelléas* et dans son commentaire par Proust. Debussy : « Et la scène du souterrain fut faite, pleine de terreur sournoise, et mystérieuse à donner le vertige aux âmes les mieux trempées ; et aussi la scène au sortir des mêmes souterrains, pleine de soleil, mais du soleil baigné par notre bonne mère la Mer[2] » (mère/mer, c'est Debussy qui le dit). Et Proust cite cette même scène avec admiration, en la rattachant à la sortie des cachots de *Fidelio*.

Debussy donne en effet un sens psychologique à la musique : « Ça sent le moisi d'une façon charmante, et çà s'obtient en mélangeant les sons graves du hautbois aux sons harmonieux des violons[3]. » Et lorsqu'il parle du temps : « En somme, je vis dans le souvenir et dans le regret[4]... », le passé ressuscité, le passé regretté, le roman de ce qui aurait pu être, comme le héros de Proust rêvant aux aventures amoureuses qu'il n'a pas vécues, avec la femme de chambre de la baronne Putbus, avec Andrée. C'est l'influence, moins de Flaubert que de Baudelaire, que Proust cite et auquel à la fin de sa vie il consacre, dans *La NRF*, un grand article[5], ce sont les mélodies de Debussy sur des poèmes, parmi les plus beaux, des *Fleurs du mal*.

Si les deux artistes se méfient également des théories (Proust : « Une œuvre où il y a des théories est comme un objet sur lequel on laisse la marque du prix[6] ». Et Debussy : « Les théories ne naissent que lorsque les œuvres sont créées[7] »), les deux esthétiques peuvent également être rapprochées. Un adversaire commun, le réalisme et le naturalisme (Gustave Charpentier, Alfred Bruneau, le Vérisme, Bizet, « Maupassant de la musique » selon Debussy) : la musique est « le

1. Lettre de Debussy à Bernardino Molinari, [18 octobre 1914], *Correspondance*, p. 1854.
2. Lettre de Debussy à Henry Lerolle, [28 août 1894], *Correspondance*, p. 220.
3. Lettre de Debussy à Jacques Durand, 26 juin 1909, *Correspondance*, p. 1193.
4. Lettre de Debussy à Jacques Durand, 8 juillet 1910, *Correspondance*, p. 1299.
5. « À propos de Baudelaire », *La Nouvelle Revue Française*, juin 1921.
6. Marcel Proust, *À la recherche du temps perdu*, Paris, Gallimard, Bibliothèque de la Pléiade, t. IV, 1989, *Le Temps retrouvé*, p. 461.
7. Claude Debussy, « À la veille de *Pelléas et Mélisande* », interview rédigée par Louis Schneider, *Revue d'histoire et de critique musicale*, avril 1902, repris dans *Monsieur Croche*, p. 271.

sentiment lui-même ! et l'on voudrait qu'elle serve à raconter de basses anecdotes[1] ! » La musique « dit tout ce qu'on ne peut pas dire[2] ». De même Proust s'oppose-t-il au naturalisme, misérable relevé de lignes. Cela n'englobe pas Verdi, au moins pour Debussy (Proust ne s'y intéresse pas du tout) à cause de sa façon héroïque de mentir à la vie plus belle que l'essai de réalité tenté par « la jeune école italienne ». Pour Debussy comme pour Proust, c'est « l'Inexprimable, qui est l'Idéal de tout art[3] ». Dans le panthéon de la musique, ils ont beaucoup de goûts en commun, pour Rameau, Mozart, Chopin, Moussorgski, Wagner.

Pour les deux artistes, il y a encore beaucoup à découvrir. Pour Debussy, la musique est un art très jeune comme moyens et comme connaissance : « Si j'ai trouvé quelque chose, c'est, croyez-le bien, une quantité infime de ce qui reste à faire[4]. » « Tant d'idées musicales n'ont jamais été exprimées. » Swann, de même

> savait [...] que le champ ouvert au musicien n'est pas un clavier mesquin de sept notes, mais un clavier incommensurable, encore presque tout entier inconnu, où seulement çà et là, séparées par d'épaisses ténèbres inexplorées, quelques-unes des millions de touches de tendresse, de passion, de courage, de sérénité, qui le composent, chacune aussi différente des autres qu'un univers d'un autre univers, ont été découvertes par quelques grands artistes qui nous rendent le service, en éveillant en nous le correspondant du thème qu'ils ont trouvé, de nous montrer quelle richesse, quelle variété, cache à notre insu cette grande nuit impénétrée et décourageante de notre âme que nous prenons pour du vide et pour du néant[5].

L'idée musicale a une « surface obscure » mais elle prend place à côté des « idées de l'intelligence », déclare Debussy, parce qu'on y sent un contenu consistant et une force originale.

Cette esthétique n'est pas liée à la quête du succès. Ni l'un ni l'autre ne le recherchent, ils ne sont pas de ceux qui, tournant le dos

1. Lettre de Debussy à André Poniatowski, février 1893, *Correspondance*, p. 115.
2. Claude Debussy, « Au concert Lamoureux », *Gil Blas*, 23 mars 1903, repris dans *Monsieur Croche*, p. 134.
3. Lettre à André Poniatowski, jeudi février 1893, *Correspondance*, p. 116.
4. « La musique d'aujourd'hui et celle de demain », réponse de Debussy à une enquête de Borgex, *Comœdia*, 4 novembre 1909, repris dans *Monsieur Croche*, p. 296.
5. Marcel Proust, *À la recherche du temps perdu*, Paris, Gallimard, Bibliothèque de la Pléiade, t. I, 1987, *Du côté de chez Swann*, p. 343-344.

à leur jeunesse, « croupissent dans le succès » et semblent demander pardon au public de leur audace passée. La gloire est « heureusement réservée à ceux dont la vie, consacrée à la recherche d'un monde de sensations et de formes incessamment renouvelé, s'est terminée dans la croyance joyeuse d'avoir accompli la vraie tâche[1] », écrit Debussy en 1901. Tous deux croient aussi que l'artiste n'est vraiment compris qu'après sa mort. L'art est pour tous deux « la plus belle des religions, faite d'amour et d'égoïsme accepté[2] ». L'art comme religion, c'est la leçon de Mallarmé écoutée par les deux artistes. L'un parle d'un « instinct religieusement écouté, au milieu du silence imposé à tout le reste[3] », l'autre dit qu'il est toute la vie, et qu'il donne, comme la religion, à rêver d'un pays chimérique et par conséquent introuvable[4].

Il y a quelque chose d'artificiel à rapprocher un style littéraire et un style musical. Pourtant, il faut parler de l'arabesque. Cette forme triomphe à l'époque de l'Art nouveau, chez Guimard, Lavirotte, Mucha, Gallé et tant d'autres, à celle du renouveau de popularité de l'art islamique également. Pour Debussy, l'émotion ne doit plus être traduite par des cris, mais par l'arabesque mélodique. Chez Proust aussi, cette arabesque, qu'il a décrite dans sa célèbre phrase sur celle de Chopin, est un modèle de phrase. « Dans la musique de Bach, ce n'est pas le caractère de la mélodie qui émeut, c'est sa courbe[5] », écrit Debussy. Proust, Debussy, se rejoignent dans la même poétique de la ligne.

---

1. « De quelques superstitions et d'un opéra », *La Revue blanche*, 15 novembre 1901, repris dans *Monsieur Croche*, p. 56.
2. Claude Debussy, « Du respect dans l'art », *S.I.M.*, décembre 1912, repris dans *Monsieur Croche*, p. 218.
3. Marcel Proust, *À la recherche du temps perdu*, Paris, Gallimard, Bibliothèque de la Pléiade, tome IV, *Le Temps retrouvé*, p. 472.
4. Voir lettre de Claude Debussy à Paul Dukas, [11 février 1901], *Correspondance*, p. 586.
5. «Vendredi Saint », *La Revue blanche*, 1er mai 1901, repris dans *Monsieur Croche*, p. 34.

Théâtre et mélodies

« … *après Wagner* et non pas *d'après Wagner*[1] »
Réflexions sur les rapports entre le texte, la musique et l'image dans *Pelléas et Mélisande*

Gianmario Borio

Si l'on veut démêler l'écheveau complexe de texte, de musique et d'images qui est à la base de *Pelléas et Mélisande*, il convient de prendre ses distances par rapport à deux idées reçues : d'une part que les pièces de théâtre de Maeterlinck ne sont pas faites pour la représentation scénique mais qu'elles sont destinées à la seule lecture, de l'autre que Debussy a voulu composer un « opéra anti-théâtral[2] ». Œuvre clef dans l'histoire des arts du spectacle, son *Pelléas et Mélisande* se situe au point d'intersection de plusieurs voies surgies d'un passé récent et menant vers l'avenir. Malgré les rares indications scéniques présentes dans le texte de Maeterlinck et malgré la prédominance apparente du verbe dans l'opéra de Debussy, une étude associant l'évaluation des sources historiques de l'œuvre à l'analyse de ses structures musicales est en mesure de rendre sensible le système d'interaction des trois dimensions. Le présent article prend comme point de départ la conception du théâtre que Maeterlinck a élaborée dans les années qui précèdent la rédaction de *Pelléas et Mélisande*, ainsi que les témoignages concernant la première représentation de la pièce, qui eut lieu le 17 mai 1893 au Théâtre des Bouffes Parisiens

1. Claude Debussy, « Pourquoi j'ai écrit *Pelléas* » [1902], repris dans *Monsieur Croche*, p. 63.
2. À propos de ce dernier aspect, voir Herbert Lindenberger, « Anti-theatricality in Twentieth Century Opera », *Situating Opera : Period, Genre, Reception*, Cambridge, Cambridge University Press, 2010, p. 196-218.

sous la direction d'Aurélien Lugné-Poe et de Camille Mauclair. Les résultats de cette reconstitution sont ensuite replacés dans un horizon plus vaste, caractérisé par la réception de Wagner en France et par les premiers débats sur le drame symboliste. Une telle perspective permet de mettre en lumière certaines qualités de l'opéra de Debussy qui n'étaient pas nécessairement perceptibles dans la mise en scène d'Albert Carré au Théâtre de l'Opéra-Comique en 1902. Les interrogations qui naissent de cette lecture anticipent celles du « théâtre post-dramatique » du xxe siècle et de ses répercussions sur les œuvres composées par les avant-gardes musicales pour la scène[1]. La conclusion propose une analyse multidimensionnelle du texte de Debussy qui, en partant de considérations sur les structures musicales, formule quelques hypothèses à propos des éléments implicites.

On peut supposer que Debussy a abordé la composition de *Pelléas et Mélisande* à partir d'un imaginaire « audiovisuel » bien précis, né de la première représentation du drame de Maeterlinck et de sa lecture ultérieure du texte[2]. La mise en scène de Lugné-Poe et de Mauclair a une importance historique particulière : elle prélude à la fondation du Théâtre de l'Œuvre, qui joua un rôle capital dans la création théâtrale (en diffusant des pièces d'Ibsen et de Strindberg et en créant des productions comme celle d'*Ubu Roi* d'Alfred Jarry en 1896) et où l'on expérimenta aussi de nouvelles formes de jeu d'acteur et de technique de mise en scène. Ces innovations reposaient sur une critique des pratiques courantes. Le théâtre symboliste, pour lequel certains employaient le terme d'« idéal » ou d'« idéiste », se distingue du passé – y compris du passé naturaliste – par bien des aspects : les personnages n'y sont plus des caractères ou des exemples de types psychologiques, mais bien l'incarnation d'idées ; les événements se déroulent dans des lieux et des temps indéfinis,

1. Voir Hans-Thies Lehmann, *Postdramatisches Theater*, Francfort-sur-le-Main, Verlag der Autoren, 1999 (*Postdramatic Theatre*, traduction et introduction de Karen Jürs-Munby, Londres/New York, Routledge, 2006), mais aussi Peter Szondi, *Théorie du drame moderne*, traduction de Sibylle Muller, éd. Circé, 2006, et Marianne Kesting, « Maeterlinck und die Revolutionierung der Dramaturgie », *Vermessung des Labyrinths. Studien zur modernen Ästhetik*, Francfort-sur-le-Main, Fischer, 1965, p. 107-125.

2. Voir Richard Langham Smith, « "Aimer ainsi". Rekindling the Lamp in *Pelléas* », dans *Rethinking Debussy*, Elliott Antokoletz et Marianne Wheeldon (dir.), Oxford, Oxford University Press, 2011, p. 76-95.

plongés dans une atmosphère de légende ; les dialogues sont souvent allusifs et se prêtent à des processus sémiotiques ouverts ; en même temps, les paroles sont dotées d'une grande puissance évocatrice et déterminent un itinéraire propre auquel tous les autres éléments théâtraux semblent subordonnés[1].

Création emblématique du théâtre symboliste, *Pelléas et Mélisande* constitua un banc d'essai pour ces nouvelles conceptions scéniques. Lors de la première représentation, on utilisa des châssis mobiles, dessinés par Paul Vogler avec l'aide d'Édouard Vuillard, dont les déplacements permettaient d'évoquer les différents lieux indiqués par le texte. Les costumes, inspirés par la peinture de Memling sur la suggestion de Maeterlinck, et les décors de Walter Crane reflétaient les couleurs de la scène : bleu foncé, orangé et des dégradés variés de vert, sur lesquelles se détachait le vêtement clair de Mélisande. Plongés dans une atmosphère crépusculaire, les acteurs erraient comme des ombres exécutant des mouvements lents et mesurés. Alors que les interprètes traditionnels cherchaient à produire des effets en grossissant leurs gestes et en plaçant leur voix, l'acteur visait ici à exprimer l'intériorité en assumant une diction lente, proche de la psalmodie, dénuée d'intonations expressives. L'éclairage était tout à fait en harmonie avec le projet scénique : les personnages n'étaient pas éclairés de face ou d'en bas, mais par une lumière faible venant du haut, comme un reflet de la lune[2].

1. Voir Maurice Maeterlinck, « Menus propos » [1890], *Œuvres I. Le Réveil de l'âme. Poésies et essais*, édition établie et commentée par Paul Gorceix, Bruxelles, André Versaille, 2010, p. 421-427 ; Camille Mauclair, « Notes sur un essai de dramaturgie symbolique », *La Revue indépendante*, mars 1892, p. 305-317 ; « L'Art de Maurice Maeterlinck », *Les Essais d'Art Libre*, janvier-février 1892, p. 17-26 ; « Frontispice d'un drame idéal », *Eleusis. Causeries sur la cité intérieure*, Paris, Perrin, 1894, p. 245-272 ; Saint-Pol-Roux, « Autour de la conférence de Camille Mauclair sur Maurice Maeterlinck », *Mercure de France*, juin 1892, p. 156-162 ; Albert Mockel, « Vers un théâtre symboliste » [trois articles remontant aux années 1889-1891], *Esthétique du Symbolisme*, Bruxelles, Académie royale de Langue et Littérature françaises, 1962, p. 235-251 ; Gustave Kahn, « Un théâtre de l'avenir. Profession de foi d'un moderniste », *Revue d'Art dramatique* 15 (1889), p. 335-353.

2. Voir Aurélien Lugné-Poe, *La Parade*, vol. 1 (*Le Sot du tremplin : souvenirs et impressions de théâtre*), Paris, Gallimard, 1930, p. 223-239 ; Jacques Robichez, *Le Symbolisme au théâtre : Lugné-Poe et les débuts de l'Œuvre*, Paris, L'Arche, 1957, p. 158-175 ; Denis Bablet, *Esthétique générale du décor de théâtre de 1870 à 1914*, Paris, Éditions du CNRS, 1965, p. 148-167 ; Sophie Lucet, « *Pelléas et Mélisande* et l'esthétique du théâtre symboliste », *Annales de la Fondation Maurice Maeterlinck*

Pour la mise en scène de Lugné-Poe et de Mauclair, qui fit date dans l'histoire de la scénographie, le terrain avait été préparé par une série d'expériences et de réflexions qui commencent avec « Richard Wagner : Rêverie d'un poète français », article publié par Mallarmé en 1885 dans la *Revue wagnérienne*[1]. Dans le monde francophone, la réception de Wagner dépasse les milieux musicaux et rejoint les discussions plus générales concernant le théâtre parlé, les objectifs de la littérature et le fonctionnement des symboles. Mallarmé se félicite de la création d'un « sortilège », rendue possible dans les drames de Wagner par le « concours de tous les arts » et par le recours au mythe, parce qu'ainsi la communication théâtrale retrouve une dimension magique et rituelle[2]. Mallarmé considérait que, pour accroître la puissance illusionniste de la scène, il était important de la libérer des accessoires et des décors ; ces derniers interposent en effet entre le texte et son destinataire une réalité qui fait obstacle à l'imagination du spectateur, empêchant la rencontre spontanée de sa rêverie et de celle du poète. La formule « l'erreur connexe, décor stable et acteur réel, du Théâtre manquant de la Musique[3] » annonce le malaise d'un important groupe d'écrivains à l'égard des conventions théâtrales.

Pour les habitués du Théâtre de l'Œuvre et pour les admirateurs de Wagner, la précision du détail visuel – norme de la mise en scène naturaliste – ne concernait que l'extériorité des choses et détournait l'attention des mouvements de l'intériorité ou de la contemplation des idées universelles. Dans un article publié immédiatement après la représentation de son poème dramatique *La Fille aux mains coupées*

---

29 (1994), p. 27-48. Voir également dans ce volume Michela Niccolai, « Les "heureux effets de lumière" dans la mise en scène de *Pelléas et Mélisande* par Albert Carré », p. 151-161.

1. Voir Stéphane Mallarmé, « Richard Wagner : rêverie d'un poète français », *Œuvres complètes*, texte établi et annoté par Henri Mondor et Georges Jean-Aubry, Paris, Gallimard, 1945, p. 541-546. Voir aussi les critiques publiées dans la *Revue indépendante* dans les années 1886-1887 dans *ibid.*, p. 293-351.

2. Stéphane Mallarmé, « Richard Wagner : rêverie d'un poète français », *op. cit.*, p. 542. Dans ses « Menus propos » (*Œuvres*, *op. cit.*, p. 421), Maeterlinck définit la véritable nature du théâtre comme « temple du rêve », alors que pour Quillard, il est « prétexte au rêve » (« De l'inutilité absolue de la mise en scène exacte », *La Revue d'Art dramatique*, mai 1891, p. 182).

3. Stéphane Mallarmé, « Richard Wagner : rêverie d'un poète français », *op. cit.*, p. 545.

au Théâtre de l'Art, Pierre Quillard énonce le principe suivant : « Le décor doit être une simple fiction ornementale qui complète l'illusion par des analogies de couleurs et de lignes avec le drame[1]. » Maeterlinck se montre plus radical encore : « La scène est le lieu où meurent les chefs-d'œuvre, parce que la représentation d'un chef-d'œuvre à l'aide d'éléments *accidentels et humains* est antinomique. Tout chef-d'œuvre est un symbole et le symbole ne supporte pas la présence active de l'homme[2]. » Pourtant, malgré le caractère péremptoire de ces affirmations, il serait faux de dire que ces critiques du décor conduisent à en exiger l'élimination pure et simple. La collaboration avec les peintres Nabis, qui marque les mises en scène au Théâtre d'Art et au Théâtre de l'Œuvre, est le symptôme de l'intérêt particulier porté à la dimension visuelle. Les tableaux de Vuillard, dans lesquels il est difficile de percevoir des lignes nettes ou des figures précises, étaient placés dans une atmosphère à moitié obscure avec laquelle ils se confondaient ; l'objectif était de créer une totalité visuelle établissant un rapport en profondeur avec le texte[3]. Il ne faut donc pas identifier le symbole avec les mots du texte – même s'ils exercent une importante fonction d'orientation –, il apparaît comme une structure faite de strates et de matériaux divers, comme une unité qui, de fait, ne s'impose qu'au moment de la représentation scénique ; sa force communicative est étroitement liée à la capacité d'interagir qu'ont les peintures, les costumes, les mouvements des acteurs et leur diction. Quoi qu'en disent les manifestes et les proclamations – qui insistent sur l'immobilité, sur l'invisible et sur le silence –, le théâtre symboliste s'oriente résolument vers une expérience audiovisuelle.

Parallèlement à la critique de la mise en scène se développe une critique de l'acteur (sa formation, sa conscience sociale et son savoir technique). Un accord assez large se fait autour d'un principe énoncé par Mauclair : « Les personnages mis en scène n'ont de valeur que comme incarnations visibles au regard humain de l'Idée qu'ils représentent[4]. » Ceux qui sont le plus déçus par le système de production

1. Pierre Quillard, « De l'inutilité absolue de la mise en scène exacte », *op. cit.*, p. 181.
2. Maurice Maeterlinck, « Menus propos », *op. cit.*, p. 425.
3. Voir *Le Théâtre de l'Œuvre 1893-1900. Naissance du Théâtre moderne*, Paris, Musée d'Orsay, 2005.
4. Camille Mauclair, « Notes sur un essai de dramaturgie symbolique », *op. cit.*, p. 309.

théâtrale, et en premier lieu Mallarmé, vont interroger des genres parallèles comme la pantomime et la danse pour y déceler des formes de communication plus proches de l'esprit symboliste – même si cela semble contredire le primat (réel ou supposé) qu'ils accordent au langage. Dans la perspective d'un théâtre libéré de la « présence active de l'homme », Maeterlinck s'intéressa en particulier à ces figures de substitution que sont les marionnettes, les mannequins, les figures de cire, les androïdes et les ombres, qu'il ne faut pas considérer comme des solutions destinées à être mises en pratique, mais comme les images d'un niveau zéro du langage théâtral. Elles évoquent toutes ces qualités que le poète symboliste attendait de l'interprète : diction distanciée, gestes mesurés, mouvements formalisés[1]. L'intérêt pour les œuvres et les écrits de Wagner ainsi que les efforts multiples déployés pour mettre en scène les drames des symbolistes devraient attirer notre attention sur le fait que les polémiques à l'encontre des acteurs et de la mise en scène incitaient plutôt à reconsidérer l'horizon de la création théâtrale dans son ensemble. Si l'on veut comprendre les potentialités du « drame lyrique » de Debussy, il est important de le situer dans un contexte historique dans lequel, en l'espace de quelques décennies – de Mallarmé et Maeterlinck à Meyerhold et Artaud –, furent posés les fondements qui allaient déterminer un nouvel équilibre entre les dimensions de la parole, de la musique et de l'image.

L'évaluation de l'influence de Wagner sur le théâtre symboliste et sur Maeterlinck en particulier est un sujet controversé dans les études littéraires universitaires. Paul Gorceix et Ulrich Prill ont relevé une série de correspondances entre *Alladine et Palomides* et *Tristan und Isolde*, allant du thème de la « mort par amour » (*Liebestod*) à l'adoration de la nuit ; sur le plan de la technique dramatique, il y a des affinités évidentes dans le type de dialogues, faits de phrases fragmentaires et interrompues qui se prêtent à des interprétations variées[2]. Dans un article sur « Wagner et Debussy » publié dans *La Revue blanche* en 1902, Friedrich Spigl releva les aspects suivants :

1. Voir Patrick McGuinness, *Maurice Maeterlinck and the Making of Modern Theater*, Oxford, Oxford University Press, 2000, p. 105-118.

2. Voir Paul Gorceix, *Les Affinités allemandes dans l'œuvre de Maurice Maeterlinck*, Paris, PUF, 1975, p. 350 ; Ulrich Prill, « "Wagner c'est précisément le musicien des poètes" : Die Wagner-Rezeption in Belgien und in der französischsprachigen Literatur Belgiens am Beispiel Van Lehrberges und Maeterlincks », dans *Deutsch-*

> Comme chez Wagner, chez Maeterlinck nous constatons une action extrêmement simple, dégagée de presque toutes les contingences ; là aussi chaque mot découle du centre de l'action. […] Chez Maeterlinck encore nous retrouvons ces tableaux plastiques qui produiraient leur effet, même en tant que pantomimes. Et Maeterlinck aussi nous montre ses personnages sous le seul aspect de leur passion dominante ; ce sont des bas-reliefs, ce ne sont pas des statues ; il n'y a pas moyen d'en faire le tour[1].

L'ampleur de l'influence de Wagner sur Debussy a également fait l'objet de nombreuses études dont le cœur est constitué par la problématique du leitmotiv et des citations plus ou moins directes[2]. Dans le contexte présent, il est plus important de repérer quelles sont les traces que la conception du drame introduite par Wagner peut avoir laissées dans *Pelléas et Mélisande* de Debussy. Dans les écrits de Wagner et de ses disciples, le *Wort-Ton-Drama* désigne la présence conjointe de moyens artistiques en provenance de différentes sphères et dont les interactions engendrent une intensité expressive et une accumulation de significations tout à fait nouvelles. L'hypothèse que l'intégration de ces trois dimensions se trouve réalisée dans *Pelléas et Mélisande* et qu'elle y constitue un réseau audiovisuel semble être contredite par deux éléments : par le caractère central de la parole, mis en relief par le chant prosodique, et par l'absence d'indications scéniques supplémentaires par rapport aux rares didascalies présentes dans le texte de Maeterlinck. Plusieurs aspects, même s'ils ne sont pas immédiatement perceptibles, conduisent néanmoins à prendre au sérieux cette hypothèse : quand on considère l'ensemble de ses essais pour la scène, le théâtre de Debussy manifeste une tendance non seulement à se détacher de la dramaturgie traditionnelle, mais aussi à concevoir une forme nouvelle et adéquate d'action théâtrale avec

---

Belgische Beziehungen im kulturellen und literarischen Bereich : 1890-1940, Ernst Leonardy et Hubert Roland (dir.), New York/Francfort-sur-le-Main, Peter Lang, 1999, p. 247-266. Voir aussi Lydia Goehr, « Radical Modernism and the Failure of Style : Philosophical Reflections on Maeterlinck-Debussy's *Pelléas et Mélisande* », *Representations* 74 (2001), p. 55-82.

1. Friedrich Spigl, « Debussy et Wagner », *La Revue blanche* 29 (1902), p. 524-525. Voir aussi Ernst Newman, « Maeterlinck and Music », *Musical Studies*, New York, John Lane Company, 1905 (3e éd., 1914), p. 221-245.

2. Voir Robin Holloway, *Debussy and Wagner*, Londres, Eulenberg, 1979, et Carolyn Abbate, « *Tristan* in the Composition of *Pelléas* » *19th Century Music* 5/2 (1981), p. 117-141.

musique. Le livret de *La Chute de la maison Usher*, que Debussy écrivit de sa main, est une preuve de l'attention que le compositeur portait à la disposition de la scène et aux gestes des interprètes. Relevant le fait que la seconde visite de Debussy à Bayreuth, en 1889, était contemporaine de sa fréquentation des spectacles d'Extrême-Orient à l'Exposition universelle, André Schaeffner a rapproché cette œuvre du « théâtre de la cruauté » d'Antonin Artaud[1].

Il n'est pas facile de définir de quelle manière Debussy a pu accueillir les perspectives ouvertes par Wagner, ni d'indiquer avec certitude les voies par lesquelles il a pu s'approcher de la problématique du *Wort-Ton-Drama* – notamment parce que les années de gestation de *Pelléas et Mélisande* correspondent à la période des controverses les plus animées sur Wagner, et que les prises de positions publiques excessives peuvent induire en erreur quant aux convictions réelles de leurs auteurs. On peut toutefois rappeler quelques faits. En 1887, Alfred Ernst, critique musical à *La Revue blanche* qui avait collaboré, avec le fondateur de l'Odéon, à la traduction française des textes du *Ring*, publia *Richard Wagner et le drame contemporain*, un livre qui accorde une grande attention au système théorique de Wagner (*Oper und Drama* fut publié en 1852, puis inclus dans les *Gesammelte Schriften* de 1872). Je me contenterai d'en citer deux extraits significatifs. Ernst s'attarde sur les interrelations entre les moyens expressifs :

> Les personnages dialoguent comme dans une pièce récitée ; les voix se répondent, ne se superposent pas en duos, trios, quatuors, ensembles, hors le cas où la situation rend légitime et presque indispensable une pareille dérogation à l'ordinaire vérité théâtrale. Le mouvement et le rythme changent aussi souvent qu'il en est besoin, et correspondent exactement à l'action et à la mimique de la scène[2].

À propos du rôle de la musique, Ernst ajoute :

> L'orchestre enfin a une fonction capitale, celle de dire ce que le texte ne dit pas, de commenter les situations, de prolonger les sentiments

1. Il est révélateur qu'Artaud, lorsqu'il déménagea pour Paris en 1920, ait pris contact avec Lugné-Poe et que, dans les années suivantes, il ait interprété plusieurs rôles pour le Théâtre de l'Œuvre.

2. Alfred Ernst, *Richard Wagner et le drame contemporain*, Paris, Librairie Moderne, 1887, p. 64. Du même auteur, voir aussi *L'Art de Richard Wagner. L'œuvre poétique*, Paris, Librairie Plon, 1893.

en de retentissants échos, d'exprimer la réaction du milieu sur les personnages. Cet orchestre est un merveilleux instrument d'analyse : il détaille les nuances les plus intimes des passions, précise des choses que la parole ne saurait exprimer, nous fait assister aux luttes intérieures des âmes, aux pressentiments, aux souvenirs, même les plus vagues[1].

On se souviendra que, dans son bref article « Pourquoi j'ai écrit *Pelléas* », Debussy parle d'un « prolongement » par la musique du texte de Maeterlinck[2]. Certains passages de l'entretien, dont des extraits furent publiés dans la *Revue d'histoire et de critique musicale* de la même année, révèlent que Debussy avait assimilé les aspects de l'expérience wagnérienne que je mentionnais en citant le livre d'Alfred Ernst ; le journaliste fait la remarque suivante : « La musique de M. Debussy est donc intimement liée à l'action. Elle ignore les airs, elle dédaigne les récitatifs ; c'est une atmosphère musicale qui fait corps avec l'atmosphère morale ou physique[3]. »

À côté des essais d'Alfred Ernst, *La Mise en scène du drame wagnérien* d'Adolphe Appia, publié à Paris en 1895, peut avoir exercé une certaine influence sur Debussy. Son auteur y anticipe les principes de construction d'un espace scénique tridimensionnel des œuvres ultérieures. Dans ce cas également, on a des preuves que Debussy avait lu ce texte ; Alfred Ernst et Paul Dukas avaient consacré des comptes rendus à son livre, ce qui donne la mesure de la notoriété dont jouissait Appia dans le milieu que fréquentait Debussy[4]. Celui-ci partageait certainement la conviction exprimée par Appia que la partition doit être considérée comme le moteur premier du déroulement dramatique. Partant de cette prémisse, Appia fait par ailleurs une remarque qui peut avoir son importance pour comprendre la dynamique multidimensionnelle de *Pelléas et Mélisande* : la musique,

1. *Ibid.*

2. Debussy affirme : « Il y a là une langue évocatrice dont la sensibilité pouvait trouver son prolongement dans la musique et dans le décor orchestral » (*Monsieur Croche*, p. 63).

3. Claude Debussy, « À la veille de *Pelléas et Mélisande* », repris dans *Monsieur Croche*, p. 272-273. Un peu plus loin, il parle de « vérité dans l'action dramatique et musicale ».

4. Voir Adolphe Appia, *La Mise en scène du drame wagnérien*, Paris, Léon Chailley, 1895 ; réédité dans *Œuvres complètes*, vol. 1 : 1880-1894, édition élaborée et commentée par Marie L. Bablet-Hahn, Lausanne, L'Âge d'Homme, 1983, p. 261-283. Les comptes rendus se trouvent aux pages 287-288, 290 et 292 du même volume.

dit-il, fixe la durée. Ce qui ne concerne pas seulement les tempos de la déclamation du texte, mais l'intégralité de la structure dramatique :

> Elle donne par conséquent les dimensions : d'abord les proportions chorégraphiques dans leur suite, depuis les mouvements de foule jusqu'aux gestes individuels, puis, de là, avec plus ou moins d'insistance, les proportions du tableau inanimé[1].

Fixer la durée n'est pas sans conséquences, en particulier sur la récitation du texte :

> Donc, ce n'est plus la vie qui donnera aux interprètes les exemples de durée et de suite, mais la musique, qui les impose directement ; et celle-ci, altérant la durée de la parole, altère les proportions des gestes, des évolutions, du décor : le spectacle entier se trouve ainsi transposé[2].

La problématique dont j'ai tracé les contours prend une signification particulière quand on considère l'évolution ultérieure : non pas tant l'histoire des mises en scène du *drame lyrique* de Debussy que les développements du théâtre d'avant-garde du XXe siècle. Comme on l'a vu, la notion de « théâtre de la cruauté » d'Artaud acquiert un sens particulier quand on l'applique aux œuvres que Debussy a conçues pour la scène ; la figure de synthèse qui peut nous aider à découvrir les potentialités du texte de Debussy dans leur ensemble est Vsevolod Meyerhold. Le metteur en scène russe développa des techniques de mise en scène tout à fait innovatrices à partir d'une réflexion sur les œuvres de Wagner et de Maeterlinck. Pour mon propos, il est particulièrement intéressant de noter qu'il mit en scène *Pelléas et Mélisande* et *Tristan et Isolde* à peu d'années d'intervalle (en 1907 et en 1909), pendant une période clef pour la définition de son style.

Se détachant de la position originaire de l'esthétique des symbolistes, Meyerhold déclara qu'en mettant en scène les drames de Maeterlinck il recherchait « une plastique qui ne corresponde pas aux mots[3] ». D'une manière analogue à celle dont Wagner utilise

1. *Ibid.*, p. 264.
2. *Ibid.*
3. Vsevolod Meyerhold, « Première partie : histoire et technique du théâtre » [1907], *Écrits sur le Théâtre*, t. I : 1891-1917, traduction, préface et notes de Béatrice Picon-Vallin, Lausanne, La Cité-L'Âge d'Homme, 1973, p. 116.

l'orchestre pour « mettre en évidence le dialogue intérieur », les mouvements des acteurs peuvent servir à compléter et en même temps à révéler ce qu'expriment les paroles : « Wagner laisse à l'orchestre le soin de parler des sentiments, de même je confie ce rôle aux *mouvements plastiques*[1]. » De cette manière, le spectateur peut percevoir le « double théâtre », non seulement écouter les paroles prononcées, mais aussi pénétrer le dialogue intérieur :

> Gestes, poses, regards, silences déterminent la *vérité* des relations réciproques entre les hommes. Les mots ne disent pas tout. […] Les mots s'adressent à l'oreille, la plastique à l'œil. De cette manière, l'imagination du spectateur travaille sous l'impact de deux impressions, l'une visuelle et l'autre auditive. Et ce qui distingue l'ancien théâtre du nouveau, c'est que dans ce dernier, la plastique et les mots sont soumis chacun à leur rythme propre et divorcent même à l'occasion[2].

En ce qui concerne le drame wagnérien, Meyerhold se considère comme un successeur d'Appia, même s'il s'éloigne de lui en insistant davantage sur l'acteur et sur la représentation. Ses remarques à ce propos fournissent de nouveaux éléments de réflexion pour notre problématique :

> L'acteur d'opéra doit adopter *un principe d'économie du geste*, car le geste a pour seule tâche de combler les lacunes de la partition, ou d'achever le dessin esquissé, puis abandonné par l'orchestre.
> Dans le drame musical, l'acteur n'est pas le seul élément qui relie le poète au public. Il n'est qu'un des moyens d'expression, ni plus ni moins important que tous les autres, et c'est pourquoi il lui faut savoir trouver sa place parmi tous les moyens d'expression, ses égaux.
> Il n'en reste pas moins, évidemment, que c'est d'abord par l'intermédiaire de l'acteur que la musique transpose dans l'espace son rythme temporel[3].

Les réflexions croisées de Meyerhold sur Maeterlinck et sur Wagner nous permettent de considérer les rapports entre les dimensions verbale, musicale et gestuelle dans une perspective qui ne ressort pas toujours clairement de l'argumentation enchevêtrée de *Oper und*

1. *Ibid.*, p. 117.
2. *Ibid.*
3. Vsevolod Meyerhold, « La Mise en scène de *Tristan et Isolde* au Théâtre Mariinski » [1909], *Écrits sur le Théâtre*, t. I, *op. cit.*, p. 131.

Drama. Dans le traité de Wagner, ces trois dimensions apparaissent comme trois types de langage ayant des dynamiques propres et remplissant des tâches spécifiques dans le drame ; toutes trois manifestent une tendance à l'intégration réciproque dans la mesure où les qualités de l'une pallient les insuffisances d'une autre. Le texte est un aspect partiel d'un spectacle qui s'objective seulement dans son exécution scénique ; en conséquence, la gestuelle et le décor ne peuvent pas être des éléments arbitraires ou accidentels, mais sont des parties intégrantes de l'événement dramatique sans lesquelles l'œuvre perd toute signification. Grâce à la composante gestuelle, l'état d'âme devient perceptible à la vue, adoptant des figures temporaires et transitoires dans les mimiques du visage et les mouvements des membres. Cette dimension s'oppose à la dimension verbale parce que, de manière analogue à la musique, elle rend tangible quelque chose que la parole est hors d'état d'exprimer. Comme on l'a constaté dans les explications d'Alfred Ernst, le son de l'orchestre a pour fonction de « prolonger le sentiment », d'en dessiner les nuances, d'en montrer l'évolution dans le temps, c'est-à-dire d'ajouter un niveau de sens qui n'est pas (et ne peut pas être) contenu dans les paroles. Par rapport aux gestes, la composition sonore a pour sa part comme objectif d'accroître l'intensité de l'élément inexprimable – que le mouvement corporel manifeste d'une manière qui resterait sinon éphémère et indéterminée –, d'en préserver la durée et d'en renforcer le sens[1].

En considérant le système de relations que comporte le *Wort-Ton-Drama*, on peut dire que la mise en musique du texte détermine une articulation temporelle spécifique qui lui attribue une première valeur expressive ; en un certain sens, le texte se trouve interprété au moyen de l'écriture musicale. Une telle articulation concerne aussi bien les détails temporels, dans la déclamation des vers et des paroles, que la disposition du texte dans la forme globale et, de ce fait, dans son déroulement temporel. Pourtant, avec *Pelléas et Mélisande*, nous nous trouvons dans une situation différente de celle des drames de Wagner : le texte littéraire préexiste à l'opéra et joue, dans la dynamique dramaturgique, un rôle différent de celui

1. Voir Richard Wagner, *Oper und Drama*, Klaus Kropfinger éd., Stuttgart, Reclam, 2008, p. 334-336 et p. 380-382. Sur ces questions, voir Carl Dahlhaus, « Die Bedeutung des Gestischen in Wagners Musikdramen », *Schriften*, vol. 7, Laaber, Laaber-Verlag, 2004, p. 337-351.

d'un texte écrit exprès par un librettiste ou rédigé *ad hoc* par le compositeur. Le texte de Maeterlinck, que Debussy reprend dans sa quasi-totalité, comporte quelques suggestions pour l'articulation temporelle : les tirets et les points de suspension. Une analyse de la première scène de l'acte I, dont je propose un essai succinct dans le tableau ci-après, peut montrer comment Debussy en a tiré parti, adoptant un système d'interprétation variable qui va de la simple pause et des césures musicales aux groupes de mesures seulement instrumentales. Ce champ d'interprétation des signes de ponctuation permet de faire preuve de liberté créatrice tout en restant fidèle au texte. Debussy a pourtant inséré des césures non prévues par le texte (par exemple le point d'orgue qui précède « Quelqu'un vous a-t-il fait du mal ? ») qui segmentent ultérieurement la forme dramatique. Un autre facteur d'articulation temporelle est constitué par les changements de tempo, que le compositeur conçoit comme des moyens stratégiques pour obtenir une clarification expressive de différents passages (voir par exemple la phase agitée à propos de la couronne tombée dans la fontaine). Le « prolongement » du texte dans la musique commence donc à un niveau fondamental : il concerne le temps de la déclamation pour s'étendre ensuite à d'autres dimensions (choix des champs mélodiques et harmoniques, instrumentation, dynamique).

Formellement, cette scène, musicale en même temps que dramatique, s'articule en quatre parties : rencontre, rapprochement, connaissance et séparation. Dans la première partie, centrée sur l'égarement de Golaud dans la forêt, Debussy tresse un réseau serré de rapports sonores utilisant les collections de base présentées dans le prélude : pentatonique, hexatonique (gamme par tons entiers), accord de Tristan (4-27 dans la numérotation d'Allen Forte), accords majeurs et mineurs comprenant en général la septième[1]. Le traitement du texte se produit, ici comme dans la suite, en prenant la phrase ou le vers comme unité de référence. L'élaboration subtile des détails souligne les changements d'états d'âme du personnage et l'importance de ce qu'il dit. Le principe d'économie des moyens audiovisuels – ce que

1. Dans le tableau, j'indique par des numéros (0 = *do*, 1 = *do♯/ré♭*, etc.) l'indice de transposition des ensembles sonores. Les abréviations *PENT*, *ESA* et *TRI* signifient respectivement collection pentatonique, collection heptatonique et accord de Tristan.

Wagner appelle l'« équilibre de la communication[1] » – impose de ne pas surcharger la complexité et les rapports de correspondance entre les paroles et la musique avec une complexité visuelle supplémentaire. Les mouvements essentiels sont marqués par les indications scéniques de Maeterlinck ; le reste de l'action est ici intérieur, et concerne donc, à en croire les conseils de Meyerhold, la mimique du visage de l'acteur plus que les autres aspects visuels. Dans la seconde partie, celle du premier contact entre Golaud et Mélisande, Debussy dilue la complexité musicale en replaçant les motifs et les collections dans des cadres temporels plus amples. L'articulation du texte de Maeterlinck devient plus rapide, l'attention se portant davantage sur les échanges de répliques entre les deux personnages – un changement de mode auquel Debussy adhère pleinement. Ces modifications laissent de la place pour l'action scénique. En tenant compte des idées du compositeur et du mouvement historique du symbolisme, disons que cette action devra être exempte d'éléments réalistes sans pour autant s'engager dans l'impasse du statisme et de l'immobilité. Dans le tableau synoptique, j'ai donné des indications pour quelques solutions envisageables.

1. Richard Wagner, *Oper und Drama*, *op. cit.*, p. 331.

Texte	Motif	Sonorité	Tempo	Image
I.				
On découvre Mélisande au bord d'une fontaine. – Entre Golaud.	Forêt	Pent0	Très modéré	
GOLAUD : Je ne pourrai plus sortir de cette forêt. –	Forêt	Hex1	Moins lent	Statique (monologue intérieur)
Dieu sait jusqu'où cette bête m'a mené.	Destin	*Mi* mineur		
Je croyais cependant l'avoir blessée à mort ;		Hex0		
et voici des traces de sang.		Hex1-0-1		
Mais maintenant, je l'ai perdue de vue ;		*Fa* 7	Revenez au mouvement	
je crois que je me suis perdu moi-même –	Destin	*Si* b majeur		
et mes chiens ne me retrouvent plus –	Destin	*La* mineur-Hex0		
je vais revenir sur mes pas… –	Mélisande	Hex0-Tri1		Alerte
J'entends pleurer…				Mouvement lent
Oh ! oh ! qu'y a-t-il là au bord de l'eau ?…		Tri8		Regard
Une petite fille [qui pleure à la fontaine !] au bord de l'eau				
(Il tousse.) –		*Ré* mineur 6		
Elle ne m'entend pas.				
Je ne vois pas son visage.				

II.				
(Il s'approche et touche Mélisande à l'épaule.) Pourquoi pleures-tu ?	Forêt, variante	Pent10	Tranquille	Mouvement lent
(Mélisande tressaille, se dresse et veut fuir.) – N'ayez pas peur. Vous n'avez rien à craindre.	Mélisande	Pent6-Tri0	Au mouvement	Mouvement rapide
Pourquoi pleurez-vous, ici, toute seule ?		Tri5		Expression
MÉLISANDE : Ne me touchez pas ! ne me touchez pas !		*La* b mineur		Recule
GOLAUD : N'ayez pas peur… Je ne vous ferai pas…				
Oh ! vous êtes belle !		Tri8-*Mi* 7/9	Animé	Expression
MÉLISANDE : Ne me touchez pas ! ou je me jette à l'eau !…			Au mouvement	Recule
GOLAUD : Je ne vous touche pas… Voyez, je resterai ici, contre l'arbre.	Forêt, variante	Accords de 7me		Expression
N'ayez pas peur […].				Couronne

Claude Debussy, *Pelléas et Mélisande*, acte I, scène 1, deux premières sections : rapports entre texte, musique et images

Pelléas, Mélisande, le grotesque et l'arabesque

Matthew Brown

Pour comprendre *Pelléas et Mélisande,* aucun écrit n'est plus important que celui d'Edgar Allen Poe, *Tales of the Grotesque and Arabesque* (1840)[1]. Maurice Maeterlinck était un ardent admirateur de Poe et son propre sens du mystère atteste son influence sur lui[2]. Quant à Claude Debussy, il n'était pas moins enthousiaste : en 1890 il projette d'écrire une version symphonique de *La Chute de la maison Usher* et en 1893 il paraphrase le début de cette nouvelle dans une lettre à Ernest Chausson[3]. Un an plus tard, Debussy décrit le livret de son nouvel opéra *Pelléas et Mélisande* comme s'il avait été écrit par Poe : il affirme trouver la scène des souterrains « pleine de terreur sournoise » et l'interrogation du petit Yniold par Golaud si terrifiante qu'elle lui donne « le cauchemar »[4]. Après la première représentation de *Pelléas et Mélisande,* Debussy entame la composition de deux opéras inspirés de la traduction par Baudelaire de

1. Edgar Allan Poe, *Tales of the Grotesque and Arabesque*, 2 volumes, Philadelphia, Lea and Blanchard, 1840.

2. « Edgar Poe a exercé sur moi, comme du reste sur tous ceux de ma génération, une grande, durable et profonde influence. Je lui dois l'éclosion en moi du sens du mystère et la passion des au-delà de la vie » (lettre de Maeterlinck à Léon Lemonnier, 1928, citée dans Jean Pierrot, *L'Imaginaire décadent (1880-1900)*, Paris, PUF, 1977, p. 46).

3. Lettre de Claude Debussy à Ernest Chausson, 3 septembre 1893, *Correspondance*, p. 154.

4. Lettre de Claude Debussy à Henry Lerolle, 28 août 1894, *Correspondance*, p. 220.

deux nouvelles de Poe : *Le Diable dans le beffroi* et *La Chute de la maison Usher*[1].

L'influence de *La Chute de la maison Usher* sur *Pelléas et Mélisande* est bien documentée[2], mais un aspect important demeure largement ignoré : la structure formelle. Cet oubli est malheureux car Poe se distingue par le développement de l'histoire d'horreur gothique, un genre dont le succès dépend tout autant de la forme que du contenu. Baudelaire l'affirme de façon éloquente : « Dans la composition toute entière [de Poe] il ne doit pas se glisser un seul mot qui ne soit une intention, qui ne tende, directement ou indirectement, à parfaire le dessein prémédité[3]. » Après lui, des écrivains lui donnent raison, tel H. P. Lovecraft, autre marchand d'horreur américain, qui écrit : « Certaines nouvelles de Poe démontrent une perfection presque absolue de la forme artistique, ce qui fait d'elles de véritables phares dans le domaine des nouvelles… Mais c'est dans deux des histoires les moins ouvertement poétiques, *Ligeia* et *La Chute de la maison Usher* – cette dernière particulièrement – que l'on trouve ces extrêmes sommets de talents artistiques selon lesquels Poe prend sa place à la tête des miniaturistes fictionnels[4]. »

La présente étude se fixe pour but de développer les idées de Baudelaire et de Lovecraft en montrant comment *La Chute de la maison Usher* a servi de modèle formel à *Pelléas et Mélisande*, tout particulièrement pour la mort de Pelléas. Après avoir examiné les aspects gothiques et leur exacerbation au point culminant des nouvelles de Poe et montré que Maeterlinck fait preuve de préoccupations et utilise des stratégies formelles similaires dans sa pièce,

---

1. Edgar Allan Poe, *Œuvres en Prose*, trad. Charles Baudelaire, Y.-G. Le Dantec (éd.), Bibliothèque de la Pléiade, Paris, Gallimard, 1951, p. 337-357 et p. 413-422.
2. Voir Edward Lockspeiser, *Debussy et Edgar Allen Poe. Documents inédits*, Monaco, Éditions du Rocher, 1962 ; Edward Lockspeiser, *Debussy. His Life and Mind*, vol. 1, 1862-1902, édit. rev., Cambridge, Cambridge University Press, 1978, p. 195 ; Robert Orledge, *Debussy and the Theater*, Cambridge, Cambridge University Press, 1982, p. 102-127 ; Richard Langham Smith, « Tonalities of Darkness and Light », dans *Claude Debussy, Pelléas et Mélisande*, Cambridge Opera Handbooks, Roger Nichols et Richard Langham Smith (dir.), Cambridge, Cambridge University Press, 1989, p. 107-139.
3. Charles Baudelaire, « Notes nouvelles sur Edgar Poe », *Œuvres complètes*, Claude Pichois (éd.), Paris, Gallimard, Bibliothèque de la Pléiade, vol. II, 1976, p. 329.
4. H. P. Lovecraft, *The Annotated Supernatural Horror in Literature*, S. T. Joshi (éd.), New York, Hippocampus Press, 2000, p. 45.

nous expliquerons comment Debussy les traduit dans la structure motivique et harmonique de son opéra, créant ainsi une « Musique de Grotesque et d'Arabesque ».

Aussi étrange que cela puisse paraître, les gens sont fascinés par la peur. Ils sont prédisposés à trouver certains phénomènes et situations effrayants ; de telles prédispositions servent de mécanismes de défense qui garantissent la survie de l'individu ainsi que celle des espèces. La peur peut provoquer trois réactions primaires : la lutte, la fuite ou la soumission. Pendant les XVIIIe et XIXe siècles, les artistes ont souvent exploré ces réactions dans des histoires d'horreur gothiques. Ces contes avaient essentiellement pour cadre des forêts, des châteaux, des souterrains et autres lieux terrifiants, et pour principaux protagonistes des dirigeants corrompus, des scientifiques fous et des monstres ayant commis inceste, fratricide et sévices sur des victimes naïves – elles-mêmes sujettes à la maladie, à la superstition, à la malédiction et à la possession du démon. Les histoires d'horreur concilient souvent plusieurs forces opposées. Pour que la situation soit aussi terrifiante que possible, le lecteur doit ressentir de la compassion pour certains personnages : cette humanité lui permet de s'identifier à eux. Et, comme l'indique Alfred Hitchcock, la peur dépend en fait du suspens – qui requiert des signes annonciateurs et un climax atteint progressivement – et de la terreur – qui suppose de la surprise provoquée quant à elle à la vitesse d'un éclair[1].

La Chute de la maison Usher en est un parfait exemple. Le cadre et les personnages sont fondamentalement gothiques. Propriétaires terriens, Roderick Usher et sa sœur jumelle Madeline font partie de la bourgeoisie. Des générations de croisements consanguins ont laissé des cicatrices physiologiques et psychologiques : Roderick, avec ses cheveux délicatement tressés et dessinant des arabesques, est mentalement instable et hypersensible à la lumière, aux sons, aux odeurs et aux goûts ; Madeline est le prototype de la femme folle et sujette à de morbides transes cataleptiques. Isolés du monde extérieur, ils vivent dans un manoir délabré entouré d'arbres morts et d'un lac stagnant. Sous l'édifice se trouve le caveau familial, dont l'entrée est blindée d'une massive porte de fer et d'un corridor recouvert de cuivre. Le paysage lugubre et l'architecture menaçante suggèrent qu'à l'image de ses propriétaires la maison a un passé sinistre et violent.

1. *Ibid.*

L'histoire de Poe exploite ces éléments avec des effets extraordinaires. Le narrateur, qui éprouve une compassion évidente pour Roderick, a reçu une lettre de son vieil ami et décide de lui rendre visite. Visiblement bouleversé, Roderick croit qu'il est victime d'une grotesque malédiction familiale et qu'il est destiné à trouver la mort dans des circonstances macabres. Après quelques jours, il révèle que Madeline est morte et que son cercueil gît dans le caveau. Un soir d'orage, dans un état de détresse intense, il se précipite dans la chambre à coucher du narrateur qui tente de l'apaiser en lui lisant l'histoire d'Ethelred, mais est interrompu par des sons étranges. Les deux hommes retournent finalement voir Madeline : elle avait été enterrée vivante et a employé tous les moyens pour se libérer ! Roderick tend les bras mais elle s'effondre, le tuant. Horrifié, le narrateur fuit. La maison s'écroule alors dans le lac, comme si elle était jointe spirituellement aux jumeaux.

Comme le suggère Hitchcock, Poe suscite la peur en équilibrant le suspens et la terreur. En général, il crée du suspens dès le début en préparant ce qui va arriver : il décrit non seulement le paysage sinistre, mais aussi la fissure menaçante qui zigzague le long du mur de la maison. Roderick prédit évidemment son propre destin ; ces prémonitions expliquent son instabilité mentale, sa décision d'entrer en contact avec le narrateur et d'interpréter une chanson qui parle d'un monarque dont le royaume est maudit par un esprit malin. Pour provoquer la terreur, Poe termine l'histoire avec un effet incroyable : alors que l'histoire entière compte sept mille mots, le point culminant et terrifiant n'en a que trois cents. La description de la destruction de la maison occupe moins d'un seul paragraphe et contraste fortement avec celle, tranquille, du bâtiment au début de l'histoire.

Ponctuellement, Poe crée des modes de suspens et de terreur similaires en reliant la fuite frénétique de Madeline de sa prison morbide au conte d'Ethelred. En décrivant son tombeau, Poe s'attarde sur trois éléments : le cercueil de bois, la porte massive en fer et le corridor recouvert de cuivre. Il réutilise chaque élément au point culminant de l'histoire : le son que fait Ethelred en fracassant la porte de l'ermite coïncide avec celui produit par Madeline ouvrant son cercueil ; celui que fait Ethelred en luttant contre le dragon avec celui de la porte en fer grinçant contre le plancher ; et celui que fait Ethelred laissant tomber son bouclier avec celui de Madeline avançant à grand-peine le long du corridor de cuivre. Inconscient de ce qui se passe réellement, le narrateur suppose que les bruits sont causés par l'orage ; il n'apprend l'effrayante vérité que lorsque Madeline apparaît, sa robe blanche baignée de sang.

Exemple 1.
Structure cyclique amenant au point culminant
de *La Chute de la maison Usher*

CYCLE 1		
Le narrateur lit l'histoire.	Mentionne le son d'Ethelred fracassant la porte.	Entend le son de Madeline brisant son cercueil.
CYCLE 2		
Le narrateur lit l'histoire.	Mentionne le son d'Ethelred tuant le dragon.	Entend le son de Madeline ouvrant la porte de fer.
CYCLE 3		
Le narrateur lit l'histoire.	Mentionne le son d'Ethelred laissant tomber son bouclier.	Entend le son de Madeline traversant la voûte de cuivre.

POINT CULMINANT

Madeline revient des morts, s'écroule, tue Roderick et la maison s'écroule dans le lac.

Au premier coup d'œil, la pièce de Maeterlinck semble très différente de la nouvelle de Poe, une histoire d'amour plutôt qu'un festival d'horreur. Héritier du trône d'Allemonde, Golaud chasse le gibier dans une forêt lorsqu'il rencontre Mélisande près d'une fontaine. Elle est perdue et effrayée. Ils se marient un peu plus tard et elle fait la connaissance de sa belle-famille : le grand-père Arkel, roi d'Allemonde, la mère Geneviève, le demi-frère Pelléas et le fils Yniold. Pelléas et Mélisande passent beaucoup de temps ensemble. Ayant peur de perdre Mélisande, Golaud exige qu'ils cessent de se voir. Ils se retrouvent une dernière fois à l'extérieur du château, Golaud les surprend et frappe Pelléas d'un coup d'épée. Quand Pelléas s'effondre près de la fontaine des Aveugles, Mélisande s'enfuit dans la forêt. L'histoire se termine par la mort de Mélisande qui vient de donner naissance à une fille. Golaud est à son chevet, confus et brisé.

Une analyse plus approfondie révèle cependant que *Pelléas et Mélisande* est imprégné de gothique. Tout comme dans *La Chute de la maison Usher*, le cadre et les personnages sont perturbés et perturbants : un château médiéval entouré d'une forêt obscure, de falaises menaçantes, de souterrains macabres et d'une mystérieuse grotte. La mort est partout. Arkel est veuf. Le père et la première épouse de Golaud sont morts. Le père de Pelléas se meurt et son ami Marcellus est mortellement malade. La référence à Absalon[1] suggère une histoire d'inceste et de fratricide ; des irruptions de violence domestique confirment que cette famille souffre des mêmes faiblesses morales que les Usher ; d'autre part, elle semble ne pas se préoccuper de la famine qui sévit.

De façon typiquement hitchcockienne, Maeterlinck équilibre terreur et suspens. À la fin de la quatrième scène de l'acte IV, le point culminant est en effet terrifiant et ne dure que quelques lignes. Et pourtant, ce moment est préparé soigneusement à travers les soixante-quinze pages précédentes, lorsque Pelléas et Mélisande prédisent leurs propres fins tragiques, respectivement à la première scène de l'acte IV et à la première scène de l'acte II[2]. Dans l'optique qui nous intéresse, la scène peut-être la plus significative se déroule dans les souterrains du château (acte III, scène 2), scène en partie coupée par Debussy. Quand Pelléas remarque que les souterrains ont « une odeur de tombeau », Golaud réplique que cette odeur infecte parfois tout le château et qu'il serait judicieux de murer la caverne contenant l'eau stagnante. Dans un moment qui évoque *La Chute de la maison Usher*, Golaud ajoute : « Avez-vous remarqué ces lézardes dans les murs et les piliers des voûtes ? – Il y a ici un travail caché qu'on ne soupçonne pas ; et tout le château s'engloutira une de ces nuits, si l'on n'y prend pas garde[3]. »

Suivant la trace de Poe, Maeterlinck crée de nouveaux moments de tension en composant la mort de Pelléas de manière cyclique

1. Personnage biblique dont l'histoire est racontée dans le deuxième livre de Samuel.

2. Voir David Grayson, « Waiting for Golaud : The Concept of Time in *Pelléas et Mélisande* », dans *Debussy Studies*, Richard Langham Smith (dir.), Cambridge, Cambridge University Press, 1997, p. 36.

3. Maurice Maeterlinck, *Pelléas et Mélisande* et *Intérieur*, Hugh A. Smith et Helen M. Langer, (éd.), New York, Holt, 1925, p. 48.

autour de certains sons[1]. Comme le montre l'exemple 2 ci-dessous, le Cycle 1 débute brusquement lorsque Pelléas entend les portes du château se fermer. Mélisande réalise alors qu'ils vont être découverts. Finalement, Pelléas accepte son sort et l'embrasse. Mais Mélisande l'interrompt soudainement au début du Cycle 2 quand elle entend quelqu'un derrière eux. Pelléas n'en tient pas compte et leurs ombres s'entrelacent. Mélisande l'interrompt une fois de plus au début du Cycle 3 lorsqu'elle sent que Golaud les épie. Pelléas n'en a cure et l'embrasse encore. Golaud se rue alors soudainement sur Pelléas et le frappe de son épée. Sa réaction est viscérale : alors que les Cycles 1-3 s'intensifient graduellement pendant six pages environ, Golaud commet l'atrocité finale à la vitesse de l'éclair, en moins de six lignes de texte.

Exemple 2.
Structure cyclique amenant au point culminant
de *Pelléas et Mélisande* (acte IV, scène 4)

CYCLE 1		
Son de la porte.	Pelléas accepte son destin.	Pelléas/Mélisande se pâment.
CYCLE 2		
Son de Golaud.	Pelléas ignore les signes avant-coureurs.	Leurs ombres s'enlacent.
CYCLE 3		
Son de Golaud.	Pelléas est dans le déni.	Pelléas/Mélisande s'embrassent.
CLIMAX		
Golaud poignarde Pelléas, Mélisande fuit dans la forêt, Pelléas meurt.		

Il n'y a aucun doute qu'en mettant *Pelléas et Mélisande* en musique, Debussy se trouve confronté à un grand nombre de problèmes

1. À propos de la structure cyclique de l'acte IV, scène 4, voir Carolyne Abbate, « *Tristan* in the Composition of *Pelléas* », *19th-Century Music*, 5/2, 1981, p. 117-141 et Marie Rolf, « Symbolism as Structural Agent in Act IV, Scene 4 of Debussy's *Pelléas et Mélisande* », dans *Berlioz and Debussy : Sources, Contexts, and Legacies*, Barbara L. Kelly and Kerry Murphy (dir.), Aldershot, Ashgate, 2007, p. 117-148.

techniques. Parce que le livret est écrit en prose et non en vers et parce qu'il consiste en de courtes répliques et non en de longs discours ou soliloques, Debussy doit donner à son œuvre une structure à grande échelle sans toutefois détruire l'impact de chaque moment. Compte tenu de la connotation gothique de l'histoire, Debussy doit aussi résoudre le dilemme de prédire ce qui arrivera au point culminant de l'opéra tout en rendant le dénouement final aussi surprenant et terrifiant que possible.

Debussy fait preuve d'un talent évident en résolvant ces problèmes dans la partie finale de la quatrième scène de l'acte IV. Il trouve une solution remarquable qui évite les moyens traditionnels : il les remplace par une section organisée autour de quelques motifs distincts (voir Exemple 3), la plupart ayant été présents depuis le début de l'opéra[1]. Le thème de Golaud semble le plus important : présenté sous sa forme originale lorsque les portes du château se ferment (voir Exemple 3a), il apparaît principalement en diminution rythmique associée avec sa vengeance (voir Exemple 3b). Il utilise comme deuxième artifice des arpèges descendants (voir Exemple 3c) ainsi qu'un motif associé à l'extase de Pelléas (voir Exemple 3d). Plusieurs autres idées musicales apparaissent vers la fin de la scène : un nouveau motif associé au destin de Golaud (voir Exemple 3e), le motif de Mélisande (voir Exemple 3f) et le motif de la mort de Pelléas (voir Exemple 3g). Ce dernier est particulièrement remarquable puisqu'il rappelle l'ouverture tragique du troisième acte de *Tristan und Isolde* (voir Exemple 3h) et parce que le Cycle 1 est précédé d'une réminiscence de l'accord de Tristan qui accompagne la déclaration de Mélisande « Je suis triste ».

1. À propos du contenu motivique de l'acte IV, scène 4, voir David A. Grayson, *The Genesis of* Pelléas et Mélisande, Ann Arbor, MI, UMI, 1986, 243 p.

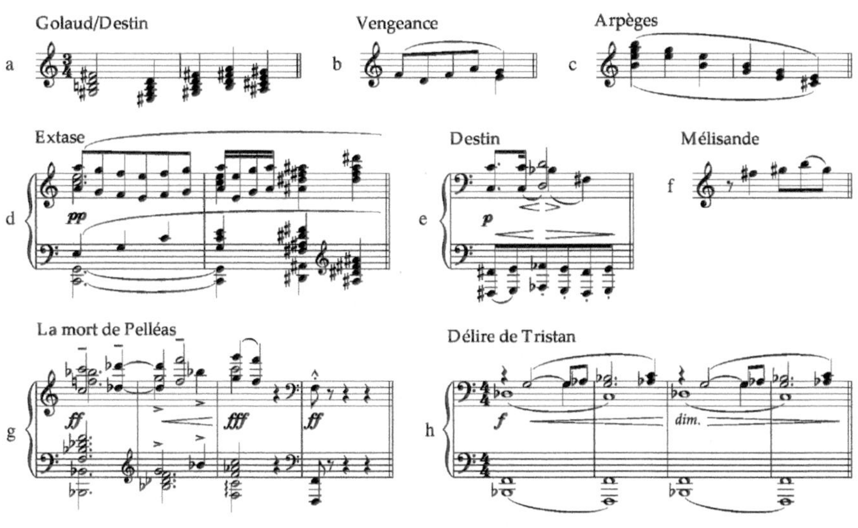

Exemple 3.
Motifs utilisés au point culminant de *Pelléas et Mélisande* (acte IV, scène 4)

Afin de souligner l'importance des motifs présentés dans l'exemple 3, l'exemple 4 ci-après montre comment, de manière générale, ils articulent la structure cyclique de ce passage[1]. Le motif de la vengeance de Golaud apparaît au début ou presque de chaque cycle lorsque Mélisande exprime son inquiétude d'être poursuivie. Quand Pelléas ne prend pas ces inquiétudes au sérieux, les arpèges descendants se font entendre dans le registre aigu. Chaque cycle culmine donc avec la présentation du motif de l'extase de Pelléas : dans les Cycles 1 et 2, ces présentations aident à établir le mouvement vers *do* majeur ; dans le Cycle 3, ils préparent le meurtre de Pelléas par Golaud et la trahison de Mélisande. Au point culminant, l'intrusion soudaine de Golaud est marquée par le motif du destin et la fuite de Mélisande par celui de la vengeance. La scène atteint son apogée avec le motif de la mort de Pelléas à la cadence plagale finale en *fa* mineur.

1. Voir Carolyne Abbate, « *Tristan* in the Composition of *Pelléas* », article cité, p. 135 et Richard Langham Smith, « Tonalities of darkness and light », article cité, p. 107-139. Debussy discute de l'ouverture de l'acte III de *Tristan und Isolde* dans ses conversations avec Ernest Guiraud (1891), voir Lockpeiser, *Debussy. His Life and Mind, op. cit.*, vol. 1, Annexe B, p. 204-208.

Exemple 4.
Motifs récurrents amenant au point culminant
de *Pelléas et Mélisande* (acte IV, scène 4)

CYCLE 1		
Son de la porte.	Pelléas accepte son destin.	Pelléas/Mélisande se pâment.
Vengeance	Arpèges	Extase
CYCLE 2		
Son de Golaud.	Pelléas ignore les signes avant-coureurs.	Leurs ombres s'enlacent.
Vengeance	Arpèges	Extase
CYCLE 3		
Son de Golaud.	Pelléas est dans le déni.	Pelléas/Mélisande s'embrassent.
Vengeance [Destin, Extase]	Arpèges [Mélisande]	Extase
CLIMAX		
Golaud poignarde Pelléas.	Mélisande fuit dans la forêt.	Pelléas meurt.
Destin	Vengeance	Mort de Pelléas/ Délire de Tristan

Non seulement Debussy répète des motifs importants, mais il réutilise certains modèles de conduite des voix. Ces modèles lui donnent un moyen de créer suspens et tension dans sa musique. Le premier apparaît au début du Cycle 1 (voir Exemple 5a). Il consiste en de longues progressions linéaires montant en tierces et/ou sixtes parallèles. Le Cycle 1 inclut deux de ces progressions : la première monte de *fa/la*♭ à *si/ré*, alors que la seconde monte de *mi/sol*♯ à *mi/sol*. Debussy remanie également le premier modèle à mi-chemin du Cycle 2, lorsque Pelléas voit son ombre enlacée avec celle de Mélisande. Comme le montre l'exemple 5b, la progression linéaire s'élève d'abord au-dessus d'un accord de *fa* majeur puis au-dessus d'accords de gamme par tons basés sur *la* bémol. Plus significatif encore est le fait que Debussy développe une fois de plus le premier modèle dans le Cycle 3 afin de préparer l'étreinte finale de Pelléas et Mélisande. La version grandement élargie de ce modèle est montrée dans l'exemple 5c et, tout comme le Cycle 1, propose deux présentations successives du modèle.

Exemple 5.
Modèles contrapuntiques conduisant au point culminant de *Pelléas et Mélisande* (acte IV, scène 4)

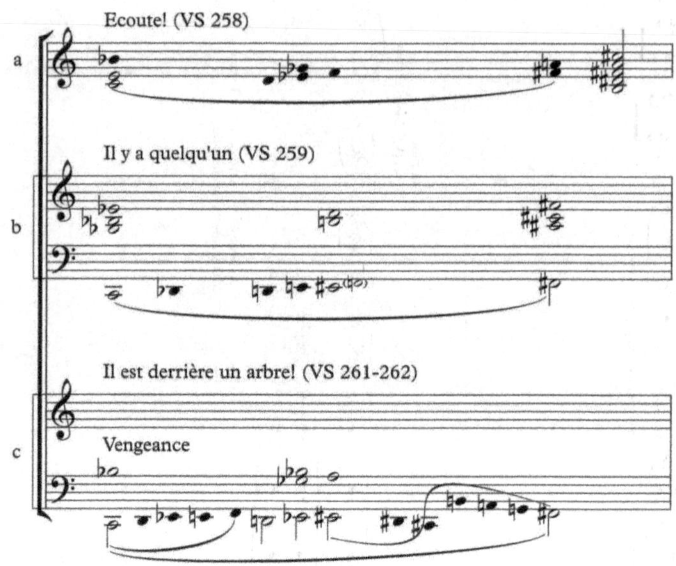

Exemple 6.
Modèles contrapuntiques conduisant au point culminant de *Pelléas et Mélisande* (acte IV, scène 4)

Exemple 7.
Modèles contrapuntiques conduisant au point culminant de *Pelléas et Mélisande* (acte IV, scène 4)

Alors que le premier modèle crée du suspens en montant d'un registre à l'autre et en étant tonalement instable et ambigu, les autres modèles le font en retardant le point culminant de la section. Le second modèle apparaît vers la fin du Cycle 1, lorsque Pelléas écoute son propre battement de cœur. Le modèle consiste en un mouvement graduel ascendant à la basse : *do*, *ré*, *mi♭* *fa* et *fa♯* (voir Exemple 6a). Debussy évoque le même motif au début des Cycles 2 et 3 lorsque Mélisande croit entendre Golaud avancer à pas de loup (voir Exemples 6b et 6c). Afin de parfaire les Cycles 1 et 2, Debussy introduit un troisième modèle (voir Exemple 7). Au Cycle 1, ce modèle s'articule autour de la tonique locale de *do* majeur avant de monter mélodiquement de *sol*, *la*, jusqu'à *la♯/si♭* (voir Exemple 7a). Le même modèle revient à deux reprises dans le Cycle 2 quand Pelléas, une fois de plus, s'extasie (voir Exemples 7b et 7c).

De façon tout à fait remarquable, Debussy fait allusion au premier modèle à la fin de la quatrième scène de l'acte IV (voir Exemple 5d). Alors que le premier modèle est d'abord associé à la ligne ascendante de la basse qui va de *mi♯* à *fa♯*, Debussy transforme ce mouvement en une ligne descendante dans le registre aigu lorsque Mélisande trahit Pelléas et prend la fuite dans la forêt. Non seulement cette ligne descendante rappelle les motifs similaires du Cycle 3, mais elle contribue également à relâcher l'immense sentiment de tension accumulé durant tout le cycle. Pour rendre la mort de Pelléas encore plus effrayante, Debussy présente le terrible motif de sa mort conjointement avec la version finale du premier modèle qui monte à partir de *sol♭/si♭* et culmine en une déchirante cadence finale.

En nous concentrant sur les connotations grotesques et les rapports formels entre *La Chute de la maison Usher* et *Pelléas et Mélisande,* nous avons voulu décrire l'influence de l'histoire d'horreur gothique sur l'œuvre de Maeterlinck et de Debussy. La structure contrapuntique de la quatrième scène de l'acte IV (voir Exemples 5 à 7) révèle aussi des éléments d'arabesque. En effet, comme il le mentionne clairement dans ses remarques sur Palestrina, écrites juste avant la composition de *Pelléas et Mélisande*, Debussy associe l'arabesque aux manières dont les lignes contrapuntiques s'entrelacent : le processus qui consiste à juxtaposer contrapuntiquement des arabesques crée quelque chose d'extraordinaire, des « harmonies mélodiques[1] ! ». L'idée que Debussy ait construit sa musique d'après des modèles contrapuntiques récurrents résonne aussi avec son désir d'éviter les formes traditionnelles d'opéra et de traiter la musique dramatique de façon cinématographique. Selon ses propres mots : « C'est le film – le film d'Ariane – qui nous permettra de sortir de cet inquiétant labyrinthe[2]. » Non seulement ce commentaire fournit ironiquement une description juste de *Pelléas et Mélisande,* mais il explique également pourquoi la musique de Debussy a pu être si populaire à Hollywood, tout particulièrement chez Hitchcock, qui exprime son admiration pour le musicien dans son essai *Films We Could Make* et qui fait jouer par Tippi Hedren la première *Arabesque* dans son film d'horreur *The Birds*[3].

1. Lettre de Claude Debussy à André Poniatowski, février 1893, *Correspondance*, p. 116.
2. Claude Debussy, « Concert Colonne », *S.I.M.*, 1er novembre 1913, repris dans *Monsieur Croche*, p. 248.
3. Alfred Hitchcock, « Films We Could Make », dans Sidney Gottlieb (dir.), *Hitchcock on Hitchcock. Selected Writings and Interviews*, Berkeley, CA, University of California Press, 1995, p. 167. *The Birds* (*Les Oiseaux*) date de 1963.

Les « heureux effets de lumière » dans la mise en scène de *Pelléas et Mélisande* par Albert Carré

Michela Niccolai*

Le 30 avril 1902, *Pelléas et Mélisande* est créé à Paris, salle Favart, dans une mise en scène d'Albert Carré. Ce spectacle marque un point de non-retour dans le domaine de l'esthétique musicale et visuelle dans l'art lyrique et ouvre la voie aux expérimentations du XXe siècle. Carré était arrivé à la direction de l'Opéra-Comique en 1898, fort de son expérience au Théâtre de Nancy, puis au Vaudeville et au Gymnase à Paris. Il impose rapidement sa conception du spectacle lyrique considéré comme un ensemble de facteurs autonomes, la musique et le livret, certes, mais surtout les diverses composantes visuelles (plantations[1], décors, costumes, mouvements scéniques), qui trouvent leur aboutissement dans leur conjugaison.

---

* Nous tenons à exprimer toute notre reconnaissance à Jacques Favart, petit-fils d'Albert Carré, de nous avoir autorisés à citer des extraits des émissions radiophoniques inédites qu'Albert Carré a rédigées à la troisième personne pour son épouse, Marguerite Carré, pendant les années 1930 et conservées dans les archives familiales.

1. Le terme « plantation » s'applique tant à la disposition matérielle d'un décor (manière selon laquelle les diverses composantes du décor construit doivent être placées sur scène : groupées, isolées, etc.) qu'à sa mise en place. Ces opérations d'aménagement, effectuées par le machiniste et le chef décorateur, sont réglées d'avance par le metteur en scène, qui réalise un plan graphique de la disposition des décors sur le plateau. Dans le jargon théâtral, « planter un acte » ou « planter un décor » signifie mettre un acte en scène ou procéder à la mise en place des décors. Les châssis et les praticables sont donc *plantés* sur le plancher comme « on plante des arbres, des plantes dans un parc ou dans un jardin » (Arthur Pougin,

Dans une perspective extrêmement moderne, Carré envisage un travail d'équipe qui valorise l'essence même de la partition de Debussy, comme il l'indique dans ses souvenirs : « La présentation de la création est autant son œuvre que la mienne ou celle de Jusseaume et de Bianchini. Rien ne s'est fait qui n'ait été voulu, choisi et conçu par lui ou avec lui[1]. » Sa double fonction de directeur et de metteur en scène du deuxième théâtre lyrique français subventionné impose le succès à Albert Carré, afin de pouvoir continuer à financer de nouvelles productions : « L'attention du public a un tel besoin d'être soutenue par la variété du spectacle ! [...] Il faut que le public s'habitue à une musique qui lui est inconnue, pour en comprendre et en goûter le charme et la beauté, *Faust*, *Carmen*, *Pelléas et Mélisande* ont connu ces premières hésitations du public. C'est la *qualité du spectacle* qui a permis de traverser ces heures difficiles[2]. »

L'objet de la présente étude est d'expliquer comment, dans la mise en scène d'Albert Carré, la lumière acquiert une importance fondamentale en complétant le sens du livret et de la partition. Nous avons fait le choix de l'observer en fonction des décisions du metteur en scène et de montrer comment sa sensibilité dramatique et sa profonde connaissance technique de la mise en scène lui permettent de fixer un modèle visuel qui, au-delà des décors, trouve son fondement dans les *nuances* de l'éclairage scénique.

Les sources de la mise en scène de *Pelléas et Mélisande*

Les documents relatant l'aspect le plus éphémère de la mise en scène de *Pelléas et Mélisande* se trouvent presque tous dans le fonds

« Plantation », *Dictionnaire historique et pittoresque du théâtre et des arts qui s'y rattachent. Poétique, musique, danse, pantomime, décor, costume, machinerie, acrobatisme. Jeux antiques, spectacles forains, divertissements scéniques, fêtes publiques, réjouissances populaires, carrousels, courses, tournois, etc., etc., etc. Ouvrage illustré de 350 gravures et de 9 chromolithographies*, Paris, Librairie de Firmin-Didot et Cie, 1885, p. 605). Voir aussi Michela Niccolai, *Giacomo Puccini et Albert Carré : « Madame Butterfly » à Paris*, Turnhout, Brepols, coll. Mises en scène, I, 2012, p. 302.

1. Albert Carré, *Souvenirs de théâtre*, réunis, présentés et annotés par Robert Favart, Paris, Plon, 1950, p. 277.

2. Albert Carré, « La mise en scène », émissions radiophoniques inédites, quatre feuillets dactylographiés, f. 2. C'est nous qui soulignons.

de l'Association de la Régie théâtrale conservé à la Bibliothèque historique de la Ville de Paris et sont constitués de quatre sources[1] :

P 4 (I) Livret de mise en scène manuscrit avec les indications : accessoires et meubles.
P 4 (II) Livret de mise en scène manuscrit avec les indications : accessoires, meubles, éclairage et cinq dessins de décors manuscrits.
P 4 (III) Livret de mise en scène imprimé avec les indications : accessoires et meubles, Paris, Durand, s. d. (probablement 1906).
Mes 4 (2) Annotations de mise en scène manuscrites de la main d'Albert Carré sur un *libretto* imprimé, Paris, Fasquelle, s. d.

Ces documents, de nature différente, portant des annotations sur la mise en scène et sur l'éclairage, soulèvent des problèmes d'ordre divers, d'attribution et de datation[2]. Après une analyse attentive de ces sources[3], nous avons concentré notre attention sur l'étude des annotations autographes de mise en scène d'Albert Carré sur un livret imprimé [Mes 4 (2)[4]], puis sur celle du livret de mise en scène imprimé par Durand quelque temps après la création de l'œuvre [P 4 (III)]. Si la mise en scène transmise dans ces deux documents ne diffère pas dans sa structure globale, notamment en ce qui concerne les plantations des actes et la quasi-totalité des diagrammes illustratifs, plusieurs éléments prouvent clairement qu'il s'agit de deux versions successives.

1. Sources identifiées par Robert Cohen et Marie-Odile Gigou dans *Cent ans de mise en scène lyrique en France (env. 1830-1930)*, New York, Pendragon Press, coll. La Vie musicale en France au XIXe siècle, vol. II, 1986, p. 195. À ces sources il faut ajouter un autre exemplaire du livret de mise en scène imprimé chez Durand – le même que P 4 (III) –, conservé à la Bibliothèque-Musée de l'Opéra sous la référence B pièce 683. Par « livret » on désigne ici un livret de mise en scène, en revanche, avec le mot italien *libretto*, on désigne le texte de l'opéra. Le même critère a été adopté dans l'ouvrage de R. Cohen et M.-O. Gigou (p. XXXV).
2. H. Robert Cohen et Marie-Odile Gigou, *Cent ans de mise en scène*..., *op. cit.*, p. XXIII-XXVII.
3. Cette analyse fera l'objet d'une publication spécifique.
4. Mes 4 (2). Une annotation manuscrite de Carré figure en tête de ce livret : « La présente mise en scène est celle qui fut réglée dans les décors de Jusseaume et de Ronsin, lors de la création de l'œuvre en 1902. » Elle confirme qu'il s'agit de la mise en scène de la création. Carré souhaitait probablement distinguer clairement sa mise en scène de celle publiée par Durand quelques années après, qui, extrêmement proche de la sienne, ne mentionne toutefois pas son nom.

La source Mes 4 (2) contient l'intégralité de la conception scénique de Carré : toutes ses idées dramatiques sur l'articulation des scènes, les plantations des actes et les mouvements des chanteurs ainsi que quelques diagrammes illustratifs figurent sur des pages intercalées entre celles du *libretto* imprimé[1]. Des chiffres d'appel indiquent précisément les mouvements scéniques et psychologiques des personnages, tandis que des indications d'éclairage complètent la dramaturgie visuelle de la pièce. Il s'agit très probablement, comme Carré en a l'habitude[2], de sa première esquisse de mise en scène[3], préalable aux répétitions en salle qui débutent le 13 janvier 1902.

La source [P 4 (III)] est constituée du livret de mise en scène imprimé à partir de plaques de cuivre gravées par Durand, présentant une écriture continue détaillant minutieusement la représentation visuelle de *Pelléas et Mélisande*. Les diagrammes illustratifs et les plantations complètent les croquis de Mes 4 (2) et prouvent que l'écriture est postérieure à la création de l'opéra et qu'elle a bénéficié de l'expérimentation de la mise en scène avec décors et chanteurs. C'est attesté par la présence d'indications pratiques, dont l'exemple le plus marquant est fourni par le premier tableau de l'acte IV : Golaud suit ici Mélisande, « la rattrape par les cheveux » et « Pour faciliter le jeu de scène qui suit et empêcher Golaud d'enlever la perruque de Mélisande, celle-ci a cousu au col de sa robe et à hauteur de la nuque un anneau dans lequel Golaud passe le doigt pendant que la main tient la chevelure[4] ». On peut donc supposer que l'exemplaire édité par Durand, probablement publié en 1906 à l'occasion de la parution de la deuxième édition de la partition chant-piano (elle-même rééditée en 1907[5]), contient une version plus tardive de la

---

1. *Pelléas/ et/ Mélisande/ drame lyrique en cinq actes/ tiré du théâtre de/ Maurice Maeterlinck/ musique de/ Claude Debussy*, Paris, Fasquelle, [s.d.], 72 p.

2. Sur la pratique de travail de Carré voir Michela Niccolai, « "À l'œuvre on connaît l'artisan". Albert Carré metteur en scène à l'Opéra-Comique (1898-1914) », dans *Du livret à la mise en scène*, Alexandre Dratwicki et Agnès Terrier (dir.), Lyon, Symétrie-Palazzetto Bru Zane/CMRF, en préparation.

3. D'autres documents de la même typologie sont conservés dans ce fonds, tels ceux de *La Basoche* [Mes 5 (2)], *La Vie de Bohème* [Mes 3 (1)], *Louise* [Mes 4 (1)], etc.

4. P 4 (III), p. 64. Les indications pratiques concernent aussi les changements des décors, notamment pour les praticables sur scène, voir *ibidem*, p. 23.

5. Voir Claude Debussy, *Pelléas et Mélisande*, édition critique de David Grayson, chant-piano, Paris, Durand, « Œuvres complètes de Claude Debussy. Série VI ; 2 ter », 2010, p. 330-331, (RE 3). Toutefois, la partition utilisée pour les renvois

mise en scène, ayant profité de l'expérience des représentations en salle et indiquant précisément tous les éléments pratiques afin d'aider les metteurs en scène en province ou à l'étranger.

Quelques exemples montrent comment l'éclairage est à la base des conceptions de Carré, ce qui est illustré en particulier par les différences relevées entre le document annoté par le metteur en scène et la version éditée par Durand.

La « lumière nouvelle[1] » de *Pelléas et Mélisande*

Carré travaille sa mise en scène tout en *nuances*, s'attachant d'abord à la « gestualité » des personnages (« L'importance pendant tout l'opéra du "toucher" ou de son absence[2] ») puis à la présence de la lumière dans toutes ses déclinaisons (éclairage de scène produit par plusieurs projecteurs colorés, lanternes, phares, soleil, nuit).

Si l'éclairage est déjà fixé dans Mes 4 (2), il fait l'objet dans P 4 (III) d'une écriture plus approfondie, tant pour les détails de l'emploi des diverses sources lumineuses (rampe, herses, portants, cintre) que par la description de l'effet escompté (lumières violettes, vertes...). C'est la raison pour laquelle la comparaison entre ces deux sources est utile pour montrer les moments les plus significatifs de l'utilisation de la lumière par Carré : elles possèdent leurs spécificités respectives et l'on peut considérer que la version de la mise en scène publiée par Durand a été rédigée à partir des idées scéniques de Carré.

Lumière et ombre

Outre les décors de Ronsin et de Jusseaume, l'ambiance créée par la lumière vise à souligner la psychologie des personnages qui évoluent dans une atmosphère allégorique, où chaque phrase prononcée est le

---

aux numéros de pages et de mesures – tant dans Mes 4 (2) que dans P 4 (III) – correspond à la première version imprimée chez Fromont en 1902 (n° de plaque E. 1 416 F ; RE 1 dans la description des sources de Grayson, *ibid.*, p. 330).

1. *Monsieur Croche*, p. 234.

2. Roger Nichols, « "En secouant la poussière" : la mise en scène d'Albert Carré », dans *Pelléas et Mélisande cent ans après : études et documents*, Jean-Christophe Branger, Sylvie Douche et Denis Herlin (dir.), Lyon, Symétrie – Palazzetto Bru Zane, 2012, p. 91.

miroir d'un espace à peine esquissé, suspendu dans une dimension « autre » qui caractérise le royaume d'Allemonde[1].

Les personnages sont eux-mêmes caractérisés par la présence ou l'absence de lumière. Golaud est le premier à dévoiler son âme aux spectateurs : dans une atmosphère sombre, il se présente comme « prince » à Mélisande, mais au lieu de mettre en valeur son ascendance noble, l'éclairage commence à diminuer au premier plan (la rampe), « ainsi qu'aux portants[2] » afin de souligner son côté obscur de « prince des ténèbres[3] ».

Si Golaud est lié au domaine de l'obscurité, Mélisande en revanche est caractérisée par sa luminosité. Avant même qu'elle prononce son prénom, une « projection jaune » illumine Mélisande, ainsi que « toute la partie où elle se trouve »[4]. Dès le premier tableau de l'acte I, la double association Mélisande/lumière (valeur positive) et Golaud/ténèbres (valeur négative) est évidente : la juxtaposition dramatique et scénique est posée pour faire avancer l'intrigue[5]. La rencontre entre Pelléas et Mélisande, qui est rassurée par la présence de Geneviève, rappelle la célèbre Brangäne wagnérienne et est également soutenue par la présence de deux lumières « externes » à la scène : les phares brillant en alternance dans le « temps brumeux avant le coucher du soleil[6] ». Dans le livret édité par Durand, une didascalie détaille la représentation de l'effet d'éloignement entre le premier et le deuxième phare (au lointain) : « À l'horizon côté cour, deux trous de dimensions inégales pour figurer la lumière de deux phares éloignés l'un de l'autre et allumés à la réplique[7]. »

Carré avait déjà expérimenté cet artifice assez artisanal quelques années auparavant, dans *Marquise* de Sardou au Théâtre du Vaudeville en 1889, puis dans *Louise* de Charpentier à l'Opéra-Comique en

1. David Grayson, « Debussy on stage », *The Cambridge Companion to Debussy*, Simon Trezise (dir.), Cambridge, Cambridge University Press, 2003, p. 75.

2. P 4 (III), p. 9.

3. Voir Roger Nichols, « "En secouant la poussière"… », article cité, p. 91.

4. P 4 (III), p. 11.

5. Voir aussi à ce sujet Giuseppe Montemagno, « Chambres avec vue. Regards croisés sur *Louise* et *Pelléas et Mélisande* », *Gustave Charpentier et son temps*, dans Jean-Christophe Branger et Michela Niccolai (dir.), Saint-Étienne, Publications de l'université de Saint-Étienne, à paraître.

6. Rappelons également l'importance de la nuit dans *Tristan et Isolde* de Wagner.

7. P 4 (III), p. 18.

1900. Dans ses souvenirs, il qualifie cet expédient scénique de « lampe baladeuse » : « À l'acte du mariage [dans *Marquise*] nous avions – ô fée Électricité ! – réalisé un feu d'artifice qui épata grandement les spectateurs. J'avais tout simplement eu l'idée de promener une lampe mobile le long des trous d'épingle pratiqués dans la toile de fond ! Et c'est ce même « truc » que je repris plus tard dans *Louise*[1]. » Et il précise pour l'opéra de Charpentier : « Je montai moi-même sur l'échelle pour tracer avec un poinçon les petits trous nécessaires à l'illusion et, les premiers soirs, c'est moi qui, derrière le décor, promenais rapidement la lampe dite "baladeuse" derrière ces trous[2]. »

Un rappel lumineux

Dans *Pelléas*, un exemple de « rappel visuel » d'une scène montrée précédemment, mais dans une nouvelle situation dramatique, est fourni par le troisième tableau de l'acte IV, après l'épisode dit « des moutons[3] ». Carré note les indications d'éclairage de l'acte II qui sont reprises à l'acte IV, soulignant la symétrie scénique entre ces deux moments dramatiques. Ainsi la « Place du projecteur qui, au IVe acte, 3e tableau projettera les ombres de Pelléas et Mélisande vers la coulisse K[4] », est prévue dès le départ. Il convient de rappeler que c'est dans le premier tableau de l'acte II que Pelléas, pour la première fois, « prend [la chevelure de Mélisande] dans ses mains[5] », geste dont le spectateur se souviendra au moment où, pendant l'air de Mélisande (1er tableau, acte III), « les cheveux de Mélisande pendent sur l'épaule gauche de Pelléas[6] », « extasié ».

L'itération du lien Mélisande (chevelure)/ Pelléas est confortée par la présence de la lumière, vecteur de la sphère des valeurs positives : le premier tableau de l'acte II s'ouvre au « grand jour[7] » et de la même manière le premier tableau de l'acte III montre « deux projections à verres bleu pâle [qui] viennent prendre la fenêtre de la tour

1. Albert Carré, *Souvenirs de théâtre*, *op. cit.*, p. 143.
2. *Ibid*, p. 254.
3. Carré indique la suppression de cet épisode lors de la création (*ibid*, p. 282), toutefois il a été rétabli par la suite. Dans Mes 4 (2), le metteur en scène annote : « Ce 2e tableau se coupe très souvent », 1 f. après p. 52.
4. Mes 4 (2), 1 f. avant p. 17.
5. *Ibid.*, 1 f. avant p. 19.
6. P 4 (III), p. 38.
7. *Ibid.*, p. 14.

et la partie oblique allant au lointain[1] ». Pour ce dernier, le rayon de lumière créé par la superposition des deux projections illumine uniquement les deux personnages face à la nuit qui domine la scène.

En complète opposition avec l'épisode de l'acte II, le troisième tableau de l'acte IV s'ouvre dans l'obscurité[2] : « Il fait nuit. Clair de lune[3]. » Dès le début de la scène Pelléas et Mélisande se déplacent dans l'obscurité, autour du rayon de lune qui « éclaire la scène en diagonale[4] ». Leurs gestes atteignent un climax qui, partant de l'absence de toucher entre eux, arrive à son apogée au moment où Pelléas et Mélisande s'enlacent « dans le rayon de lune[5] » regardant « les ombres par terre à gauche[6] ». Ils se trouvent parfaitement éclairés par la lumière nocturne seulement quand Mélisande prononce les paroles : « Comme nos ombres sont grandes ce soir. »

Le sentiment d'inquiétude qui unit les deux personnages contre toute présence étrangère avait déjà fait l'objet d'un autre moment lumineux dans la scène des « trois pauvres », à la fin de l'acte II (3e tableau), comme le précise Carré : « [Mélisande] : "Ah ! Voici la clarté" *Un rayon de lune lui frappe le visage* et se prolonge dans la grotte faisant sortir de l'ombre les trois mendiants. Mélisande, qui s'était dirigée vers Pelléas, voit les mendiants et *la peur la jette dans les bras de Pelléas*[7]. » Cet épisode est relaté différemment dans le livret édité par Durand : lorsque Mélisande aperçoit les trois mendiants éclairés par la lune, elle ne se rapproche pas soudainement de Pelléas, mais elle se contente de jeter « un cri d'effroi[8] ».

Au troisième tableau de l'acte IV, Carré élabore chaque mouvement scénique en *nuances* et revêt chaque geste d'une suggestion symboliste. Les ombres acquièrent ici une importance fondamentale[9],

1. *Ibid.*, p. 38.

2. Voir notamment l'article de Jean-David Jumeau-Lafond, « "Du côté de l'ombre" : Debussy symboliste », *Debussy. La musique et les arts*, Paris, Skira Flammarion, 2012, p. 57-58.

3. Mes 4 (II), 1f. avant p. 53. P 4 (III), en revanche, indique : « fait encore jour mais c'est le coucher du soleil », p. 69.

4. Mes 4 (II), 1f. après p. 54.

5. *Ibid.*, 1 f. avant p. 59.

6. P 4 (III), p. 78.

7. Mes 4 (II), 1f. avant p. 29. C'est nous qui soulignons.

8. P 4 (III), p. 35.

9. Du point de vue technique, cela était rendu possible par l'utilisation de la lumière électrique, qui permettait de dessiner très précisément les ombres des

car c'est ainsi que les deux amants, regardant leur reflet dans la nuit, s'aperçoivent que Golaud les espionne et qu'il a enfin la preuve de leur amour secret, ce qui précipite le dénouement de l'intrigue. En revanche, dans le livret édité par Durand, les mouvements scéniques sont plus évidents et sans sous-entendus : accompagnant les mots «Viens dans la lumière », Pelléas et Mélisande ne cessent de s'effleurer les mains et forment une unité scénique inséparable. Pelléas tient Mélisande dans ses bras pendant presque toute la scène, effaçant ainsi les *nuances* qui caractérisent les pages de la partition et que Carré avait bien su rendre à travers la présence/absence de rapprochement physique des deux personnages.

La lanterne, exemple d'éclairage externe

Dans la mise en scène de *Pelléas et Mélisande*, la véritable innovation de Carré en matière d'éclairage tient à l'utilisation de lumières mobiles qui, soutenues par l'éclairage fixe, fournissent une deuxième clé de lecture accroissant la valeur symbolique de l'opéra.

Si Golaud est un personnage de l'ombre, sa personnalité est parfois trahie par l'utilisation d'une source lumineuse reflétant comme un miroir ses mauvaises pensées. C'est le cas dans le deuxième tableau de l'acte II, lorsque Golaud amène Pelléas dans les souterrains, tenant « [...] à la hauteur de son visage, une lanterne[1] ». Cet accessoire de scène a une fonction pratique, il éclaire les marches lors de la descente des deux personnages, tout en assumant une fonction psychologique. Après avoir éclairé le gouffre, Pelléas se penche pour regarder et c'est à ce moment précis que Golaud l'appelle : « Pelléas, Pelléas ! Ces deux appels doivent se faire avec un accent tel que *le public sente que l'idée de lancer Pelléas dans le gouffre traverse l'esprit de Golaud*. Celui-ci, très troublé, tremble, ce qui fait *vaciller* la lumière[2]. » La lumière qui vacille rend donc explicite le désir de Golaud de tuer son frère au point que Pelléas le regarde « avec effroi ». Les « traits décomposés » de Golaud se trouvent ainsi dévoilés et Carré note que la lanterne ne doit s'éteindre qu'à la scène suivante[3], après que

---

personnages en scène, surtout si l'on pense à l'éclairage au gaz utilisé auparavant.

1. P 4 (III), p. 44.

2. *Ibid.*, p. 45. C'est nous qui soulignons.

3. Mes 4 (2), 1f. après p. 38. L'indication d'éteindre la lanterne ne figure pas dans P 4 (III).

Pelléas, sorti de l'atmosphère stagnante des souterrains, peut enfin respirer « l'air de toute la mer », finalement hors de danger.

Avec l'enrichissement visuel dû à l'utilisation de l'éclairage (agencement scénique, technique des « rappels visuels », sources lumineuses mobiles et lumière de scène), Carré raisonne dans la perspective globale du drame afin de tisser un fil conducteur à travers la juxtaposition de différents tableaux. Chaque tableau devient ainsi un chaînon du système visuel complexe qui accompagne et soutient le sens de la partition.

Les commentaires de la presse sur l'éclairage[1]

Dans les chroniques publiées après la création de *Pelléas et Mélisande*, les références à la mise en scène de Carré sont beaucoup plus nombreuses qu'auparavant, à l'occasion de créations de grande envergure[2]. Les réflexions sur la « lumière » occupent en effet une place considérable, souvent à la fin des articles. Si l'éclairage est remarqué comme une composante du spectacle théâtral, c'est la description de l'atmosphère générale de la mise en scène qui prime, comme l'affirme Louis Schneider :

> Les éclairages de toiles pareilles ont été l'objet de soins particuliers ; il y a des reflets de lumière rose, violette, vert livide, il y a des apparitions d'étoiles au firmament et des phares brillant dans le lointain qui tiennent du prodige[3].

Quant à Edmond Diet, il déclare que la « variété de l'éclairage » est « au-dessus de tout éloge[4] » tout comme le « luxe de la mise en scène ».

Une attention particulière est également portée aux décors de Jusseaume et Ronsin, laissant très rarement place à un commentaire plus détaillé sur l'utilisation de la lumière dans les moments dra-

1. Voir « Dossier de presse de *Pelléas et Mélisande* » dans *Pelléas et Mélisande cent ans après…, op. cit.*, p. 349-560. Une version élargie de ce paragraphe a été présentée lors du *Francophone Music Criticism Network* (Paris, University of London in Paris, 12 juillet 2012).

2. Telles celles de *Manon* (reprise de Carré), *Carmen* (reprise de Carré), *Louise*, *L'Ouragan*, *Madame Butterfly*, etc.

3. Louis Schneider, *La Revue musicale*, 2e année, n° 5, mai 1902, p. 196-200.

4. Edmond Diet, « Les Premières », *Paris*, 2 mai 1902.

maturgiques importants. Georges Ricou fournit la description du premier tableau :

> Cette forêt, au premier tableau, avec ses jonchées de fougères, de feuilles mortes et les fûts élancés, rongés de mousses, de ses arbres, ne donne-t-elle pas l'impression des fins de journées automnales à Compiègne, lorsque le dernier rayon de soleil effleure les troncs d'une pâle lumière, remonte vers les frondaisons, *laissant venir une brume violette et bleue*, envahissante et vague[1] ?

Mauclair fait également une analyse globale du *spectacle*, considéré comme une union de la musique, du texte et de la scène :

> Les décors suavement baignés d'étranges lumières douces s'alliaient si bien à la belle musique que le récitatif semblait superflu. Sons et couleurs s'unissaient au-dessus des paroles[2].

Auguste Mangeot en revanche attire l'attention sur l'alternance lumière/ombre, ainsi que sur les détails qui caractérisent le minutieux rendu visuel des mises en scène de Carré : « Et les effets de lumière et d'ombre, et le groupement harmonieux des personnes, tout cela est réglé avec un souci d'art et de *vérité* vraiment admirable[3]. »

Si l'on peut avoir aujourd'hui quelques doutes sur la « vérité » de cette production, les comptes rendus de presse n'en témoignent pas moins de la magnifique entreprise lumineuse d'Albert Carré qui, fort de son expérience scénique, a su hisser la scène de l'Opéra-Comique à la pointe de la mise en scène européenne.

---

1. Louis Lastret [Georges Ricou], « Autour de la pièce », *Le Théâtre*, t. II, n° 84 (juin 1902), p. 17-22. C'est nous qui soulignons.
2. Camille Mauclair, « Théâtre », *Revue universelle*, t. II, n° 65, 1er juillet 1902, p. 331-333.
3. Auguste Mangeot, « Pelléas et Mélisande », *Le Monde musical*, 13e année, n° 9, 15 mai 1902, p. 154-156. C'est nous qui soulignons.

Proses lyriques de Debussy et *Serres chaudes* de Maeterlinck/Chausson
Une mise en regard

Adrien Bruschini et Jean-Louis Leleu

Les *Proses lyriques,* « cahier » de quatre mélodies composées en 1892-1893 – entre le premier recueil des *Fêtes galantes* et *Pelléas et Mélisande* – sur des textes de Debussy lui-même[1], n'ont guère retenu jusqu'ici l'attention qu'elles méritent. Divers témoignages montrent pourtant que le compositeur les tenait en haute estime, voire se montrait fier de ce qui, dans leur écriture, leur valut la réprobation d'une large partie de la critique ; ainsi écrivait-il à Chausson, au lendemain du concert bruxellois au cours duquel il avait accompagné Thérèse Roger dans *De fleurs* et *De soir* : « Les *Proses lyriques* ont moins plu (mais qu'est-ce que ça peut nous faire ?) surtout celle dédiée à madame Chausson ! ce qui indiquerait *qu'elle est vraiment faite pour des gens très bien* ! Enfin, j'ai un joli éreintement de Kufferath dans le *Guide musical,* je ne vois vraiment pas ce que je pourrais demander de plus[2] ! » De manière significative,

1. L'expression « Un cahier de *Proses lyriques* » apparaît dans la lettre de Claude Debussy à Gustave Doret du 5 juin 1896, dans laquelle il fait la liste de ses « principales œuvres » (*Correspondance*, p. 315).

2. Debussy, *Correspondance*, p. 200 ; Maurice Kufferath écrivait notamment : « Deux mélodies où le piano et la voix poursuivent des dessins chromatiques se contrariant à des intervalles si rapprochés ou si éloignés qu'on a la sensation pénible de l'absence complète de tonalité. [...] C'est par moments une cacophonie pure » (*Le Guide musical*, 4 mai 1894). Témoigne de la valeur accordée par Debussy aux *Proses lyriques,* outre la lettre à Gustave Doret (voir note 1), le fait qu'il les ait inscrites au programme du fameux « Gala Debussy » de juin 1913, au cours duquel

les reproches adressés à l'œuvre visent indistinctement paroles et musique[1]. Léon Vallas écrit ainsi, dans sa monographie de 1944 : « Les *Proses lyriques*, même aujourd'hui, restent déconcertantes par leur poème, par leur musique : y alternent beautés éternelles, préciosités désuètes, recherches outrancières, charabia littéraire, voire musical. On ne les chante jamais, car elles sont aussi difficiles pour les interprètes que pour la généralité des auditeurs[2]. » Rares sont ceux qui, comme Louis Laloy ou Charles Kœchlin, se sont montrés sensibles à une adéquation réussie entre le texte et la musique, ainsi qu'à la beauté de cette dernière[3]. Or, une écoute attentive, croyons-

---

il accompagna Ninon Vallin (voir lettre de Claude Debussy à André Caplet, 23 juin 1913, *Correspondance*, p. 1630) ; une autre lettre encore fait état d'une séance de travail avec Rose Féart et le pianiste Marcel Chadeigne en vue d'une exécution de l'œuvre en avril 1910 (*ibid.*, p. 1267). Debussy semble par ailleurs avoir nourri jusque vers 1904 le projet d'orchestrer au moins deux des quatre mélodies – *De grève* et *De soir* – (*ibid.*, p. 326, p. 592-593, p. 788 et p. 871), même s'il écrivait à Pierre de Bréville dès le 24 mars 1898 : « Quant aux *Proses*, j'ai changé d'avis, et il m'apparaît très inutile de les augmenter d'un fracas orchestral quelconque » (*ibid.*, p. 394).

1. « Paroles » est le terme qu'emploie Debussy pour désigner ses textes (*ibid.*, p. 117 et p. 170).

2. Léon Vallas, *Achille-Claude Debussy*, Paris, PUF, 1944, p. 105 ; les pages consacrées aux *Proses lyriques* par le même auteur dans *Claude Debussy et son temps* (Paris, Librairie Félix Alcan, 1932, p. 135-142 / Albin Michel, 1958, p. 171-177) sont moins rudes, surtout en ce qui concerne la musique, mais guère plus enthousiastes. Lockspeiser lui-même, qui s'est affirmé après la Seconde Guerre comme l'un des meilleurs connaisseurs de l'œuvre de Debussy, n'avait pas de mots assez durs à l'égard des *Proses lyriques* (texte et musique) dans sa première monographie : « No one would imagine that these prose-poems were by one who had stepped himself in Baudelaire and Verlaine. How did Debussy come to write these trite words ? [...] But it may afford his admirers some satisfaction to know that the music is almost as bad as the texts. They are clumsy songs, there is a good deal of pointless repetition, and the over-whrought piano accompaniment might be an arrangement of some hack orchestration » (Edward Lockspeiser, *Debussy*, London, J. M. Dent & Sons, 1936, p. 124). Dès la nouvelle édition refondue de l'ouvrage, le passage sur les *Proses lyriques* est entièrement réécrit, et le jugement porté sur l'œuvre nettement plus nuancé (Lockspeiser, *Debussy* [3e éd.], London, J.M. Dent & Sons, 1951, p. 131-132). S'il s'intéresse aux influences diverses subies par Debussy sur le plan littéraire, le musicologue anglais reste toutefois peu disert quant à la musique ; voir également ses commentaires dans *Debussy : His Life and Mind*, vol. 1, London, Cassell, 1962, p. 129-131 (trad. fr. Paris, Fayard, 1980, p. 163-165).

3. « Poésie tissue de rêve, syllabes irisées, frémissantes, prêtes à se livrer au souffle attendu de la musique » (Louis Laloy, *Claude Debussy*, Paris, Les Bibliophiles fantaisistes, 1909, p. 30). « Les *Proses lyriques* [...] ont ceci de particulier que le texte

nous, peut permettre de saisir ce que Debussy a manifestement perçu ici, à un moment clé de son évolution, comme la cohérence d'un projet à la fois littéraire et musical. Considérées ainsi – du point de vue de la convergence qui s'opère en elles entre verbe et musique –, les *Proses lyriques* se révèlent être une voie d'accès privilégiée à la compréhension du langage et de l'imaginaire du compositeur.

Une mise en regard des *Proses lyriques* avec *Serres chaudes* d'Ernest Chausson, cycle de cinq mélodies sur des poèmes tirés du volume éponyme de Maurice Maeterlinck[1], s'avère dans cette optique particulièrement éclairante. Chausson entreprit la composition de ces mélodies en juin 1893, à un moment où il entretenait avec Debussy des liens étroits, et alors même que ce dernier terminait, de son côté, la rédaction de *De fleurs*, troisième « prose » de son propre « cahier », dont il dédicaça précisément à Mme Chausson le 24 juin, « pour sa fête », une version non encore tout à fait aboutie[2]. Une lettre que Debussy écrivit à son ami le dimanche 9 juillet 1893 témoigne de la façon dont les deux projets se sont alors croisés. À Chausson qui venait de lui faire part du travail qu'il avait engagé, laissant provisoirement de côté la composition du *Roi Arthus* (« Je grignote, en attendant, quelques mélodies de Maeterlinck. S'il y en a suffisamment, je vous les apporterai mercredi, non sans inquiétude[3] »), Debussy répondait : « Maintenant vous voilà comme les *Serres chaudes*, et que vous condamnez la générosité de votre cœur, à souffrir d'être enclose dans l'ennui bleu, et à respirer les fleurs si

---

en est dû à Debussy lui-même. On a beaucoup médit de ce texte – et, nous semble-t-il, injustement. Sans doute, il n'est pas très personnel [...]. Mais le sentiment est d'une poésie qui va si bien à la muse debussyste ! » (Charles Kœchlin, *Debussy*, Paris, Henri Laurens, 1927 [rééditions en 1941 et 1956], p. 16).

1. Maurice Maeterlinck, *Serres chaudes*, Paris, Léon Vamir, 1889.

2. Voir Debussy, *Correspondance*, p. 140, note 1. Laloy note déjà en 1909 : « La troisième de ces proses, *De fleurs*, a l'inquiétude d'un mauvais rêve ; elle fait allusion, semble-t-il, aux *Serres chaudes*, poème maladif de Maeterlinck, que Chausson mettait alors en musique : et elle se dédie à la femme du compositeur » (Laloy, *Debussy*, *op. cit.*, p. 30).

3. Lettre d'Ernest Chausson à Claude Debussy, [8 juillet 1893], Debussy, *Correspondance*, p. 142. Chausson venait alors de terminer deux premières mélodies : *Lassitude* le 30 juin, et *Serre d'ennui* le 7 juillet (voir Jean Gallois, *Ernest Chausson*, Paris, Fayard, 1994, p. 431).

pâles de trop de soleil, ne manquez pas de m'apporter ce que vous aurez de fait » ; et il terminait ainsi sa lettre : « J'ai fini une fois pour toutes la 3e prose ! Je vous la jouerai Mercredi[1]. » Si ce programme fut respecté, on put entendre ce jour-là chez Debussy à la fois la version définitive de *De fleurs* et les deux mélodies composées par Chausson, *Lassitude* et *Serre d'ennui*.

Dans un article consacré aux liens qui se tissent, *via* Maeterlinck, entre les deux recueils de mélodies, Theo Hirsbrunner a montré comment le texte de *De fleurs*, tout spécialement, abonde en références aux *Serres chaudes*, dont il s'approprie le motif central de la serre – emblème d'un espace clos, à l'atmosphère confinée –, tout en renvoyant, dès ses premières lignes, au titre même du poème mis en musique par Chausson, *Serre d'ennui* : « Dans l'ennui si désolément vert / De la serre de douleur[2] ». À juste titre, Hirsbrunner note que ce motif de la serre est déjà bien présent dans la littérature de la seconde moitié du XIXe siècle : notamment, dès le milieu des années 1850, dans le poème de Mathilde Wesendonck – rendu célèbre par le lied de Wagner – *Im Treibhaus*, où la serre (*Treibhaus*) représente l'espace fermé, isolé du dehors, dans lequel languit celui qui est condamné à vivre loin de sa *Heimat*, ou encore dans le roman de Huysmans *À Rebours*[3], dont une page remarquable évoque « les fleurs exotiques, exilées à Paris, au chaud, dans des palais de verre[4] ». Ce que connote l'image de la serre est ainsi, tantôt l'idée d'un lieu clos où l'on est enfermé (on trouve dans le *Littré* l'expression « être tenu en serre chaude », pour « n'avoir aucune liberté d'action »), tantôt celle d'un

---

1. Lettre de Claude Debussy à Ernest Chausson, [9 juillet 1893], *Correspondance*, p. 143-144.
2. Theo Hirsbrunner, « Debussy – Maeterlinck – Chausson. Musikalische und literarische Querverbindungen », dans *Art nouveau, Jugendstil und Musik*, Jürg Stenzl (dir.), Zürich/Freiburg im Breisgau, Atlantis-Verlag, 1980, p. 48. Voir également à ce sujet Denis Herlin, « Des *Proses lyriques* aux *Nuits blanches* ou Debussy et la tentation poétique », dans *La note bleue. Mélanges offerts au Professeur Jean-Jacques Eigeldinger*, Jacqueline Waeber (dir.), Bern, Peter Lang, 2006, p. 308-309.
3. Joris-Karl Huysmans, *À Rebours*, Paris, G. Charpentier, 1884.
4. Le héros du roman, Des Esseintes, fasciné par les fleurs de serre – ces « fleurs distinguées, rares, venues de loin, entretenues avec des soins rusés, sous de faux équateurs produits par les souffles dosés des poêles » –, va jusqu'à se faire livrer, dans la maison où il s'est retiré du monde, des fournées d'orchidées et autres fleurs extravagantes « imitant des fleurs fausses ».

« paradis artificiel », procurant le confort d'un bien-être factice[1]. Chez Debussy comme chez Maeterlinck, c'est, sans équivoque, le thème de l'enfermement qui occupe le premier plan[2]. La question se pose de savoir, cependant, comment réagit à son sort l'individu prisonnier de la serre.

Rapprochant la fin de *Serre chaude* (premier poème du cycle) – « Mon Dieu ! mon Dieu ! quand aurons-nous la pluie, / Et la neige et le vent dans la serre ! » – et les exclamations qui marquent le point culminant de *De fleurs* : « Venez ! Venez ! Les mains salvatrices ! / Brisez les vitres de mensonge, Brisez les vitres de maléfice [...] ! », Hirsbrunner croit voir dans les textes de Maeterlinck et de Debussy les signes d'une même révolte. S'agissant du premier, il invoque, à l'appui de sa thèse, différents textes ultérieurs dans lesquels s'exprime un tel sentiment de « révolte contre la destinée », notamment *Ariane*

1. L'expression même de « serre chaude » se rencontre, en ce sens, dans *La Chambre double*, l'un des poèmes du *Spleen de Paris* de Baudelaire, dont la préface énonce, on le sait, l'idéal d'une « prose poétique, musicale, sans rythme et sans rime » qui, en une formule raccourcie, est ensuite nommée « prose lyrique » : le poète y évoque une chambre de rêve, propre à l'abandon et à une forme de langueur voluptueuse, où « l'esprit sommeillant est bercé par des sensations de serre chaude » ; voir à ce propos André Guyaux, *Baudelaire. Un demi-siècle de lectures des* Fleurs du mal *(1855-1905)*, Paris, Presses de l'Université Paris-Sorbonne, 2007, p. 108-109, où est également cité un texte de Barbey d'Aurevilly (de 1857) caractérisant le talent de Baudelaire – « travaillé, ouvragé, compliqué avec une patience de Chinois » – comme « une fleur du mal venue dans les serres chaudes d'une Décadence ». Dans son introduction à l'édition des *Poésies complètes* de Maeterlinck, Joseph Hanse attire l'attention sur un passage de *La Fanfarlo*, nouvelle publiée en janvier 1847 et reprise à la suite de *Paradis artificiels*, dans lequel Baudelaire note à propos de la chambre à coucher de l'actrice-courtisane : « l'air, chargé de miasmes bizarres, donnait envie d'y mourir lentement comme dans une serre chaude » (Maurice Maeterlinck, *Poésies complètes*, Joseph Hanse [éd.], Bruxelles, La Renaissance du Livre, 1965, p. 49).

2. L'importance de ce thème chez Maeterlinck a été maintes fois relevée dans la littérature consacrée à cet auteur. Lui-même notait dans un carnet en février 1891, à propos de *Pelléas et Mélisande* : « Exprimer surtout cette sensation d'emprisonnés, d'étouffés, de haletants en sueur qui veulent se séparer, s'en aller, s'écarter, fuir, ouvrir, et qui ne peuvent pas bouger. Et l'angoisse de cette destinée contre laquelle ils se heurtent comme contre un mur et qui les serre de plus en plus étroitement l'un contre l'autre. » Anne Schillings, qui cite ce propos, le commente ainsi : « La sensation exprimée ici, comment ne pas la rapprocher de la claustrophobie manifestée poème après poème dans *Serres chaudes* ? » (« La genèse de "Pelléas et Mélisande" », *Audace*, n° 1, 1970, p. 119).

et Barbe-Bleue et *L'Intelligence des fleurs*[1]. Il semble bien, pourtant, que dans *Serres chaudes* l'emporte une attitude de soumission, et qu'il soit plus juste d'*opposer* aux vers de *De fleurs* ceux qui *ouvrent* le poème initial de *Serres chaudes* : « O serre au milieu des forêts ! / Et vos portes à jamais closes ! » D'un côté les portes que l'on ne peut ouvrir, de l'autre les vitres que l'on brise pour s'échapper[2]. Alors que Maeterlinck intériorise la souffrance de l'enfermement vécu comme fatalité, et que seules la prière et la contemplation peuvent permettre de supporter – ce que Chausson, dont la sensibilité rejoint ici celle du poète, fera ressortir en plaçant *Oraison* à la fin de son propre cycle de mélodies –, Debussy s'insurge contre la malédiction que représente la serre, et se refuse à toute résignation : « Mes mains sont lasses de prier, mes yeux sont las de pleurer », écrit-il encore dans *De fleurs*.

Hirsbrunner, curieusement, ne consacre pas même quelques lignes, sur ce sujet, à Debussy. Or, la fascination de ce dernier pour la dualité espace fermé / espace ouvert ne cesse d'irriguer son œuvre, s'y exprimant notamment, comme l'a montré André Schaeffner, dans le choix des textes dont il tire – ou songe un moment à tirer – ses livrets ; *La Grande Bretèche, Axel, Pelléas et Mélisande, La Chute de la maison Usher* relatent le destin de personnages prisonniers de « lieux condamnés[3] ». Ces derniers sont aussi bien de véritables lieux murés (comme le cabinet secret de la *Grande Bretèche* ou la tombe de Madeline Usher) que des prisons de nature psychologique ou sociale (comme la langueur ou les conventions, voire les interdits du monde réel). La Maison Usher comme le château d'Allemonde – avec ses souterrains, ses grottes – symbolisent ce double aspect

1. Voir en particulier cette phrase de *L'Intelligence des fleurs* (Paris, Fasquelle, 1907) que cite Hirsbrunner (*op. cit.*, p. 56) : « Ce monde végétal qui nous paraît si paisible, si résigné, où tout semble acceptation, silence, obéissance, recueillement, est au contraire celui où la révolte contre la destinée est la plus véhémente et la plus obstinée. »

2. La porte et les fenêtres qu'il est impossible d'ouvrir sont un ressort essentiel de la scène finale des *Sept Princesses* (1891). Ce motif apparaît également au tout début de *Pelléas et Mélisande*, dans la scène des servantes supprimée par Debussy. Nous sommes reconnaissants à Dmytro Tchystiak de nous avoir aidés à préciser ce point.

3. André Schaeffner, « Théâtre de la peur ou de la cruauté ? », préface à Edward Lockspeiser, *Debussy et Edgar Poe*, Monaco, Éditions du Rocher, 1961, p. 18-19 (repris dans *Variations sur la musique*, Paris, Fayard, 1998, p. 382-383).

du thème de l'enfermement. Décisifs, toutefois, sont chez Debussy les moments où l'on échappe à l'emprise de ces lieux étouffants. Kœchlin a vu dans la sortie des souterrains, dans *Pelléas*, la manifestation la plus vive de ce qu'il appelle la « lumière incomparable » de Debussy[1]. Des *Proses lyriques* elles-mêmes, et tout spécialement de la dernière d'entre elles, *De soir*, Laloy écrivait déjà : « Nulle entrave, nulle limite, l'espace est ouvert[2]. » De fait, alors que *De fleurs* est vouée tout entière à l'évocation de la « serre de douleur », *De soir* conclut le cycle en présentant deux formes d'*évasion* antithétiques. La première, non moins artificielle que la serre, met en scène avec ironie les escapades dominicales des Parisiens dans des « banlieues d'aventure », devenues facilement accessibles grâce au chemin de fer[3]. À cette fausse évasion s'oppose, à la fin de la mélodie (et donc du recueil), une véritable libération, passant par la prière et l'élévation, en direction des « avenues d'étoiles » qui scintillent dans le ciel. Il ne s'agit pas ici, cependant, d'une prière chrétienne classique, comme dans *Oraison*, la dernière mélodie du recueil de Chausson, où la voix implore : « Ouvrez moi, Seigneur, votre voie, éclairez mon âme lasse » ; chez Debussy, la prière s'adresse à la Vierge dont les étoiles dessinent l'image sur la voûte céleste, et qui, de son blason, « laisse tomber les fleurs de sommeil[4] ». « Prenez pitié des villes, prenez pitié

1. Charles Koechlin, *Debussy*, *op. cit.*, p. 74.

2. Louis Laloy, *Debussy*, *op. cit.*, p. 30. Dans un très beau texte sur *La Damoiselle élue*, Laloy insiste sur le côté entièrement lumineux de cette œuvre, différente en cela de *Pelléas*. À propos des premiers accords – « cette calme phrase qui nous ouvre le paradis » –, il écrit : « Aucune voûte d'église ne pèse sur nos regards et ne nous invite à rentrer en nous-mêmes : tous les vœux sont exaucés, l'autre vie est conquise, un ciel d'azur s'ouvre devant nous, où monte, les mains jointes, une âme en prières ; c'est parmi la sereine clarté des espaces célestes que se déroulera la légende. » Et il ajoute : « l'on chercherait en vain des accords tels que ceux qui accompagnent la descente des deux frères dans les souterrains du château. Qu'est-ce à dire, sinon qu'[...] il n'y a pas de souterrain dans une légende de lumière ? » (*La Revue musicale [Histoire et Critique]*, 3/1, janvier 1903, p. 33 et p. 35).

3. Que les trains, à peine lancés, soient « dévorés par d'insatiables tunnels » (*De soir*) dit assez le caractère illusoire de l'évasion qu'ils promettent.

4. Le contexte ne permet guère de penser que s'exprime dans ces vers, à travers une invocation de la Vierge Marie, un conventionnel sentiment religieux. Aussi Denis Herlin fait-il bien de ne risquer qu'avec prudence cette hypothèse : « Peut-être s'agit-il d'une allusion à une œuvre de Henry Lerolle [à qui est dédiée la mélodie] qui aimait la peinture religieuse ? » (« Des *Proses lyriques* aux *Nuits blanches* », article cité, p. 307, note 33).

des cœurs, vous la Vierge or sur argent » : sur ces mots s'ouvre, bien plutôt qu'elle ne se clôt, la dernière des *Proses lyriques*.

Il est tentant de voir dans la serre qu'évoque *De fleurs* l'image, non seulement de la société bourgeoise et de ses conventions[1], mais aussi des traditions musicales « stériles » dont s'efforce de se dégager le compositeur[2]. Il n'est que de rappeler son rêve, formulé dans *Gil Blas* en 1903, d'une « musique construite spécialement pour le "plein air", toute en grandes lignes, en hardiesses vocales et instrumentales qui joueraient et planeraient sur la cime des arbres dans la lumière de l'air libre », par opposition à cette autre figure de la serre qu'est l'espace « renfermé » de la salle de concert, isolée du monde extérieur[3]. Les conventions et les règles de l'harmonie tonale, tout spécialement, ont été très tôt perçues par Debussy comme un carcan, une entrave à la liberté de l'invention. Cette attitude, on le sait, lui valut de nombreux déboires, à commencer par l'échec répété au concours d'harmonie du Conservatoire[4].

Comparant, dans la dernière partie de son étude, la musique de *De fleurs* et celle du cycle de mélodies de Chausson, Hirsbrunner la présente comme étant dans les deux cas une musique de transition, « encore fortement enracinée dans le passé » et laissant déjà, en même temps, « pressentir le nouveau »[5]. Commune aux deux compositions serait notamment, selon lui, une écriture harmonique à la fois richement différenciée et marquée par un affaiblissement des fonctions tonales. Curieusement, seule la conclusion de l'article en vient à mettre en contraste les deux musiciens, opposant à l'avancée debussyste un certain conservatisme de Chausson, son attachement aux formules héritées de la tradition – en bref, le fait qu'il reste

1. On pense ici aux velléités de conversion à une vie bourgeoise qu'a manifestées Debussy précisément en 1894, et dont témoigne le projet avorté de mariage avec la cantatrice Thérèse Roger (voir Lesure, *Debussy*, p. 145-153).

2. Voir Debussy, *Monsieur Croche*, p. 318.

3. *Ibid.*, p. 76.

4. Voir à ce sujet John R. Clevenger, « Achille at the Conservatoire (1872-1884) », *Cahiers Debussy*, n° 19, 1995, p. 3-35.

5. « Die Musik von Debussy und Chausson, in *de fleurs…* einerseits und den *Serres chaudes* andererseits, zeigt alle Merkmale des Übergangs. Sie ist noch stark in der Vergangenheit verwurzelt und läßt das Neue doch schon ahnen » (Theo Hirsbrunner, « Debussy-Maeterlinck-Chausson… », article cité, p. 59).

« prisonnier des conventions[1] ». La formule est sans doute abrupte[2], mais une étude précise de la partition de *Serres chaudes* montre que Chausson s'y conforme, de fait, aux principes fondamentaux de la tonalité, si personnelle que soit la façon dont il exploite les ressources de ce langage hérité du passé. La musique, en effet, est ici saturée d'harmonies dissonantes appelées à se résoudre, fût-ce par des chemins tortueux, selon les règles de la syntaxe tonale, où règne en maître le mouvement obligé des notes de la quarte augmentée (ou de la quinte diminuée) dans l'accord de dominante, des quintes altérées dans les accords de quinte diminuée et de quinte augmentée, ou encore de telle ou telle note étrangère (appogiature, notamment)[3]. Ainsi, à la fin de *Serre chaude*, première mélodie du cycle, le *Plus lent* (mesure 70) est amené par une cadence V-I des plus classique, en *si* mineur, dans laquelle la conduite des voix satisfait à ces exigences : le *la*♯$_3$ monte au *si*$_3$ et le *do*♯$_4$ au *ré*$_4$ (anticipé sur la troisième noire de la mesure 69), tandis que le *sol*$_4$ descend au *fa*♯$_4$. Tout le passage, dans lequel la déclamation des deux vers déjà mentionnés (« Mon Dieu ! mon Dieu ! quand aurons-nous la pluie, / Et la neige et le vent dans la serre ! ») est empreinte d'un caractère mêlé de détresse et de résignation, confirme le ton principal par une succession de

1. « Chausson bleibt in den Konventionen befangen » (*ibid.*, p. 64). Rapportant le propos tenu par Debussy lui-même dans le compte rendu d'un concert de mars 1903 où avaient été données *Serres chaudes* – « on voudrait même qu'il [Chausson] eût laissé plus de liberté à tout ce que l'on sent battre d'émotion intérieure dans sa très personnelle interprétation musicale » –, Hirsbrunner en vient finalement à appliquer à Chausson l'expression de « musique de prison » employée un jour par l'auteur de *Pelléas* à propos de l'une de ses élèves (*id.*).

2. Voir les réserves exprimées à ce sujet par Herbert Schneider dans son article consacré à *Serres chaudes*, « Analytische Anmerkungen zu Ernest Chaussons Liederzyklus *Serres chaudes* », dans *"... das alles auch hätte anders kommen können". Beiträge zur Musik des 20. Jahrhunderts*, Susanne Schaal-Gotthardt, Luitgard Schader et Heinz-Jürgen Winkler (dir.), Mainz, Schott, 2009, p. 29.

3. Si soucieux qu'il soit de mettre en avant la qualité musicale et l'originalité du recueil de Chausson, Schneider note bien qu'y domine à la fin des mélodies, et tout spécialement à la fin d'*Oraison*, l'usage traditionnel de la cadence (« die traditionelle Kadenzierung »), soulignant le rôle joué dans ce contexte par l'appogiature (*ibid.*, p. 27). Plus haut, il parle, bizarrement, de l'utilisation, commune à l'écriture harmonique de *Serres chaudes* et à celle de *Im Treibhaus*, de l'accord de 9e « avec une 13e ajoutée » (*ibid.*, p. 17) ; or, cette 13e est également, en vérité, une note étrangère à la structure de l'accord (anticipation, appogiature), et l'on a donc bien affaire, ici aussi, à un *agrégat*.

gestes cadentiels souvent recherchés[1], la résolution ultime s'effectuant, sur une pédale de tonique, par l'enchaînement de l'accord de 7e du second degré – dont est déployée mélodiquement la quarte augmentée <*do♯* [*si*] *sol*> – à l'accord parfait majeur de *si*[2].

Ce principe d'une résolution ultime, contrôlée tonalement, des tensions accumulées au fil de la composition ne laisse pas, dans *Serres chaudes*, de retentir sur la grande forme. *Oraison*, la dernière mélodie du cycle, se termine ainsi, de manière significative, par une reprise presque littérale de la fin de la première – dans un ton certes différent (on est passé de *si* mineur à *mi* bémol mineur), mais sans qu'en soit diminué pour autant l'effet de clôture, marqué à la fois par le retour de la même ligne de chant – ici sur les mots « Car la tristesse de ma joie » – et, dans la partie de piano, par celui du même thème caractéristique (avec son dessin chromatique descendant de noires). La cadence finale est, quant à elle, reformulée en sorte d'acquérir un maximum d'emphase, et par là de force conclusive. Ce relief qui lui est conféré lui permet de « boucler » le cycle de la façon la plus explicite, en même temps que s'affirme définitivement, dans ces mesures, le paradigme harmonique auquel obéit de la première à la dernière page le discours musical.

La musique des *Proses lyriques*, à l'inverse, s'affranchit résolument de cet héritage de la tradition, en refusant le confort d'un système clos de références, auquel elle préfère l'exploration de matériaux hétérogènes : modes divers, échelle par tons entiers, etc. On y relève certes, ponctuellement, des traces de logique tonale – sous la forme en particulier de cadences du type V-I –, mais il s'agit alors de réminiscences, pareilles à des citations, dont le pouvoir

1. Voir la manière dont s'inscrit dans la succession d'accords des mesures 74-77, à la main droite du piano, le dessin chromatique <*mi*$_4$ *ré♯*$_4$ *ré♮*$_4$ *do♯*$_4$ *do♮*$_4$ *si*$_3$> ; sur la notation des collections de hauteurs (ou de classes de hauteurs) à l'intérieur de crochets pointus ou d'accolades selon qu'elles sont ordonnées ou non ordonnées, voir Paolo Dal Molin et Jean-Louis Leleu, « Comment composait Debussy : les leçons d'un carnet de travail (à propos de *Soupir* et d'*Éventail*) », *Cahiers Debussy*, n° 35, 2011, p. 21, note 41.

2. Le pouvoir conclusif de cet enchaînement II-I tient à ce que la quarte augmentée s'y résout de la même manière que dans la cadence V-I à laquelle il se substitue. Quant à la « majoration », classique elle aussi, de la médiante, elle a ici une double fonction : elle introduit un élément de consolation, en même temps qu'elle opère une transition avec le début de la mélodie suivante, qui est en *mi* mineur.

expressif vient justement de ce qu'elles surgissent dans un contexte que gouverne une autre logique[1]. La dualité du clos et de l'ouvert peut ainsi être thématisée avec les ressources propres du langage musical. Le début et la fin de *De fleurs* sont à cet égard des plus éclairants. Dans les premières mesures de la mélodie (*Lent et triste*), l'évocation de « l'ennui si désolément vert de la serre de douleur » se traduit, sur le plan musical, par le déploiement à deux niveaux distincts de structures symétriques, images de l'enfermement : non seulement les accords du piano dessinent un palindrome (deux fois réitéré)[2] [voir Exemple 1], mais au sein même de la succession des accords parfaits sur *do*, *si♭*, *sol*, et retour, se déploie une configuration d'intervalles symétrique remarquable : l'enchaînement de deux tierces (majeure / mineure) inscrites dans un triton <*mi do*> / <*ré♭ si♭*> – qui n'est autre, il est frappant de le noter, que le motif sur lequel Stravinsky construira l'essentiel de *L'Oiseau de feu* – se renversant en <*ré♭ si♭*> / <*si♮ sol*> [voir Exemple 2]. À la fin de la mélodie, l'enchaînement revient, élargi rythmiquement, mais sans se fermer sur lui-même : à la troisième mesure les accords changent, et le nouvel enchaînement débouche, en dehors de toute logique tonale, sur l'accord parfait majeur de *do*, qui « brise le maléfice ». Paradoxalement, un soudain effet de lumière illumine la dernière

1. Le passage de *De fleurs* où la voix chante « les chères mains si tendrement désenlaceuses » (mesures 16-18) offre un bel exemple de ce type d'effet : l'accord de tons entiers de la mesure 16, bien établi dans le grave sur le double *la♭*, y est interprété, tonalement, comme un accord de 9e majeure avec altération ascendante de la quinte (*mi♮*), auquel s'enchaîne un nouvel accord de 9e majeure ayant pour fondamentale *ré♭* – le *mi♮*, sur le premier temps de la mesure 17, sonnant comme un retard du *fa* ; particulièrement expressif est ici, dans la ligne vocale, l'intervalle ascendant de sixte mineure par lequel est atteint – sur « *ten*-(drement) » – le *la♭* aigu, seule note qui demeure du complexe de tons entiers précédent {*sol♭ la♭ si♭ do mi*} – compris dans $C2_0$ – au sein du nouvel accord, dont les quatre autres notes appartiennent à $C2_1$: {*do♭ ré♭ mi♭ fa*} – ce qui produit l'impression que l'on *module* d'une gamme par tons dans l'autre. De tels mouvements cadentiels se rencontrent aussi, par exemple, dans *Sirènes* (voir Jean-Louis Leleu, « Structures d'intervalles et organisation formelle chez Debussy : une lecture de "Sirènes"», dans *Claude Debussy. Jeux de formes*, Maxime Joos (dir.), Paris, Éditions Rue d'Ulm (ENS), 2004, p. 203 et p. 212).

2. À ce palindrome principal fait écho discrètement un second, formé des trois dernières noires de l'unité de deux mesures, et centré comme lui sur le troisième temps du 4/4.

syllabe du mot « douleur » (« serre de douleur ») : la musique oppose ici un contredit à la lettre du texte.

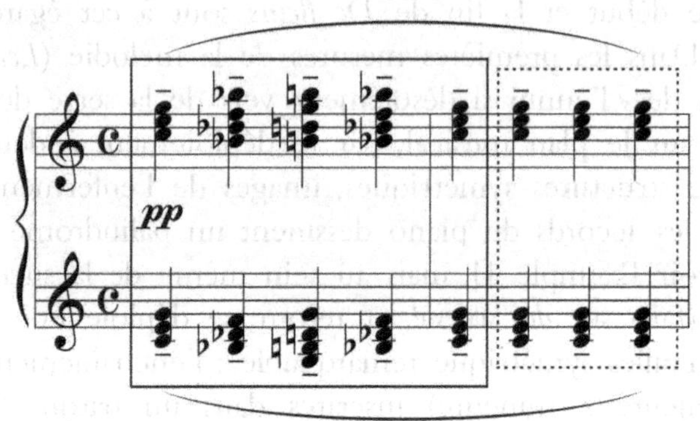

Exemple 1. *Proses lyriques*, début de *De fleurs* : palindrome(s) de la partie de piano

Exemple 2. *Proses lyriques*, début de *De fleurs* (analyse) : structures de tierces symétriques

Le sens de cette transfiguration se dévoile pleinement si l'on considère la fin de la dernière « prose » du recueil, *De soir*, en relation avec ses premières mesures. Musicalement, l'effet d'ouverture auquel donne lieu l'imploration de la Vierge y est réalisé de deux façons : d'abord par l'élargissement et la transformation du motif entendu dès le début de la mélodie <*sol♯ si sol♯ la♯*>, à présent débarrassé du caractère mécanique, lié à l'évocation du chemin de fer, dont étaient empreintes les figures répétitives du piano, et, *in fine*, par la suspension de la seconde majeure ascendante <*sol♯ la♯*> elle-même – à l'encontre de ce que laisseraient attendre les conventions du discours tonal –, sur un agrégat formé des seules quintes <*sol♯ ré♯ la♯*>, largement déployées du grave à l'aigu, le tout sonnant comme une lointaine préfiguration de la fin des *Noces* de Stravinsky.

La musique accomplit ici cette *sortie à l'air libre* symbolisée, dans le texte, par le regard qui, levé vers la voûte céleste, y voit s'ouvrir à lui les « avenues d'étoiles ». Cependant, les dernières mesures de *De soir* n'en marquent pas moins, elles aussi, la fin d'un *cycle*, dont l'unité est garantie par des procédés tout différents de ceux qu'induisait la structure du système tonal. L'un des plus frappants d'entre eux est le fait que le parcours décrit par les « toniques » principales des quatre mélodies n'est autre que la projection à grande échelle de la succession des notes du motif initial de *De rêve* : <*fa♯ ré do la♭*> – réalisation mélodique de la collection 4-25 du catalogue de Forte, tétracorde remarquable appelé à jouer un rôle central dans la musique de Debussy[1].

Loin de se rattacher à une esthétique « fin de siècle », les *Proses lyriques* témoignent ainsi, musicalement, de la volonté d'émancipation d'où est née la modernité. Et même si l'écriture des textes et les thèmes qui y circulent sont, comme les motifs floraux de l'édition originale, incontestablement *datés*, on ne peut dénier à cette composante littéraire de l'œuvre une certaine force, liée à la précision avec laquelle s'y formule l'imaginaire du compositeur.

Deux remarques en guise de conclusion. La première est d'ordre anecdotique, mais son intérêt n'en est pas pour autant négligeable : elle a trait au fait que, pour des raisons liées à la rupture de ses fiançailles avec Thérèse Roger, les relations de Debussy avec Chausson prennent fin en mars 1894. La seconde est pour attirer l'attention sur ce qui représente, dès *Pelléas*, l'antithèse de la serre : l'espace ouvert par excellence de la mer violente et grandiose telle qu'a pu la décrire Joseph Conrad, qu'appréciait Debussy. En 1903, le musicien évoque « la belle carrière de marin » à laquelle il était promis, et dont seuls l'auront fait dévier « les hasards de l'existence[2] ».

1. Voir à ce sujet Jean-Louis Leleu, « Le modèle mis en défaut. À propos de l'analyse par Fred Lerdahl du prélude de Debussy "La terrasse des audiences du clair de lune" », dans *Les Modèles dans l'art*, Márta Grabócz (dir.), Strasbourg, Presses Universitaires de Strasbourg, 1997, p. 87-89.

2. Lettre de Claude Debussy à André Messager, 12 septembre 1903, *Correspondance*, p. 780.

La vocalité de Debussy : une vision herméneutique du « Tombeau des Naïades »

Jonathan Dunsby

Cette analyse musicale du « Tombeau des Naïades », dernière des *Trois Chansons de Bilitis*, se fixe pour but d'étudier plus largement la vocalité de Debussy. Lorsqu'il compose cette œuvre, le musicien est à l'apogée de sa puissance créatrice – même si, comme beaucoup de déclarations historiques superficielles, cette constatation mérite d'être nuancée : il est alors à peu près à mi-chemin de sa carrière et n'est pas exclusivement préoccupé par la mélodie, ce dont témoigne au même moment son travail intense sur *Pelléas*[1].

On peut néanmoins considérer « Le Tombeau des Naïades » comme un chef-d'œuvre emblématique de Debussy. Edward Lockspeiser estime que les *Chansons de Bilitis* sont « peut-être les mélodies les plus parfaites de Debussy[2] ». Il est naturel de vouloir explorer une telle vision compositionnelle en étudiant ses signes d'unité, de complexité et d'intensité, tout en tenant compte de critères musico-analytiques rigoureux tels ceux énoncés

1. Toute considération concernant *Pelléas* est exclue de cette étude afin d'éviter des spéculations qui, outre l'apport direct de Wagner et d'autres questions spécifiques concernant sa réception, proposent une étude triangulaire des matériaux de *Tristan,* mentionnés en relation avec les matériaux des *Chansons de Bilitis,* avec d'autres matériaux similaires que Debussy avait longtemps travaillés dans son opéra. Ceux qui entendent « Le Tombeau des Naïades » comme une œuvre fondée sur *Pelléas* ont également raison.
2. Edward Lockspeiser, *Debussy*, London, Dent, 1936, p. 125.

par Matthew Brown : exactitude, envergure, constance, simplicité, utilité et cohérence[1].

On observe que les exégètes de Debussy ont une tendance notable à présumer de conclusions basées sur des évidences marginales incontestées. Matthew Brown lui-même en prend conscience en découvrant une interprétation jusqu'alors inconnue du titre *En blanc et noir,* qui peut être compris de multiples façons puisque des générations de spécialistes de Debussy n'avaient jamais fait le lien entre ces mots mêmes et un trope poétique médiéval, bien documenté dans les cercles littéraires, tiré de l'œuvre de François Villon, l'un des poètes préférés de Debussy. C'est lui qui, au XVe siècle, offre le métonyme des mouches dans le lait, au début de sa *Ballade des menus propos* et dans *Le Débat du cœur et du corps* où il ajoute le chiasme « l'un est blanc, l'autre est noir ». Il décrit ainsi l'ordre poétique des mots représentant le bien (lait blanc) et le mal (mouche noire), inversant l'idiome habituel en français « noir et blanc ». Bien que publiée en 1996, cette précision semble ignorée de plusieurs auteurs ayant écrit sur *En blanc et noir* sans vraiment admettre que le titre de cette œuvre puisse avoir été inspiré par Villon, ou du moins qu'il soit sans aucun doute une citation tirée de l'une des célèbres *Ballades.* Une telle incompréhension dans l'historiographie[2] contemporaine de Debussy justifie les questions posées dans la présente étude. « Le Tombeau des Naïades » a longtemps gardé ses secrets. Notre enquête implique un certain nombre de critiques émises dans un esprit constructif pour tenter de percer les mystères du sens poétique de Debussy et de la vocalité qui en est indissociable.

Cette mélodie est considérée comme emblématique pour de nombreuses raisons. L'une d'entre elles, et non des moindres, est tout ce dont la mélodie est redevable à Wagner, présence vitale dans les outils compositionnels de Debussy jusqu'à sa maturité. Dans « Le Tombeau des Naïades » au contraire, la véritable pensée wagnérienne de Debussy n'a probablement jamais été décelée. En entendant les premières mesures du « Tombeau des Naïades », l'auditeur ne perçoit sûrement pas le spectre de « l'accord de Tristan », qu'il a tendance

1. Matthew Brown, *Explaining Tonality : Schenkerian Theory and Beyond,* Rochester, University of Rochester Press, 2005.

2. Voir Jonathan Dunsby, « The Poetry of Debussy's *En blanc et noir* », dans *Analytical Strategies and Musical Interpretation : Essays on Nineteenth- and Twentieth-Century Music,* Craig Ayrey et Mark Everist (dir.), Cambridge, Cambridge University Press, 1996, p. 149-168.

à chercher parce qu'il sait qu'il est fréquent dans les mélodies de Debussy. Il peut en revanche percevoir la réutilisation probable du Lied de Wagner, « Im Treibhaus » (tiré des *Wesendonck Lieder*) qui, on le sait, est utilisé dans le troisième acte de *Tristan*. Les courts exemples musicaux suivants ne suffisent pas à mettre en évidence cet incroyable air de famille et c'est l'écoute de la musique qui est convaincante.

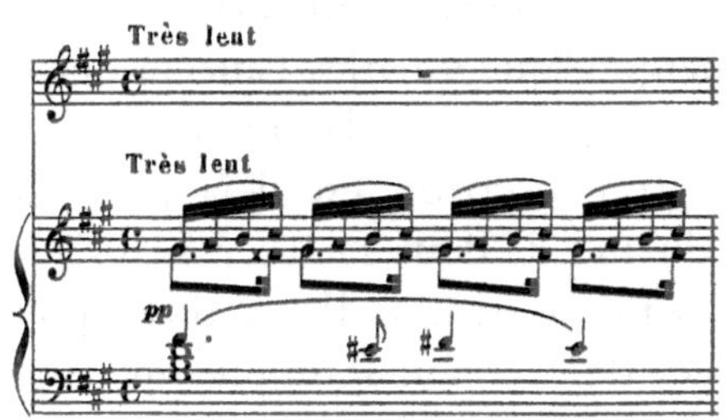

Exemple 1a.
Debussy, « Le Tombeau des Naïades »

Exemple 1b.
Wagner, « Im Treibhaus »

Exemple 1c.
Wagner *Tristan*, acte III

Si Debussy pense réellement à l'acte III de *Tristan* lorsqu'il ébauche cette mélodie, une image radicalement différente peut se faire jour, porteuse de conséquences pour le chanteur et le pianiste d'aujourd'hui. Si le début du « Tombeau des Naïades » utilise effectivement le leitmotiv de « Douleur de la Mort[1] », alors la critique debussyste semble être passée à côté. Nous n'avons peut-être pas la preuve que cette correspondance fut évidente pour le compositeur, mais on peut remarquer que Charles Panzéra qualifie spécifiquement de « thème » de cette mélodie[2] la quarte mineure ascendante de la sus-tonique, et son assertion est déjà plus qu'à mi-chemin de l'identité même du motif. Pour faciliter la référence, nous appellerons cette figure « motif 0135 ». Il est donc possible d'ajouter un argument aux idées de Stephen Rumph qui désigne Bilitis comme « la jumelle lyrique de Mélisande » et parle du « chant » semblant ici « évoluer *vers l'opéra*[3] ». Il serait peut-être plus convaincant de parler de chant tiré d'un drame musical. Qui pourrait blâmer l'historien d'interpréter « Le Tombeau des Naïades » – herméneutiquement, et non pas scientifiquement – comme une version miniature de l'acte III de *Tristan*[4] ?

---

1. Cette désignation traditionnelle du début d'*Im Treibhaus* est confirmée par Roger Scruton qui le classe comme Leitmotiv 36. Cf. *Death-Devoted Heart : Sex and the Sacred in Wagner's Tristan and Isolde*, Oxford, Oxford University Press, 2004.
2. Charles Panzéra, *50 French Songs : Lessons in Style and Interpretation*, Bruxelles, Schott, 1964, p. 61 ; édition française-anglaise, avec texte parallèle.
3. Stephen Rumph, « Debussy's *Trois Chansons de Bilitis* : Song, Opera, and the Death of the Subject », *The Journal of Musicology*, 12/4, automne 1994, p. 464-490 (plus spécifiquement p. 464-465).
4. Cette espèce de micro-macro correspondance est à peine surprenante. Il suffit de penser à Proust, par exemple, pour qui « le point de départ d'*À la recherche du temps perdu* n'était pas un roman prémédité, mais plutôt un essai… où nous trouvons déjà une anticipation de l'épisode des madeleines, *immédiatement suivie*, dans sa cellule embryonnaire, de celle de l'inégalité des dalles de pierre dans la cour, trouvant écho dans la version finale du *Temps retrouvé*, près de trois mille pages plus tard », voir Jean-Jacques Nattiez, « Memory and Forgetting », *The Battle of Chronos and Orpheus : Essays in Applied Musical Semiology*, Oxford, Oxford University Press, 2004, p. 179.

Exemple 2.
« Le Tombeau des Naïades », sixtes descendantes au point culminant

Debussy, le compositeur fait poète[1], place le point culminant de cette mélodie sur le mot « Naïades » et il réanime ainsi l'intervalle cataclysmique de sixte descendante quand Isolde prononce son quasi dernier mot, « Weltatem », dans le *Liebestod.* Il convient de rappeler la fascination de Debussy pour *Tristan* à cette époque, qui se manifeste dans ses références musicales fugaces à la musique de Wagner. Enchaînant un début similaire à l'acte III de *Tristan,* la fin extatique et plagale du « Tombeau des Naïades » ressemble tellement au *Liebestod* qu'une comparaison détaillée est inutile. Si ce fascinant rapport a été remarqué, il n'est en tout cas pas répandu dans la littérature sur le sujet, qui ne permet pas de se faire une juste idée de la nature de cette mélodie.

Ceci est sans doute très spéculatif, mais il y a des résonances spécifiques à tirer d'une compréhension plus rhétorique du « Tombeau des Naïades ». Par exemple, le motif 0135 s'inverse évidemment très bien, comme on peut le constater à la fin de la première strophe :

1. Voir note 2 p. 184.

Exemple 3.
Motif 0135

Observer « l'oreille » de Debussy inversant le motif, esthétiquement distinct, ouvre à d'importantes considérations poétiques. À la fin de la première strophe a lieu un événement thématique significatif, articulé par ce qui s'appelle la « voix du piano » dans la littérature schumannienne, et le pianiste a tout intérêt à comprendre le moment d'articulation motivique traversant le repos cadentiel de la voix à la mesure 8. Le motif 0135 crée dans son inversion le groupe lydien qui servira de matériel contrastant dans ce chant :

Exemple 4.
Version lydienne du motif 0135,
« matériel contrastant principal »

Et quoique ceci n'ait aucune conséquence particulière pour l'interprétation, cette inversion confirme certainement le sens poétique, grâce à la manière dont Debussy rassemble tous les matériaux compositionnels du « Tombeau des Naïades » dans une symbiose de « Douleur de la Mort ». Il n'est pas surprenant de constater que le reste de l'œuvre est, de ce point de vue, saturé du motif de « Douleur de la Mort », qui demeure explicite jusqu'aux trois dernières mesures, dans lesquelles le mode passe évidemment en majeur, bien que l'intention, et ce que Debussy avait à l'esprit, ne soit pas nécessairement claire :

Exemple 5.
Motif 0135, dernières mesures

Compte tenu de l'importance de l'inversion motivique dans cette œuvre, on remarque qu'au point culminant (voir Exemple 2), le mode étant déjà passé en majeur, la voix soutient une inversion littérale du motif 0135, descendant de son fa♯ aigu (fa♯-mi♯-ré♯-do♯, mesures 25-26). De plus, on peut conseiller à la chanteuse de prendre conscience du fait que la phrase « Il prenait », quoique amorçant sémantiquement une nouvelle phase finale de la narration, se développe vocalement à partir du fa♯ culminant précédent, maintenu dans la partie du piano au quatrième temps de la mesure 24 – qui peut être appelé un instant de *Klangfarbenmelodie*, au moment où le fa♯ passe du chant au piano avant qu'un mi♯ revienne au chant.

Considérons de deux points de vue les raisons pour lesquelles une assimilation de la substance musicale – plus rhétorique, et basée sur des évidences – est importante. L'attitude compositionnelle de Debussy nous renseigne sur la vocalité d'une telle œuvre, mais la question sur laquelle il se penche ne semble pas aussi claire qu'elle devrait. Julie McQuinn « lit » cette œuvre comme représentant le contexte poétique original du recueil de Pierre Louÿs, de manière à ce qu'on soit supposé croire qu'à travers « Le Tombeau des Naïades », Bilitis « se survit et aime encore, devenant une femme de pouvoir et d'expérience[1] ». Cependant, une fois découvertes les intenses saveurs du *Liebestod* dans le mélange « naïadique » de Debussy, on peut difficilement croire qu'il puisse imaginer quelque nouveau trope du *Liebestod* comme amour-mort sans la mort réelle (Bilitis « se survit et aime encore »), malgré le contexte poétique du texte original. Est-il avéré que Debussy, agissant en « compositeur fait poète[2] », selon les termes d'Edward Cone, nous raconte musicalement le destin de Bilitis à la fin de cette mélodie ? Peut-être n'est-ce seulement qu'une question rhétorique, mais elle indique combien la critique peut être inutile. Récemment, David Code qualifie « Le Tombeau des Naïades » de « mise en musique » relativement « rébarbative ». On en conclut qu'il la trouve peu attrayante. Le sens de son commentaire est toutefois d'exprimer un pessimisme en réponse à sa question : « Que faire maintenant, après la perte… des… rêves wagnériens ? » Si Stephen Rumph a raison, est-il certain que l'idée de « perte » des « rêves wagnériens » soit totalement infondée ? Et si, comme cela paraît évident, Debussy « évoluait compositionnellement ici, au lieu d'indiquer une sorte de perte culturelle[3] » ?

---

1. Julie McQuinn, « Exploring the Erotic in Debussy's Music », dans *The Cambridge Companion to Debussy,* Stephen Scher (dir.), Cambridge, Cambridge University Press, 2003, p. 131.
2. Voir par exemple « Poet's Love or Composer's Love ? », dans *Music and Text : Critical Inquiries,* Stephen Scher (dir.), Cambridge, Cambridge University Press, 1992, p. 177-192.
3. David Code, *Claude Debussy*, Londres, ReaktionBooks, 2010, p. 78.

Marie Rolf fournit une deuxième explication à l'intention compositionnelle de Debussy dans son essai « Debussy's Mallarmé Songs ». Selon elle, la courte durée et le genre de la mélodie pour voix et piano constituent un facteur d'émancipation pour Debussy. Ce sont ces paramètres qui permettent au musicien « de se concentrer sur les questions de note, rythme, et texture[1] ». En d'autres termes, le « bon grain » qu'une analyse musicale minutieuse offre à la compréhension musicale se trouve en accord avec le contenu de vérité de l'œuvre d'art.

Quelques-uns des « bons grains » du « Tombeau des Naïades » ont été analysés en détail par Avo Somer[2] qui veut démontrer que, sur les questions importantes de tonalité, Debussy pense essentiellement en termes de relations de tierces, comme l'indique le diagramme suivant :

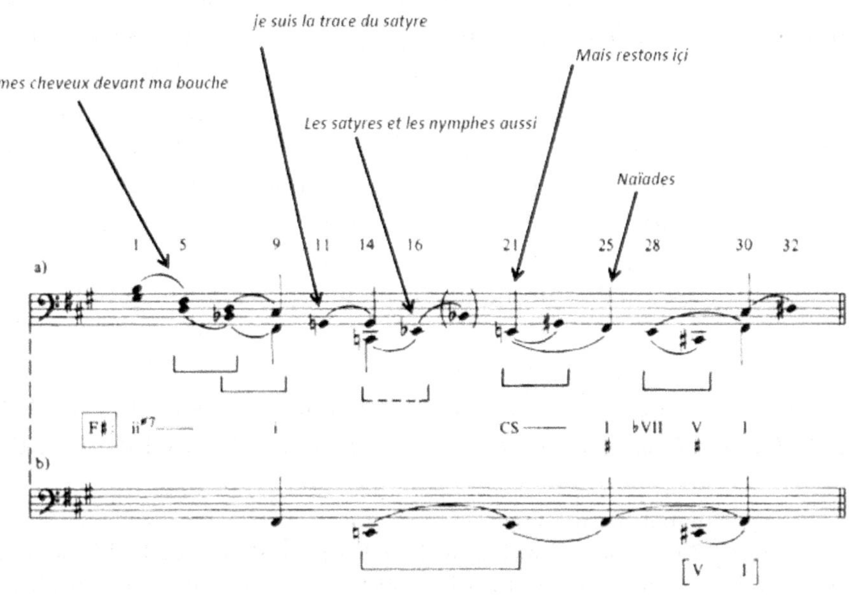

Exemple 6.
Basse de Somer – graphique sur deux portées avec quelques textes ajoutés

1. Marie Rolf, « Debussy's Mallarmé Songs », dans *Debussy Studies,* Richard Langham Smith (dir.), Cambridge, Cambridge University Press, 1997, p. 180.

2. Avo Somer, « Chromatic Third-Relations and Tonal Structure in the Songs of Debussy », *Music Theory Spectrum,* 17/2, 1995, p. 215-241.

Que Debussy favorise les harmonies reliées par tierces est empiriquement indéniable. Or Somer soutient également que Debussy privilégie les relations de tierces au détriment des relations dominante/tonique. Il théorise de façon très élaborée et experte sur le fonctionnement des relations de tierces correspondant à l'harmonie fonctionnelle habituelle, ce qui est très sophistiqué, sinon vérifiable. Il prétend cependant « qu'à l'époque des *Chansons de Bilitis,* Debussy réussit à créer une structure tonale cohérente, et indiscutablement unifiée, *largement sans aucune dominante structurale*[1] ». Qu'on veuille ou non débattre, cette généralisation dépend de la signification qu'on donne au mot « largement ». La discussion sur les relations de tierces – ici de tierces majeures – est d'abord quelque peu ébranlée par le fait que l'auteur attache aussi beaucoup d'importance à l'axe du triton entre *fa♯* et *do*, bien que le triton ne soit pas construit en prolongement de relations de tierces. Le triton est manifestement significatif dans « Le Tombeau des Naïades », mais concernant la progression décisive de V-I, juste avant la mesure 30, la marginalisation graphique de Somer n'en est pas moins suspecte[2]. Adoptant un point de vue encore plus impressionniste que Somer, Stacy Kay Moore, avec laquelle on ose être en désaccord,, prétend que dans « "Le Tombeau des Naïades" [...] plus de la moitié de la durée (limitée) de la mélodie [...] se passe dans la tonalité principale ; sa plus grande rupture [allant] à *sol* » et « la progression harmonique ne semble pas être un problème »[3].

L'analyse de Somer est naturellement riche en suggestions, et son harmonie « contrapuntique-structurale » de la mesure 21 est particulièrement intéressante. Les théoriciens, familiers du livre de Felix Salzer *Structural Hearing* et de son article fondamental « A Glossary of the

1. *Ibid.*, p. 230, souligné par nous.
2. La mesure 30 se trouve dans l'Exemple 3. Du point de vue de la théorie de la conduite des voix, il est évident pour les praticiens que la marginalisation graphique de Somer quant à la dominante structurale de *do♯* ne fonctionne pas vraiment. Le fait qu'il ait relié le *do* à la mesure 14, mais n'ait relié ni le *do* ni le *do♯* dans la portée inférieure, parle plus de l'incohérence et du doute que d'une analyse concluante. Il a entièrement marginalisé les *do♯* des mesures 17 et 19, alors que l'Exemple 7 ici indique comment ils sont formellement significatifs, menant à la tonalité de *fa♯* majeur qui apportera à la mesure 30 une fin « structurale » à la mise en musique.
3. Stacy Kay Moore, « Words Without Songs, and Songs Despite Words : Poetry and Music in the French *Melodie* », PhD dissertation, Cornell University, 2001, p. 207-208.

Elements of Graphic Analysis »[1], connaissent l'importance de l'élément « contrapuntique-structural » dans les lectures néo-schenkeriennes ; en fait, son analyse de « Bruyères » est fondamentale dans la théorie musicale nord-américaine en tant qu'exemple de la tonalité prétendue organique exprimée par une prolongation d'appoggiature sous-jacente à la basse, bien que dans ce cas-ci, il y ait une appoggiature supérieure au lieu d'une appoggiature inférieure[2]. En fait, comme le démontre l'analyse de Somer, le degré VII, *mi*, à la mesure 21, est abordé directement par dessous *via* les degrés V (*do#*) et VI (*ré*) :

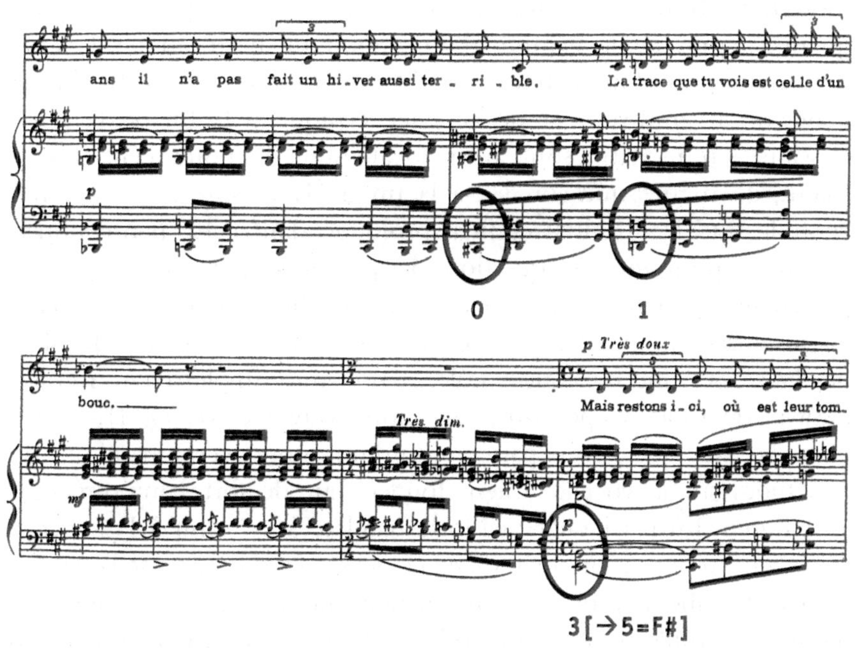

Exemple 7.
Motif 0135

Il semble n'y avoir aucun obstacle à la perception de cette progression sous-jacente, particulièrement lorsque la ligne de la voix insiste clairement sur le *do#* et le *ré*. Il ne s'agit pas d'une lecture

1. Felix Salzer, *Structural Hearing : Tonal Coherence in Music,* New York, C. Boni, 1952, publié par la suite par Dover et disponible également en format ACLS e-book ; « A Glossary of the Elements of Graphic Analysis », *The Music Forum,* 1, 1967, p. 260-268.
2. *Ibid.*, vol. 2, exemple 478.

structuralement profonde ou virtuellement théorique, mais d'une caractéristique évidente du premier plan musical que Debussy lui-même, nous en sommes convaincu, n'aurait eu aucune difficulté à admettre. Cette progression, bien sûr, forme le motif 0135 – Douleur de la Mort – à la basse, lorsqu'elle est complétée par le retour du point culminant à la tonique trois mesures plus tard. Alors on ne peut à nouveau qu'être en désaccord avec Somer ; que l'accord VII soit mieux décrit comme « contrapuntique » ou non, il n'est en réalité vraisemblablement pas « structural » – dans le sens de construire une progression significative de degrés de la gamme – mais linéairement motivique, renvoyant à une figure (wagnérienne) spécifique plutôt qu'aux degrés de la gamme d'un paradigme harmonique. Ceci est important pour l'interprète : ses *do*♯ aux mesures 16 et 18, imitant peut-être le mouvement de cadence typique à la fin de la phrase classique en récitatif, sont aussi, localement, le point central sous-jacent, de même que son *mi*, à la fin de la mesure 21, est la note centrale que le *ré* initial et final prolonge dans cette petite phrase[1].

Il n'est pourtant pas question de penser que les remarques qui précèdent contiennent l'essence de la vocalité. Un essai aussi court est insuffisant pour expliquer ce qui nous semble faire du « Tombeau des Naïades » une musique vocale, et non une simple œuvre musicale assortie de mots. Cependant, dans notre ouvrage *Making Words Sing*, peut-être quelque peu dépassé aujourd'hui, nous recommandions que les études sur la vocalité soient fondées sur de fortes interprétations analytiques. En particulier : « Notre habileté à en venir à l'essence de la vocalité reposera premièrement et de façon cruciale sur la profondeur et la substance de notre herméneutique musico-analytique[2]. » Le premier exemple semble nous offrir cela. Il y a au moins un sens de cohérence motivique dans les structures immanentes de cette mélodie, un sens qui passe de la voix au piano même si nous sommes supposés éprouver ce que Katherine Bergeron appelle « une nouvelle sorte

1. L'hétérophonie entre la voix et le piano est intentionnelle. Il semble que l'idée qu'avait Boulez de Debussy et de son utilisation des « figures hétérophoniques, surtout pour "construire" son orchestre, dans un but acoustique » a été insuffisamment explorée. Bien que Boulez ait fait allusion à la musique orchestrale et à la musique de chambre, l'hétérophonie est intermittente et récurrente dans les œuvres pour voix et piano de Debussy. Voir Pierre Boulez, *Penser la musique aujourd'hui*, Paris, Gallimard, 1987, p. 140.
2. Jonathan Dunsby, *Making Words Sing : Nineteenth- and Twentieth-Century Song*, Cambridge, Cambridge University Press, 2004, p. 6.

de mélodie » dans les *Trois Chansons de Bilitis* qu'elle croit presque dépourvues du genre de potentiel expressif dont nous avons discuté[1]. Elle illustre cette idée à travers le style de récitatif de la fin de « La Flûte de Pan », première des trois *Chansons de Bilitis*. L'Exemple 8 montre la superposition du début et de la fin de « La Flûte de Pan » à laquelle Katherine Bergeron fait référence :

Exemple 8a.
« La Flûte de Pan », fin (signes de « mélodie » notés par K. Bergeron)

Exemple 8b.
« La Flûte de Pan », mesures 7 et 8
(signes de « mélodie » notés par K. Bergeron)

1. Katherine Bergeron, *Voice Lessons : French Mélodie in the Belle Époque*, Oxford, Oxford University Press, 2010, p. 169.

On doit mettre en doute l'idée selon laquelle, dans la première des *Chansons de Bilitis,* Debussy composait déjà, de manière rêveuse et déconnectée, comme Katherine Bergeron semble le croire. Au contraire, il est si fermement en contact avec son inconscient musical qu'une permanence apparaît, que certains théoriciens seraient tentés d'appeler beethovenienne si ce n'était pas trop culturellement inapproprié et condescendant s'agissant de Debussy. Le début de cette première mélodie indique sûrement comment la « nouvelle sorte de mélodie », comme l'appelle Katherine Bergeron, est loin d'être « sans expression, sans imitation, et presque entièrement sans mélodie[1] », puisque l'on peut voir exactement ici, dès le début, le genre de résonance de leitmotiv qui est sans aucun doute fondamentalement mélodique et imitative – dans le sens d'évoquer une récurrence thématique – et, plus subjectivement, extrêmement expressive. Le début révèle donc une touche légèrement motivique, l'ombre d'un motif plutôt qu'une emphatique transformation thématique, ainsi que ce à quoi nous sommes accoutumés avec Debussy qui prend rarement pour objet l'évidence – et jamais le hasard. L'analyse ne représente en aucune façon un exercice de détection de motif. Au contraire, l'œuvre que Katherine Bergeron discute en détail est saturée par ce motif que le jargon théorique appellerait « déploiement d'intervalles de tons disjoints ».

Exemple 9.
« La Flûte de Pan », début (signes de « mélodie » notés par K. Bergeron)

Au tout début de la péroraison, on trouve un passage remarquable, d'une stagnation saisissante, réclamant un changement mélodique cédant au déploiement d'intervalles de tons disjoints (voir Exemple 8a).

1. *Ibid.*, p. 170.

Nous y voyons un avertissement de la fin qui sera, sûrement à tort, « sans expression » ou « imitation » et « presque [...] sans mélodie ». Tout commentateur doit accueillir favorablement le souhait de Katherine Bergeron d'exprimer comment la vocalité subtile et contenue de Debussy s'est développée, en ce qui concerne le contour mélodique et la récurrence au cours de la dernière décennie du XIXe siècle. Pourtant, ceci ne doit pas laisser croire à un manque de rigueur ou d'une forme de récitatif dans ces lignes scrupuleusement conçues ; dans le cas contraire, nous risquons de perdre tout sens de la *concentration* de la note, du rythme et de la texture de Debussy (comme le rappelle Marie Rolf) qui constitue pour lui l'essence du genre.

Derrière l'unité, la complexité et l'intensité du langage musical, la vocalité qui lie l'expression musicale et la narration est également tout à fait cohérente. Comme nous l'avons suggéré, l'interprétation narrative basée sur *Tristan* est et demeurera probablement purement spéculative – un de ces exemples de poïétiques inductives pour lesquelles les poïétiques extérieures sont pauvres ; s'il n'est pas étranger à la tradition de la théorie musicale de proposer de lire la pensée du compositeur, cela n'a pas de pertinence sur le plan esthétique. Cependant, de modestes suppositions et inférences concernant « Le Tombeau des Naïades » ne suggèrent pas que cette mélodie n'ait jamais été – comme la littérature debussyste pourrait le prétendre – adéquatement comprise d'après les critères musicologiques modernes. Le 150e anniversaire de la naissance de Debussy fournit opportunément l'occasion d'appeler, de manière générale, à une étude des mélodies de Debussy plus intensément contextuelle mais aussi plus intensément technique : plus d'histoire, mais avant tout plus d'analyse. On ne doit pas penser que tout a été compris sous prétexte que plusieurs générations ont vénéré ce répertoire.

La première ébauche de *Colloque sentimental*

Marie Rolf

Composé sur un poème de Verlaine et publié en 1904, *Colloque sentimental*, dernière des trois mélodies de la seconde série de *Fêtes galantes,* est une œuvre d'avant-garde très intéressante. Cette mélodie est l'une des premières qui, tels certains extraits de *Pelléas,* oscille entre tonalité et gammes par tons et se présente comme un miroir des éléments dichotomiques inhérents au poème de Verlaine. Debussy délaisse donc le domaine harmonique relativement traditionnel des mélodies symbolistes de la première série de *Fêtes galantes* et ouvre la voie au langage tonal plus abstrait et postromantique qu'il utilise dans *Les Ingénus* ainsi que dans d'autres mélodies écrites au tournant du XXe siècle. Avec *Colloque sentimental,* il s'efforce en même temps de créer un lien avec la mélodie *En sourdine* qui débute la première série de *Fêtes galantes,* en réutilisant un motif que nous qualifions de « motif du rossignol » et qui est traité quasiment comme un leitmotiv.

Alors que les trois mélodies de la première série de *Fêtes galantes* subirent des révisions (plus notables dans le cas de *En sourdine*[1] et *Clair de lune*[2]), *Colloque sentimental* fut l'objet d'une recomposition majeure. La première version, dont l'unique manuscrit est conservé

---

1. Marie Rolf, « Debussy's Settings of Verlaine's "En sourdine" », dans *Perspectives on Music,* Dave Oliphant & Thomas Zigal (dir.), Austin, Humanities Research Center, University of Texas at Austin, 1985, p. 205-233.

2. Douglas M. Green, « "Clair de lune" : An Analytical Study of Its Various Versions », article non publié, lu au congrès de l'American Musicological Society à Vancouver en 1985.

à la Beinecke Rare Book and Manuscript Library de l'Université de Yale[1], ne fut jamais publiée et demeure pratiquement méconnue. Elle contient le germe de plusieurs des caractéristiques de la version finale publiée, notamment une sensibilité particulière à la structure du poème ainsi que les traces du motif du rossignol. La présente analyse compare les deux versions de *Colloque sentimental* et examine les choix faits par Debussy après avoir composé la première.

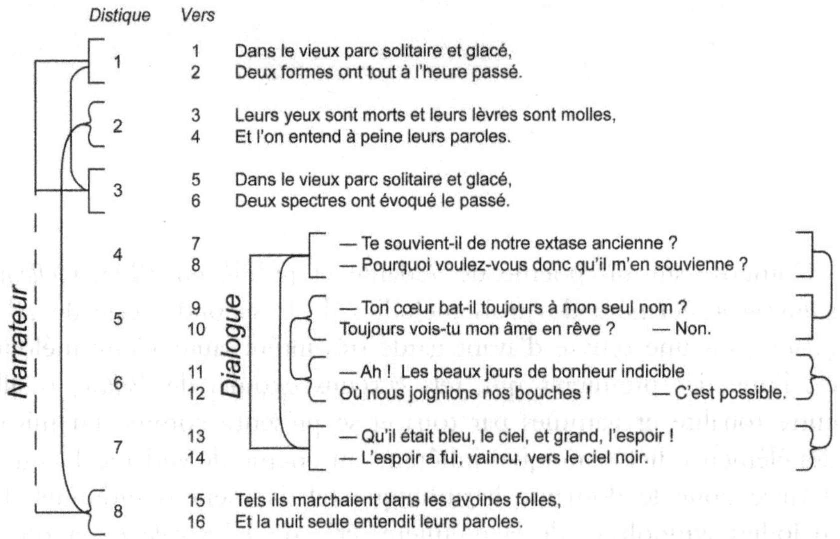

Distique
Vers
Narrateur
Dialogue
1 Dans le vieux parc solitaire et glacé,
2 Deux formes ont tout à l'heure passé.
3 Leurs yeux sont morts et leurs lèvres sont molles,
4 Et l'on entend à peine leurs paroles.
5 Dans le vieux parc solitaire et glacé,
6 Deux spectres ont évoqué le passé.
7 — Te souvient-il de notre extase ancienne ?
8 — Pourquoi voulez-vous donc qu'il m'en souvienne ?
9 — Ton cœur bat-il toujours à mon seul nom ?
10 Toujours vois-tu mon âme en rêve ? — Non.
11 — Ah ! Les beaux jours de bonheur indicible
12 Où nous joignions nos bouches ! — C'est possible.
13 — Qu'il était bleu, le ciel, et grand, l'espoir !
14 — L'espoir a fui, vaincu, vers le ciel noir.
15 Tels ils marchaient dans les avoines folles,
16 Et la nuit seule entendit leurs paroles.

Exemple 1. Verlaine, *Colloque sentimental* (1869)

Il s'agit tout d'abord d'étudier les caractéristiques les plus marquantes des vers de Verlaine. Dernier poème du recueil *Fêtes galantes*, qui en compte vingt-deux, *Colloque sentimental* contient de nombreuses ambivalences (voir exemple 1). La forme et le contenu du poème soulignent cette dichotomie. Le paysage est « vieux » et « glacé », mais on ignore si ces descriptions doivent être prises littéralement ou comme réflexions sur la relation entre les personnages. Deux formes étrangement vagues, de sexe non spécifique, sont présentes tout en étant absentes : fantômes, ces spectres sont inhumains alors qu'autrefois ils étaient non seulement humains mais

1. Frederick R. Koch Collection, Beinecke Rare Book and Manuscript Library, Yale University [GEN MSS 601 Box 249, folder 1591 (oversize)].

intimes. Leur « colloque » révèle l'optimisme d'un des personnages et le pessimisme de l'autre. Le premier spectre s'exprime dans un langage chaleureux et expansif, alors que le second coupe court à tout échange avec ses réponses brèves et froides. Le premier s'adresse de façon familière à son interlocuteur en le tutoyant, alors que le second le vouvoie résolument en retour. Le ciel est bleu pour le premier personnage, mais noir pour le second. À la fin, seule la nuit les entend : il semble qu'ils se parlaient dans le vide.

La structure du poème se divise par paires. *Colloque sentimental* se compose de huit distiques en rimes plates, organisés en deux groupes de quatre distiques chacun. Un narrateur dépeint la scène au cours des distiques 1-3 et 8, alors que le dialogue des deux personnages comprend les distiques 4-7. L'exemple 1 montre que la sonorité des distiques 1 à 3[1] est équilibrée par des rapports entre les distiques 2 et 8[2]. Verlaine distingue visuellement le cœur du poème – qui est le dialogue, ou « colloque sentimental » – par des tirets. Contrairement aux distiques de la narration, chacun comporte ici sa propre rime, mais on pourrait cependant envisager un groupement interne des distiques 4-5 et 6-7[3] ou un deuxième groupement possible dans la combinaison des distiques 4 et 7 et des distiques 5 et 6 (voir exemple 1)[4]. Par conséquent, une forme parfaitement contrôlée reflète, sur plusieurs niveaux structurels, la dualité filée à travers le poème.

1. Répétition de « Dans le vieux parc solitaire et glacé », spécification des deux « formes » comme deux « spectres », et double usage du mot « passé », d'abord comme verbe (vers 2) puis comme nom (vers 6).

2. « Et l'on *entend* à peine *leurs paroles* » devient « Et la nuit seule *entendit leurs paroles* », et les vers 3 et 15 s'attardent sur les sons doux du « l » et du « m ».

3. Basé sur la nature du discours du premier personnage, passant de questions dans les distiques 4 et 5 à des exclamations expansives dans les distiques 6 et 7. Voir Jean-Christophe Cavallin, *Verlaine et son mètre*, Verona, Edizioni Fiorini, 2007, p. 156.

4. Les distiques 4 et 7, décasyllabes, sont liés par la résonance interne (« souvient – souvienne ») dans le distique 4, et le traitement chiasmatique du vers 13 (« Qu'il était bleu, le ciel, et grand l'espoir ! ») et du vers 14, où l'espoir, le ciel, et le pessimisme de la couleur noire se présentent en ordre inverse. Les distiques 5 et 6 sont liés par les extases du premier personnage, suivies des refus tranchants et impitoyables du second ; de nouveaux échos se font entendre entre les homonymes « nom » et le « Non » abrupt à la fin des vers 9 et 10, ainsi que les sons des occlusives bilabiales « b » et « p » dans les vers 11 et 12.

Debussy est nettement inspiré par Verlaine puisqu'il reproduit cette dualité du poème. Avant de comparer les deux versions différentes de *Colloque sentimental*, il est utile d'étudier quelques caractéristiques idiosyncrasiques de la première version. Dès le début, il semble que Debussy évoque le paysage glacé de Verlaine par un environnement tonal étrange et en suspension, alors qu'il sature le début et la fin de sa mélodie d'harmonies en gammes par tons au piano. Une réduction du début (voir exemple 2) montre que ces sonorités se meuvent en mouvement contraire, avec une certaine animation rythmique bien que le passage entier soit tonalement statique. La partie supérieure du piano commence en rappelant subtilement le motif du rossignol dans *En sourdine*, avec ses arabesques caractéristiques en triolets, traité en augmentation et exposant l'ensemble de hauteurs utilisé (désignées par les chiffres 026). L'ensemble (026) se fond dans une sonorité de sixte augmentée à la mesure 4, créant une palette de sonorités en suspension derrière la voix, dont l'entrée se fait sur cinq tons conjoints. La narration, qui débute avec le distique 1 en gamme par tons, continue avec les distiques 1 et 2, soutenus par de riches accords de septième avant de retourner à la gamme par tons au distique 3, écho de Verlaine pour le distique 1. Debussy lie le matériel mélodique du vers 6 (distique 3) à celui du vers 16 (distique 8) ; comme le montre l'exemple 3, les dyades du vers 16 sont un renversement de celles du vers 6, unifiant ainsi les distiques 3 et 8 même s'ils sont séparés temporellement par l'insertion du dialogue.

Exemple 2.
Début et fin de la première version de *Colloque sentimental*
(gamme par tons)

Distique 3
Deux spec - tres ont é - vo - qué le pas - sé.
Distique 8
Et la nuit seule en - ten - dit leurs pa - roles.

Exemple 3.
Comparaison du matériel vocal des distiques 3 et 8 de la première version de *Colloque sentimental*

Le dialogue se distingue par des septièmes préalablement introduites dans la partie de piano à mi-chemin de la narration, mais comprend aussi des fluctuations de tempo et une pulsation donnée par les croches, en particulier lorsque le premier fantôme parle. Au sein de cette section contrastante, Debussy introduit de nouveaux motifs mélodiques et change de centre tonal presque à chaque distique. Ouvrant la voie par une déclaration à nu de l'emblématique et obsédant motif du rossignol dans le registre aigu, au milieu d'harmonies de septième mineure et quinte diminuée, le premier spectre commence le distique 4 (voir exemple 4) au-dessus d'une apaisante alternance entre *do*♯ et *fa*♯ à la basse. Une réminiscence pentatonique du rossignol (semblable à son apparition précédente dans *En sourdine*) lie la proposition fervente du premier spectre à la réponse glacée du second, laquelle est soutenue par des accords augmentés, en référence à la grande froideur des intervalles de la gamme par tons au début de la mélodie. La vacuité de ces sonorités est amplifiée par la doublure d'octave entre la voix et les notes de basse des accords augmentés (voir exemple 4). Le distique 5 (voir exemple 5) se caractérise par un motif de quinte juste ascendante au piano, transposé un demi-ton[1] plus haut avec le « Non » du second spectre, dans un passage prolongeant la dominante de *la* bémol majeur. Il mène directement au point culminant rhapsodique du distique 6 sur les mots, « Ah ! Les beaux jours de bonheur indicible », souligné par un tempo « Animé » ainsi que par la texture la plus forte et la

1. Ce mouvement mélodique est anticipé par la fluctuation au demi-ton de la quinte juste harmonique présente à la main gauche de l'accompagnement aux mesures 31-32.

Exemple 4. Distique 4 de la première version de *Colloque sentimental*

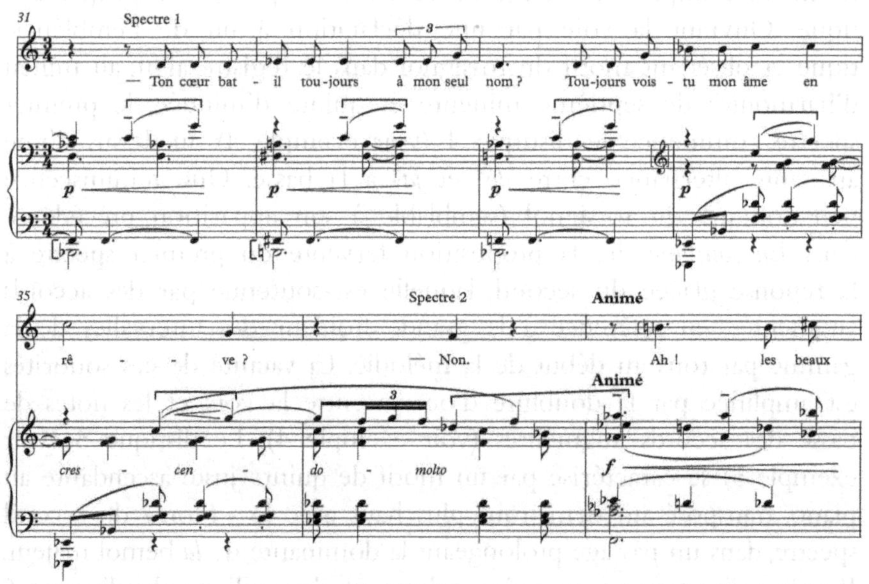

Exemple 5.
Motif en quinte juste liant les distiques 5 et 6 de la première version de *Colloque sentimental*

plus dense de toute la mélodie. Consciemment ou non, ce moment invoque le fantôme de *Tristan*[1]. L'exemple 6a – et sa réduction dans l'exemple 6b – énonce presque tout le motif de *Tristan* traité en augmentation dans la partie supérieure du piano. Debussy emploie les mêmes ensembles de hauteurs que Wagner, avec *la♭* (ou sa note enharmonique *sol♯*, comme chez Wagner) à la voix supérieure, contre le *fa* allant vers le *mi* à la basse[2]. On pourrait pousser plus loin en comparant les motifs qui se chevauchent dans la partition de Debussy (indiqués par des liaisons en pointillés dans l'exemple 6b), incluant la sixte descendante au bout de la ligne vocale, laquelle fait écho au motif du violoncelle dans *Tristan*. Il en est de même de l'augmentation répétitive et séquentielle du distique 5 jusqu'au moment d'inspiration « tristanesque » du distique 6, accompagnée d'un enchaînement harmonique rompu, formant un parallèle avec l'élan de Wagner vers le point culminant de son Prélude. Cette association externe se dissipe par un emprunt bref à la tonalité de *do* pour la réponse désabusée du second spectre, « C'est possible ». Le distique 7 débute par une réduction considérable de la texture et des allusions à la gamme par tons pour « et grand *l'espoir* » – suivies d'un accord de septième mineure et quinte diminuée sous « l'espoir a *fui* » – préparent au retour de la gamme par tons du narrateur au distique 8.

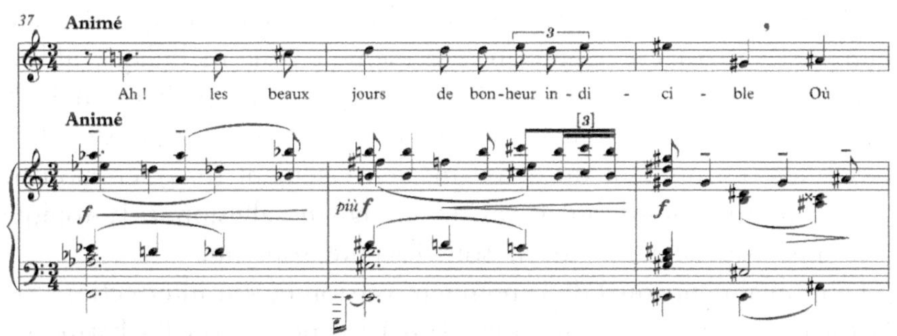

Exemple 6a.
Point culminant du distique 6 de la première version de *Colloque sentimental*

1. Dans une lettre souvent citée, Debussy se plaint à Ernest Chausson que sa découverte du « fantôme du vieux Klingsor alias R. Wagner » dans son propre opéra l'ait forcé à déchirer une première version de *Pelléas et Mélisande* (lettre de Claude Debussy à Ernest Chausson, 2 octobre 1893, *Correspondance,* p. 160).
2. Debussy utilise également les notes précises de l'accord de *Tristan* sous le motif du rossignol au début de *En sourdine*.

Ah ! les beaux jours de bon-heur in - di - ci - ble
[Tristan]

Exemple 6b. Réduction de la conduite des voix

Outre les liens vocaux entre les distiques 3 et 8 (voir exemple 3), la palette de sonorités non directionnelle que Debussy emploie au début de la mélodie revient aux huit dernières mesures, sous le vers final du poème. Cependant, dans un rebondissement surprenant à la cadence, Debussy change l'environnement de la gamme par tons basée sur *do*♯, réinterprétant le *do*♯ comme note sensible de la tonalité de *ré*, et considérant le *sol* (faisant également partie de la même gamme par tons) comme note fondamentale de l'accord de sous-dominante de *ré* majeur. La résolution imprévue n'est comprise que rétrospectivement, quand on considère que les principaux emprunts de la mélodie – sur *fa*♯, *la*♭, *do* et *ré* – forment deux groupes de notes entremêlés (026), correspondant à la même cellule mélodique utilisée dans le motif du rossignol au début de la mélodie (voir exemple 2). Et bien sûr, Debussy voile la sonorité de *ré* majeur de façon singulière et discrète en utilisant un deuxième renversement (6/4), en ajoutant une sixte mélodique au-dessus, et en faisant allusion à la tonique avec une touche légère de *ré* sous l'accord soutenu.

Le mouvement tonal de la première version et son intersection avec la forme poétique sont résumés dans l'exemple 7 où les harmonies sont présentées de façon détaillée et les lignes de notes communes entre la voix et le piano apparaissent, particulièrement celles qui ouvrent et ferment le dialogue central. Le *do*♯ sur lequel la voix clôt le distique narratif 3 (voir exemple 3) est repris au piano avant que celui-ci n'expose le motif du rossignol au début du distique 4. Et le *si* final de la voix à la fin du dialogue est rejoint par le piano (cette fois, dans le même registre d'octave) alors qu'il mène au distique narratif final 8 (voir exemple 8a).

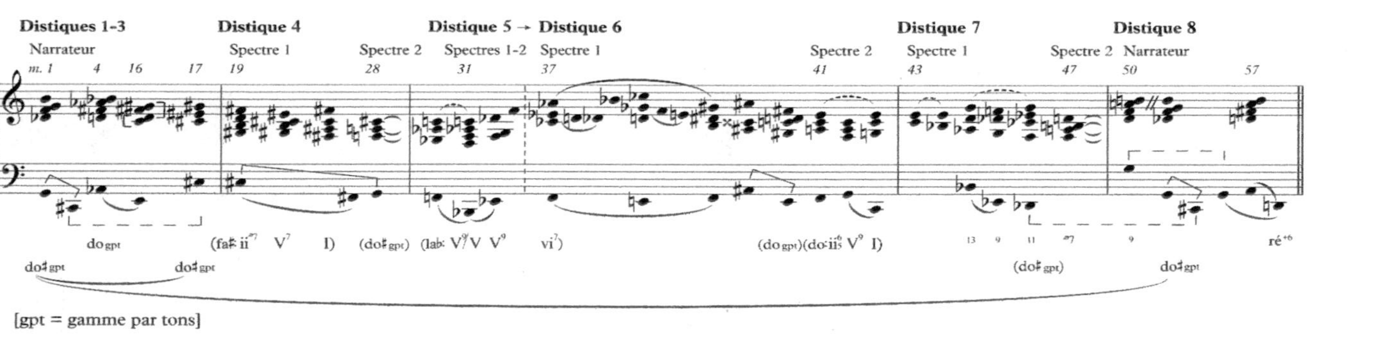

Exemple 7. Mouvement tonal de la première version de *Colloque sentimental*

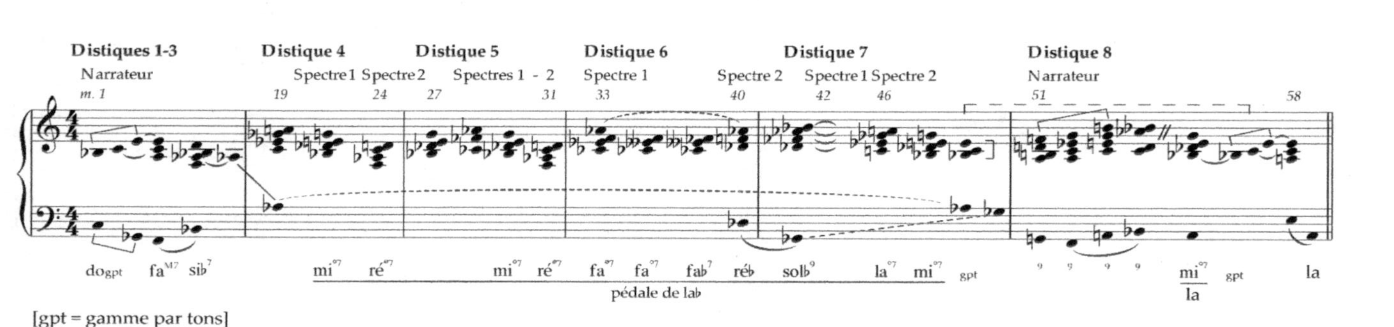

Exemple 11. Mouvement tonal de la seconde version de *Colloque sentimental*

Exemple 8a. Comparaison des mouvements mélodiques de la première et de la seconde version de *Colloque sentimental* (distique 7)

Exemple 8b. Comparaison des mouvements mélodiques de la première et de la seconde version de *Colloque sentimental* (distique 8)

Quoiqu'à sa première écoute la première version de *Colloque sentimental* paraisse très différente de la seconde, les deux versions présentent en fait beaucoup de similitudes. Au début, elles partagent la même indication de tempo – « Triste et lent » – qui amplifie le sentiment de *tristesse* implicitement suggéré par Verlaine. Les deux versions se composent de 58 mesures, ce qui est inhabituel chez Debussy qui raccourcit en général lorsqu'il révise, et elles font clairement apparaître la différence entre les quatre distiques de la narration et les quatre distiques du dialogue. La voix déclame le texte des deux versions en mode récitatif, toujours syllabiquement, avec un ambitus restreint, et dans une tessiture généralement basse – la mélodie de la seconde version étant sobre, au point d'être parfois réduite à une seule note. Plusieurs lignes mélodiques des deux versions offrent des contours mélodiques et des rythmes similaires (comme dans « l'espoir a fui, vaincu, vers le ciel noir », voir l'exemple 8a) et quelques-unes sont même répétées littéralement (voir vers 15, « tels ils marchaient dans les avoines folles », dans l'exemple 8b), quoique la texture du piano diffère considérablement. Debussy apporte quelques modifications mineures à la prosodie de la seconde version. De surcroît, il compresse les distiques 4 et 5, les faisant suivre par un traitement mélodique plus expansif aux distiques 6 et 7, reportant ainsi le point culminant (sur le mot « indicible ») à la mesure 36 (seconde version) plutôt qu'à la mesure 39 (première version). Dans une œuvre de 58 mesures, la mesure 36 s'approche plus précisément de la section d'or que ne le fait la mesure 39[1]. La mélodie de cinq notes de la gamme par tons du début de la première version (voir portée supérieure de l'exemple 9) réapparaît dans la seconde, mêlée au tissu contrapuntique : elle est par exemple remaniée dans la partie de piano et pour la voix dans le second distique narratif (voir portée inférieure de l'exemple 9)[2]. Mais la mélodie du second distique contient des inflexions plus pentatoniques, notamment durant le dialogue et, plus important encore, traduit des implications tonales dans les distiques 1 et 3, formant un accord de *la* mineur.

1. Pour une discussion détaillée du débit et de la section d'or dans la musique de Debussy, voir Roy Howat, *Debussy in Proportion*, Cambridge, Cambridge University Press, 1983.

2. Je remercie Jonathan Dunsby de m'avoir indiqué cet exemple particulier de recomposition ainsi que pour ses commentaires analytiques généraux lors de la préparation de cet article.

Exemple 9. Origine des mélodies contrapunctiques de la seconde version de *Colloque sentimental* tirées de la première version (distique 1)

Les relations entre la mélodie, l'harmonie et la texture se transforment de façon subtile mais importante dans la seconde version. On pourrait penser que sa texture simple et linéaire est suscitée mélodiquement (voir exemple 10a), à l'opposé de la texture homophonique prédominante de la première version. Les liens tissés par les notes communes introduisant et terminant le dialogue de la première version sont considérablement développés dans la seconde, où les distiques 1-5 et 7-8 sont reliés par des notes communes et des doublures hétérophones, passant de la voix au piano[1].

En se concentrant d'abord sur les distiques narratifs, la seconde version prépare la scène glaciale avec la palette de la gamme par tons de la première version durant les distiques 1-3 et 8. Une fois de plus, les tritons s'entremêlent, bien que transposés, formant une harmonie de sixte augmentée. Cependant, au lieu de suspendre toute direction tonale à travers les trois premiers distiques, comme dans la première version, Debussy résout ces tritons emboîtés en

1. Debussy s'exclama en effet : « Toute ma musique s'efforce de n'être que mélodie » (voir Lesure, *Debussy*, p. 330).

une sonorité de septième majeure de *fa* (le *si♭* se résout sur *la* et *sol♭* sur *fa*), impliquant les doubles centres tonaux de *fa* majeur/*la* mineur, dès la mesure 4 (voir exemple 10b). La partie vocale renforce la tonalité de *la* mineur lors de son entrée au-dessus de l'accord de septième majeure de *fa*. En outre, la tension créée entre le sous-ensemble (026) de la gamme par tons (*si♭-do-mi*) et le sous-ensemble (015) diatonique (*si-do-mi*) est répétée à la fin de la seconde version (voir exemple 10c), menant alors à *la* mineur (le *si♭* se résolvant sur le *la* alors que le *si* monte vers le *do*), correspondant à la sonorité incluse dans l'accord de septième majeure de *fa* au début de la partie de piano et définie dans la partie vocale (voir exemple 10d). Ainsi, alors qu'il utilise amplement la gamme par tons dans la seconde version, Debussy ne semble pas moins l'ancrer consciemment dans une tonalité. Bien que les cadences finales des deux versions se ressemblent avec l'accord maintenu de 6/4 et une pédale *secco* caressant la tonique au-dessous, le *la* mineur désolé de la seconde version est préparé par des allusions dans les premières mesures de la mélodie[1]. Il ne prend pas l'auditeur par surprise, contrairement au luxuriant *ré* majeur (sixte augmentée) à la cadence de la première version. Finalement, non seulement le changement de mode est significatif, mais le *la* lie étroitement les deux autres mélodies de la seconde série de *Fêtes galantes* (*Les Ingénus* qui se caractérise par un accord augmenté de *fa*, tout comme *Le Faune*, bien que sur une pédale de *sol*).

1. Il est important de comprendre la réinterprétation par Debussy du matériel identique pour « tels ils marchaient dans les avoines folles » (exemple 8b). Dans la première version, il distingue le *sol*, un triton au-dessus du *ré♭* précédent (exemple 7), le répétant deux fois dans un registre isolé (deux octaves plus bas) pour agir en tant que sous-dominante de *ré* majeur. Dans la seconde version, cependant, le même *sol* fait maintenant partie de l'ensemble (026) de *fa-sol-si*, se terminant sur *si♭* et faisant écho au mouvement harmonique de l'accord de septième majeure de *fa* à celui de septième de *si♭* du début (voir le parallélisme illustré dans l'exemple 11) ; ainsi, l'auditeur anticipe que le *si♭* se résoudra vers le *la*, comme à la mesure 4. Et en effet, cette prévision s'accomplit à la cadence finale.

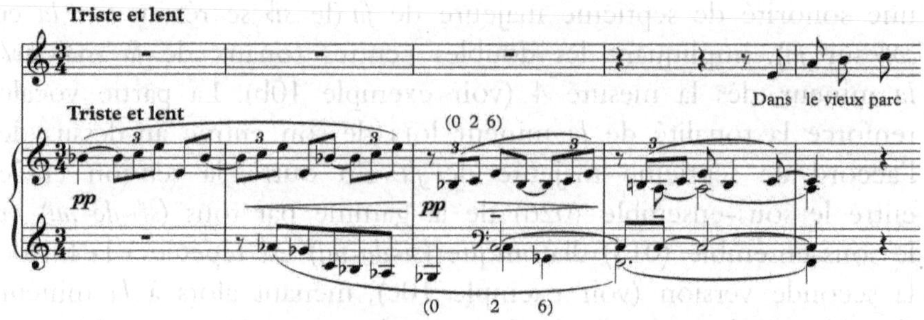

Exemple 10a. Seconde version de *Colloque sentimental*, mesures 1-5

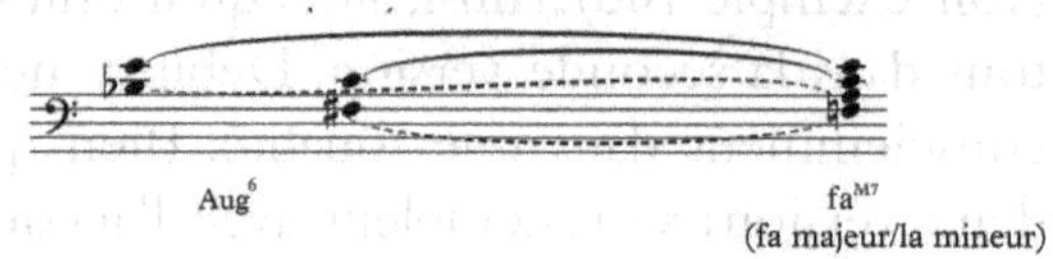

Exemple 10b. Résolution de l'emboîtement du motif (026) de la seconde version de *Colloque sentimental*, mesures 3-4

Exemple 10c. (026) vs (015) de la seconde version de *Colloque sentimental*, fin

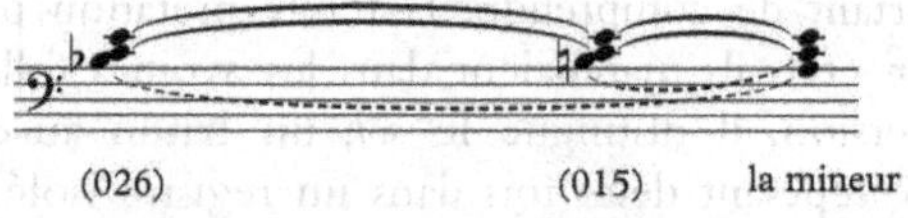

Exemple 10d. Résolution de (026) de la seconde version de *Colloque sentimental,* mesures 56-58

Au cœur du poème de Verlaine, pendant la section du dialogue, Debussy fait des ajustements encore plus significatifs dans la seconde version. Quoique les deux versions aient des tempi fluctuants et des battements de croches illustrant l'ardeur du premier spectre et, peut-être plus littéralement, le battement de son cœur, la seconde version atténue invariablement cette pulsation et ce tempo à l'entrée du second spectre, tout en lui assignant une tessiture plus basse et en allégeant la texture du piano. La présence du motif du rossignol est également plus développée dans la seconde version, imprégnant le dialogue entier des supplications du premier spectre et revenant au dernier distique comme un souvenir obsédant. Le portrait que fait Debussy des deux personnages est encore rehaussé par le plan tonal (voir exemple 11 p. 201). À la fin du distique 3, avant de commencer la section du dialogue, il isole un simple *la♭*, septième de l'harmonie de *si♭* qui conclut la narration, et le soutient pendant 34 mesures, c'est-à-dire toute la durée du dialogue. Au-dessus de cette pédale, les deux fantômes conversant sont évoqués plus fortement dans la seconde version par une certaine consonance alternant avec une certaine dissonance. C'est le cas par exemple aux distiques 4 et 5, où le premier spectre est soutenu par la septième diminuée de *mi* qui se trouve en dissonance avec la pédale de *la♭*, alors que le second spectre est soutenu au-dessus par un accord de septième mineure et quinte diminuée sur *ré* qui est en consonance avec lui. Au distique 6, l'idée de dissonance-vers-consonance se répète ; l'ouverture du premier spectre se termine au-dessus de l'accord de septième de *fa♭*, alors que la réponse du second spectre, « C'est possible », est soutenue par *ré♭* majeur. Le moment le plus « stable » tonalement de la mélodie est sans doute l'accord de *ré♭*, montant par quinte jusqu'à l'accord de *sol♭*, sous la supplication rhapsodique finale du premier spectre (« Qu'il était bleu, le ciel, et grand l'espoir ! ») au distique 7. Mais la riposte pessimiste du second spectre est accompagnée d'un changement brusque de sonorités de septième diminuée, fonctionnant de la même façon que l'accord de septième mineure et quinte diminuée accompagnant la première version sur les mots « L'espoir a fui » (voir exemple 8a). Contrastant ainsi avec les multiples emprunts qui jalonnent le dialogue de la première version, Debussy unifie et simplifie le dialogue entier de la seconde avec la pédale de *la♭*.

Le schéma des harmonies de la première version (voir exemple 12a) révèle, peut-être ironiquement, que cette version, tout en semblant plus ambivalente et en général moins tonale, contient des mouvements harmoniques traditionnels reliés au cycle des quintes pendant le dialogue et à la cadence finale. En revanche, bien que l'auditeur puisse suivre les progressions tonales de la seconde version – durant la narration du début et celle de la fin ainsi qu'entre les distiques 6 et 7 dans le dialogue – la ligne de basse suit une descente contre-tonale en gamme par tons, de *do* jusqu'à *mi* (voir exemple 12b), qui n'est intégrée qu'à la cadence finale quand la dominante *mi* se résout sur *la*. Debussy relègue donc la sonorité désolée de la gamme par tons de la première version à une fonction plus subtile, sous-entendue dans la seconde.

Exemple 12a. Réduction de la première version de *Colloque sentimental*

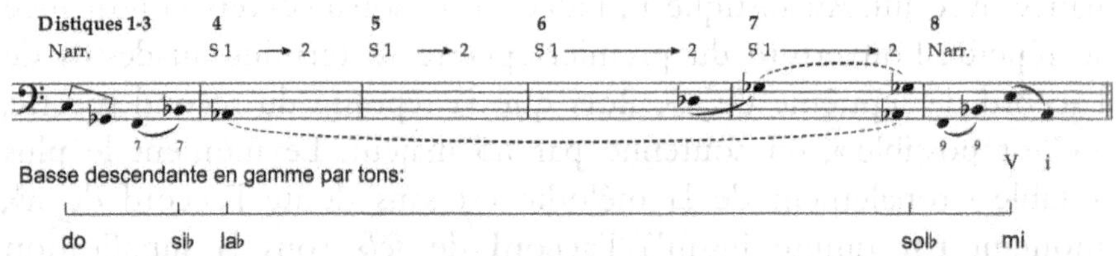

Exemple 12b. Réduction de la seconde version de *Colloque sentimental*

Finalement, dans la seconde version Debussy affine l'ensemble (026) qu'il avait introduit dans la première. Dans celle-ci, (026) semble faire partie du motif mélodique du rossignol et de la palette harmonique de la gamme par tons utilisée pour l'évocation de l'atmosphère glacée, mais on peut aussi l'entendre à l'intérieur d'un accord de *Tristan* de septième mineure et quinte diminuée qui met en évidence le point culminant plein d'exaltation de la mélodie, dans la section du dialogue. La nature dichotomique de (026) – son adaptabilité à un environnement tant tonal que non tonal – est développée pleinement dans la première version, puisque cet ensemble est constamment utilisé, que ce soit mélodiquement ou harmoniquement pendant toute la mélodie, reflétant les dualités inhérentes du poème (voir exemple 13). Dans la première version, le compositeur n'a plus besoin ou ne veut plus citer *Tristan* ; plus exactement, il a assimilé un plus grand potentiel pour la sonorité de septième mineure et quinte diminuée, s'en servant de façon dichotomique dans un environnement tonal et de gamme par tons.

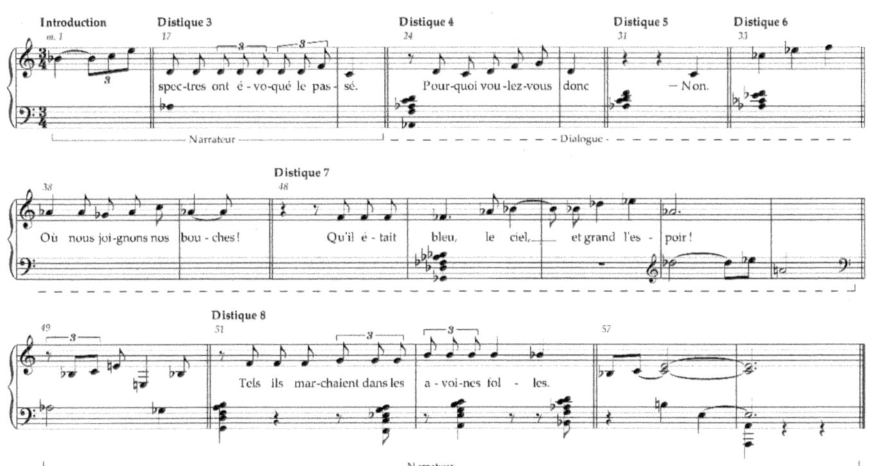

Exemple 13. Ensemble de hauteurs (026) communes aux sonorités de gamme par tons et de septième mineure et quinte diminuée de la seconde version de *Colloque sentimental*

Ceci ramène au poème de Verlaine, point de départ de cette étude. La dissonance inhérente du poème, prédite déjà dans son titre, se dévoile de plusieurs façons dichotomiques. Deux fantômes, sans sexe spécifique, communiquent dans des perspectives tout à fait opposées. Les supplications intimes et extasiées de l'un se heurtent aux répliques brèves et sèches de l'autre. Les choses ne sont pas ce qu'elles semblent être. L'extase éprouvée dans la deuxième strophe de *En sourdine* est maintenant « ancienne », une histoire du passé. Où se trouvaient jadis chaleur humaine et amour, il ne reste que glace et néant ; où se trouvaient optimisme plein d'espoir et profondeur de sentiment, il ne reste qu'indifférence et désenchantement. Le langage musical de Debussy, oscillant entre constructions tonales et gamme par tons, adopte et subsume ces qualités dichotomiques. Au cœur du poème de Verlaine, la section du dialogue reflète la double nature des personnages avec l'alternance entre la tessiture vocale plus aiguë du premier spectre, accompagnée de riches sonorités de septième mineure et quinte diminuée, dans un tempo agité, et la tessiture plus basse du second spectre, accompagnée de courts accords *secco*, dans un tempo retenu. En saturant cette section d'un flot de réminiscences du thème du rossignol, et en introduisant la pédale de *la*♭ dans la seconde version, Debussy simplifie son œuvre tout en exposant les liens entre ce poème et *En sourdine*, juxtaposant ainsi les sentiments d'espoir et de désespoir contenus dans ces deux poèmes. Enfin, il incorpore effectivement sa réponse initiale en gamme par tons à la nature éthérée de *Colloque sentimental* dans la structure plus profonde de la ligne de basse, et il relie les sections de dialogue et de narration via l'ensemble de hauteurs (026). Par ses révisions, Debussy relègue à l'arrière-plan l'obsédant spectre de Wagner, et situe subtilement mais de manière évidente la seconde version de sa mélodie dans le paysage postromantique du poème de Verlaine.

Debussy, le debussysme et les *Chansons de Charles d'Orléans*

Marianne Wheeldon*

En mars 1907, dans un article intitulé « Debussy et les debussystes », Émile Vuillermoz critiquait la dernière œuvre du compositeur, l'orchestration du *Jet d'eau*, troisième des *Cinq Poèmes de Baudelaire*, composé en 1889. Vuillermoz, porte-parole des debussystes, se plaignait qu'après plus d'une année de silence, Debussy « ne leur envoie dédaigneusement que des fonds de tiroir, des reprises et des rééditions [...] dans l'unique dessein de ne pas s'exiler tout un hiver des affiches de Colonne ». Trouvant l'orchestration du *Jet d'eau* dépourvue d'inspiration, Vuillermoz se demandait si Debussy n'avait pas perdu son « doigté instrumental », et, si c'était le cas, le critique lui conseillait ainsi de s'inspirer des œuvres des debussystes en disant : « Il y retrouvera très adroitement mises en œuvre toutes les trouvailles sonores qu'il semble avoir oubliées. » Vuillermoz terminait son article par un avertissement : « S'il ne reprend pas résolument la tête du mouvement musical contemporain par un effort nouveau, l'auteur de *Pelléas* s'apercevra que toute la jeune génération parasite qui se développe autour de son œuvre fait *du Debussy*... mieux que lui[1]. »

---

* J'adresse mes plus vifs remerciements à Diane Gervais, directrice de l'école de l'Alliance française d'Austin, pour tous ses conseils en matière de traduction française, et également au professeur Suzanne Pence et aux étudiants de la *Concert Chorale* de l'Université du Texas pour l'exécution et l'enregistrement de la première version des *Chansons de Charles d'Orléans*.

1. Émile Vuillermoz, « Debussy et les debussystes », *La Nouvelle Presse*, 3 mars 1907. Cité dans Debussy, *Correspondance*, p. 994.

La phrase de Vuillermoz « faire du Debussy » se révélera remarquablement durable. Quoiqu'il ait prétendu plus tard qu'elle n'était qu'« une innocente boutade finale[1] », d'autres critiques la prirent très au sérieux, et l'idée de « faire du Debussy » fit l'objet de discussions dans de nombreuses revues tout au long de 1907. Tous ces écrits avaient en commun le fait que les premiers défenseurs de Debussy définissaient sa musique du point de vue des procédés, des systèmes, voire des clichés. Pour Vuillermoz, « faire du Debussy » n'exigeait rien d'autre qu'« enlacer des neuvièmes, supprimer la résolution des appogiatures et enfoncer la sourdine dans le pavillon des cors ou des trompettes[2] ». Pour sa part, Pierre Lalo identifie « la prédominance de certaines sonorités harmoniques et orchestrales », la présence continuelle de « certains procédés de style, tournures et formules » et conclut que « ces procédés ne sont pas la meilleure part de l'art de M. Debussy. [...] Ils sont par eux-mêmes extrêmement restreints et limités »[3]. M.-D. Calvocoressi résume succinctement le « système harmonique de M. Debussy[4] » comme des accords de neuvième, des gammes par tons, avec les accords augmentés qu'elle engendre. Camille Mauclair affirme que l'apport essentiel de Debussy réside dans « le nouveau mode harmonique dont il a donné une formule absolue[5] ». En janvier 1908, Déodat de Séverac observe que toutes les petites chapelles musicales de 1907 se réduisent à deux clans, les partisans de Debussy contre ceux de Vincent d'Indy : « Car toutes les animosités d'aujourd'hui se résument en une misérable question de procédés ! Harmonie ou Contre-point ! Horizontale ou Verticale[6] ! »

Je souhaite démontrer ici que les *Trois Chansons de Charles d'Orléans*, composées en 1908, reflètent et, dans une certaine mesure, réagissent à cet environnement hostile. Debussy doit alors se sentir obligé

1. Émile Vuillermoz, « Correspondance », *Le Mercure musical et bulletin français de la S.I.M.*, 15 juin 1907, p. 669. Cet article est une réponse à l'attaque de Louis Laloy dans son article « Les Écoliers », *Le Mercure musical et bulletin français de la S.I.M.*, 15 avril 1907, p. 367-372.

2. Émile Vuillermoz, « Correspondance », article cité, p. 669.

3. Pierre Lalo, Feuilleton du *Temps*, 19 mars 1907.

4. M.-D. Calvocoressi, « Les *Histoires naturelles* de M. Ravel et l'imitation debussyste », *La Grande Revue*, 10 mai 1907, p. 514.

5. Camille Mauclair, « Les Chapelles musicales en France », *La Revue*, 15 novembre 1907, p. 185.

6. Déodat de Séverac, « La Centralisation et les petites Chapelles musicales », *Le Courrier musical*, 15 janvier 1908, p. 40.

d'offrir une œuvre nouvelle au public – aucune n'ayant été créée en 1906 et *Le Jet d'eau* étant la seule créée l'année suivante – et se tourne cette fois encore vers une œuvre antérieure pour combler ce vide. Il est ironique qu'au début de l'année 1908 Debussy se retrouve dans une situation familière : recycler un morceau ancien comme il l'a déjà fait avec *Le Jet d'eau*. Cette fois, il retravaille les *Deux Chansons de Charles d'Orléans* de 1898 pour les publier et en donner la première audition aux Concerts Colonne. Mais, malgré des débuts similaires, le résultat s'avère entièrement différent : au moment où il compose les *Trois Chansons,* Debussy est tout à fait conscient du consensus critique qui se forme autour de sa musique. Son choix du genre, du texte et du style musical semble calculé pour contrer l'idée que l'on se fait en général de sa musique, considérée comme faite d'une série de procédés. Pour faire taire ceux qui l'accusent de se contenter de recycler les formules d'orchestre, Debussy abandonne l'orchestre et, pour la première fois de sa carrière, il écrit pour chœur *a cappella*. Afin de se débarrasser des clichés harmoniques du debussysme, il évite les sonorités inédites qu'on lui attribue d'habitude telles que les neuvièmes, les gammes par tons et les accords augmentés ; et pour minimiser l'apparente priorité de l'harmonie dans son style musical, il fait preuve de virtuosité contrapuntique. Debussy, sans doute horrifié de voir sa musique réduite à une série de formules rebattues, semble vouloir lutter contre ces jugements en remaniant ses *Chansons de Charles d'Orléans*.

Cette thèse est étayée par les souvenirs de madame Gérard, née Mlle Worms de Romilly, élève de Debussy, qui relate une conversation avec le compositeur en 1907 ou 1908 :

> C'est à cette époque que je le rencontrai un samedi à l'une des répétitions de Lamoureux et qu'il me dit d'un ton légèrement rageur : « Ils prétendent que j'imite maintenant mes propres imitateurs. Eh bien ! Ils verront si dorénavant je fais du Debussy[1]. »

1. François Lesure, « Debussy Professeur, par une de ses élèves », dans *Claude Debussy, Textes*, Martine Kaufmann (dir.) avec le concours de Denis Herlin et Jean-Michel Nectoux, Radio France, 1999, p. 19. Cette rencontre entre Debussy et Mlle de Romilly doit être postérieure à la parution de l'article de Vuillermoz de mars 1907 puisque Debussy fait référence à la célèbre phrase, « faire du Debussy ». De plus, Mlle de Romilly ayant déclaré qu'elle avait perdu contact avec Debussy début 1908, leur rencontre a dû avoir lieu avant cette date.

On peut même émettre l'hypothèse selon laquelle cette rencontre avec Mlle Worms de Romilly peut avoir incité Debussy à retourner aux *Chansons de Charles d'Orléans*, puisqu'elle était membre de la chorale qui avait chanté la première version des chansons en 1898. Les arrangements originaux étaient écrits pour un petit chœur d'amateurs formé par Lucien Fontaine, un ami proche de Debussy, qui recrutait sa famille et ses amis pour chanter. Debussy commence à diriger cette chorale pendant l'été 1894. Selon Jean-Michel Nectoux, cette position offrait au cercle d'amis de Debussy (les Fontaine, les Lerolle et les Chausson) un moyen discret de lui assurer un soutien financier[1]. En contrepartie, Debussy leur témoignait sa gratitude en leur dédiant de nombreuses œuvres, telles les *Deux Chansons de Charles d'Orléans*, dédiées à Lucien Fontaine.

En comparant les deux versions des *Chansons de Charles d'Orléans*, il est possible d'évaluer l'influence du debussysme et de comprendre comment Debussy en a évité les contraintes. Dans les deux versions, Debussy répond à la même poésie, au même genre et offre un pastiche du style musical du XVIe siècle. Mais il est important de prendre en compte le fait qu'en 1898, le debussysme n'existait pas, alors qu'en 1908 le mouvement était à son apogée[2]. La version originale de « Dieu, qu'il la fait bon regarder » présente un arrangement homophonique et simple. Quand Debussy revient à ce chœur en 1908, il n'y fait que très peu de révisions. Bien qu'en petit nombre, ces ajustements n'en sont pas moins significatifs, car ils révèlent quelles étaient à ses yeux dix ans plus tard les préoccupations musicales les plus importantes. Debussy laisse l'œuvre pratiquement intacte, n'y opérant que des modifications de nature contrapuntique : les lignes en mouvement remplacent les notes tenues, les contre-chants remplacent les lignes parallèles et les

1. Jean-Michel Nectoux, *Harmonie en bleu et or. Debussy, la musique et les arts*, Paris, Fayard, 2005, p. 49.

2. Le 25 mars 1910, dans une lettre à Georges Jean-Aubry, Debussy évoque la composition du *Prélude à l'Après-midi d'un faune* (1894) : « En tout cas, c'est ce que j'ai de mieux comme souvenir de cette époque, où l'on ne m'agaçait pas encore avec le "Debussysme" » (*Correspondance*, p. 1261). Le compositeur compare la réception de sa musique, avant et après *Pelléas*, et reconnaît l'impact négatif du debussysme. Sa remarque pourrait s'appliquer également aux deux versions des *Chansons de Charles d'Orléans*.

suspensions sont ajoutées en fin de phrase. Le changement le plus marquant apparaît aux mesures 14 et 15, dans lesquelles Debussy recompose le retour du refrain. La version antérieure, avec son parallélisme chromatique et ses accords augmentés, était l'un des moments les plus frappants de la version originale (voir exemple 1). Dans la phrase qui la remplace en 1908, les harmonies prétendues debussystes ont été ôtées, fournissant ainsi une autre occasion d'incorporer le contrepoint sous forme d'un contre-chant et d'une suspension (voir exemple 2).

Exemple 1. « Dieu, qu'il la fait bon regarder » (1898), mesures 9-16

Exemple 2. « Dieu, qu'il la fait bon regarder » (1908), mesures 13-15

Contrairement à la première des *Trois Chansons*, les deux versions de « Yver, vous n'estes qu'un villain » sont entièrement différentes. La première version est, encore une fois, un arrangement simple et homophonique. La deuxième version exige en revanche beaucoup plus de virtuosité, Debussy ayant sans doute voulu profiter du grand chœur professionnel des Concerts Colonne au lieu des huit chanteurs amateurs. En outre, dans la seconde version, c'est l'importance donnée au contrepoint qui élève le niveau de virtuosité. La première version n'offre que de modestes tentatives d'écriture contrapuntique (voir exemple 3). Par contraste, dans la deuxième version, Debussy incorpore à plusieurs reprises des entrées imitatives et termine, en guise de bouquet final, par un traitement de fugue du thème initial (voir exemple 4).

Exemple 3. «Yver, vous n'estes qu'un villain» (1898), mesures 49-58

Exemple 4. «Yver, vous n'estes qu'un villain» (1908), mesures 48-55

Pourquoi Debussy retient-il l'essentiel de la première chanson mais choisit-il de recomposer entièrement la seconde ? La raison semble être d'ordre pratique autant qu'esthétique. Il existe deux manuscrits différents de la version antérieure des chansons (voir Tableau 1)[1]. L'un (Ms. 17689), de deux pages, est la partition de « Dieu, qu'il la fait bon regarder ». L'autre (Ms. 22143), beaucoup plus long, de dix-neuf pages, se compose de la partition de « Yver, vous n'estes qu'un villain », suivie des parties individuelles pour les deux chansons recopiées deux fois par le compositeur. Ce manuscrit-là semble constituer une étape plus avancée puisque les parties séparées de « Dieu, qu'il la fait bon regarder » comportent des détails de nuances et d'articulations qui n'apparaissent pas dans l'autre manuscrit. Le fait que les parties séparées soient écrites avec soin et précision par Debussy laisse supposer que les membres du petit chœur amateur les utilisaient. C'est ce manuscrit de dix-neuf pages que Debussy offre à Lucien Fontaine, le dédicataire de ces chansons, sans doute afin qu'il le conserve chez lui à Passy où le chœur avait l'habitude de répéter.

Ms. 17689	Ms. 22143
2 pages	19 pages
Partition de « Dieu, qu'il la fait bon regarder »	Partition de « Yver, vous n'estes qu'un villain »
Pas de parties	Deux jeux de parties séparées pour les deux chansons
Chez Debussy	Chez Lucien Fontaine

Tableau 1. Les manuscrits pour les *Deux Chansons de Charles d'Orléans* (1898)

Ainsi, en 1908, lorsque Debussy cherche ce manuscrit dans ses fonds de tiroir, il ne trouve sans doute que la partition de « Dieu, qu'il la fait bon regarder ». Celle de « Yver, vous n'estes qu'un villain » et les parties vocales des deux chansons sont restées en possession de Lucien Fontaine. À cause de l'irréparable rupture de leur amitié provoquée en 1904 par l'abandon de sa femme, Debussy n'aurait pas pu récupérer ce manuscrit et aurait donc été obligé de com-

1. Lesure, *Debussy*, p. 528.

poser une nouvelle version. Et comme dans le premier chœur, la recomposition de « Yver, vous n'estes qu'un villain » démontre la même préoccupation, mais dans une plus large mesure. Si, dans la version antérieure, Debussy se contente d'ajouter quelques détails contrapuntiques, dix ans plus tard, son utilisation prépondérante du contrepoint réoriente complètement le chœur.

Debussy semble préoccupé par la réception de sa nouvelle œuvre, et pour cause. Sa tentative de se débarrasser de la charge du debussysme risque alors de diviser ses partisans les plus ardents. D'une part, comme la première audition du *Jet d'eau* le démontre, les debussystes attendent clairement quelque chose de nouveau et d'imprévu. D'autre part, ils désirent aussi que les œuvres postérieures de Debussy se développent dans le même esprit que *Pelléas*. Après avoir fourni tant d'efforts pour soutenir l'opéra et ses innovations, les debussystes considéraient comme un enjeu l'exploration continue de la langue musicale avec laquelle ils s'identifiaient si étroitement. Il n'est donc pas surprenant que les *Trois Chansons* n'aient pu répondre à ces impératifs contradictoires. En satisfaisant la demande de nouveauté, les *Trois Chansons* s'éloignaient des découvertes de *Pelléas* et, par extension, avaient le potentiel d'aliéner les premiers partisans de cet opéra.

À la lumière de ces inquiétudes, il est significatif que Louis Laloy – critique influent et ami proche de Debussy – ait lancé une véritable campagne, avant leur création, pour défendre les *Trois Chansons* contre les inévitables critiques. Dans plusieurs articles, Laloy fait allusion à toutes les suppositions qui étayent les critiques du debussysme pour les réfuter une à une. Pour minimiser le rôle de l'harmonie dans l'œuvre du compositeur, Laloy souligne son affect et explique que c'est « cette émotion, unique et plus précise que toutes les inventions d'harmonie, qui nous avait tant fait aimer les *Nocturnes* et *Pelléas*[1] ». Dans un autre article, Laloy prédit que les *Trois Chansons* ne satisferont pas les debussystes : « Tout le chœur rancunier des anciens amis qui ont inventé *Pelléas* s'exclamera : "Ce n'est plus lui[2] !" » Dans un troisième article, Laloy met en cause la séparation de l'harmonie et du contrepoint au sein des chapelles musicales :

1. Louis Laloy, « La Musique », *La Grande Revue*, 10 novembre 1908, p. 191.
2. Louis Laloy, « Deux ouvrages nouveaux de Claude Debussy », *Bulletin français de la S.I.M.*, 15 novembre 1908, p. 1205.

« M. Claude Debussy, qu'on désigne comme le maître des pures harmonies et des formes indéfiniment souples, ne se fait pas faute d'employer les figures du contrepoint, même les plus rigoureuses, l'imitation ou le canon, lorsqu'elles conviennent à sa pensée[1]. » Ce qui est plus important encore, c'est que dans tous ses articles, Laloy rapproche la nouvelle œuvre de Debussy du genre de la chanson du XVIe siècle. Si les *Trois Chansons* sont coupables de rompre avec les innovations de *Pelléas*, c'est parce qu'elles s'inscrivent dans la continuité de la tradition de Janequin, Costeley et Roland de Lassus. Si l'on suit ce raisonnement, on ne peut guère reprocher à Debussy l'abandon des procédés de *Pelléas* puisqu'il ressuscitait, comme l'affirmait Laloy, « l'une de nos plus pures traditions françaises, que l'on croyait perdue[2] ».

Si Laloy fut incité par le compositeur à protéger les *Trois Chansons* contre la critique potentielle des debussystes, ceci renforce la thèse selon laquelle l'œuvre aurait été remaniée afin de répondre à leurs accusations que la musique de Debussy était devenue stéréotypée. Certes, d'autres raisons peuvent avoir poussé Debussy à retourner aux *Trois Chansons* et à les retravailler. La popularité des Chanteurs de Saint-Gervais et du répertoire du XVIe siècle que Charles Bordes a fait connaître au public parisien ouvre naturellement la voie à l'interprétation moderne de ce genre chez Debussy. De surcroît, l'intérêt croissant du compositeur pour la poésie médiévale est apparent dans d'autres de ses œuvres de cette époque, comme les *Trois Chansons de France* (1904) et les *Trois Ballades de François Villon* (1910). Mais contrairement à ces dernières, les *Trois Chansons de Charles d'Orléans* occupent une position singulière dans la production du compositeur, un monde sonore tout à fait distinct de ses autres arrangements moyenâgeux et, en fait, de n'importe quelle autre œuvre de Debussy. Comme cette étude le suggère, c'était précisément leur fonction. Ces chansons robustes et contrapuntiques étaient destinées à contredire ce que l'on décrivait en 1907 comme étant les procédés et les formules du compositeur ; en un mot, à réfuter le debussysme ou l'idée de « faire du Debussy ».

---

1. Louis Laloy, « La Musique de l'avenir », *Le Mercure de France*, 1er décembre 1908, p. 420-421.
2. Louis Laloy, « Deux ouvrages nouveaux de Claude Debussy », article cité, p. 1205.

Interprétations

Debussy et le disque

Élizabeth Giuliani

La chronologie de l'invention du disque et celle de l'activité de Claude Debussy coïncident suffisamment pour que l'édition phonographique ait produit de véritables « sources sonores » utiles à la connaissance de l'interprétation de son œuvre. Le compositeur a lui-même laissé des traces de son jeu au piano dans les perforations de rouleaux pour piano mécanique[1] mais aussi en enregistrant pour le disque. La génération des artistes qu'il côtoya et de ceux avec lesquels il travailla directement est également présente dans les catalogues discographiques. Puis, sans solution de continuité mais avec un phénomène régulier de substitution et d'accumulation, une discographie très complète s'est construite parallèlement aux développements techniques du média sonore : l'enregistrement électrique en 1925, le microsillon après la Seconde Guerre mondiale, le disque audio-numérique au début des années 1980... jusqu'à nos jours où l'œuvre de Debussy figure en bonne place dans les offres de fichiers sonores à écouter en ligne ou à télécharger sur Internet.

Une discothèque debussyste s'est ainsi dessinée, au sein de laquelle des œuvres sont privilégiées, certaines d'entre elles devenant même de véritables « tubes » gratifiés de multiples accommodements. Un

1. Rouleaux Welte Mignon enregistrés en 1913 : n° 2733 (*Children's Corner*) ; n° 2734 (*D'un cahier d'esquisses*) ; n° 2735 (*La Soirée dans Grenade*) ; n° 2736 (*La plus que lente*) ; n° 2738 (*Danseuses de Delphes. La Cathédrale engloutie. La Danse de Puck*) ; n° 2739 (*Minstrels. Le Vent dans la plaine*).

modèle d'interprétation a été élaboré et consolidé par la permanence assurée aux disques de certains artistes (inscrits sans discontinuer au catalogue grâce au jeu incessant de rééditions) et la légitimation complémentaire qu'ils obtinrent de la critique.

Notre propos est de suivre la construction du catalogue des disques d'œuvres de Claude Debussy avant de l'analyser : en mesurer l'importance quantitative et en définir les contenus. On déduira de cette physionomie particulière les atouts que l'industrie phonographique (ses producteurs comme ses consommateurs) a dégagés et exploités[1].

L'œuvre de Claude Debussy dans le catalogue discographique : de l'acoustique au numérique

Debussy et « son excellence le gramophone »

En février 1904, Debussy accepte sans enthousiasme excessif de fixer quelques pages de sa musique vocale pour la Compagnie française du Gramophone[2]. Il s'acquitte aussi de l'obligation enjointe par le directeur de la firme, Alfred Clark, de signer un procès verbal de cette séance. Cet entreprenant propagandiste de la récente invention du gramophone, mise sur le marché à peine dix ans auparavant à Philadelphie par Emile Berliner[3], réclame une certification à tous les musiciens réputés dont il obtient l'enregistrement. Ainsi, celle de Claude Debussy accompagne désormais la publicité pour la marque :

1. En suivant les travaux de Margaret G. Cobb, *Discographie de l'œuvre de Claude Debussy*, Genève, Minkoff, 1975, pour l'ère de l'enregistrement 78 tours, puis dans la discographie annuelle des *Cahiers Debussy* (1997-2011). En complément ont été dépouillés les fascicules de la revue *Disques* (1956-1959), le *Catalogue général des disques Diapason* 1968-1978, le *Catalogue général de la BnF* (www. bnf.fr) et l'offre de « Youtube » en janvier 2011.

2. Gramophone & Typewriter Company, G&T 33447 à 33451.

3. Depuis 1878, le brevet détenu par Edison a permis de développer la fabrication d'appareils de lecture (phonographes) et de supports gravés verticalement (cylindres). Dix ans plus tard, Berliner, suivant d'ailleurs les préconisations de Charles Cros, présentait un procédé de gravure horizontale qu'il ne pouvait exploiter commercialement que dix ans après en proposant à son tour des appareils (gramophones) et des supports (disques). La concurrence des deux technologies durera jusqu'aux années 1920 et se résoudra au profit exclusif de celle de Berliner.

> à Alfred Clark, Paris, dimanche 21 févier 1904
> Monsieur,
> Comme à tous ceux qui l'ont entendu le Gramophone me semble un merveilleux instrument. Au surplus, il assure à la musique une totale et minutieuse immortalité et, en cela est-il peut-être indispensable[1].

Cependant, contrairement à certains de ses contemporains comme Camille Saint-Saëns ou Reynaldo Hahn, Debussy ne paraît pas avoir été conquis par ce nouveau média dont il pointe surtout les limites et contraintes techniques.

> … Garden jouant demain soir mardi, ne peut ni sortir, ni chanter, ce jour-là : en outre, je ne peux fournir 1 ½ heure de musique, prise dans *Pelléas*, avec la seule Garden, il faudrait donc nous adjoindre Périer, (je me charge de le décider).
> Donc le rendez-vous serait pour Mercredi prochain à 4 h, si son excellence le Gramophone n'y voit pas d'inconvénient[2].

Mary Garden, elle, se montre encore plus sévère pour les imperfections et infidélités de l'enregistrement acoustique d'alors mais garde pour celui-ci un attachement particulier.

> Je renie les deux films que j'ai tournés. J'en fais autant des disques qui ont enregistré ma voix. Tous ces vieux cylindres que, paraît-il, on continue de bien vendre, ne valaient pas grand chose. Je fais toutefois deux exceptions, en faveur d'une jolie chanson intitulée *À l'aube*, et de *Pelléas*, que j'ai enregistré à la cire, en 1902 [*sic*]. Je me permets de recommander chaleureusement *Pelléas*, parce que Debussy m'accompagnait. Quand on vous offre l'occasion d'entendre Debussy au piano, ne la manquez pas[3].

La génération contemporaine et la période acoustique[4]

Les premiers enregistrements de l'œuvre de Debussy datent du début du XXe siècle. Ils concernent d'abord des œuvres vocales, dont certaines des *Ariettes oubliées*. La discographie debussyste est

---

1. *Gramophone nouvelles*, n° 4, mars 1904.
2. Lettre de Claude Debussy à Louis Laloy, lundi soir 1er février 1904, *Correspondance*, p. 827.
3. Mary Garden, *L'Envers du décor*, Paris, Éditions de Paris, 1952, p. 207-208.
4. Les enregistrements sont effectués sans amplification, seules les vibrations sonores actionnent le burin graveur. Leur force mécanique étant très faible, l'on

inaugurée en 1902 par *Il pleure dans mon cœur* chanté par Rosa Olitzka, déjà pour la Compagnie du Gramophone[1], deux ans avant le témoignage qu'en laissent Mary Garden et Debussy. *Mandoline* est interprétée en 1911 par Lillian Nordica, avec le soutien du piano et de la harpe[2]. *Mandoline* et *L'Âme évaporée* sont publiées en 1913 par Nellie Melba et le professeur Lapierre au piano[3]. La même année, Frances Alda donne une version avec orchestre de *L'Âme évaporée*[4]. *Green* et *L'Âme évaporée* sont chantés en 1916[5] par la voix masculine d'Edmond Clément, ténor « élégant et bien chantant[6] ».

L'industrie phonographique naissante qui, jusqu'en 1925 environ, utilise en les apprivoisant habilement des procédés très contraignants, préserve certains des artistes que Debussy avait lui-même choisis pour créer ses œuvres ou entendus, voire approuvés. Mary Garden, sa première Mélisande, mais aussi Maggie Teyte, qui lui succède bientôt dans ce rôle et rencontre l'assentiment du compositeur, gravent ainsi plusieurs de ses œuvres vocales.

C'est en effet à capter les voix que se prête avant tout la technique de l'enregistrement acoustique. C'est ainsi qu'Hector Dufranne, Vanni-Marcoux (qui fut lui aussi Golaud à Boston en 1912 puis à Paris en 1914) et Jeanne Gerville-Reach (l'*Air de Lia* en 1911[7]) ont laissé trace de la leur.

Quant aux pièces pour piano, elles sont propices à occuper le temps réduit (3 à 4 minutes) d'une face de disque. L'interprétation

---

ne peut enregistrer que des instruments au volume sonore puissant, et à condition, encore, qu'ils soient très près du cornet acoustique. La bande passante est très réduite, 250 à 2 500 Hz, à peine celle du téléphone, supprimant toutes les fréquences aiguës, accusant le bruit de fond et réduisant le rapport signal/bruit à 10 dB. Les timbres vocaux ou instrumentaux sont plus ou moins fidèlement captés – les voix masculines mieux que les voix féminines. On enregistre donc surtout des chanteurs, des orchestres de cuivres, le violon ni le piano ne sont guère favorisés.

1. Gramophone N 33 180.
2. Columbia C 74027.
3. Gramophone DB 709.
4. Victor 87096.
5. Respectivement : Pathé 3165 et Pathé 3202.
6. *Gil Blas*, 6 juin 1903, à propos de *La Petite Maison* de William Chaumet à l'Opéra-Comique.
7. Victor 88281.

par Ricardo Viñes de *Poissons d'or* est gravée en 1930[1]. L'avis du compositeur sur cette conception de son œuvre est certes mitigé :

> À propos des nouvelles *Images*, il faudrait persuader doucement Viñes qu'il a besoin de beaucoup les travailler..! Il n'en sent pas encore l'architecture et, malgré son incontestable virtuosité, il en fausse l'expression[2].

D'autres pianistes contemporains de Debussy, les plus fameux d'alors, laissent également un témoignage de leur interprétation de sa musique. *Reflets dans l'eau* est enregistré par Ignace Jan Paderewski dès 1912[3] et la *Toccata* par Percy Grainger en 1914[4]. En 1916, Benno Moïseiwitsch fixe *Jardins sous la pluie* et *Clair de lune* puis, en 1919, *Minstrels*[5]. Julius Schendel donne la première des *Deux Arabesques* en 1917[6]. Serge Rachmaninov enregistre *Doctor Gradus ad Parnasum* en 1921[7]. Alfred Cortot grave intégralement *Children's Corner* en 1923, avec *La Cathédrale engloutie*[8] – dès 1918 il avait enregistré deux préludes, *La Fille aux cheveux de lin* et *Minstrels*[9].

En dépit des médiocres performances techniques, l'orchestre de Debussy est lui aussi sollicité très tôt dans cette histoire de l'édition phonographique. En 1922, Camille Chevillard qui avait créé les *Nocturnes* et *La Mer* enregistre le *Prélude à l'Après-midi d'un faune* avec l'Orchestre des Concerts Lamoureux[10]. Cette œuvre a d'ailleurs inauguré avec l'Orchestre symphonique de Paris en 1915[11] le chapitre orchestral du répertoire enregistré de Debussy, suivi en 1918 par l'Orchestre symphonique du Gramophone sous la direction de Landon Ronald[12].

1. Columbia LF 41.
2. Lettre de Claude Debussy à Georges Jean-Aubry, 10 avril 1908, in *Correspondance*, p. 1083.
3. Gramophone DB 590.
4. Gramophone D 353.
5. Respectivement : Gramophone D 59 et Gramophone E 216.
6. Victor 18179.
7. Victor 64935.
8. Gramophone DB 678 et 679.
9. Victor 64965.
10. Pathé [Saphir] 6594.
11. Victor 35464.
12. Gramophone 030607-608.

Vittorio Gui, qui avait préparé l'orchestre conduit par Debussy à Turin en 1911, enregistre *Pelléas et Mélisande* nettement plus tard[1]. Parmi les « baguettes » proches du maître, plusieurs laissent leur trace debussyste au disque : Serge Koussevitzky, dédicataire du premier mouvement de *En blanc et noir*, grave ainsi la *Sarabande* orchestrée par Ravel en 1933[2] ; Bernardino Molinari, qui orchestra *L'Isle joyeuse*, laisse un enregistrement du *Prélude à l'Après-midi d'un faune*[3] ; Pierre Monteux, altiste dans l'orchestre de *Pelléas et Mélisande* et créateur de *Jeux*, qui grave de nombreux disques, ou François Ruhlmann, directeur de la musique de l'Opéra-Comique en 1914, qui a dirigé 64 des 107 représentations de *Pelléas et Mélisande* données du vivant de Debussy. Toscanini, lui, avait donné l'opéra à la Scala en 1908. Le *Prélude à l'Après-midi d'un faune* fut enregistré en 1923 par l'AEolian Orchestra, dirigé par Cuthbert Whitemore[4].

Parcimonieusement sollicitée dans ces premières décennies de l'édition phonographique, la musique de chambre y figure cependant déjà pour Debussy. Des extraits de son *Quatuor à cordes* sont ainsi gravés en 1923 par le Quatuor Lener[5] et l'année suivante par le London String Quartet[6]. La première intégrale est enregistrée en 1927 par le Quatuor Capet[7], bientôt concurrencée par celle des quatuors Lener, Calvet ou Pro Arte. Cet essor témoigne du développement considérable que l'apport des technologies liées à l'amplification électrique de l'enregistrement et de sa restitution procure à l'édition phonographique et dont bénéficie Debussy.

Le disque 78 tours

Au cours des vingt années environ qui séparent la mise au point de l'enregistrement électrique[8] de celle du microsillon, les références

1. Enregistré au Festival de Glyndebourne en 1963 et publié en 2009 (Glyndebourne GFOCD 003-63).
2. Victor V 7375.
3. Archivi dell'Accademia nazionale di Santa Cecilia CD1.
4. Vocalion J 04030. Ce pianiste et chef d'orchestre britannique (1878-1928) assura la création en Angleterre de nombre d'œuvres françaises de Debussy comme de Ravel.
5. Columbia 67033.
6. Columbia L 1004.
7. Columbia D 1058 à 1061.
8. Le procédé consiste à amplifier le signal avant de le graver, en utilisant les technologies mises au point pour la radio, afin d'éviter les distorsions des signaux

consacrées à des œuvres de Debussy augmentent considérablement et se diversifient. Dans sa discographie, Margaret Cobb a identifié 1 309 enregistrements[1].

C'est le répertoire du piano qui domine avec 512 références : 109 concernent des préludes du livre I (32 *Minstrels*, 26 *Cathédrale engloutie*, 25 *Fille aux cheveux de lin*), 60 des préludes du livre II, 50 *Children's Corner* (où domine *Golliwogg's cake walk*), 34 la 1re série des *Images* (dont 30 *Reflets dans l'eau*) et 33 *Pour le piano*. En 1938, Decca publie une intégrale des *Études* par Adolph Hallis.

Suivent les enregistrements vocaux dont 168 sont des enregistrements de mélodies. Avec 26 références, les *Ariettes oubliées* continuent à dominer mais on relève également 19 enregistrements de *Mandoline*, 14 de *L'Âme évaporée* et 14 des *Chansons de Bilitis*. 41 références d'œuvres avec chœurs et 3 pour *Pelléas et Mélisande* : des anthologies (celle de Piero Coppola en 1927 et celle de Georges Truc en 1928) et la première intégrale dirigée par Roger Désormière en 1942. L'orchestre est désormais bien présent avec 125 références – y figure notamment l'enregistrement de *Jeux* par Victor De Sabata réalisé à Rome en 1948 pour His Master's Voice.

Quant à la musique de chambre, elle est largement représentée par le *Quatuor* (24 références sur 60 disponibles). Et, phénomène notable qui ne fait que s'accuser, de très nombreux arrangements sont enregistrés : sur plus de 200 références, on relève 38 versions diverses de *La Fille aux cheveux de lin*.

Parmi les interprètes figurent nombre de personnalités oubliées ou devenues fort rares dans les catalogues ultérieurs, tels les pianistes Janine Weill, Marius-François Gaillard, qui engagea une première

---

les plus faibles. Le microphone existait depuis la fin des années 1870 (breveté par Emile Berliner en 1877) et la lampe triode, permettant d'amplifier les signaux électriques, depuis 1906. De premiers essais de gravure amplifiée sont tentés par des ingénieurs de HMV en 1920, mais il s'agit d'amplifier le son par un haut-parleur avant de le graver avec un graveur mécanique. Ce n'est qu'en 1925 qu'apparaissent les premiers véritables enregistrements électriques, aux États-Unis puis en Europe, d'abord avec des micros au charbon, dérivés de ceux utilisés dans les téléphones, assez médiocres, puis avec des micros à condensateur, très proches de ceux toujours utilisés aujourd'hui.

1. Un enregistrement signifie ici : un contenu musical (œuvre ou ensemble d'œuvres) exécuté par des interprètes précis et fixé lors d'une séance de prise sonore. Les multiples éditions de cette fixation initiale ne sont pas comptées au-delà de la première.

entreprise d'enregistrement systématique de l'œuvre de piano, Oscar Levant ou encore la soprano Magdeleine Greslé. C'est en ces années aussi qu'apparaissent des figures qui sont alors et demeurent des stars du disque classique : Claudio Arrau, Robert Casadesus, Walter Gieseking ou Artur Rubinstein.

Le microsillon

L'après-guerre marque la généralisation de l'enregistrement *Long Play* qui représente une avancée considérable pour la diffusion de la musique classique, dont le répertoire est souvent constitué d'œuvres longues ou de séries. Debussy bénéficie à nouveau de ce développement : 3 131 enregistrements où dominent encore ceux des œuvres pour piano (33 % des références), suivis par ceux des œuvres vocales représentant 25 % des occurrences, parmi lesquelles les ouvrages dramatiques atteignent 159 références. La musique d'orchestre (24 %) et la musique de chambre (16 %) complètent cette offre. Quant à elle, les références d'arrangements ne sont plus envisagées ni citées par la discographie « classique ». Avec l'expansion de l'offre, l'industrie phonographique s'est désormais sectorisée drastiquement et les différents catalogues sont promus séparément.

Parmi les artistes inscrits à ces catalogues, certains comme Ernest Ansermet, Désiré-Émile Inghelbrecht ou Walter Gieseking poursuivent des carrières entamées avant guerre tandis qu'apparaissent de nouvelles générations avec les pianistes Albert Ferber ou Samson François et les chefs Michael Tilson Thomas ou Pierre Boulez.

Le CD

Depuis 1982, l'offre d'œuvres de Debussy en disques audio-numériques s'élève à 4894 références dont 2 000 sont des rééditions[1]. À l'ère du CD, le phénomène de la réédition s'accuse. Plus que le passage du 78 tours au microsillon, celui de l'analogique au numérique s'est fait par une large redondance des références proposées. L'œuvre de Debussy tient fermement une place « moyenne ». À titre de comparaison, le catalogue propose 4350 enregistrements de Ravel, 3236 de Fauré et 2429 de Stravinsky pour 9737 de Chopin et 23 515 de Mozart.

1. Chiffres extraits du *Catalogue général* de la Bibliothèque nationale de France relevés en janvier 2012.

La part des différents répertoires s'est modifiée légèrement au profit de la musique de chambre et se répartit ainsi :
- piano seul : 1650
- orchestre : 1175
- musique de chambre : 810
- voix soliste : 739
- voix solistes et chœurs : 303
- musique dramatique : 197

La proportion de nouveaux artistes diminue régulièrement dans la production courante qui recycle indéfiniment certains enregistrements. Une évaluation des « primo-arrivants » au cours des cinq dernières années confirme ce processus : sur 872 enregistrements recensés, 261 sont des inédits[1].

L'offre en ligne

L'offre en ligne est très difficile à cerner de manière panoramique et cumulative. En outre, l'unité de compte n'est plus l'album mais la plage. Un relevé fait en janvier 2011 sur la « bibliothèque » sonore de *i-Tunes* donne les résultats suivants pour Debussy : 3064 références parmi lesquelles 1087 pour le piano, 412 pour la musique d'orchestre et 72 pour la musique vocale et la musique de chambre.

L'offre discographique aujourd'hui

La discographie de l'année 2012, marquée par la célébration du cent-cinquantième anniversaire de la naissance du compositeur, compte 206 références ainsi réparties : 56 d'œuvres pour piano seul, 9 pour piano quatre mains ou deux pianos, 29 d'œuvres de musique de chambre, 27 d'œuvres orchestrales (dont les *Nocturnes*), 18 d'œuvres dramatiques, 14 de musique concertante, 2 pour chœurs

1.

Année	Orchestre	Mus. concertante	Mus. de chambre	Piano	2 pianos	Chœurs	Solistes, chœurs, orch.	Voix soliste	Arrangements	Total
2007	10 (3)	4 (0)	18 (11)	23 (9)	4 (3)	0	2 (1)	5 (4)	23 (14)	89 (45)
2008	24 (4)	2 (2)	22 (11)	45 (13)	4 (1)	0	7 (1)	8 (6)	21 (12)	133 (50)
2009	38 (5)	10 (2)	40 (15)	107 (21)	7 (4)	5 (2)	14 (6)	26 (7)	85 (36)	332 (78)
2010	20 (4)	5 (4)	15 (8)	26 (9)	7 (3)	2 (1)	2 (0)	11 (3)	24 (8)	112 (40)
2011	27 (4)	14 (5)	29 (9)	56 (16)	9 (3)	2 (1)	18 (1)	29 (7)	22 (2)	206 (48)
Total	119 (20)	35 (13)	124 (54)	257 (68)	31 (14)	9 (4)	43 (9)	79 (27)	175 (9)	872 (261)

et, comme toujours, 22 orchestrations, transcriptions et arrangements divers.

Parmi ces éditions, les nouveautés sont minoritaires : 48 au total dont 16 de piano, 9 de musique de chambre et 7 de mélodies – les genres les moins dispendieux à l'heure où les firmes discographiques investissent de moins en moins. Sur les 17 références d'ouvrages pour voix solistes, chœurs et orchestre ne figurent, à une exception près, que des reprises et 4 seulement dans les enregistrements d'orchestre.

Le modèle phonographique constitué autour de Debussy

Le développement régulier du catalogue d'œuvres enregistrées de Debussy a participé du phénomène étudié par Antoine Hennion, à savoir « la transformation de l'ensemble du goût pour la musique classique sous l'empire de ce medium dominant, de sa "discomorphose"[1] ».

La construction d'un modèle d'interprétation

L'image sonore de Debussy se met en place dès les années 1930. Henry Prunières en souligne les exigences (« Ces nuances fugitives, ces lignes ondoyantes qui se superposent en un ensemble d'une prodigieuse instabilité, viennent mal à l'enregistrement qui requiert des rythmes incisifs, des contours mélodiques accusés[2] ») et les trouve parfois satisfaites, déjà par Walter Gieseking (« Le seul qui ait attrapé la manière dont le maître jouait sa propre musique, avec des effets de sonorité exquis[3] »).

Ce modèle se cristallise à l'ère du microsillon. Quand de nouvelles interprétations apparaissent, elles sont désormais jugées à l'aune de ces modèles et classées implicitement dans une typologie, qui ressort également d'un palmarès d'artistes, affirmant une louange immédiate ou plus tardive et une longévité au catalogue puis une citation quasi systématique dans les critiques. Un panthéon est définitivement

1. Antoine Hennion, Sophie Maisonneuve et Émilie Gomart, *Figures de l'amateur*, Paris, La Documentation française, 2000, p. 64.

2. *La Revue musicale*, 1er mars 1928, p. 174.

3. *La Revue musicale*, novembre 1932, p. 326.

dressé qui s'actualise par l'ajout de nouvelles personnalités et par la révélation de talents originaux à substituer aux anciens.

Chez les chefs d'orchestre, entrent d'abord Désiré-Émile Inghelbrecht, Ernest Ansermet, puis Jean Martinon, avant que Pierre Boulez et, plus récemment, Esa-Pekka Salonen et Jun Märkl les rejoignent. Chez les pianistes, Arturo Benedetti Michelangeli se fait une réputation durable aux côtés de Walter Gieseking, avant que Pierre-Laurent Aimard et Jean-Efflam Bavouzet fassent aujourd'hui partie de leurs successeurs.

Ce palmarès est explicitement affirmé à l'occasion des prix du disque. C'est ainsi qu'en 1956 le Grand prix du disque est décerné à l'enregistrement du *Martyre de saint Sébastien* par Inghelbrecht.

Les revues discographiques participent à cette sanctification de certaines figures. Le cas de Walter Gieseking est à cet égard manifeste. Son interprétation de la *Suite bergamasque* est qualifiée d'« une fine et gracieuse poésie qui éclipse de loin toutes les autres[1] ». Marcel Marnat place cette exécution, associée à celle de *Children's Corner* et publiée pour la première fois en 1952 sous la marque Columbia, sur les sommets de l'Olympe discographique : « Nous avons affaire à LA version de ces deux recueils populaires et l'intérêt indéniable de quelques gravures récentes (Robert Casadesus, Marie-Thérèse Fourneau) n'a pas fait pâlir l'étoile de l'interprète d'élection du poète de Debussy[2]. »

Mais d'autres sont moins exclusifs, tel Jean Roy saluant par exemple l'art que Robert Casadesus manifeste dans un récital Debussy paru chez Philips en 1959 :

> Casadesus donne une traduction authentiquement debussyste de pages brillantes qui se nomment *Masques*, *Jardins sous la pluie*, *Feux d'artifice*. Nous les retrouvons ici avec joie et ne pouvons nous défendre d'aimer d'avantage ses *Reflets dans l'eau* où la ligne mélodique est dessinée dans sa pureté essentielle. De même nous aimons la délicatesse des *Children's Corner* et nous nous émerveillons de voir, par la beauté des sonorités, les *Arabesques* promues au rang de chef-d'œuvre. Quant à *Clair de lune*, avec un peu moins de magie que chez Gieseking, c'est un enchaînement raffiné, nimbé de grâce mélancolique et tendre[3].

1. *Disques*, novembre 1956.
2. *Disques*, mars 1959.
3. *Disques*, septembre-octobre 1959.

L'ensemble des qualités invariablement recherchées (et trouvées) dans l'interprétation de Debussy – poésie, flou, magie – sont énumérées ici. Quant au critique Franck Mallet, il écrit de nos jours, à propos de l'interprétation de Philippe Bianconi :

> Comment jouer Debussy pour qui l'art de la suggestion paraît dépasser toute idée de forme établie et de technicité. [...] C'est en schumannien que le pianiste français aborde la première série des *Images* : jeu délié, diversité des couleurs caractérisent son style[1].

La couleur, c'est aussi ce qu'une chroniqueuse britannique d'aujourd'hui aime à retrouver dans le jeu des différentes formations qui ont enregistré le *Quatuor à cordes* de 1933 à 2010. Préférant l'interprétation donnée par le Quatuor Pro Arte (1933) à celle du Stuyvesant Quartet (1951), elle choisit entre tous l'enregistrement de l'Arcanto Quartett (Harmonia Mundi publié en 2010) et argumente ainsi :

> La couleur définit cette pièce – elle a autant d'importance que les notes et l'interprétation, comme la couleur des cordes d'une symphonie de Bruckner en est aussi une part intrinsèque. Les combinatoires instrumentales qu'offre Debussy sont si atmosphériques, et souvent si bizarres (presque à la manière des premiers films des Frères Lumière), que la couleur qu'elles produisent est vitale[2].

L'œuvre de Claude Debussy n'est pas cantonnée aux seules exécutions indigènes comme celle de nombre de ses contemporains français. Toutefois, à la différence de celle d'artistes totalement « universels », comme Bach, Mozart ou Beethoven, son interprétation est très généralement scrutée à l'aune d'un génie national.

Un « bon produit » médiatique

À l'heure actuelle (mais déjà depuis l'ère du microsillon, sinon même pendant l'entre-deux-guerres), l'œuvre de Debussy montre une aptitude à fournir des « produits » discographiques variés et conformes aux exigences de cette industrie culturelle. Un premier

1. Franck Mallet, « à propos de Philippe Bianconi, piano, *Estampes, Masques, L'Isle joyeuse, Images*, 2011, Lyrinx LYR2274 », *Classica*, n° 136, octobre 2011.
2. Caroline Gill, « Fantastical, dreamlike and instrinsically French », *Gramophone*, August 2012.

atout satisfaisant la rentabilité discographique tient à sa proximité historique et à la continuité maintenue de son interprétation au catalogue, gages d'une vérité objective pour sa restitution. Celle-ci peut s'incarner dans des réalités très diverses, voire contradictoires, sans jamais s'altérer. Ce modèle émarge au lieu commun des caractères nationaux – ici les paramètres d'un art français – associé à la conception tout aussi banale et approximative que l'on a de la période à laquelle Debussy exerça son activité créatrice : le tournant des XIXe et XXe siècles, années assimilées soit à l'impressionnisme, en y rapprochant son sens de la couleur et son art du flou, soit aux prémices de la modernité dont il a les audaces et l'éclectisme.

Dans sa livraison de juillet 2012, la revue mensuelle anglaise *Gramophone* propose une discographie idéale dans l'actualité des parutions honorant le 150e anniversaire du musicien français. On y trouve défendus ces deux avis « historiques » argumentés :

> L'exécution par Aimard des *Images*, dont les *Reflets dans l'eau*, avec celles des 12 *Études* révèlent justement comment l'écriture de Debussy sonnait moderne pour son temps.

et :

> Une exécution terrifiante qui allie intensité atmosphérique avec ampleur et clarté, et avec une palette orchestrale qui infailliblement fait apparaître le monde sonore debussyste[1].

Au-delà de son ancrage historique, la discographie debussyste présente une physionomie qui renseigne sans doute sur certains des ingrédients favorables au « succès » d'un enregistrement. Là encore, elle réussit dans son aptitude à en concilier ou juxtaposer de contraires. Le catalogue de Debussy, souvent riche d'états préparatoires, d'adaptations ultérieures, offre un réservoir d'inédits pour des consommateurs curieux[2] et des interprètes cherchant à se singulariser.

---

1. À propos respectivement de la part occupée par Pierre-Laurent Aimard dans la compilation « Debussy essentials » publiée par Warner classics et de l'enregistrement de *La Mer*, *Prélude à l'Après-midi d'un faune* et *Jeux* par le London Symphony Orchestra dirigé par Valery Gergiev.

2. Ainsi ces quatre mélodies inédites dédiées à madame Vasnier enregistrées par Natalie Dessay et Philippe Cassard, Virgin classics 730768 2, 2012.

Enregistrer une œuvre de Debussy compte parmi les initiatives attendues de tout jeune musicien ; c'est le cas de deux jeunes pianistes : Joyce Yang, née à Séoul en 1986 et médaille d'argent du Concours Van Cliburn, qui est présentée comme la prochaine Lang Lang[1] ou la chinoise Di Xiao[2]. Dans le même temps, les éditeurs s'appliquent à maintenir les interprétations des grands aînés.

Ces pages de Debussy sont confiées à des effectifs instrumentaux eux aussi variés et alternatifs : certains « normalisés », comme l'orchestre symphonique, le quatuor à cordes ou le piano, mais d'autres plus rarement sollicités comme solistes, tels la flûte, la harpe ou l'alto. C'est ainsi que s'est constitué un corpus de titres incontournables, sans cesse repris, et une réserve de pièces « recours » pour les instrumentistes en quête de répertoire. Tout flûtiste inscrit *Syrinx* sur un disque ! En outre cette grande versatilité rend légitimes les transcriptions et les adaptations – dont certaines fort exotiques :

> Debussy fit travailler sa *Sonate pour flûte, alto et harpe* à Pierre Jamet. Pierre Jamet obtint de Debussy la transcription de cette *Fille aux cheveux de lin* et l'indication d'autres œuvres qui pouvaient sans dommage passer à l'instrument nappé de cordes. [...] Cette *Fille aux cheveux de lin* en dépit même de Debussy me paraît gagner davantage. Ce n'est point par Gieseking ou par Sancan que je vais la réécouter sous sa forme transposée, mais par Zino Francescatti qui est un grand violoniste[3].

Debussy a certes composé beaucoup d'œuvres mais nombre d'entre elles sont courtes ou du moins sécables et la quantité de musique reste maîtrisable : aussi peut-on multiplier les compilations mais également offrir des intégrales[4].

Des pages à l'écriture originale, dont l'emblème est *Jeux*, sont admises dans le cercle des tenants de la modernité mais nombre de pièces de genre, souvent assorties de titres évocateurs, notamment d'images visuelles, semblent particulièrement propices à l'illustration

1. Joyce Yang, *Estampes,* dans *Collage* (avec des œuvres de Currier, Schumann, Liebermann, etc.), 2012, Avie AV2229.
2. Di Xiao, *Deux arabesques,* dans *Journey* (avec des œuvres de Chopin, Elgar, Grieg, etc.), piano, 2012, Ecstasy 11DX01.
3. José Bruyr, *Disques,* janvier 1959.
4. Au piano celles de Walter Gieseking, Albert Ferber ; de la musique de chambre autour de Michael Tilson Thomas, etc. ; pour orchestre, l'enregistrement de Jean Martinon.

sonore d'expositions (notamment de peintres impressionnistes) ou à celle de films documentaires ou de fiction. Ces pièces sont aussi prisées pour signifier des atmosphères favorables à la méditation ou à la rêverie, accrocheuses au-delà même des adeptes du *new age*, une cible semble-t-il choyée par l'édition phonographique. Récemment, le pianiste Jérôme Granjon a intitulé un récital *Dans les brouillards*, du fait de la présence au programme, aux côtés d'œuvres de Scriabine ou Schoenberg, de préludes du second Livre[1]. *Clair de lune* fait partie des pièces qui figurent parmi les « tubes ».

Debussy est donc présent dans tous les secteurs de la production phonographique : celle des marques spécialisées, des interprètes « locaux » mais aussi, pour certains titres, dans le champ de la mondialisation médiatique qui fut dès l'origine celui de l'industrie phonographique. L'identité nationale si souvent soulignée n'est pas, au contraire, un obstacle à l'internationalisation du catalogue. On constate en effet toujours une forte présence d'artistes français dans la musique enregistrée de Debussy. Sa musique de chambre notamment semble réclamer leur style de jeu idiomatique. Le *Quatuor à cordes* a ainsi fait l'objet d'une récente rétrospective dans les pages de *Gramophone*[2]. À l'image de José Bruyr qui, en 1956, préférait la version du Quatuor Loewenguth (éditée en 1953) de cette œuvre « si essentiellement française, si bien "France" jusqu'en ses fibres intimes [...] qu'il semble qu'elle ne puisse être rendue que par des interprètes nés sous notre ciel[3] », Caroline Gill, soulignant les traits qu'il convient d'y trouver, en affirme la nature intrinsèquement française, « étant donné que cette œuvre est l'un des premiers quatuors à cordes français qui sonne proprement français[4] ». Elle la dénie toutefois à l'interprétation jugée trop « appuyée » du Quatuor Ébène mais la discerne tant dans l'exécution « patrimoniale » du Quatuor Ysaÿe que dans celle de l'Arcanto Quartett, car écrit-elle, « le caractère français est déjà contenu dans les portées de l'œuvre : la réussite d'interprétations non-françaises tient dans la manière dont elles permettent à la musique de respirer comme française, et de s'en remettre à elle[5] ».

1. Jérôme Granjon, *Dans les brouillards* (avec des œuvres de Janáček, Scriabine, Schoenberg), piano, 2012. Anima records.
2. Caroline Gill, « Fantastical, dreamlike and instrinsically French », *Gramophone*, August 2012.
3. José Bruyr, *Disques*, Noël 1956.
4. *Ibid.*
5. Caroline Gill, « Fantastical, dreamlike and instrinsically French », article cité.

Même si elle est accordée à des artistes étrangers, notamment aujourd'hui à de jeunes musiciens venus d'Asie, cette aptitude à rester français confirme le caractère « classique » attaché désormais à l'œuvre de Debussy :

> Entendre ainsi *Syrinx* sonner sous les lèvres d'un artiste transalpin. N'est-ce pas la preuve qu'elle devient un classique de l'instrument ? En changeant de patrie elle perd ses caractéristiques de souplesse désinvolte et de coulante intonation que lui confèrent les flûtistes français. Elle révèle, en revanche, une fermeté, une nervosité d'articulation, un relief d'arêtes qui, pour lui donner un autre aspect, ne lui confèrent pas une signification moindre[1].

1. Jean Germain, « À propos de *Syrinx* par Severino Gazzeloni (Véga C-37-S-173) », *Disques*, Noël 1958.

Les premiers enregistrements de *Pelléas et Mélisande*

David Grayson

Lorsqu'on demanda à Mary Garden, la créatrice du rôle de Mélisande, ce qu'elle pensait de l'enregistrement de *Pelléas et Mélisande* réalisé par Roger Désormière en 1941, elle répondit par des propos généraux sur les enregistrements de l'opéra : « Je n'ai jamais entendu de représentations enregistrées de *Pelléas et Mélisande*, et je ne veux pas en entendre – cet opéra est comme moi, il faut le *voir*, et non pas l'entendre à travers les airs[1]. » Au moment où elle écrivait ces mots, en 1951, l'enregistrement de Désormière était encore le seul intégral existant. Celui d'Ernest Ansermet devait paraître l'année suivante, et d'autres allaient suivre avec une certaine régularité, puisque l'avènement de l'ère du microsillon avait facilité la commercialisation d'opéras complets[2].

Le commentaire de Mary Garden, pour amusant qu'il soit, reflète aussi l'opinion de Debussy, telle qu'il la formule en 1896, lorsqu'il refuse

---

1. Lettre de Mary Garden à un admirateur, 13 août 1951, citée dans David Grayson, *The Genesis of Debussy's « Pelléas et Mélisande »*, Ann Arbor, Michigan, UMI Research Press, 1986, p. 106.

2. Quelques discographies utiles de *Pelléas* : Margaret G. Cobb, *Discographie de l'œuvre de Claude Debussy* [1902-1950], Genève, Minkoff, 1975, p. 16-24 ; François Pouget, « Discographie » *Debussy : Pelléas et Mélisande, L'Avant-scène opéra*, n° 9, 1977, p. 108-110 ; Felix Aprahamian, « Debussy : *Pelléas et Mélisande* », dans *Opera on Record*, Alan Blyth (dir.), Londres, Hutchinson, 1979, p. 629-636 ; et Malcolm Walker, « Discography », dans *Claude Debussy : Pelléas et Mélisande*, Roger Nichols et Richard Langham Smith (dir.), Cambridge Opera Handbook, Cambridge University Press, 1989, p. 204-205.

d'autoriser le violoniste et chef d'orchestre Eugène Ysaÿe à donner des scènes de *Pelléas et Mélisande* en version de concert. Le compositeur n'était pas d'accord avec le fait de sélectionner des extraits pour les exécuter en concert, donnant pour raison que « d'abord, si cette œuvre a quelque mérite c'est surtout dans la connexion du mouvement scénique avec le mouvement musical, il est donc évident et indubitable que cette qualité disparaîtrait dans une exécution au concert, et l'on ne pourrait en vouloir à personne de ne rien comprendre à l'éloquence spéciale des "silences" dont est constellée cette œuvre[1] ». En 1906, il s'oppose à un projet analogue de la Royal Philharmonic Society de Londres, expliquant : « Non seulement *Pelléas* est impossible au concert, mais on ne peut en détacher des parties, la composition de cet ouvrage s'y refusant absolument. » Et d'ajouter : « Du reste comme il est probable qu'il sera représenté à Londres, c'est une raison de plus pour éviter toute exécution au concert[2]. » La première représentation londonienne espérée a lieu trois ans plus tard, en mai 1909.

Une fois *Pelléas et Mélisande* devenu une œuvre familière grâce aux représentations scéniques, Debussy renonce à son intransigeance. Le 30 juin 1917, au cours d'une saison durant laquelle *Pelléas* n'est pas joué à l'Opéra-Comique, des membres de la troupe exécutent des scènes de l'opéra chez Élisabeth de Gramont, duchesse de Clermont-Tonnerre[3]. Les scènes choisies sont mises en scène, avec décor et accessoires, mais seulement accompagnées au piano. Yvonne Brothier, qui chante Mélisande, est la seule à interpréter son rôle pour la première fois, et elle a de ce fait besoin de cinq répétitions particulières ; les autres chanteurs, Jean Périer dans le rôle de Pelléas, Henri Albers dans celui de Golaud et Suzanne Brohly en Geneviève, avaient tous participé à des représentations de *Pelléas* avant le début de la Première Guerre mondiale[4].

---

1. Lettre de Claude Debussy à Eugène Ysaÿe, 13 [octobre] 1896, *Correspondance*, p. 325-326.
2. Lettre de Claude Debussy à Frédéric Cowen, 24 septembre 1906, *Correspondance*, p. 972.
3. À Paris, 67, rue Raynouard, dans un hôtel où avaient habité Maeterlinck et Georgette Leblanc.
4. David Grayson, « Debussy in the opera house : an unpublished letter concerning Yniold and Mélisande », *Cahiers Debussy*, n° 9, 1985, p. 28. On répéta quatre scènes : acte I, scènes 1 et 3, acte II, scène 1 et acte III, scène 1, mais il se peut que seules les trois dernières aient été représentées. S'il en fut ainsi, cela veut dire que Golaud eut très peu à intervenir.

Livret
de
M. MÆTERLINCK

Pelléas et Mélisande

Drame lyrique en 5 actes et 12 tableaux
Représenté au Théâtre de l'Opéra-Comique

Musique
de
C. DEBUSSY

Paris, E. Fromont, éditeur, 40, rue d'Anjou.

Les récitals sont également exemptés de l'« interdit » : en 1908, Jane Bathori et son mari, Émile Engel, peuvent ainsi interpréter deux scènes de l'opéra (acte III, scène 1, et acte IV, scène 4), la soprano jouant également l'accompagnement de piano. Le critique Henry Gauthier-Villars, qui écrit dans *Comœdia* sous le pseudonyme de « L'Ouvreuse », décrit l'exécution avec piano comme « une reproduction au crayon noir de la plus pointilliste des toiles », trouvant néanmoins les scènes « incroyablement émouvantes » grâce à l'« art infini d'intonations évocatrices, d'indications de physionomie et de demi-gestes » des chanteurs[1].

La question des extraits est également soulevée dans un contexte tout à fait différent, en relation avec les annonces et les reportages qui accompagnent dans la presse la première représentation parisienne de *Pelléas et Mélisande*. Pour certains comptes rendus et pour quelques articles faisant la promotion de l'opéra, Debussy fournit de brefs exemples musicaux d'une longueur de 3 à 27 mesures afin d'accompagner des photographies de la production et de ses décors[2]. Si leur valeur évocatrice est propre à accompagner des photos, ils sont cependant trop courts pour être interprétés.

Des extraits plus amples sont publiés dans les suppléments musicaux de certains journaux. Le plus important d'entre eux est sans doute l'air de la tour de Mélisande, « Mes longs cheveux », présenté dans *Les Annales politiques et littéraires* du 11 mai 1902 sous forme de morceau de concours que l'on peut exécuter comme une mélodie pour voix et piano (voir illustration)[3]. Malgré la présence d'indications scéniques, y compris la mention de l'entrée de Pelléas pendant les mesures conclusives, la fin de l'air de Mélisande est réécrite de façon relativement simple donnant une impression qui diverge de l'opéra. De ce point de vue, il est différent de la version fragmentaire publiée

1. Extrait de *Comœdia*, 25 mai 1908, cité dans Debussy, *Correspondance*, p. 1079, note 4. Le concert dont il s'agit avait eu lieu le 24 mai 1908. Dans une lettre de [février 1908] à Bathori, Debussy s'oppose à une représentation de *La Damoiselle élue* avec piano (*Correspondance*, p. 1068).

2. Adolphe Jullien, « Théâtre National de l'Opéra-Comique : *Pelléas et Mélisande* », et Louis Lastret, « Autour de la pièce », *Le Théâtre*, n° 84, 1902, p. 5-22 ; « *Pelléas et Mélisande* », *L'Art du théâtre*, n° 21, 1902, p. 155-159 ; Camille Mauclair, « *Pelléas et Mélisande* », *La Revue universelle*, n° 65, 1902, p. 331-333.

3. Dans la notice annonçant le choix des extraits, on lit : « Nous donnons, dans le Supplément, un des morceaux les plus expressifs de *Pelléas et Mélisande*, cette œuvre si contestée, mais si curieuse, du jeune maître Debussy », *Les Annales politiques et littéraires*, vol. 38, 1902, p. 298.

dans le supplément du *Monde musical* du 15 mai 1902 : celle-ci suit la partition vocale et s'interrompt simplement avec l'indication que la scène continue, même si la didascalie signalant l'entrée de Pelléas est omise. Deux autres extraits sont publiés dans ce supplément mais leur caractère fragmentaire les rend également injouables. Dans un air de Pelléas tiré de la même scène (mesures 118-151), au cours duquel il s'extasie sur les cheveux de Mélisande, les interventions de celle-ci sont supprimées des mesures introductives et conclusives, et l'harmonie finale de l'extrait reste indécise. La même chose vaut pour le troisième extrait, première phrase du Médecin (mesures 1-18) tirée du début de l'acte V. Un long extrait de ce dernier acte (mesures 121 à 196 entre Golaud et Mélisande) est publié lui aussi de façon fragmentaire dans le supplément de *L'Illustration* du 12 avril 1902[1]. Intitulé explicitement « fragment », il commence et s'achève avec des passages sans accompagnement, laissant même la question finale de Golaud sans réponse.

Pelléas ayant fait la preuve de sa rentabilité commerciale, Durand publie entre 1905 et 1908 quatre extraits de la partition vocale, dans des éditions bilingues, française-anglaise et allemande-italienne : un duo de Pelléas et Mélisande, et des airs de Geneviève, de Pelléas et d'Arkel. Ils sont destinés au récital, comme en témoigne l'absence de matériel d'orchestre. Les extraits français-anglais, surtout le volume intitulé *Récit de Geneviève : La lettre*, se vendirent suffisamment bien pour justifier des réimpressions. Même s'ils donnent une impression trompeuse de l'opéra dans son ensemble, ils répondent donc bien à un besoin commercial.

D'un point de vue conceptuel, ces extraits fournissent aussi les modèles des premiers enregistrements de l'opéra inaugurés par le célèbre enregistrement sur cylindres de l'air de la tour de Mélisande, « Mes longs cheveux », accompagné de trois *Ariettes oubliées*, que Mary Garden et Debussy réalisent en février 1904 pour la Gramophone & Typewriter Company Ltd[2]. Garden se plaignit

1. *L'Illustration*, n° 3085, 12 avril 1902, p. 49-53.

2. « Il pleure dans mon cœur », « L'Ombre des arbres » et « Green » (Gramophone & Typewriter Company, G&T 33447 à 33451). Un enregistrement antérieur, non commercialisé, a probablement été perdu pour toujours : il s'agit d'un enregistrement privé sur cylindre réalisé par Debussy juste avant la première représentation et dans lequel il chantait et jouait la « Mort de Mélisande ». Des écoutes répétées l'auraient définitivement usé. Voir René Peter, *Claude Debussy*, Paris, Gallimard,

des conditions d'enregistrement de cette époque. « Aucun artiste, déclara-t-elle, ne pourrait être détendu, ou chanter avec la concentration nécessaire pendant qu'un appareil d'enregistrement l'asperge de fragments de cire[1]. » Dans ses mémoires, elle jugea « horribles » ces enregistrements particuliers, tout en reconnaissant : « À mon sens, [leur réimpression] ne pourrait avoir qu'une seule valeur. Les gens auraient la possibilité d'entendre Debussy au piano, et les femmes qui chantent Mélisande devraient écouter et réécouter ces disques. Elles comprendraient alors quel tempo adopter. Sinon, ces disques sont sans valeur. Debussy n'avait pas eu beaucoup de plaisir à les faire. Mais il n'avait jamais beaucoup de plaisir à faire quoi que ce soit, sauf à composer de la musique[2]. » Debussy en revanche avait conscience de la valeur commerciale que pouvait avoir son avis, aussi formula-t-il un témoignage élogieux destiné à être publié dans le numéro de mars 1904 des *Gramophone Nouvelles* : « Comme à tous ceux qui l'ont entendu le Gramophone me semble un merveilleux instrument. Au surplus, il assure à la musique une totale et minutieuse immortalité et, en cela est-il peut-être indispensable[3]. »

Cet enregistrement historique peut nous apprendre beaucoup de choses, concernant en premier lieu la partition. La décision de ne pas commencer par la première mesure, mais par la répétition du matériau d'ouverture à la mesure 10 peut avoir été une concession au temps limité qu'imposait la technologie. Il est plus vraisemblable de supposer que Debussy aura trouvé le prélude trop long dans ce contexte – où il devait servir d'introduction à un air plutôt que de prélude à une scène de théâtre –, le coupant ainsi pour des raisons esthétiques[4]. Pour l'enregistrement de cet air, Debussy composa également une brève conclusion de concert différente de celle qui avait été publiée deux ans auparavant dans *Les Annales politiques et*

1944, p. 198. Voir aussi dans ce volume, Roy Howat, « Les enregistrements historiques des mélodies de Debussy. Des sources pour l'interprétation », p. 253-261.

1. Michael T.R.B. Turnbull, *Mary Garden*, Portland, Oregon, Amadeus, 1997, p. 39.

2. Mary Garden et Louis Biancolli, *Mary Garden's Story,* New York, Simon and Schuster, 1951, p. 234.

3. Lettre de Debussy à Alfred Clark, 21 février 1904, *Correspondance*, p. 829. Voir aussi dans ce volume Élizabeth Giuliani, « Debussy et le disque », p. 223-238.

4. La même brève introduction apparaît dans « Les cheveux », arrangements de Léon Roque pour piano seul et piano à quatre mains de la musique de cette scène.

littéraires. Cet enregistrement présente donc un texte musical nouveau et indépendant, qui n'a jamais été publié.

Suivant l'indication de Mary Garden, il convient d'être attentif au tempo et au rythme, même s'ils ne sont pas faciles à quantifier à cause des variations de vitesse. Le prélude porte l'indication « Doux et calme » et Debussy adopte un tempo d'environ 46 à la blanche pointée, c'est-à-dire le plus rapide qu'on puisse entendre. L'entrée de Mélisande s'accompagne d'un changement de mesure (de 6/4 à 4/4) et d'un nouveau tempo, « Modéré et librement ». Malgré une souplesse rythmique autorisée par l'indication de tempo et convenant à une mélodie *a cappella*, Garden conserve un tempo plus ou moins proportionnel à celui du prélude, ses noires étant l'équivalent des blanches pointées de Debussy, bien qu'elle ralentisse considérablement pendant la première partie de son air. À la mesure 24[1], où réapparaissent deux mesures du matériau du prélude, Debussy ne reprend pas son tempo original, mais adopte une vitesse plus lente, adaptée à celle de l'air de Mélisande, sa noire étant l'équivalent de la croche initiale (c'est-à-dire la noire à 96-100, ou la blanche pointée à environ 32). Il adopte également le même tempo lent à la mesure 31, pour les mesures finales de l'air.

L'interprétation de Mary Garden est frappante également parce qu'elle supprime deux demi-mesures de pause, à la mesure 18, juste avant son entrée, et à la mesure 27, pendant la seconde partie de son air. Lorsque l'on n'a pas de représentation visuelle, les silences peuvent être embarrassants, que ce soit dans des enregistrements, des émissions de radio ou des conversations téléphoniques. Et si l'on se souvient de la remarque de Debussy à Ysaÿe sur « l'éloquence spéciale » des silences à l'opéra qui se comprend seulement lors d'une représentation scénique, on se demande si l'élimination de ces demi-mesures de pause n'est pas une concession à l'enregistrement, qui ne refléterait pas pour autant l'interprétation scénique de Mary Garden. Dans le cas de la première pause, cette explication est plausible. Lors de la représentation à l'Opéra-Comique, le rideau se levait à la mesure 16, trois mesures seulement avant le début de l'air de Mélisande. La demi-mesure de silence avant qu'elle ne commence à chanter donnait au public le temps d'apprécier la vision saisissante de Mélisande dans

1. Les numéros des mesures renvoient à la partition publiée plutôt qu'à l'enregistrement, qui omet les neuf premières mesures.

la tour. En l'absence de mise en scène, ce silence prolongé est moins nécessaire. Quoi qu'il en soit, la suppression du deuxième silence, à la mesure 27, pendant la deuxième partie de son air, est moins facile à expliquer par ces mêmes raisons, et représente plus vraisemblablement une habitude profondément ancrée de Mary Garden – qui fait également preuve d'autres excentricités rythmiques. Elle raccourcit par exemple les mesures 26 et 28 en ignorant les valeurs pointées du second temps (sur « Daniel » et « Michel » respectivement), les transformant ainsi en mesures à 7/8, et elle traite le triolet du troisième temps de la mesure 29 comme des croches, en supprimant le demi-soupir initial et en commençant sur le temps. Dans la mesure 30 également, elle exécute l'indication « en retenant » en omettant le second temps, ce qu'elle compense en allongeant les triolets à la valeur de véritables croches, avec un *ritardando* pendant le dernier temps[1]. Pourtant, ce serait sûrement une erreur de juger le rythme de Garden d'après les normes modernes, comme des entorses au texte imprimé, surtout dans ce *faux* air populaire sans accompagnement. Lorsqu'ils ne sont pas contraints par un accompagnement mesuré, les chanteurs populaires sont libres de modifier les rythmes en fonction du texte. Ici, comme l'a fait remarquer Richard Langham Smith à propos des enregistrements de la musique de Debussy par Garden, le langage et la diction prédominent[2]. Même avec la souplesse de son tempo, le rythme de Garden est structuré – de manière peut-être originale, mais profondément émouvante.

Le deuxième enregistrement commercial de *Pelléas* parut deux décennies plus tard, en 1924, grâce à l'initiative de Piero Coppola, pianiste et chef d'orchestre né en Italie, qui venait d'être nommé l'année précédente directeur artistique de la filiale française de la Gramophone Company, La Voix de son Maître. Cette maison de disques préférait la musique légère, plus lucrative, et les pots-pourris d'opéras populaires[3], mais Coppola réussit à convaincre ses dirigeants de sou-

1. Voir les commentaires par Richard Langham Smith des souvenirs de Ninon Vallin expliquant que Debussy insistait sur le fait « que les duolets et les triolets… doivent être parfaitement équilibrés » (« Debussy on Performance : Sound and Unsound Ideals », dans *Debussy in Performance*, James R. Briscoe (dir.), New Haven, Yale University Press, 1999, p. 14.

2. *Ibid.*, p. 19.

3. Piero Coppola, *Dix-sept ans de musique à Paris : 1929-1939*, Lausanne, Librairie F. Rouge, 1944, reprint Genève, Slatkine, 1982, p. 46.

tenir son projet d'enregistrer de la musique française « sérieuse », et tout spécialement moderne, afin de la rendre populaire. Il est vrai que son baptême des studios d'enregistrement se fit en mai 1923 avec des extraits de *Ciboulette* de Reynaldo Hahn, mais en décembre, il commença à enregistrer son répertoire favori : les préludes aux actes II et III d'*Ariane et Barbe-Bleue* de Paul Dukas, les *Danses* tirées de *Marouf* de Rabaud, *España* de Chabrier, la *Symphonie en ré mineur* de Franck, le *Carnaval romain* de Berlioz et, en octobre 1924, des extraits de *Pelléas et Mélisande*[1]. Ceux-ci sont donc le premier épisode dans la série d'enregistrements pionniers de Debussy par Coppola, qui se poursuit jusque vers 1938 et comprend un bon nombre de premiers enregistrements[2].

Coppola avait découvert la musique de Debussy par les interprétations d'Arturo Toscanini et, en 1911, il avait entendu le compositeur lui-même diriger certaines de ses œuvres à Turin[3]. Il se flattait d'avoir été en correspondance épistolaire avec Debussy, mais cela semble s'être limité à une demande d'exemplaires gratuits de partitions que le compositeur lui refusa, alléguant la pingrerie de Durand. Quand Coppola arriva à Paris, il assista aux représentations de *Pelléas* à l'Opéra-Comique. Bien que l'interprétation de l'orchestre n'ait pu effacer son souvenir vénéré de la production de La Scala dirigée par Toscanini, il réagit avec enthousiasme à la Mélisande de Marguerite Carré et à la représentation dans son ensemble. Mais il fut consterné par la salle à moitié vide et par la tiédeur des applaudissements[4]. Aussi,

1. Alan Kelly, *His Master's Voice/La Voix de son Maître : The French Catalogue*, Westport, Connecticut, Geewood Press, 1990, p. 51-52.

2. Au cours de ces années, Coppola enregistre aussi des œuvres orchestrales d'autres compositeurs français du XIXe et du XXe siècle, parmi lesquels Chausson, d'Indy, Fauré, Honegger, Lalo, Ravel, Reyer, Roussel, Saint-Saëns et Schmitt. La liste des compositeurs s'allonge encore quand on y ajoute les œuvres vocales.

3. Le programme turinois de Debussy le 25 juin 1911 était le suivant : *Children's Corner* (orchestré par Caplet), *Prélude à l'Après-midi d'un faune* et *Ibéria*, à quoi s'ajoutaient l'ouverture de *Gwendoline* de Chabrier, la *Sarabande* de Roger-Ducasse et le prélude à l'acte III d'*Ariane et Barbe-Bleue* de Paul Dukas. Voir *Correspondance*, p. 1432. Voir aussi Andrea Stefano Malvano, « Claude Debussy à l'Exposition internationale de Turin en 1911 », *Cahiers Debussy*, n° 36, 2012, p. 25-46.

4. Coppola identifie le chef d'orchestre comme étant M. Catherine, c'est-à-dire probablement André Catherine, qui faisait partie de l'équipe des chefs d'orchestre de l'Opéra-Comique, mais son souvenir peut être fautif (*Dix-sept ans de musique à Paris*, *op. cit.*, p. 19).

espérant que ses enregistrements de *Pelléas* pourraient mettre fin à cette apathie du public, il les présenta comme un projet prestigieux, annonçant leur sortie dans un communiqué spécial orné de photographies. Le public qu'il visait n'était pas seulement le grand public, mais aussi les musiciens professionnels, et il était convaincu que ses disques de *Pelléas* allaient mettre fin au mépris que les musiciens parisiens avaient pour les enregistrements[1]. On verra plus loin que l'un des musiciens qui ne se laissa pas si aisément convaincre fut le chef d'orchestre Désiré-Émile Inghelbrecht.

Les enregistrements de *Pelléas* par Coppola firent l'objet d'un compte rendu exceptionnellement long dans la rubrique « Les Disques phonographiques » du *Figaro* du 10 mai 1925, certainement parce que son auteur, Jean Messager, était le fils de celui qui avait dirigé la première de l'opéra, et qu'à en croire Coppola il avait pris conseil de son père pour écrire son compte rendu[2]. Messager loue l'ambition du projet, le déclarant un succès complet, même s'il juge les disques imparfaits à cause des problèmes posés par le procédé d'enregistrement. On avait été obligé de réduire l'orchestre à un ensemble de tout au plus trente musiciens[3], ce qui nuit à l'équilibre, en particulier dans certains interludes. Les extraits des scènes sont meilleurs, le choix des chanteurs surtout étant digne d'éloges. Tous avaient une diction parfaite : Yvonne Brothier dans le rôle de Mélisande, Charles Panzéra dans celui de Pelléas, Vanni-Marcoux dans celui Golaud et Willy Tubiana dans celui d'Arkel. La voix de Tubiana était peut-être trop pleine pour un vieillard, mais si les interprétations des chanteurs manquaient quelque peu de souplesse, cela pouvait être dû à la disposition du studio : le chef d'orchestre était placé derrière les chanteurs et de ce fait les obligeait à chanter en respectant strictement le tempo, toute inflexion risquant de compromettre l'ensemble. Messager conclut son compte rendu en remerciant Coppola pour son dévouement à la noble tâche de populariser la « bonne musique ».

L'année suivante, en 1925, le procédé d'enregistrement électrique fut inauguré, mais la filiale française de la Gramophone Company

1. Piero Coppola, *Dix-sept ans de musique à Paris*, *op. cit.*, p. 48.
2. *Ibid.*, p. 49.
3. D'après Coppola le nombre maximum de musiciens pour un enregistrement acoustique était de trente, même pour la *Symphonie fantastique* (*ibid.*, p. 47).

mit du temps à adopter cette nouvelle technologie. Le premier enregistrement orchestral électrique de Coppola, *L'Apprenti sorcier* de Paul Dukas, est réalisé le 5 novembre 1926 avec un orchestre de soixante musiciens ; trois jours plus tard, il enregistre *La Péri*[1]. Grâce à cette technique supérieure, et avec un orchestre plus important à sa disposition, Coppola se propose de remplacer certains de ses enregistrements acoustiques qui avaient eu du succès par de nouveaux enregistrements électriques. *Pelléas* figure tout en haut de sa liste, et les nouveaux enregistrements sont faits avec la même distribution en mars et octobre 1927.

Les réimpressions récentes sur disques compacts par les labels Pearl et Andante des enregistrements de 1927 redistribuent, de manière assez raisonnable, les faces des 78 tours dans l'ordre de la partition, mais ce faisant, elles ne respectent pas la disposition des enregistrements originaux, ni le type d'écoute pour lequel ils étaient prévus[2]. Ces derniers furent publiés en trois parties : trois disques de 25 cm comprenant six interludes[3], un disque de 25 cm pour les deux extraits avec Golaud[4], et trois disques de 30 cm pour les scènes où interviennent Pelléas, Mélisande et Arkel[5]. Les six faces comprenant les interludes furent donc publiées non pas afin de relier des scènes

1. Alan Kelly, *His Master's Voice*, *op. cit.*, p. 52 ; Coppola, *Dix-sept ans de musique à Paris*, *op. cit.*, p. 66.

2. « Debussy : *Pelléas et Mélisande*. Charles Panzéra » (Pearl GEMM CD 9300, 1998) avec Charles Panzéra ; « Debussy : *Pelléas et Mélisande*. Premiere Recording (1941). Abridgements and Extracts [1927-1930] » (Andante 3990, 2002). Une autre réédition en disque compact, « Debussy : *Pelléas et Mélisande*. A Collector's *Pelléas* » (VAI VAIA 1093, 1995), commence par des extraits enregistrés par Georges Truc en 1928, présentés suivant l'ordre de la partition. Ils se terminent par la scène 1 de l'acte III, et sont suivis par les extraits dirigés par Coppola, commençant par la scène 3 de l'acte III, et continuant par l'acte IV, également suivant l'ordre de la partition. Le résultat est un opéra en abrégé, assemblé à partir de deux enregistrements de la fin des années 1920. Cette réduction est suivie par les extraits de l'acte II et de l'acte III, scène 1 dirigés par Coppola, qui doublent les fragments dirigés par Truc présentés auparavant. Deux extraits seulement des enregistrements acoustiques de *Pelléas* par Coppola en 1924 ont été réédités en disque compact, ceux réalisés par Vanni-Marcoux, dans « The Complete Vanni-Marcoux » (Marston 56001-2, 2010).

3. Deux interludes de l'acte I, deux de l'acte II et un de chacun des actes III et IV.

4. Tirés de l'acte II, scène 2 et de l'acte IV, scène 2.

5. Tirés de l'acte II, scène 1 ; de l'acte III, scènes 1 et 3 ; et de l'acte IV, scènes 2 et 4.

entre elles, mais pour former une suite d'orchestre ressemblant aux pots-pourris symphoniques habituellement tirés des opéras populaires. Du vivant de Debussy, Durand commercialisa divers pots-pourris tirés de l'opéra, *non pas* les interludes qui furent édités en 1905 en réduction pour piano comme simple complément à la partition vocale, mais des bizarreries comme la *Pelléas Fantaisie*, arrangée pour trio par Henri Mouton (1909)[1] ou pour piano par Léon Roques (1911). Plus tard, les chefs d'orchestre John Barbirolli, Pierre Monteux, Erich Leinsdorf, Claudio Abbado et le compositeur Marius Constant créèrent des suites pour orchestre à partir de *Pelléas*. Et même dans l'enregistrement intégral dirigé par Désormière en 1941, trois des interludes furent placés sur un 78 tours isolé, le dernier du coffret, ce qui permettait de les écouter plus aisément comme des suites pour orchestre séparées plutôt que suivant leur ordre d'apparition dans l'opéra[2]. Coppola n'ayant enregistré aucun extrait du premier acte à l'exception des interludes, on ne dispose pour la version en disque compact d'aucune scène à laquelle les rattacher, et ils sont ainsi purement et simplement omis. Les deux faces de 78 tours représentant l'acte I attendent donc toujours d'être rééditées.

En ce qui concerne les extraits chantés dans l'enregistrement de Coppola, ils furent conçus moins comme des scènes (voire comme des scènes tronquées) que comme des séries de solos et de duos calqués sur les extraits publiés par Durand. Pelléas et Mélisande ont quatre duos, celui de l'acte III s'arrêtant avant l'entrée de Golaud, Golaud chante deux airs seul, et Pelléas et Arkel, un chacun. On a réuni deux fragments pour créer un solo étendu pour Golaud dans l'acte II, scène 2, et là où Mélisande est censée chanter, on entend seulement l'orchestre. De même, pour le solo de Golaud de l'acte IV, scène 2, la partie d'Arkel est supprimée au début et à la fin de l'extrait, alors que son propre solo était extrait de la même scène (mais enregistré un autre jour). De même encore, la partie de Golaud est supprimée à la fin du solo de Pelléas, acte III, scène 3, qui se termine par sept mesures d'accompagnement sans la partie

1. Il existe trois versions (« éditions ») de l'arrangement de Mouton pour trio : pour piano, violon et violoncelle, pour piano, flûte et violon, et pour piano, flûte et violoncelle. Des parties supplémentaires *ad libitum* pour clarinette et contrebasse sont aussi publiées.

2. Le dernier disque de la série, DB 5180, contient les deux interludes de l'acte II et un de l'acte III.

vocale, qui aurait pourtant facilement pu être ajoutée puisque Vanni-Marcoux était présent lors de la séance d'enregistrement. De manière tout à fait étonnante, Mélisande omet une courte réplique pendant le premier de ses duos avec Pelléas, dans l'acte IV, scène 4[1]. Brothier l'a-t-elle simplement oubliée, ou s'agit-il d'une suppression délibérée pour donner à Pelléas un solo plus étendu à l'intérieur de leur duo ?

Nous sommes donc en présence non d'une version abrégée de l'opéra, mais d'une suite pour orchestre accompagnée d'une série de solos et de duos faisant intervenir quelques-uns des protagonistes. Le premier acte n'est représenté que par les interludes, et l'acte V, qui figurait en bonne place parmi les extraits publiés dans les premiers suppléments de journaux, est entièrement omis, comme il l'est aussi des fantaisies instrumentales sur *Pelléas* – la fin de l'acte IV est l'occasion d'une conclusion émouvante en un sens plus conventionnel. Deux des solos les plus attendus sont également absents, l'air de la tour de Mélisande et l'air de la lettre de Geneviève. Si l'on excepte l'omission de ces pages célèbres, l'enregistrement de Coppola traite *Pelléas* dans une large mesure comme n'importe quel autre opéra, présentant de la musique orchestrale plaisante et des « *highlights* » vocaux, même si la nature spécifique de cet opéra aurait semblé exiger un traitement particulier.

Dans son livre paru en 1933, *Comment on ne doit pas interpréter Carmen, Faust, Pelléas*, Inghelbrecht se plaint de la popularisation de l'opéra par le disque, particulièrement quand les chanteurs sont inadaptés, que les chefs d'orchestre manquent d'expérience de la fosse et que les compagnies de disques se refusent à réenregistrer les œuvres déjà inscrites à leurs catalogues[2]. De ce point de vue, *Pelléas* a été mal servi par les extraits enregistrés : « On découvre aussi, en lisant la partition, que Debussy n'eut jamais l'intention d'offrir à la postérité phonographique l'*air de Geneviève*, pas plus que la *Cavatine d'Yniold*, ni même les *Stances d'Arkel* (voulant retrouver le sourire de Mélisande)[3]. » En fin de compte, pourtant, l'objection d'Inghelbrecht ne porte pas tant sur *l'idée* d'enregistrer *Pelléas* que sur les enregistrements disponibles eux-mêmes. Il exprime sa nos-

1. À la mesure 607.
2. Désiré-Émile Inghelbrecht, *Comment on ne doit pas interpréter Carmen, Faust, Pelléas*, Paris, Heugel, 1933, p. 8.
3. *Ibid.*, p. 61.

talgie des artistes qui ont vécu la première de l'opéra, et son admiration pour ceux qui ont su préserver l'*esprit debussyste.* À propos d'André Messager, il se prend à rêver : « Si ses exécutions *inégalées* avaient pu être fixées alors dans la cire, combien s'écrouleraient des traditions dont on prétend déjà affubler le chef-d'œuvre unique[1] ! » Les discussions sur les pratiques d'exécution authentique à l'ère des enregistrements sont souvent confrontées à ce paradoxe : on rêve de témoignages enregistrés qu'il est *impossible* d'avoir, alors qu'on ignore ou qu'on méprise les témoignages « authentiques » qui *sont* disponibles. Nous avons celui de Mary Garden accompagnée par le compositeur, chantant un bref extrait peu après la première, mais qui prend des libertés importantes par rapport à la partition[2]. Et pourtant, au lieu d'examiner cet enregistrement « autorisé », Inghelbrecht choisit de discuter ceux qu'il juge « pauvres » afin de montrer comment l'opéra ne devrait *pas* être interprété[3]. Il faut reconnaître qu'il y a du vrai dans ce qu'il écrit. Il y a néanmoins beaucoup à apprendre des premiers enregistrements sur la réception de l'opéra et sur les pratiques historiques d'interprétation – que l'on veuille ou non adopter ces pratiques pour les exécutions modernes. Il y a aussi beaucoup de plaisir à les écouter.

Traduit de l'anglais par Laurent Cantagrel

1. *Ibid.*, p. 57.

2. Voir par exemple, parmi les enregistrements les plus anciens, ceux de Marthe Nespoulos avec Georges Truc (1928), de Simone Berriau avec Albert Wolff (1930) et même d'Irène Joachim avec Désormière (1941). Que ce soit consciemment ou non, plusieurs Mélisande, anciennes et récentes, ont adopté certaines des suppressions de pauses et des originalités rythmiques de Mary Garden.

3. J'ai commenté la critique faite par Inghelbrecht du *pointage* de Panzéra, qui différait de celui que Debussy avait approuvé à l'origine pour Périer (« Debussy's ideal Pelléas and the limits of authorial intent »), dans *Rethinking Debussy*, Elliott Antokoletz et Marianne Wheeldon (dir.), Oxford University Press, 2011, p. 96-122.

Les enregistrements historiques des mélodies de Debussy
Des sources pour l'interprétation

Roy Howat

Pendant la majeure partie du XXe siècle, les interprètes ont eu rarement accès à des documents « parlants » (à plusieurs égards) d'époque qui aujourd'hui sont susceptibles de marquer fortement notre perception des mélodies de Debussy. Effectués en 1904 par Mary Garden avec Debussy au piano[1], les enregistrements pré-électriques de trois *Ariettes oubliées* (« Il pleure dans mon cœur », « L'Ombre des arbres » et « Green ») et de la chanson « Mes longs cheveux descendent » extraite de *Pelléas et Mélisande* sont demeurés longtemps rarissimes. L'ère du disque compact, et plus encore celle de l'internet, les a enfin rendus largement disponibles, depuis une première reparution en 1988 dans le coffret EMI contenant *Pelléas et Mélisande* dirigé par Roger Désormière[2]. Ce coffret contient également les enregistrements de plusieurs mélodies de Debussy gravés en 1936 par la « deuxième Mélisande », Maggie Teyte, avec Alfred Cortot au piano. Depuis lors, d'autres reports des enregistrements Garden-Debussy ont été faits sur disque compact, notamment par

1. Gramophone & Typewriter Company, G&T 33447 et 33449 à 33451, matrices 3075F à 3078F (précisions selon les notes de la réédition Marston citée ci-dessous), enregistrés à Paris probablement au printemps de 1904 ; pour des précisions supplémentaires voir les diverses rééditions sur disque compact ou Roy Howat, *The Art of French piano music : Debussy, Ravel, Fauré, Chabrier*, Londres et New Haven, Yale University Press, 2009, p. 313-315.
2. Coffret EMI 7 61038 2, le transfert des originaux effectué par Keith Hardwick ; coffret réédité en 2006 (3 45770 2), le transfert refait par Andrew Walter.

Kenneth Caswell[1] et plus récemment par Ward Marston[2]. Cette dernière réalisation réussit à corriger des fluctuations rapides de diapason (« flutter ») dues à une faute technique lors de l'enregistrement original.

Malgré la mauvaise qualité sonore des originaux, on peut beaucoup apprendre de ce qui reste audible, parfois de façon étonnante. À quel point ces enregistrements communiquent-ils l'interprétation idéale souhaitée par Debussy et Mary Garden ? À quel point peuvent-ils avoir été trahis ou compromis par les circonstances et les limites techniques d'enregistrement ? On peut avancer quelques conclusions en suivant deux pistes : d'une part la teneur de quelques commentaires faits longtemps après par Mary Garden, d'autre part et surtout une étude comparative des enregistrements et de l'édition qui paraît avoir servi aux interprètes, celle des *Ariettes oubliées* éditée en 1903 par Fromont, porteuse d'une nouvelle dédicace de Debussy à Mary Garden[3]. Comme preuve supplémentaire, nous étudierons brièvement des enregistrements postérieurs effectués par deux autres chanteuses qui ont travaillé avec Debussy : Maggie Teyte avec Alfred Cortot, et Jane Bathori qui s'accompagne au piano (1928)[4]. Pour l'interprétation moderne, la comparaison soulève des questions assez radicales concernant le rapport rythmique, même structurel entre la voix et le piano.

Pour Mary Garden on se concentrera ici sur l'enregistrement de « Il pleure dans mon cœur[5] ». Comme celui de « Green », il étonne

1. *Claude Debussy : The Composer as Pianist : All his Known Recordings*. The Caswell Collection, vol. 1, réalisé par Kenneth Caswell en 2000 (Pierian 0001).

2. Marston Records 52054-2, *Legendary Piano Recordings : The Complete Grieg, Saint-Saëns, Pugno, and Diémer*, 2008 (stabilisation de diapason effectuée par Dimitri Antsos).

3. Vers la fin de « L'Ombre des arbres », Mary Garden suit la ligne vocale remaniée de l'édition Fromont et non celle de l'édition originale (Girod, 1888) ; à la mesure 36 de « Green » elle observe sensiblement la nuance « *serrez* » qui ne paraît que dans l'édition Fromont. Par contre, huit mesures avant la fin de « Il pleure dans mon cœur » Debussy joue sol♯/ré♯ à la basse comme imprimé dans l'édition de 1888, et non le sol♯ seul de la réédition de 1903. Bien que cela suppose qu'il utilisait un exemplaire de 1888 (peut-être annoté en vue de l'édition Fromont : un ou deux tels exemplaires sont connus), il est possible que son jeu y atteste simplement la force de l'habitude.

4. Marston Records 51009 (1999) : *Jane Bathori, The Complete Solo Recordings*.

5. Pour une discussion plus complète des trois *Ariettes* dans ces enregistrements voir Roy Howat, *The Art of French piano music*, *op. cit.*, p. 313-315.

immédiatement par le tempo adopté par le compositeur-pianiste, beaucoup plus rapide que dans tout autre enregistrement connu et certainement très différent des normes en usage par la suite. Commençant aux environs de 144 à la noire, le tempo se stabilise aux alentours de 126 à la fin de la quatrième mesure, à l'entrée de Mary Garden. Les doubles croches du début donnent presque une impression de *tremolando* au lieu d'une figuration mesurée, incitant à appliquer l'indication du début, *Modérément animé (triste et monotone)*, à la ligne mélodique de la main gauche, puis de la voix, plutôt qu'à l'ensemble de la partie de piano.

On pourrait se demander si ce tempo, comme celui de « Green », ne résulte pas en partie de la durée limite d'enregistrement des disques de l'époque (environ trois minutes par disque de 25 cm). Dans le cas présent, il semble que non, pour deux raisons. La première est que les deux enregistrements en question, d'une durée respective de 2'15" et 1'39", sont loin d'épuiser la durée maximum possible (en comparaison, « L'Ombre des arbres » adopte un tempo très large et dure 2'24"). La deuxième est que plusieurs décennies plus tard, tout en déplorant les conditions dans lesquelles ces enregistrements ont été effectués, Mary Garden en souligne néanmoins l'utilité quant à l'authenticité de tempo[1]. En effet, ces enregistrements ne donnent jamais l'impression d'avoir bousculé ni la déclamation, ni l'haleine, ni le phrasé musical de Mary Garden : au contraire elle semble y respirer tout naturellement et de manière logique dans et autour des phrases des poèmes.

Malgré cette petite instabilité du tempo de Debussy au tout début de « Il pleure dans mon cœur » (bien compréhensible dans le cadre d'un enregistrement, de même qu'une petite baisse au cours d'un arpège rapide dans « Green »), la caractéristique la plus audible du jeu de Debussy est une rigueur classique de rythme, les mains frappant ensemble sans raideur ni hésitation, même pour des écarts assez acrobatiques dans les arpèges de la main gauche, au début des mesures 19 et 23[2]. De la même façon, son rythme nous emporte directement

---

1. « ... the women who sing Mélisande should listen to those disks over and over again. For they would then understand the tempo to take » (Mary Garden et Louis Biancolli, *The Mary Garden Story*, Londres, Michael Joseph, 1952, p. 216-217).
2. Pour apprécier la virtuosité de Debussy à cet endroit de la partition, il faut se mettre au piano et essayer de l'imiter.

dans la partie centrale (mesure 47, *Plus lent*) sans *rallentando* préparatoire. Au début de la dernière page, l'indication *Molto rallentando* (« Mon cœur a tant de… ») est respectée exactement, suivie de la mention *a Tempo* après deux mesures (comme l'indique l'édition de 1903, au commencement du mélisme sur « peine » ; l'édition de 1888 l'indique quatre mesures plus tard, à la fin du mélisme).

De la part du compositeur, on ne remarque que deux « infractions » par rapport à ses propres indications (il s'agit à chaque fois d'une indication identique dans les éditions de 1888 et de 1903). Comme dans « L'Ombre des arbres » et « Green », ces infractions vont dans le sens du mouvement en avant : cinq mesures avant la fin, Debussy ignore effectivement le court *poco rit.* indiqué seulement pour cette mesure ; et à la mesure 53 de la partition, où il indique *Revenez au 1er Mouvement* pour mener à *1° Tempo* à la mesure 57, il anticipe ouvertement l'arrivée, reprenant *1° Tempo* presque instantanément à la mesure 53. On peut comprendre pourquoi Debussy, en excellent répétiteur, anticipe dans ce dernier cas : Mary Garden fait alors traîner le tempo lors de son entrée au retour du *Primo Tempo*, ce que Debussy, prévoyant, compense et rééquilibre, car les répétitions lui ont sans doute fait prendre conscience du danger.

L'interprétation n'en est pas moins révélatrice : le tempo alerte va de pair avec une fluidité de rythme circulant entre les deux interprètes, comprenant une sorte de *rubato parlando* chez Mary Garden – toujours avec un sens du rythme cohérent – qui plane au-dessus de la mesure plus strictement maintenue au piano par Debussy. Quoique donnant parfois une impression de liberté spontanée, ce *rubato* vocal paraît tout à fait fondé et étudié : une ligne ascendante entraîne parfois une arrivée sur la note aiguë un peu avant le temps (par exemple à la mesure 36), tandis que les phrases descendantes, plus généreusement munies de *portamento*, « atterrissent » parfois un peu tard – sans perturber le piano. On peut essayer d'imaginer quelle serait la réaction provoquée de nos jours dans un studio d'enregistrement : « Excusez-moi, Mademoiselle Garden, Monsieur Debussy, vous n'êtes pas ensemble aux mesures X, Y et Z, pouvons-nous maintenant reprendre ces mesures ? » Dieu merci, la technologie de l'époque ne permettait pas (encore) de tuer cet art subtil que Debussy, sans le moindre doute, présumait et appréciait de ses collaborateurs. Il est également évident que ce genre de *portamento-rubato* n'était pas une forme de maniérisme automatique, car il est absent de l'enregistrement de la chanson de Mélisande (« Mes longs cheveux descendent ») que Mary Garden chante d'une façon plus rustique.

Aucune des mélodies enregistrées par Garden et Debussy ne figure dans la riche collection de mélodies de Debussy enregistrées en 1936 (soit 32 ans plus tard) par Maggie Teyte et Alfred Cortot, cette fois devant un microphone. Maggie Teyte rendit plus tard hommage à la maîtrise de son pianiste[1], qui avait connu Debussy sans en être un ami intime. L'impression contrastée que donnent ces enregistrements provient du style de Cortot, de manière caractéristique par exemple dans « Colloque sentimental » où il se laisse aller à une expressivité ouvertement romantique, à tel point que c'est plutôt Maggie Teyte qui maintient le tempo. Malgré les différences de voix et de style, le chant de Maggie Teyte (*nec plus ultra* magnifique dans cette mélodie) est remarquable par son *parlando-rubato* semblable à celui de Mary Garden : elle serre souvent un peu les notes plus courtes d'une manière qui semble néanmoins « en mesure » (et « parlant »), la fluctuation n'étant perceptible que si l'on vérifie avec le métronome. L'impression contrastée de liberté rhapsodique qui émane du jeu de Cortot provient surtout des mesures où le piano est seul, d'abord au début de la mélodie (décalage constant et généreux entre les mains avec un manque délibéré de définition rythmique dans les figurations), puis dans l'épisode central (Exemple 1, reprenant le motif en arabesque du « rossignol » d'« En sourdine »), dans lequel Cortot laisse alanguir luxueusement les arpèges et les triolets de doubles croches.

1. « I knew enough of Cortôt's [*sic*] poetic playing of Chopin and Schumann to be sure that he would have the special kind of sensibility the music of Debussy needs – a sultry, exotic charm that one finds also in the verse of Pierre Louÿs. There seemed little need of rehearsal, for Cortôt's [*resic*] pliable fingers found at once the inevitable nuances for the music » (Maggie Teyte, *A Star on the door*, London, Putnam, 1958, p. 169). Ces séances paraissent avoir été la première rencontre formelle entre les deux artistes, Cortot ayant été choisi pour l'occasion par Fred Gaisberg, directeur artistique de la compagnie His Master's Voice. Les disques allaient connaître un succès considérable pendant plusieurs décennies, tout comme les rééditions sur microsillon des années 1970.

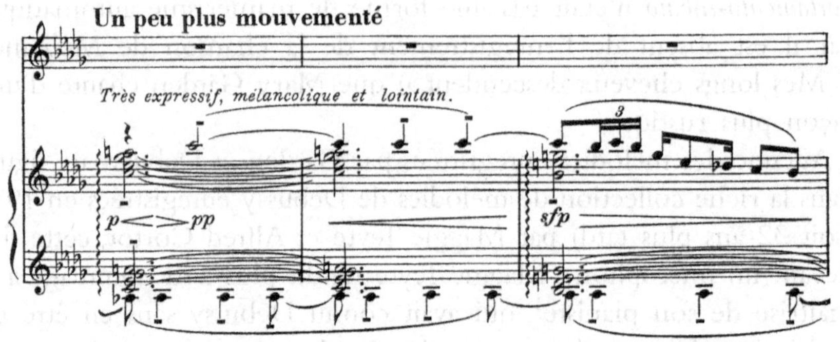

Exemple 1. « Colloque sentimental » (*Fêtes galantes*, 2e série), mesures 19 à 21

Peut-on imaginer comment Debussy aurait joué ces mesures ? Les enregistrements réalisés en 1928 par Jane Bathori constituent peut-être un témoignage indirect. Elle s'accompagne au piano dans trois des *Histoires naturelles* de Ravel (qu'elle a créées en 1906 avec le compositeur au piano) ainsi que dans la deuxième série de *Fêtes galantes* et les *Chansons de Bilitis* de Debussy, qu'elle avait travaillées avec lui[1]. Pianiste de formation, en 1928 elle est toujours très habile au clavier (combien de musiciens pourraient simultanément jouer et chanter des *Histoires naturelles*, même en dehors d'un studio d'enregistrement ?) ; et toute sa vie, sa recherche de la fidélité dans l'interprétation laisse penser que son jeu au piano reflétait ce que son oreille avait retenu du jeu des compositeurs qui l'avaient accompagnée.

Dans l'exemple 1, le traitement rythmique de Bathori est inverse de celui de Cortot, les arpèges assez agiles aidant même à serrer le mouvement comme indiqué, les triolets légèrement comprimés, avec soin et goût, un peu à la manière « ouverture à la française ». Ce traitement reflète la façon dont Debussy transforme rythmiquement le même motif dans « En sourdine » : présenté à la première page comme dans l'exemple 1 (croche suivie de triolets en doubles croches), le motif revient transformé à la dernière page sous la forme

1. Jane Bathori, *On the Interpretation of the Mélodies of Claude Debussy*, ed. and trans. Linda Laurent, Stuyvesant NY, Pendragon, 1998, p. 26-28 (texte bilingue anglais et français, celui-ci tiré de l'édition originale de 1953, *Sur l'interprétation des mélodies de Claude Debussy*). En 1911 et 1916 Bathori crée avec Debussy *Le Promenoir des deux amants* et les *Trois Poèmes de Stéphane Mallarmé*.

– comprenant une erreur apparente d'arithmétique qui peut en effet suggérer une nuance agogique analogue à un usage propre à François Couperin[1].

Le jeu élastiquement rythmé de Bathori colore de manière intéressante le discours qu'elle tint avec vigueur toute sa vie, selon lequel on doit chanter et jouer Debussy strictement en mesure[2] (une observation corroborée par presque tous les musiciens ayant travaillé avec lui) : en effet, les légères compressions rythmiques au piano – comme celles de Maggie Teyte – donnent même l'impression d'être plus « en mesure » qu'un traitement sèchement métronomique. Au début des *Chansons de Bilitis* (voir Exemple 2), le jeu de Bathori montre la même tendance, les groupes de doubles croches quelque peu comprimés, ici dans un contexte qui rappelle encore plus le style « ouverture à la française ». Accompagnant Maggie Teyte dans la même mélodie, Alfred Cortot dote au contraire cette mesure d'une liberté langoureuse, arpégeant luxueusement l'accord du 2e temps avant d'étirer mélodiquement les doubles croches.

Exemple 2.
« La Flûte de Pan », *Chansons de Bilitis*, début

Ce contraste d'approches invite à poser une question précise : que Debussy voulait-il dire exactement par « sans rigueur de rythme », indiqué à la première mesure de « La Flûte de Pan » ? Plus on étudie les multiples contextes debussystes de cette phrase (notée

1. À ce propos voir la discussion dans Roy Howat, *The Art of French piano music*, *op. cit.*, p. 153.
2. Voir note suivante.

aussi, par exemple, dans « Hommage à Rameau »), plus on perçoit son potentiel d'intensification ou de compression rythmique (évitant la rigueur mesurée surtout dans les notes courtes), plutôt qu'une absence de définition de la mesure[1]. Ne possédant aucun enregistrement de ces mesures par Debussy, on trouve quand même une analogie possible dans son enregistrement en 1912 de « La Soirée dans Grenade » sur rouleau Welte-Mignon[2]. Aux mesures 30 à 33, le jeu de Debussy montre une compression répétée, bien marquée et cohérente.

Exemple 3.
« La soirée dans Grenade », *Estampes*, mesures 30 à 33,
montrant les tendances rythmiques de l'enregistrement
par Debussy sur rouleau Welte-Mignon

Sans nier la maîtrise incontestable d'Alfred Cortot, ceci incite à penser que le jeu de Jane Bathori (sans parler de son interprétation vocale absolument remarquable) est le plus fidèle à celui du compositeur. À cet égard, ce qui rapproche les enregistrements Garden-

1. À ce propos, Jane Bathori écrit : « Travailler "la Flûte de Pan" EN TENANT RIGOUREUSEMENT COMPTE DES VALEURS […] SANS RIGUEUR DE RYTHME ne veut pas dire que la fantaisie est à la base de l'interprétation mais que les sons doivent se succéder sans raideur, avec un tel naturel que la phrase se déroulera en donnant l'impression d'être improvisée. » (*On the Interpretation of the Mélodies of Claude Debussy*, p. 28). Ses commentaires pour la deuxième série des *Fêtes galantes* (*ibid.* p. 62) suggèrent qu'elle connaissait les préférences d'interprétation du compositeur, par exemple concernant le piano dans « Le Faune ».

2. Rouleau Welte-Mignon n° 2735, enregistré en 1912 et publié en 1913 (voir Roy Howat, *The Art of French Piano Music*, *op. cit.*, p. 336-337). Ce système d'enregistrement conserve les durées des notes, l'usage de la pédale et même, dans une certaine mesure, des dynamiques de l'exécution originale.

Debussy et Teyte-Cortot est qu'un des interprètes (Debussy dans un cas, Teyte dans l'autre) fournit le fil audible de la mesure audible, autour de laquelle l'autre brode plus librement. Le jeu de Cortot, stylistiquement plus romantique que celui de Debussy, pourrait expliquer l'anecdote qu'il racontait volontiers lui-même : âgée de douze ou treize ans, Chouchou Debussy l'aurait écouté jouer du Debussy, après quoi il lui aurait demandé si son jeu était conforme aux intentions de son père et elle lui aurait répondu que son père écoutait davantage[1].

Les enregistrements de Jane Bathori montrent-ils ou autorisent-ils finalement une forme de « conversation libre » entre la voix et le piano ? C'est déjà difficile à imaginer dans les enregistrements d'une seule et même interprète – et donc d'un unique cerveau ; l'on peut pourtant s'étonner de constater à quel point elle laisse respirer et s'articuler librement la déclamation vocale (de façon extraordinaire dans les *Chansons de Bilitis*, comme une jeune fille qui raconte) tout en conservant clairement le tempo au clavier. Cette réussite étonnante prouverait déjà un niveau de maîtrise rare chez un pianiste concertiste jouant seul, elle est d'autant plus extraordinaire pour une chanteuse qui interprète simultanément des rythmes indépendants.

On prête aujourd'hui beaucoup d'attention aux éditions critiques établies scientifiquement et aux instruments d'époque, mais on omet souvent les documents sonores : on peut pourtant tirer un riche profit de leur étude approfondie car ils sont susceptibles de se faire l'écho des intentions, des conseils et des goûts de Debussy.

1. Anecdote racontée au présent auteur par Dolly de Tinan, demi-sœur de Chouchou, qui semblait avoir assisté à l'échange en question (voir Roy Howat, *The Art of French Piano Music, op. cit.*, p 313). Voir aussi dans ce volume François Anselmini, « Incarner le génie français : Alfred Cortot et Claude Debussy », p. 439-448.

De la poésie avant toute chose
L'interprétation des *Ariettes oubliées* et de la « Chanson de Mélisande » par Claude Debussy et Mary Garden

Mylène Dubiau-Feuillerac

Les enregistrements réalisés en 1904 par Mary Garden et Claude Debussy de trois des *Ariettes oubliées* et de la « Chanson de Mélisande » étonnent par les libertés que s'autorisent les interprètes par rapport à la partition. Plusieurs commentateurs ont relevé une non-synchronisation, des changements de tempo, voire des erreurs rythmiques[1]. C'est une grande liberté de la part de la chanteuse, avec une souplesse rythmique non précisée dans la partition, qui est à l'origine de notre questionnement, portant sur la diction même du poème et sur les habitudes d'interprétation du début du XXe siècle[2], période à laquelle des études soulignent les rapports étroits entre la poésie et la musique et l'importance accordée à la langue française[3].

Ces enregistrements peuvent être entendus comme une interprétation en musique d'un poème, au demeurant connu des auditeurs pour ses particularités poétiques déjà musicales. Au-delà du respect d'une prosodie figée par l'écriture, cette interprétation peut se com-

1. Voir notamment Brooks Toliver, « Thoughts on the History of (Re)interpreting Debussy's Songs », dans *Debussy in Performance*, James R. Briscoe (dir.), Yale University Press, 1999, et Roy Howat, *The Art of French Piano Music : Debussy, Ravel, Fauré, Chabrier*, Yale University Press, 2009 ainsi que dans ce volume « Les enregistrements historiques des mélodies de Debussy. Des sources pour l'interprétation », p. 253-261.

2. Cf. Robert Philip, *Early Recordings and Musical Style*, Cambridge University Press, 1992.

3. Cf. Katherine Bergeron, *Voice lessons, Performing French Mélodie*, Oxford University Press, 2010.

prendre comme une déclamation chantée, flexible du poème. Pour cela, l'analyse poétique du texte, dans sa facture, ses accentuations et ses réseaux de sonorités, est indispensable. Les systèmes de répétitions qui régissent les textes poétiques trouvent alors des correspondances dans l'analyse musicale.

Les enregistrements

Les enregistrements de Debussy et Mary Garden ont été réédités dans plusieurs compilations d'œuvres de Debussy rassemblant trois des six *Ariettes oubliées* publiées en 1903, « Il pleure dans mon cœur », « L'Ombre des arbres » et « Green », ainsi que la « Chanson de Mélisande[1] ».

Il s'agit d'enregistrements acoustiques, ce qui implique des contraintes sur le son qui rendent impossible de prendre en compte tous les paramètres, en particulier l'absence de nuances. Brooks Toliver a déjà relevé que « la relative similitude de la dynamique de ces enregistrements pourrait venir de l'insuffisance des enregistrements acoustiques à capter des volumes extrêmes, aigus et graves[2] ». Mis à part les contraintes acoustiques, ces enregistrements historiques offrent un témoignage précieux sur l'interprétation de cette époque, qui mérite une écoute attentive à l'appui des partitions imprimées utilisées par les artistes. Il convient tout d'abord de situer ces enregistrements dans le contexte des interprétations, chantées ou déclamées, puis de relever les relations texte-musique qui peuvent éclairer les libertés de ces interprètes historiques.

---

1. Gramophone and Typewriter Limited, Paris, 1904 : 1. *Pelléas et Mélisande*, « Mes longs cheveux descendent » [durée 1'47] (3078F) 33447 – 2. *Ariettes oubliées* n° 2, « Il pleure dans mon cœur » [durée 2'15] (3075F) 33449 – 3. *Ariettes oubliées* n° 3, « L'Ombre des arbres » [durée 2'24] (3076F) 33450 – 4. *Ariettes oubliées*, n° 5, « Aquarelles-Green » [durée 1'39] (3077F) 33451. D'après une première numérotation des rouleaux, relevée par Peter Morse, dans *Debussy and Ravel Vocal Music* (*Discography Series XI*, Utica, New York : Weber, 1973), les enregistrements de « Spleen » et de « C'est l'extase » étaient programmés, mais n'ont pas été exécutés, et les numéros des rouleaux furent attribués à d'autres enregistrements.

2. « The relative dynamic sameness of those recordings might reflect the inadequacy of acoustic recordings in capturing extreme high and low volumes » (Toliver Brooks, « Thoughts on the History of (Re)interpreting Debussy's Songs », dans *Debussy in Performance*, James R. Briscoe (dir.), New Haven and London, Yale University Press, 1999, chap. 7, p. 139).

LE CONTEXTE

Alors que Debussy précise dans sa correspondance que sa notation musicale doit être respectée scrupuleusement[1], ses propres interprétations ne cessent de surprendre par leur liberté par rapport à la partition. Robert Philip rappelle que « les interprétations du début du XXe siècle sont... volatiles, énergiques, flexibles, vigoureusement conduites dans la grande ligne, mais rythmiquement informelles dans les détails[2] ».

L'énergie du geste musical semble surpasser la rigueur rythmique. Outre les questions de tempo, on peut noter que dans les enregistrements en question les écarts avec la partition, les effets ajoutés ont souvent trait à la prosodie du texte et à son énonciation. Au sujet de la « diction », les commentateurs et les interprètes[3] s'accordent pourtant à penser que les partitions de Debussy sont rigoureusement proches de l'énonciation orale du texte, justement grâce au rythme prosodique proposé. Alors que les interprètes contemporains s'attachent à une articulation la plus distincte possible, parfaitement ajustée aux rythmes écrits, on peut s'étonner qu'une artiste comme Mary Garden ait une énonciation plus liée, plus proche de la voix parlée, ou tout du moins de la voix déclamée. L'énonciation musicale telle qu'elle est perçue à travers ces enregistrements a en fait à voir avec la déclamation pure de ces textes.

L'étude de la poésie de Paul Verlaine révèle en premier lieu sa prédilection pour la recherche de « sonorités » musicales, souvent dans la demi-teinte, la sourdine. L'articulation de ces vers saturés de sonorités devait être en accord avec l'atmosphère créée et ce qui importait était plus ce réseau de résonances que le rythme exact de la déclamation. La langue française n'étant pas quantifiée, c'est-

1. Voir à titre d'exemple la lettre de Claude Debussy à Jacques Durand, [fin septembre-début octobre 1907] : « Voulez-vous être assez aimable pour adjurer votre graveur de respecter la mise en place des nuances - Cela a une importance extrême et pianistique » (*Correspondance*, p. 1034).

2. « The performances of the early twentieth century are... volatile, energetic, flexible, vigorously projected in broad outline but rhythmically informal in detail » (Robert Philip, *Early Recordings and Musical Style*, *op. cit.*, p. 234).

3. Voir notamment Jane Bathori, *Sur l'interprétation de Debussy*, Les Éditions ouvrières, 1953 et Hélène Abraham, *Un art de l'interprétation : Claire Croiza, les cahiers d'une auditrice, 1924-1939*, Paris, Office de centralisation d'ouvrages, 1954.

à-dire faite de syllabes brèves ou longues précises[1], on ne peut fixer un rythme « exact » de récitation, et l'interprétation est mise en jeu. L'écoute comparative du poème « L'Ombre des arbres » et de l'interprétation de Mary Garden est éloquente. Quand on connaît le travail de ce poète sur le clair-obscur, les réseaux de sonorités restreignant le champ des possibles dans ce texte, on peut comprendre cette fluidité parlée proposée par Mary Garden.

Sonorités et mise en musique de « L'Ombre des arbres »

« L'Ombre des arbres » est un exemple de nuances « en sourdine », telles que le poète les affectionnait[2]. Paul Verlaine essaie de brouiller la perception des sentiments, pour trouver la connexion symbolique du reflet dans le fleuve. Dans les deux strophes, les sons utilisés dans le poème illustrent la réfraction. La répétition des consonnes [ʁ] et [m], souvent combinées avec une autre consonne (soulignées ici), ajoute du poids à la diction, pour créer un son gris, terne et sombre. Il crée aussi l'opposition entre les deux strophes dont la première évoque d'abord le paysage flou avec les voyelles [ɔ], [ɑ] et [ɛ] associées à leur nasalisation (notées en gras), alors que la deuxième strophe, sans nasalisation, souligne le caractère plus ouvert et intense du désespoir.

1. Voir Gérard Dessons, Henri Meschonnic, *Traité du rythme, des vers et des proses*, Paris, Dunod, coll. « Lettres sup », 1998, p. 23-24. Les auteurs expliquent brièvement, pour la langue française, ce « passage de la métrique quantitative (alternance de syllabes longues et brèves – en schémas tels que le dactyle : une longue, deux brèves, où, par convention, deux brèves valent une longue ; ou le spondée : deux longues) à la métrique accentuelle : au lieu de longues et de brèves, ce sont des alternances de syllabes accentuées et inaccentuées, qui reçoivent les mêmes appellations que dans les métriques quantitatives du grec et du latin. […] En réalité c'est une métrique mixte, *syllabo-accentuelle*, comme le montrent bien les deux cas du décasyllabe (vers de dix syllabes généralement organisé en 4+6) et de l'alexandrin (vers de douze syllabes, normalement 6+6), qui ont une *césure* (à la fois, étymologiquement, “coupure” et position accentuelle métrique) ».

2. Ces termes « en sourdine » sont le titre du 21e et avant-dernier poème des *Fêtes galantes* de Paul Verlaine (1869), mis également en musique par Debussy.

« *L'Ombre des arbres* » *: mise en valeur des répétitions de sonorités*

> Le rossignol qui du haut d'une branche se regarde dedans, croit être tombé dans la rivière.
> Il est au sommet d'un chêne et toutefois il a peur de se noyer.
>
> (Cyrano de Bergerac)

L'**om**bre des arbres d**an**s la rivière **em**brumée
Meurt c**om**me de la fumée
T**an**dis qu'**en** l'air, parmi les ramures réelles,
Se plaignent les tourterelles.

C**om**bien, ô voyageur, ce paysage blême
Te mira blême toi-même,
Et que tristes pleuraient dans les hautes feuillées
Tes espérances noyées ![1]

Les sons nasaux fermés et l'accumulation de doubles ou triples consonnes dans la première strophe créent un débit lourd et lent du texte lors de la lecture orale ; la deuxième strophe, en revanche, essaie de s'échapper de cette atmosphère avec les voyelles ouvertes et les consonnes simples. Dans sa partition, Debussy marque également un changement entre les deux strophes, avec une nouvelle indication de tempo, plus allant. Dans son enregistrement avec Mary Garden, l'exécution très rapide du *poco stringendo* est plutôt *molto stringendo* et met en relief la deuxième moitié de la mélodie. L'interprétation de Mary Garden et de Debussy, en accélérant subitement le tempo, souligne un certain besoin de fuite, après l'arche montante des deux parties, vocale et pianistique, jusqu'au point culminant de la mesure 21.

1. Paul Verlaine, « L'Ombre des arbres », 6 janvier 1885, *Romances sans paroles. Ariettes oubliées* – n° IX, Sens, Imprimerie de M. Lhermitte, 1874, p. 17.

Exemple 1. « L'Ombre des arbres », *Ariettes oubliées*, 1885, mesures 13 à 21

Cet enregistrement met en lumière l'importance des indications méticuleusement transcrites dans la partition de Debussy. Les modifications de timbre, de tempo, d'accentuation (comme les *sf*, accents, etc.) et les indications de nuances très présentes mesure après mesure, sont souvent des changements subtils, à doser, qui ne transforment pas l'ensemble, mais lui donnent une nouvelle apparence. On peut rapprocher cette touche stylistique de celle de la « nuance » en demi-teinte présentée par Verlaine dans la quatrième strophe de son célèbre « Art poétique » :

> Car nous voulons la Nuance encor,
> Pas la Couleur, rien que la nuance[1] !

1. Paul Verlaine, « Art Poétique », publié dans *Jadis et Naguère* (écrit en 1874), *Œuvres poétiques complètes*, Paris, Gallimard, Bibliothèque de la Pléiade, 1962 [première publication en novembre 1882 dans *Paris-Moderne*]. Voir également la très célèbre première strophe : « De la musique avant toute chose,/ Et pour cela préfère l'impair / Plus vague et plus soluble dans l'air,/ Sans rien en lui pèse ou qui pose. »

Pas d'effets dans la grandeur, mais dans la variation subtile : le point culminant de la mesure 21 est rapidement quitté pour revenir à une « nuance » plus qu'à une « couleur ». La mise en avant des sonorités et particularités musicales du texte poétique peut fournir une compréhension possible de ces interprétations. La conduite des lignes vocales pour des effets ponctuels est un autre élément notable. La qualité de l'enregistrement permet d'entendre d'abord la chanteuse s'éclaircir la voix juste avant son entrée – puis son hésitation sur la première note – mais surtout la manière dont elle distingue avec précision les notes répétées avec *tenuto* et les liaisons sans indication de *tenuto* pour les premières mesures.

Exemple 2. « L'Ombre des arbres », *Ariettes oubliées*, Fromont, 1903, mesures 1 à 8

Non indiquée dans la partition, la pratique de *portamento* est très présente dans « L'Ombre des arbres ». Cette pratique vocale, aujourd'hui plus réservée, est cependant particulièrement mesurée. Les endroits choisis par Mary Garden mettent en relief les mots sur lesquels elle se pose, créant une mise en relief poétique. Les deux interprètes réussissent à créer une réelle atmosphère, en suivant non seulement les indications de la partition, mais celles du texte, implicites dans le choix des sonorités, du vocabulaire et du rythme poétique dans le vers. L'utilisation de *portamento* est manifeste à la mesure 4 pour l'énonciation du texte « rivière embrumée ». La place de ce *portamento* semble significative : il crée un effet de brouillage des hauteurs de notes, assombrissant la perception des mots, eux-mêmes déjà porteurs de phonèmes fermés, voilés, peut-être à l'image du brouillard qui empêche de bien distinguer le fleuve.

Sacrifier la précision rythmique pour un effet expressif : « Il pleure dans mon cœur »

Les effets qui constituent une interprétation des indications à la fois de la partition et du texte poétique (sonorités, vocabulaire, signification) conduisent Mary Garden à une flexibilité rythmique très libre. Elle « dénature » à plusieurs reprises le rythme écrit. À chaque fois, l'effet est créé pour une énonciation non monotone, comme c'est le cas en particulier lors de la succession de valeurs de notes identiques dans « Il pleure dans mon cœur ». Elle semble altérer le rythme, mais elle lui redonne peut-être de l'énergie, grâce à sa lecture personnelle de la partition et du texte.

Toutes ces petites distorsions du rythme se produisent sur les syllabes non accentuées dans la langue française : sur les articles, les pronoms ou les prépositions. L'effet obtenu n'a pas lieu sur cette première syllabe atone, mais sur la syllabe suivante qui, elle, est accentuée. C'est le cas dans l'enregistrement d'« Il pleure dans mon cœur ». Ainsi, Mary Garden modifie-t-elle le rythme de « s'en-nuie » et « le bruit » pour lesquels la première syllabe est prononcée en retard, tout comme la toute première énonciation de « Il pleure » au début de la mélodie.

Pour un cœur qui s'en - nui - - e

O le bruit de la

pluie! Il pleu - - - re

Exemple 3. « Il pleure dans mon cœur »,
Ariettes oubliées, Fromont, 1903, mesures 31 à 39

Plus loin, en chantant « de la pluie », Mary Garden s'attarde sur « la », initiant ainsi un *crescendo* plus marqué sur l'arrivée de « pluie ». On peut aussi entendre un rythme pointé sur « sans a-mour » au lieu du rythme régulier écrit.

Exemple 4. « Il pleure dans mon cœur »,
Ariettes oubliées, Fromont, 1903, mesures 60 à 62

Ces effets aident à faire ressortir les rimes intérieures au vers et les rimes externes (notées en gras ci-dessous), comme s'il y avait aussi un *tenuto* marqué sur les mots importants du poème.

« Il pleure dans mon cœur » :
mise en valeur des répétitions internes et à la rime

Il pleut doucement sur la ville
(Arthur Rimbaud)

Il **pleure** dans mon **cœur**
Comme il **pleut** sur la ville.
Quelle est cette langueur
Qui pénètre mon **cœur** ?

Ô bruit doux de la **pluie**,
Par terre et sur les toits !
Pour un **cœur** qui s'ennuie,
Ô le bruit de la **pluie**[1] !

Il **pleure** sans raison
Dans ce **cœur** qui s'é**cœur**e.
Quoi ! nulle trahison ?
Ce deuil est sans raison.

C'est bien la pire peine,
De ne savoir pourquoi,
Sans amour et sans haine,
Mon **cœur** a tant de peine[2].

Ces résonances intérieures sont précisément ce qui importe pour Verlaine, dans sa conception de la langue poétique. Mary Garden sacrifie le rythme précis pour l'effet expressif de la déclamation du texte. La mobilité de la voix au-dessus du piano crée une sensation de liberté, accompagnée par le *rubato* qui est rattaché à la diction du texte.

La prononciation de Mary Garden est celle d'un bon orateur français, mais une oreille moderne s'attendrait à plus d'effet dans

1. « O le *chant* de la pluie » (Verlaine).
2. Paul Verlaine, *Romances sans paroles. Ariettes oubliées* – n° III, Sens, Imprimerie de M. Lhermitte, 1874, p. 9.

l'articulation des voyelles et des consonnes. C'est aussi ce que note Brooks Toliver en comparant ces premiers enregistrements à des enregistrements plus modernes :

> Finalement, bien que l'on ne puisse pas caractériser les chanteurs dans l'ensemble, ils ont tendance vraiment à éviter ce que [...] j'ai appelé les syllabes sculptées ou caressées d'interprètes plus récents. En d'autres termes, leur diction a moins à voir avec le fait d'accentuer la beauté de la langue française qu'avec celui de capturer – ou d'essayer de capturer – les inflexions de discours naturelles[1].

Cette recherche « d'inflexions de discours naturelles » a été souvent présentée comme une caractéristique de la prosodie de Debussy dans *Pelléas et Mélisande*, suite à ses propos dans « Pourquoi j'ai écrit *Pelléas* » : « Les personnages de ce drame tâchent de chanter comme des personnes naturelles, et non pas dans une langue arbitraire faite de traditions surannées[2]. » Ses mélodies témoignent de cette même quête. Mais plus que l'inflexion française, on peut émettre l'hypothèse selon laquelle le rythme de la prosodie, de la poésie française syllabo-accentuelle et l'inflexion des lignes régulières en tant que déclamation poétique sont un facteur plus important encore que l'articulation.

Pour compléter cette étude, il semble pertinent d'étudier quelques enregistrements de déclamation poétique afin de comparer les paramètres : tempo, rythme, diction ainsi que l'utilisation par Debussy et Mary Garden des articulations musicales et du *portamento*.

1. « Finally, although understatement cannot be said to characterize the singers as a whole, they do tend to avoid what I [...] referred to as the sculpted or caressed syllables of later interpreters. In other words, their diction has less to do with accentuating the beauty of the French language than with capturing – or attempting to capture – natural speech inflections » (Brooks Toliver, « Thoughts on the History of (Re)interpreting Debussy's Songs », *op. cit.*, p. 144).

2. Claude Debussy, « Pourquoi j'ai écrit *Pelléas* », avril 1902, repris dans *Monsieur Croche*, p. 63.

La tradition de la déclamation parlée des poèmes

L'écoute de Sarah Bernhardt, célèbre « reine du théâtre » de l'époque, s'impose et en particulier sa déclamation d'un poème de Victor Hugo dont la métrique et l'agencement rythmique sont ceux d'un poème régulier aux vers dits « musicaux », car écrits en vers impairs (heptasyllabes). En faisant abstraction de la qualité du son, une oreille attentive peut entendre un véritable débit rythmique et une ligne mélodique.

Victor Hugo, « Faisons un rêve »

Si tu veux, faisons un rêve.
Montons sur deux palefrois ;
Tu m'emmènes, je t'enlève.
L'oiseau chante dans les bois.

Je suis ton maître et ta proie ;
Partons, c'est la fin du jour ;
Mon cheval sera la joie,
Ton cheval sera l'amour[1].

Sarah Bernhardt déclame d'une voix très « musicale », en chantant presque plus qu'elle ne parle, avec un vibrato très rapide de la voix. Sa diction est très régulière, sans exagération dans l'énonciation des syllabes : elle groupe les vers par deux, mais ajoute aussi un mouvement cadentiel à la dernière ligne de chaque strophe. Les syllabes de fin de vers sont accentuées, avec une alternance de fin suspensive et de fin conclusive qui correspond à la disposition des rimes (rimes croisées). Ce qui est important n'est pas l'articulation du texte, mais son rythme intérieur, avec l'accentuation régulière et les effets d'ajout de contre-accentuation, comme à la deuxième ligne de la deuxième strophe, sur la deuxième syllabe : « Partóns, c'est la fin du jour ». Si la mélodie de Debussy se rapproche de la diction parlée, il faut également prendre en compte le fait que par elle-même la déclamation est très proche du chant. On remarque des similitudes d'inflexion et

1. Sarah Bernhardt, « Faisons un rêve », *Un peu de musique,* Victor Hugo, Zonophone « Blue Light », Paris, 1901, Paléovox.

l'on peut établir un parallèle entre la façon dont les syllabes sont déclamées ou chantées.

De la même manière, la diction de Mary Garden est plus mobile dans le registre de la déclamation que dans celui de la vocalité, même si elle utilise des effets vocaux comme le *portamento* pour souligner certains passages importants du texte (comme Sarah Bernhardt sur les « Ô » plus loin dans le poème). Si les indications de tempo, d'articulation, de phrasé ou d'enchaînements harmoniques sont essentielles dans l'exécution d'une partition, le texte poétique lui-même (longueur de vers, strophes, assonances ou allitérations) est également présent dans la partition et concourt à guider une interprétation.

Habitudes de déclamation dans la « Chanson de Mélisande »

L'enregistrement de la « Chanson de Mélisande » révèle ces traces de déclamation grâce à l'interprétation du rythme du poème. Le mètre du poème, et le rythme poétique qu'il implique, sont des données importantes à explorer dans cette mise en musique. Cet enregistrement est un témoignage de la façon d'interpréter la poésie métrique à cette époque. Alors que l'œuvre entière est écrite en prose, le texte de cette chanson est écrit en vers réguliers. La musique de Debussy établit clairement une situation métrique régulière, avec la répétition des mêmes lignes vocales et une même inflexion à la fin des lignes.

Exemple 5. *Pelléas et Mélisande*, 1902, acte III, scène 1, mesures 18 à 31

La musique elle-même explique la disposition du texte, permettant d'entendre les similitudes dans la longueur des vers et les agencements des répétitions de texte grâce aux mêmes tournures mélodiques. Les marques de ponctuation peuvent s'entendre avec des suspensions ou conclusions comme dans la déclamation orale.

Mélisande (acte III, scène 2)1
Structure métrique du poème selon les courbes mélodiques

Mes longs cheveux descend(ent)	6	
jusqu'au seuil de la tour ;	6	
Mes cheveux vous attend(ent)	6	
tout le long de la tour,	6	
Et tout le long du jour,	6	(suspension)
Et tout le long du jour.	6	(répétition avec conclusion finale)
Saint Daniel et Saint Michel,	7 (3 + 4)	
Saint Michel et Saint Raphaël,	8 (3 + 5)	
Je suis née un dimanche,	6	(suspension)
Un dimanche à midi…	6	(conclusion)

La souplesse d'interprétation de Mary Garden suggère une lecture plus précise de la diction du texte, même si rien n'est transcrit dans la partition et si l'accompagnement ne joue en la matière aucun rôle actif. La ligne mélodique est la même pour les deux lignes poétiques, mais Mary Garden casse la continuité de la ligne vocale entre les vers du poème pour en présenter la structure. Pour la deuxième énonciation de « Et tout le long du jour », elle souligne chaque syllabe alors qu'aucune indication ne figure dans la partition. Mais dans le texte lui-même il n'y a que des monosyllabes, ce qui crée un effet dans la langue française, chaque mot pouvant être accentué – ce que la répétition du vers offre implicitement. Le rythme du discours est marqué régulièrement sur chaque syllabe, comme une illustration de la progression du jour, point par point. De surcroît, l'effet poétique est souligné par un *rallentando*.

1. Maurice Maeterlinck, *Pelléas et Mélisande* (création 1893, édition 1896).

« Chanson de Mélisande » :
mises en relief textuelles par Mary Garden

Mes longs cheveux desc**endent**
Jusqu'au seuil de la tour ;
Mes cheveux vous att**endent**
Tout le long de la tour,
Et tout le long du jour,
Et / tout / le / long / du / jour.
Saint Daniel et Saint **Michel**,
Saint **Michel** | et Saint Raphaël,
Je suis née un **dimanch(e)/**,
Un **dimanch(e)/** à midi...

Dans les vers suivants, qui sont irréguliers (comme une section contrastante), Mary Garden interrompt la ligne vocale après le deuxième « Saint Michel ». Elle énonce le [l] sans la liaison avec le mot suivant, introduisant ainsi une nouvelle rime au milieu de la ligne, avec le « Saint Michel » précédent, en fin de vers.

La répétition sur le mot « Dimanche » est également unifiée pour créer l'écho de la répétition. Le [ə] muet de « Je suis née un dimanch(e) », non compté en fin de vers, mais prononcé, est raccourci pour mettre en valeur l'équivalence avec celui de « Un dimanch(e) à midi », élidé par la synérèse avec la voyelle suivante. Musicalement, le [ə] muet du dernier vers est effectivement inclus dans le triolet pour lequel l'élision est donc nécessaire. Mary Garden propose ainsi une autre lecture du texte, qui illustre la facture poétique.

Cet exemple confirme l'importance des effets poétiques dans la diction d'un texte à cette époque, au-delà de ce qui est fixé dans la partition. Debussy était très méticuleux dans son écriture, mais en poésie d'autres règles étaient également appliquées, évidentes à une époque à laquelle l'éducation poétique classique était répandue. Dans les salons musicaux ou dans les théâtres[1], il était fréquent qu'on joue de la musique et qu'on déclame de la poésie au cours d'une même soirée. C'est ce qui explique qu'il est impossible de se fonder exclusivement sur la partition pour se représenter la réalité de l'interprétation des œuvres de cette époque. Il faudrait accorder une

1. Voir André Veinstein, *Du Théâtre Libre au théâtre Louis Jouvet. Les théâtres d'art à travers leur périodique (1887-1934)*, Préface d'Henri Gouhier, Paris, Éditions Billaudot, 1955, 283 p.

importance similaire à la déclamation du poème qu'à la partition proprement dite.

Comme l'écrit Nicholas Cook, « l'interprétation devrait être vue comme une source de signification en elle-même[1] ». Dans le cas présent, ces interprétations sont d'autant plus signifiantes que le compositeur lui-même est au piano, avec son interprète d'élection. Mais cela veut-il dire qu'on puisse considérer ces enregistrements comme l'interprétation « de référence » des œuvres de Debussy ? Ils sont les témoignages d'une interprétation, d'une lecture d'une partition avec un texte. Des interprétations multiples peuvent être données, y compris selon les principes stylistiques de cette même époque. Comme la poésie symboliste de Verlaine n'a jamais une seule signification, écouter ces interprétations aide à comprendre les possibilités multiples de lecture qui s'offrent aux interprètes. Chaque exécution est une lecture nouvelle, ce qui implique des changements nuancés et des adaptations rythmiques. Pour les artistes d'aujourd'hui, le défi est de trouver leur propre façon d'exprimer ces nuances, avec les nouvelles habitudes de jeu, pour réactualiser cette souplesse déclamatoire d'un poète autant que d'un musicien, en étudiant autant le poème et sa déclamation que la partition et ses indications. André Suarès remarque cette qualité de nuance, qui nous rappelle le travail de Verlaine, en écoutant Debussy jouer :

> Le jeu de Debussy était une incantation, la musique la plus immatérielle et la plus nuancée qu'on ait jamais ouïe. Il ne réalisait pas la sonorité en pianiste, même pas en musicien, mais en poète[2].

Si Verlaine écrivait de la poésie en affirmant que ses poèmes étaient « De la musique avant toute chose », Debussy élabore une conception de son œuvre vocale, voire instrumentale, dans laquelle la musique peut s'essayer à être « De la poésie avant toute chose ».

1. « Performance should be seen as a source of signification in its own right » (Nicholas Cook, « Analysing Performance, Performing Analysis », dans *Rethinking Music,* Nicholas Cook and Mark Everist (dir.), Oxford, Oxford University Press, 1999, p. 247.

2. André Suarès, *Debussy*, Paris, Émile-Paul frères, 1936, p. 174.

Apprendre à interpréter la musique pour piano de Debussy au Conservatoire de Paris entre 1920 et 1960

Marie Duchêne-Thégarid et Diane Fanjul

L'histoire a retenu les relations tumultueuses que Debussy, ce « jeune incorrigible[1] », entretint avec le Conservatoire de Paris et ses professeurs. Ses camarades pianistes furent nombreux à s'exprimer sur son jeu peu académique[2], ses professeurs relevèrent son caractère « brouillon » et « étourdi »[3], et on commenta largement ses déclarations provocantes[4]. On connaît moins la position qu'occupa par la suite le compositeur dans l'institution qui l'avait formé : en 1909, Claude Debussy fut nommé membre du conseil supérieur d'enseignement, tâche dont il s'acquitta jusqu'à sa mort. Il fit également partie de comités d'examen et de jurys de concours[5]. Comme Camille Saint-Saëns ou Camille Chevillard, tous deux compositeurs reconnus et occupant la même position institutionnelle, Claude Debussy était

1. Louis Laloy, *Claude Debussy*, Paris, Aux armes de France, 1944, p. 5.
2. Voir les témoignages de Gabriel Pierné et de Raymond Bonheur dans *La Jeunesse de Claude Debussy*, numéro spécial de *La Revue musicale*, 1er mai 1926.
3. Propos rapportés par Léon Vallas, « Achille Debussy jugé par ses professeurs du Conservatoire », *Revue de musicologie*, t. 34, n° 101-102, 1952, p. 46-49.
4. Voir « Entretiens inédits d'Ernest Guiraud et de Claude Debussy notés par Maurice Emmanuel (1889-1890) », présentation de Arthur Hoérée, *Inédits sur Claude Debussy*, Collection Comœdia Charpentier, Paris, 1942, p. 25-33 ; repris dans *Pelléas et Mélisande cent ans après : études et documents*, Jean-Christophe Branger, Sylvie Douche et Denis Herlin (dir.), Lyon, Symétrie – Palazzetto Bru Zane, 2012, Annexe 1, p. 279-287.
5. Anne Bongrain, *Le Conservatoire national de musique et de déclamation 1900-1930. Documents historiques et administratifs*, Paris, Vrin, 2012, p. 246.

en mesure de faire entrer sa musique, de son vivant, dans les programmes du Conservatoire. En 1910, il composa ainsi le morceau imposé au concours de sortie des candidats clarinettistes, dédiant cette *Rapsodie pour clarinette* à Prosper Mimart, professeur de clarinette du Conservatoire.

Sa musique pour piano, domaine dans lequel il initia un important renouveau technique et esthétique, occupe de ce point de vue une place singulière. Au moment où, sur les scènes parisiennes, des pianistes renommés ayant bénéficié des conseils du compositeur font découvrir au public cette musique novatrice et en proposent les premières interprétations, comment les professeurs du Conservatoire enseignent-ils ce répertoire aux futurs musiciens professionnels appelés à irriguer à leur tour le monde des concerts ?

Cette question rejoint une préoccupation récente des études debussystes : depuis plusieurs années, elles font la part belle à l'interprétation musicale de l'œuvre de Debussy, suivant en cela le développement des *performance practice studies*. Des études ont identifié les caractéristiques des premières interprétations de la musique de Debussy[1] ; mais on s'est encore peu intéressé à la façon dont le savoir-faire interprétatif des premiers debussystes avait pu se transmettre aux générations suivantes.

Le Conservatoire est l'un des lieux de formation dans lesquels un savoir-faire musical se transmet aux futurs interprètes. Tout indique que pouvait s'y créer une tradition d'interprétation de la musique de Debussy, à commencer par la présence, en ses murs, d'une lignée de professeurs à la fois interprètes et pédagogues pouvant se réclamer, derrière Marguerite Long, de l'héritage debussyste.

Pour mieux comprendre comment ces professeurs ont enseigné l'interprétation – tant technique qu'herméneutique – de cette musique novatrice, de la mort de Debussy jusqu'aux années 1960, époque où se modifient les pratiques pédagogiques du Conservatoire, nous avons sollicité les archives de l'institution et réalisé, entre 2009 et 2012, une série d'entretiens avec des pianistes issus

---

1. Voir par exemple Cécilia Dunoyer, « Debussy and early debussystes at the piano », dans *Debussy in performance*, James R. Briscoe (dir.), Londres, Yale University Press, 1999, p. 91-118 et Charles Timbrell, « Debussy in performance », dans *The Cambridge Companion to Debussy*, Simon Trezise (dir.), Cambridge, Cambridge University Press, 2003, p. 259-277.

du Conservatoire et qui ont évoqué plusieurs générations d'enseignants.

Odette Gartenlaub, élève de Marguerite Long avant la Seconde Guerre mondiale, nous a consacré deux entretiens[1]. Quant à Alain Planès et Dominique Merlet[2], ils ont évoqué pour nous l'enseignement de leurs professeurs Jean Doyen – qui reprit la classe de Marguerite Long en 1940 – et Jacques Février, lui aussi ancien élève de Marguerite Long[3].

Dans un premier temps, ces différentes sources ont permis d'identifier le répertoire pianistique debussyste abordé au Conservatoire pendant la période considérée. Grâce aux témoignages, il a été possible de mettre en évidence les aspects qui, dans la musique de Debussy, paraissent aux pédagogues particulièrement difficiles à enseigner, ainsi que les stratégies qu'ils mettent en œuvre pour y remédier.

La place du répertoire debussyste au Conservatoire de Paris

Une apparition tardive dans le répertoire des concours

Les œuvres de Claude Debussy sont aujourd'hui incontournables au cours de la formation des pianistes. Mais cette omniprésence est récente, comme en témoignent les procès-verbaux des concours de fin d'année du Conservatoire[4]. Ces concours, qui couronnent les études des jeunes musiciens et sont suivis avec passion par le public parisien, peuvent être considérés comme un indice de l'entrée au

1. Nous ferons ainsi référence à ces entretiens : OG, 2009 et OG, 2011. Nous avons également utilisé une partie, consacrée à Debussy, de la série d'entretiens radiophoniques à laquelle Odette Gartenlaub a participé avec Inghelbrecht (Désiré-Émile Inghelbrecht, *Entretiens autour d'un piano*, Paris, Radiotélévision française, 1957).

2. Dominique Merlet fut lui-même professeur au Conservatoire de 1974 à 1992 et Alain Planès y enseigne depuis 1989.

3. Nous ferons ainsi référence à ces entretiens : AP (Alain Planès) et DM (Dominique Merlet). Dominique Merlet entra au Conservatoire en 1953 et Alain Planès au début des années 1960. Nous remercions également chaleureusement Roger Boutry, Françoise Thinat et Michel Dalberto, dont les témoignages nous ont été extrêmement précieux.

4. Archives nationales, AJ[37] 551-561, 1925-1955. Les archives des années précédentes (1900-1925) sont partiellement accessibles grâce à la publication de l'ouvrage d'Anne Bongrain cité ci-dessus. À partir de 1955, les archives du Conservatoire n'ont pas été versées aux Archives nationales.

répertoire des œuvres les plus récentes, les autorités du Conservatoire réaffirmant régulièrement à l'occasion des cérémonies de remise des prix que « l'étude de nos grands ancêtres est indispensable à la formation du musicien ou de l'acteur moderne[1] ».

Alors que les œuvres pianistiques de Gabriel Fauré, de Camille Saint-Saëns ou de Gabriel Pierné sont régulièrement imposées aux concours de fin d'année, du vivant même de ces compositeurs[2], celles de Claude Debussy, pourtant membre comme eux du Conseil supérieur d'enseignement, ne le sont pas avant 1940. L'absence des œuvres pour piano de ce « maître classique de la musique moderne », tel qu'il est qualifié dès 1918[3], si elle peut d'abord étonner, s'explique de plusieurs façons. Bien que l'œuvre pour piano de Debussy soit importante, à sa mort ce sont ses œuvres symphoniques qui, pour le ministre de l'Instruction publique et des beaux-arts, « soulèvent le voile de l'avenir[4] ». Enfin, pendant cette période, le prix de piano récompense presque exclusivement l'interprétation d'œuvres du XIXe siècle[5].

Ce n'est qu'au début de la Seconde Guerre mondiale que les concours de fin d'année font une place aux œuvres pianistiques de Debussy. En 1940, la « Toccata » côtoie la *Première Ballade* de Chopin ; en 1941, *L'Isle joyeuse* est imposée aux candidats ; en 1943, c'est à la « Soirée dans Grenade » de tenir ce rôle. En 1942, trois élèves issus des classes de Marcel Ciampi et de Jean Doyen choisissent de présenter des morceaux extraits des *Préludes* ou des *Études*. Cet engouement est cependant de courte durée : après la Seconde Guerre mondiale, c'est au tour des œuvres de musique de chambre de connaître les faveurs des concours.

1. M. Dujardin-Beaumetz, discours prononcé à l'occasion de la remise des prix pour l'année 1906, cité dans Anne Bongrain, *Le Conservatoire national de musique et de déclamation 1900-1930…*, *op. cit.*, p. 612.
2. Voir annexe p. 291-299.
3. M. Lafferre, discours prononcé à l'occasion de la remise des prix pour l'année 1918, cité dans Anne Bongrain, *Le Conservatoire national de musique et de déclamation 1900-1930…*, *op. cit.*, p. 636.
4. *Ibid.*
5. Voir annexe p. 291-299.

Un répertoire limité aux œuvres virtuoses

Si l'on retrouve peu le nom de Debussy dans les programmes des concours de piano entre 1920 et la fin des années 1950, les œuvres imposées ou choisies par les candidats sont elles aussi peu variées. Parmi elles se distinguent *L'Isle joyeuse*, la « Toccata » et « La Soirée dans Grenade »[1].

Malgré l'étendue du répertoire pour piano de Debussy, les concours ne privilégient que ces quelques œuvres virtuoses. Les morceaux de concours sont en effet choisis selon leur degré de difficulté technique. Dans ce contexte, il n'est pas étonnant de retrouver par exemple *L'Isle joyeuse* dont Yvonne Lefébure, ancienne élève du Conservatoire, retient la virtuosité qu'elle qualifie de « certaine mais payante[2] », rejoignant en cela un jugement exprimé par le compositeur lui-même : « que c'est difficile à jouer… ce morceau me paraît réunir toutes les façons d'attaquer un piano[3]. » Le choix exclusif de morceaux virtuoses fait d'ailleurs l'objet de reproches répétés au cours des années 1920. Alfred Cortot, professeur au Conservatoire de 1907 à 1923, regrette ainsi que les concours ne soient « qu'une exhibition hâtive du talent, plutôt qu'un examen approfondi de la musicalité[4] ». Les œuvres de Debussy proposées aux concours ne font pas exception.

Il semble donc que ce soit la difficulté technique des œuvres de Debussy qui retienne l'attention des membres du conseil supérieur d'enseignement du Conservatoire. Cependant, les concours de fin d'année ne sont pas l'exact reflet du répertoire travaillé par les élèves pendant leur scolarité. Les entretiens que nous avons réalisés avec des pianistes formés dans l'institution à différentes époques identifient un répertoire un peu plus large. Tous les interprètes interrogés ont eux-mêmes joué, ou entendu jouer chez différents professeurs quelques-unes des œuvres pour piano de Debussy et avant tout les *Préludes*, les *Estampes*, les *Images* et les *Études*. Dès la fin des années 1930, comme l'affirme Odette Gartenlaub, « c'était normal

1. Ce sont ces mêmes œuvres que l'on retrouve dans d'autres concours contemporains, comme au concours de musique de Genève entre 1939 et 1942.

2. Yvonne Lefébure, pochette du disque *Images*, FYCD 109, Fy Records, 1989, texte rédigé en février 1983.

3. Lettre de Claude Debussy à Jacques Durand, 12 octobre 1904, *Correspondance*, p. 869.

4. Alfred Cortot, « De l'enseignement du piano au Conservatoire », *Le Courrier musical*, n° 13, 1920, p. 211.

de jouer Debussy quand même[1] » au Conservatoire, pour peu que cette musique intéressât le professeur[2]. On assiste ainsi à l'instauration progressive d'un canon d'œuvres.

Caractéristiques de ces interprétations

Les interprétations proposées par les élèves fraîchement émoulus du Conservatoire ne rencontrent cependant pas toujours l'adhésion des debussystes les plus autorisés, alors même que certains professeurs, comme Marguerite Long puis ses successeurs, se targuent d'avoir pu recueillir l'enseignement du compositeur. Dans le premier des *Entretiens autour d'un piano* portant sur *L'Isle joyeuse*, Inghelbrecht évoque une « jeune pianiste » qui, dans cette œuvre, « sautilla les notes du thème, en dépit de la longue liaison indiquée par l'auteur ». Face à son étonnement, « la jeune femme répondit qu'elle avait remporté son premier prix au Conservatoire avec ce même morceau et que tous les élèves l'avaient joué dans le tempo et dans l'esprit indiqué par tous les professeurs[3] ! »

Peut-être s'agit-il d'une simple erreur de l'interprète dans la lecture du texte ; mais on peut également supposer que la technique pianistique enseignée au Conservatoire a peut-être favorisé ce que cette jeune fille présente comme un parti pris commun à tous les enseignants. Cette hypothèse est corroborée par les déclarations d'Yvonne Lefébure : au cours de sa carrière, elle a cherché, dans ses interprétations de Debussy, à « plac[er s]a main bien autrement que dans la position qu['on lui] avait inculquée au Conservatoire, dans la classe préparatoire : doigts arrondis, recourbés, et surtout, articulation[4] ». Il semble donc que, jusque dans les années 1960, époque à laquelle, d'après Charles Timbrell, se renouvelle la pédagogie pratiquée dans les classes de piano du Conservatoire[5], la technique enseignée par certains professeurs soit restée inadaptée à l'œuvre novatrice de Debussy.

1. OG, 2009.

2. Alain Planès rapporte que Jacques Février et son assistante Annie d'Arco étaient de précieux référents quant à la musique de Debussy ; Jean Doyen en revanche, professeur de Dominique Merlet et de Roger Boutry, était plus intéressé par la musique de Fauré que par celle de Debussy.

3. Désiré-Émile Inghelbrecht, *Entretiens autour d'un piano*, *op. cit.*, n° 1.

4. Yvonne Lefébure, pochette du disque *Images*, *op. cit.*

5. Charles Timbrell, *French pianism : an historical perspective, including interviews with contemporary performers*, New York, Pro/Am Music resources ; Londres, Kahn and Averill, 1992, 288 p.

Les problèmes posés au pédagogue par la musique pour piano de Debussy

L'esthétique et la technique pianistique novatrices de Debussy posent à l'interprète des problèmes inédits[1]. Nous avons cherché à identifier, lors de nos entretiens, les difficultés qui surgissent lors de l'apprentissage ou durant le cours. Les témoignages d'anciens élèves permettent d'en isoler quelques-unes, tant pianistiques qu'herméneutiques. Le toucher et la pédale sont particulièrement sensibles à maîtriser pendant la phase d'apprentissage – et pas uniquement dans le travail d'interprétation ; comment sont-ils abordés dans le processus pédagogique au Conservatoire ?

Deux difficultés pianistiques

« Faire oublier que le piano a des marteaux » : s'il est une devise que tous les pianistes debussystes ont adoptée, c'est bien celle-ci[2]. Le caractère moelleux du toucher demeure la condition *sine qua non* d'une bonne interprétation. La technique de piano enseignée au Conservatoire, qui a pour principes fondamentaux la main arrondie, les doigts recourbés et une articulation marquée, apparaît alors obsolète. Des pianistes comme Yvonne Lefébure ont dû chercher dans leurs interprétations de Debussy une position de main différente permettant d'obtenir un toucher adéquat[3].

Dans le répertoire debussyste, la pédale est omniprésente, même si le compositeur l'indique rarement. Les témoignages mettent l'accent sur cet aspect, soulignant la nécessité de l'utiliser avec parcimonie et précision, afin de garantir l'intelligibilité de chaque plan sonore. Ces difficultés techniques demeurent d'autant plus délicates que certains professeurs, dont Marguerite Long, ne montrent aucun exemple au piano.

1. Voir Roy Howat, « Debussy's piano music : sources and performance », *Debussy Studies*, Richard Langham Smith (dir.), Cambridge, Cambridge University Press, 1997.
2. Plusieurs témoins attribuent cette phrase à Debussy ; Inghelbrecht l'attribue à Léon Vallas. Voir Désiré-Émile Inghelbrecht, *Entretiens autour d'un piano*, *op. cit.*, n° 4.
3. Cf. p. 284.

D'après les témoignages des anciens élèves, le déchiffrement des signes de la partition prend aussi une dimension particulière dans la musique de Debussy, car la minutie et l'abondance de ses indications entrent souvent en conflit avec le caractère parfois énigmatique qu'elles peuvent revêtir.

La glose d'un texte singulier

Qu'elles relèvent de la dynamique, de l'accentuation, ou encore du mouvement[1], les indications de Debussy dans ses partitions sont très fréquentes et très variées[2]. Elles sont parfois difficiles à suivre, comme l'évoque Inghelbrecht quand il retrace les indications de tempo de *La Soirée dans Grenade* :

> Debussy a indiqué : « Mouvement de *habanera* » et, au-dessous, « Commencer lentement dans un rythme nonchalamment gracieux ». Nous arriverons bientôt à un « retenu » de deux mesures, puis à un « tempo giusto » que rien d'autre ne définit qu'un brusque trépignement lointain. Sans transition, le calme du début reprend et, sur un *tempo rubato*, apparaît le nouveau motif. Encore un « retenu », puis un rappel de « tempo giusto » aboutissant, quelques mesures plus loin, à cette indication : « très rythmé ». Il faut reconnaître que, depuis le début, nulle indication précise n'a pu aider l'exécutant[3].

Odette Gartenlaub fait part de la même impression[4] : si une abondance d'indications facilite potentiellement le travail d'un interprète, leur précision n'en reste pas moins parfois relative dans la musique de Debussy – voire même déroutante.

C'est aussi la teneur de certaines indications qui suscite des problèmes pour l'interprète. Debussy sollicite en effet l'imagination du pianiste (et en particulier son imagination visuelle), lorsqu'il choisit des références extra-musicales pour intituler certaines de ses pièces[5], ou qu'il choisit de placer le titre des *Préludes* à la fin de chaque pièce : Michel Dalberto se souvient que dans cette perspective, son

1. Dominique Merlet rappelle les dix-neuf changements de tempo dans le *Prélude* « Les fées sont d'exquises danseuses ».
2. Roy Howat, « Debussy's piano music : sources and performance », article cité, p. 78-107.
3. Désiré-Émile Inghelbrecht, *Entretiens autour d'un piano*, *op. cit.*, n° 2.
4. OG, 2011.
5. Voir les titres des pièces qui constituent les *Estampes*, les *Images*, les *Préludes*…

professeur Vlado Perlemuter envisageait ces titres comme une simple suggestion ; il prenait le parti de ne pas en tenir compte dans son interprétation[1]. Au contraire, Dominique Merlet encourage ses élèves à approfondir leurs connaissances en poésie et en peinture, afin de mieux saisir le texte debussyste[2].

Soumises à la subjectivité de l'interprète, ces indications rendent le travail du pédagogue parfois délicat[3].

Les stratégies mises en œuvre par les professeurs du Conservatoire

Pour surmonter ces difficultés, les pédagogues semblent avoir privilégié deux stratégies différentes, consistant à se tourner vers les traces laissées par le compositeur. Dans le cas de Debussy, ces traces prennent la forme de témoignages de ses proches ou d'enregistrements sonores qu'il a pu réaliser.

Le poids de la parole du compositeur

Les enseignants du Conservatoire, à la fois interprètes et pédagogues, pouvaient être à même de résoudre certaines des difficultés posées par le texte debussyste. Marguerite Long apparaît comme une personnalité privilégiée, premier jalon d'une filiation debussyste : ayant côtoyé Debussy, elle rassemble à la fin de sa carrière ses souvenirs sur le compositeur[4]. À l'époque où elle est en charge d'une classe de piano au Conservatoire[5], où elle forme plusieurs générations de professeurs, elle jouit d'un

1. Entretien avec Michel Dalberto, décembre 2011.

2. Cette démarche convient à la musique de Debussy, mais pas forcément à celle d'autres compositeurs. Ainsi, pour se familiariser avec Beethoven, Dominique Merlet renvoie-t-il à l'écoute de ses symphonies et de ses quatuors. Lui-même glisse entre les pages de sa partition des *Préludes* des images ou des cartes postales, créant des associations visuelles inspirées par les titres de chaque pièce, ce qui facilite sa conception des œuvres.

3. Voir par exemple l'indication liminaire du *Prélude* « Des pas sur la neige » : « Ce rythme doit avoir la valeur sonore d'un fond de paysage triste et glacé. »

4. Marguerite Long, *Au piano avec Claude Debussy*, Paris, René Julliard, 1960.

5. Marguerite Long est professeur de piano préparatoire de 1906 à 1920, puis supérieur de 1920 à 1940.

rayonnement très important. Qu'en est-il dans sa pédagogie ? Lorsque Odette Gartenlaub évoque ses cours de piano, dans les années trente, elle se souvient : « Marguerite Long parlait beaucoup de Debussy [...]. Pour moi c'était un peu des mondanités. Elle avait toujours deux ou trois personnes autour d'elle, et elle venait faire sa classe ; des personnes venaient, des amis, et puis elle parlait d'elle[1]. » Si Marguerite Long tient Debussy en haute estime, elle ne fait pas particulièrement jouer ses œuvres à ses élèves ; en outre, ses remarques sur le compositeur ne se distinguent pas des propos qu'elle tient sur d'autres musiciens. Autrement dit, elle ne réinvestit pas sa connaissance de Debussy, ou encore les conseils qu'il avait pu lui prodiguer, dans son enseignement. Marguerite Long incarne pour ses élèves la concertiste susceptible d'assurer la transmission de l'interprétation debussyste aux jeunes générations ; leurs attentes sont déçues.

Au Conservatoire, la filiation pédagogique peut malgré tout se révéler particulièrement fructueuse. Les témoignages oraux de proches de Debussy demeurent en effet irremplaçables dans certains cas. Ainsi, face aux dynamiques très précises exigées par le compositeur, Jacques Février préconisait, à la suite de Ricardo Viñes, de « monter d'un cran toutes les nuances » dans la musique de Debussy, afin d'en apprécier la variété et la subtilité. Le prélude « La Terrasse des audiences du clair de lune », pour lequel il souligne l'importance de la continuité des voix, donne l'occasion à Alain Planès d'expliquer le principe de *vibrato* de pédale, transmis par Jacques Février – qui le tenait de Debussy[2] ; cette technique permet une meilleure conduite des voix, sans pour autant les mélanger. Alain Planès relate le refus de l'éditeur Durand, qui trouvait cette pratique trop compliquée, d'insérer dans les partitions un signe matérialisant ce *vibrato*[3]. Aucune des partitions de Debussy n'en fait donc mention. Au Conservatoire, certaines pratiques se transmettent exclusivement à l'oral dans le cadre du cours, sans qu'il en subsiste aucune trace écrite. Il faut attendre la génération des élèves formés par Marguerite Long pour que les volontés du compositeur se transmettent par l'intermédiaire de ceux qui l'ont côtoyé.

1. OG, 2009. Selon Odette Gartenlaub, Inghelbrecht a beaucoup relativisé le degré d'intimité qui a pu exister entre Marguerite Long et Debussy.
2. AP.
3. AP.

Les professeurs, malgré leurs connaissances et leur expérience, ne parviennent pas toujours à apporter de réponse satisfaisante aux difficultés que pose la musique de Debussy. D'autre part, leur témoignage ne suffit pas toujours ; les apprentis interprètes entament alors des recherches personnelles pour pallier ces problèmes. En effet, la phase d'apprentissage au Conservatoire n'est jamais qu'une première étape pour l'interprète, que les élèves doivent ensuite perfectionner à l'issue de leur cursus ; nous avons cherché ce qui, dans leur démarche ultérieure, était spécifique au répertoire debussyste.

L'appropriation personnelle : se documenter avec des enregistrements

C'est seulement une fois hors du Conservatoire que le pianiste s'approprie réellement son répertoire[1] et, concernant Debussy, les témoins interrogés adoptent une démarche « historienne » : ils se réfèrent systématiquement aux enregistrements de Debussy ou des interprètes de son temps. Interrogé sur son usage des enregistrements historiques, Dominique Merlet souligne justement la spécificité de Debussy en le comparant à un contemporain, Ravel : « La musique de Ravel est plus structurée, précise, nette… On a plus facilement la couleur et la matière, écouter ses enregistrements est moins *vital*[2]. » Les enregistrements anciens et les rouleaux sur lesquels on entend Debussy ou ses proches renseignent sur le choix du tempo, sur le caractère, le toucher[3]… Ils donnent des pistes très importantes sur ce qui échappe à la seule lecture de la partition[4]. Comme le remarque Charles Timbrell, Debussy appartient à la première génération de pianistes ayant laissé des traces sonores[5] ; à ce titre, il est l'un des

1. Parfois, l'interprète peut être ponctuellement accompagné par des professeurs issus de l'institution, dans le cadre de classes de maître ou de cours particuliers par exemple.
2. DM.
3. DM. Des sources à prendre avec précaution néanmoins : à titre d'exemple, à l'époque des débuts de l'enregistrement, les interprètes étaient parfois contraints de jouer une pièce plus rapidement qu'indiqué afin de respecter le minutage imposé par le support.
4. Voir Cécilia Dunoyer, « Debussy and early debussystes at the piano », article cité et Charles Timbrell, « Debussy in performance », *op. cit.*
5. Charles Timbrell, *Debussy in performance*, *op. cit.*, p. 274. Voir aussi dans ce volume les articles d'Élizabeth Giuliani, « Debussy et le disque », p. 223-238, David Grayson, « Les premiers enregistrements de Pelléas et Mélisande », p. 239-252 et Roy Howat, « Les enregistrements historiques des mélodies de Debussy. Des sources pour l'interprétation », p. 253-261.

premiers compositeurs susceptibles d'offrir au pianiste des interprétations de référence.

À sa mort, Claude Debussy laissait son œuvre pianistique entre les mains d'interprètes renommés qui, sur scène, pouvaient transmettre aux auditeurs une interprétation autorisée, en partie du moins, par le compositeur. Mais ni Walter Rummel, ni George Copeland, ni Ricardo Viñes, ni Élie Robert Schmitz, ni Maurice Dumesnil ne furent amenés à enseigner leur savoir-faire dans le cadre du Conservatoire de Paris. Marguerite Long, dont les relations avec Debussy sont aujourd'hui regardées avec circonspection, était alors l'une des rares interprètes et pédagogues susceptible de faire le trait d'union, en ce qui concerne la musique de Debussy, entre le domaine du concert et celui de l'enseignement au Conservatoire. Elle se trouvait ainsi en position d'assurer, dans cet établissement de renom, la transmission d'un précieux savoir-faire aux générations d'interprètes à venir.

Cependant, les archives du Conservatoire et les témoignages des pianistes que nous avons rencontrés dépeignent une tout autre situation. Au moins jusque dans les années 1960, le répertoire debussyste semble se réduire, pour les élèves pianistes, à un canon d'œuvres peu variées. Cette musique, par sa nouveauté technique et esthétique, semble avoir posé aux professeurs des problèmes spécifiques que certaines pratiques pédagogiques ne permettaient pas de résoudre aisément.

Ces conclusions restent toutefois hypothétiques : en l'absence d'études similaires[1], il nous est difficile aujourd'hui de garantir l'originalité de ces observations. Il serait souhaitable que cette étude trouve des prolongements. En faisant appel à d'autres archives, il sera possible d'observer l'évolution de la place réservée à l'œuvre

1. Il existe, certes, des études qui envisagent la pédagogie pour mieux comprendre l'interprétation. Jean-Jacques Eigeldinger déclare ainsi que son travail sur les élèves de Chopin fut dicté par « le désir de [le] rapprocher autant que possible des intentions de Chopin » (Jean-Jacques Eigeldinger, *Chopin vu par ses élèves*, Paris, Fayard, 2006). Mais, à la différence de Chopin, Debussy n'a pas fait de l'enseignement une activité fondamentale. Pour autant, la piste de la pédagogie ne nous semble pas moins valable : elle permet de mettre en perspective historique l'interprétation et sa transmission.

pianistique de Debussy au Conservatoire jusqu'à nos jours. L'étude des partitions de travail d'anciens élèves du Conservatoire pourrait compléter utilement les témoignages recueillis en identifiant plus précisément les difficultés que pose l'apprentissage de l'œuvre debussyste. Enfin, pour disposer de points de comparaison confirmant ou infirmant nos conclusions, il s'agirait d'appliquer la démarche proposée ici à d'autres compositeurs contemporains de Debussy.

Annexe

Œuvres imposées aux concours de piano de fin d'année du Conservatoire de Paris (1909-1955)

Le tableau ci-dessous répertorie les œuvres imposées aux concours de fin d'année du Conservatoire entre 1909, date à laquelle Claude Debussy entre au Conseil supérieur d'enseignement de l'établissement, et 1955. Les données rassemblées sont issues de deux sources. L'ouvrage d'Anne Bongrain, *Le Conservatoire national de musique et de déclamation 1900-1930. Documents historiques et administratifs* sert de référence pour la période qui s'étend de 1909 à 1925. Les registres contenant les procès-verbaux des séances de concours pour les récompenses du Conservatoire, conservés aux Archives nationales dans la série AJ 37 (AJ $37^{551\text{-}568}$) documentent la période 1925-1955. Après cette date, les archives du Conservatoire sont plus difficilement accessibles.

Deux des nombreuses épreuves qui jalonnent alors le parcours des élèves du Conservatoire ont été retenues : le prestigieux concours pour les prix, ainsi que le concours de fin d'année des élèves du niveau préparatoire. Les œuvres mentionnées ci-dessous étaient accompagnées, pendant cette période, d'un déchiffrage presque toujours composé pour l'occasion. Les titres sont transcrits tels qu'ils figurent dans les archives.

Les zones grisées correspondent aux années de concours auxquels sont imposées des œuvres de Debussy.

Année	Piano supérieur hommes	Piano supérieur femmes	Piano préparatoire hommes	Piano préparatoire femmes
1909	Schumann, *Carnaval*	Beethoven, *Variations* en mi bémol	Mendelssohn, *Capriccio* op. 22	Weber, *Concertstück*
1910	Beethoven, *Sonate* en ut mineur op. 111, 1er mouvement	Fauré[2], *Thème et variations* op. 73	Beethoven, *Sonate* en ré op. 12, Scherzo et finale	Beethoven, *Troisième sonate* op. 2, Finale
1911	Chevillard[2], *Thème et variations*	Chopin, *Deuxième Ballade*	Beethoven, *Sonate* en si bémol op. 22, 1er mouvement	Bach, *Prélude* en mi bémol mineur, et Mendelssohn, *Fantaisie* en fa dièse, finale
1912	Brahms, *Variations sur un thème de Haendel*	Beethoven, *Sonate « appassionata »*, Andante con variazioni et finale	Schumann, *Fantaisie sur le mot A.B.E.G.G.*	Beethoven, *Sonate* n° 3 en sol op. 31, Final
1913	Fauré[3], *Thème et variations* op. 73	Saint-Saëns[3], *Troisième Concerto*	Beethoven, *Sonate* en si bémol, Final	Schubert, *Impromptu* en fa mineur
1914	Chopin, *Sonate* en si bémol mineur, 1er mouvement et final	Glazounov, *Variations* en fa dièse, op. 72	Beethoven, *Sonate* en si bémol op. 22, 1er mouvement	Hummel, *Sonate* en fa dièse mineur op. 81, 1er temps
1915	Saint-Saëns[4] *Troisième Concerto*	Fauré[2], *Ballade*	Weber, *Sonate* en ré mineur, Final	Mendelssohn, *Prélude et fugue* en mi mineur, n° 73 de la série 11

1916	Chopin, *Première Ballade*	Schumann, *Variations symphoniques*	Weber, *Concertstück*, Final	Schumann, *Fantaisie sur le mot A.B.E.G.G.*
1917	Beethoven, *Sonate* op. 53, Adagio et finale	Chopin, *Barcarolle*	Mendelssohn, *Deuxième Caprice* en mi op. 33	
1918	Hillemacher[5], *Variations sur une rhapsodie orientale*	Chevillard[1], *Thème et variations*	Mendelssohn, *Variations sérieuses*	
1919	Chopin, *Polonaise-Fantaisie*	Fauré[2], *Septième Nocturne* et Chopin, *Étude n° 4* op. 10	Beethoven, *Deuxième sonate* en la, Final	
1920	Pierné[6], *Variations*	Chopin, *Fantaisie* en fa mineur op. 49	Beethoven, *Sonate* en ut dièse mineur n° 102 op. 27, Final	
1921	Weber, *Sonate* en la bémol, 1er mouvement	Weber, *Sonate* en la bémol, 1er mouvement	Mendelssohn, *Capriccio* en si op. 22	
1922	Chopin, *Troisième Scherzo*	Saint-Saëns[3], *Deuxième Concerto* en sol mineur op. 22, 1er mouvement	Mendelssohn, *Prélude et fugue* en fa mineur	
1923	Chevillard[1], *Thème et variations*	Chopin, *Deuxième Ballade*	Bach, *Fugue* en ut mineur du 2nd livre du *Clavecin bien tempéré*, et Mendelssohn, *Pièces caractéristiques* op. 7, n° 4	
1924	Liszt, *Méphisto-Valse*	Chopin, *Première Ballade*	Weber, *Concertstück*, 1er mouvement	
1925	Chopin, *Quatrième Ballade*	Chopin, *Barcarolle*	Hummel, *Sonate* en fa dièse mineur op. 81, 1er mouvement	

Année	Piano supérieur hommes	Piano supérieur femmes	Piano préparatoire hommes	Piano préparatoire femmes
1926	Bach-Liszt, *Variations sur un thème chromatique*	Saint-Saëns[3], *Troisième Concerto*, allegro	Chopin, *Concerto* en mi mineur, 1er mouvement	
1927	Chopin, *Sonate* en si bémol mineur op. 35, 1er mouvement et finale	Chopin, *Fantaisie* en fa mineur op. 49	Schumann, *Variations sur le nom A.B.E.G.G.*	
1928	Liszt, *Polonaise* en mi	Chopin, *Troisième Ballade*	Mendelssohn, *Variations sérieuses*	
1929	Chopin, *Nocturne* en fa op. 15 n°1, et *Sonate* en si mineur op. 58, finale	Schumann, *Carnaval* op.9	Weber, *Sonate* en ré mineur, Final	
1930	Bach-Busoni, *Choral* en mi bémol et Gabriel Pierné[5], *Étude symphonique*	Saint-Saëns[3], *Deuxième Concerto* en sol mineur op. 22, 1er mouvement	Weber, *Variations sur un thème de Joseph de Méhul* (sauf 1re et 3e var.)	
1931	Chopin, *13e Prélude* et Saint-Saëns[3], *Toccata d'après le cinquième concerto* op. 111	Chopin, *Sonate* op. 35, 1er mouvement et finale	Chopin, *Concerto* en fa mineur, 1er mouvement	
1932	Chopin, *Fantaisie* op. 49	Schumann, *Études symphoniques* op. 13	Weber, *Concertstück* op. 79, 1re partie	

1933	Liszt, *Après une lecture du Dante*	Chopin, *Deuxième Ballade*	Mendelssohn, *Variations sérieuses*
1934	Weber, *Sonate en la bémol*	Chopin, *Première Ballade* en sol mineur	Chopin, *Variations* op. 12 sur un thème de *Ludovic*
1935	Chopin, *Quatrième Ballade*	Beethoven, *Sonate* en ut mineur op. 111, 1er mouvement	Hummel, *Sonate* en fa dièse mineur, 1er mouvement
1936	Schumann, *Carnaval* op. 9	Chopin, *Troisième scherzo*	Mendelssohn, *Prélude et fugue* en fa mineur
1937	Chopin, *Sonate* en si bémol mineur op. 35, 1er mouvement et finale	Saint-Saëns[3], Allegro d'après le *Troisième concerto*	Chopin, *Allegro de Concert* op. 46
1938	Beethoven, *Sonate appassionata*, Adagio et finale	Chopin, *Fantaisie*	Mendelssohn, *Rondo capriccioso*
1939[7]	1er jour : Bach, *Prélude et fugue* en ut dièse majeur ; Mendelssohn, *Romance sans paroles* en la bémol (*duetto*) ; Chopin, deux *Études* au choix du concurrent 2e jour : Liszt, *Méphisto-Valse*		Schumann, *Abegg*
1940	Chopin, *Première Ballade* et Debussy, « Toccata »		Chopin, *Concerto* en mi mineur, 1er mouvement
1941	1er jour : Beethoven, *Sonate* op. 53, Adagio et rondo 2e jour : Chopin, *Préludes* n° 3, 4 et 16 ; Debussy, *L'Isle joyeuse*		Saint-Saëns[3], *Allegro appassionato*

<table>
<tr><th>Année</th><th>Piano supérieur hommes</th><th>Piano supérieur femmes</th><th>Piano préparatoire hommes</th><th>Piano préparatoire femmes</th></tr>
<tr><td>1942</td><td colspan="2">1er jour : Bach, un prélude et fugue ; Saint-Saëns[3], Étude en forme de valse
2e jour : programme de 15 minutes choisi par le directeur et un membre du jury sur le programme présenté et communiqué par billet aux concurrents à leur sortie de scène le jour précédent
* Mlle Astruc (classe de Marcel Ciampi) présente Debussy, Étude pour les cinq doigts
* Mlle Carpentier (classe de Jean Doyen) présente Debussy, « Toccata »
* Mlle Morin (classe de Jean Doyen) présente Debussy, « Bruyères », « Général Lavine » et « Ondine »
3e jour : pour les aspirants au 1er prix, un concerto à leur choix (fragments)</td><td colspan="2">Fauré[2], Impromptu n° 2 en fa mineur ;
Bach, un prélude et fugue du Clavecin bien tempéré au choix du concurrent</td></tr>
<tr><td>1943</td><td colspan="2">1er jour : Bach, prélude et fugue du Clavier bien tempéré choisi par le directeur sur une liste de trois fournie par le candidat ; Czerny, Finale de la Sonate d'étude ; Chabrier, Bourrée fantasque
2e jour : Debussy, « La Soirée dans Grenade » ; Chopin, Nocturne n° 13
3e jour : pour les aspirants au 1er prix, Camille Saint-Saëns[3], 4e concerto ; Messiaen, Rondeau</td><td colspan="2">Schumann, Novelette n° 4 [ou n° 2] ;
un morceau moderne au choix du candidat[8]</td></tr>
</table>

1944[9]	1er jour : Beethoven, *Sonate appassionata*, 1er mouvement 2e jour : Bach, Prélude et fugue du *Clavecin bien tempéré* ; Chopin, *Étude* ; Fauré[2], *Valse caprice*		Beethoven, *Sonate* op. 31 n° 2 ; Par[…][10], *Toccata* n° 2 ; un morceau moderne au choix du candidat
1945[11]	Bach ; Chopin, une *Barcarolle* ; Rameau, *Les Niais de Sologne* ; Fauré[2], 5e *Impromptu*		[le programme ne figure pas dans les archives consultées]
1946[12]	Beethoven, *Sonate appassionata*, 1er mouvement ; Chopin, *Étude* en la mineur		Chopin, *Prélude* n° 6 ; Mendelssohn, *Fantaisie*, final
1947[13]	1er jour : Chopin, *Fantaisie* ; Mendelssohn, *Caprice* 2e jour : Bach, prélude et fugue tirée au sort dans une liste de six ; Ravel, *Toccata*		Beethoven, *Sonate* en mi bémol n° 2
1948	Bach, prélude et fugue au choix ; Debussy, *Étude pour les degrés chromatiques* ; Liszt, *Après une lecture du Dante*	Bach, prélude et fugue au choix ; Beethoven, *Sonate* op. 101, adagio et final ; Fauré[2], *Deuxième Barcarolle* ; Couperin, *Le Carillon de Cythère*	Weber, 1er mouvement du *Concertstück*
1949	Bach, prélude et fugue au choix ; Ravel, *Alborada del Gracioso* ; Beethoven, un temps de la *Sonate* op. 106	Bach, prélude et fugue au choix ; Ravel, *Ondine* ; Chopin, *Quatrième Ballade*	Chopin, *Concerto* en mi mineur
1950	Roger-Ducasse, *Prélude et fugue en ut* ; Liszt, *Mazeppa*	Schumann, *Kreisleriana* ; Roger-Ducasse, *Barcarolle en ré bémol* ; Paganini-Liszt, 2e *étude*	Beethoven, *Variations*

Année	Piano supérieur hommes	Piano supérieur femmes	Piano préparatoire hommes	Piano préparatoire femmes
1951	Beethoven, *Variations* op. 109 ; Brahms, *Variations sur un thème de Paganini*	Chopin, *Polonaise Fantaisie* ; Schumann, *Hallucinations*	Fauré, *3e Valse-Caprice*	
1952	Chopin, *Quatrième Scherzo* ; Liszt, *Méphisto-Valse*		Mozart, *Sonate* en ré majeur, 1er mouvement ; Ravel, *Jeux d'eau*	
1953	Un mouvement de concerto au choix du candidat ; Beethoven, *Sonate* op. 111 ; programme au choix du candidat. Sur 20 candidats, 2 interprètent Debussy (*L'Isle joyeuse* 2 fois, *Reflets dans l'eau*, *Les sons et les parfums*) ; 9 interprètent des œuvres de Ravel, notamment au titre des concertos. D'autres compositeurs du XXe siècle sont choisis par les candidats.	Pas d'indication claire sur le programme des femmes : probablement similaire à celui des hommes. Sur 40 candidates, 8 interprètent Debussy (*Mouvement* 2 fois, *Reflets dans l'eau* 2 fois, *La Terrasse des audiences du clair de lune*, *Toccata*, *Étude pour les cinq doigts*, *L'Isle joyeuse*) ; 8 interprètent des œuvres de Ravel. D'autres compositeurs du XXe siècle sont choisis par les candidates.	Bach, prélude et fugue au choix ; Schumann, *Variations sur Abegg*	
1954	Mozart, final du *Concerto* en ut mineur (K 491) ; Delvincourt[14], *Buffalmacco*, extrait de *Boccaceries* ; Liszt,		Bach, prélude et fugue au choix ; Mendelssohn, *Variations sérieuses*	

1954	*La Campanella* ; programme au choix du candidat (Bach et Beethoven).	
1955	Chopin, *Sonate en si bémol mineur*, scherzo	[programme non détaillé dans les archives]

1. Anne Bongrain, *Le Conservatoire national de musique et de déclamation 1900-1930. Documents historiques et administratifs*, Paris, Vrin, 2012, 748 p.
2. Camille Chevillard (1859-1923) : Conseil supérieur d'enseignement 1907-1923 (études musicales) ; membre de comités d'examens et membre de jurys entre 1901 et 1923.
3. Gabriel Fauré (1845-1924) : Conseil supérieur d'enseignement 1905-1920 (études musicales et dramatiques), 1920-1924 (études musicales) ; membre de comités d'examens et membre de jurys entre 1901 et 1905 puis en 1921. Directeur du Conservatoire de 1905 à 1920.
4. Camille Saint-Saëns (1835-1921) : Conseil supérieur d'enseignement 1897-1911 (études musicales) ; membre de jurys entre 1901 et 1911.
5. Paul Hillemacher (1852-1933) : membre de comités d'examens et membre de jurys entre 1901 et 1927.
6. Gabriel Pierné (1863-1937) : Conseil supérieur d'enseignement 1904-1918 et 1920-1930 (études musicales) ; membre de comités d'examens et membre de jurys entre 1900 et 1930.
7. Modification du fonctionnement du concours : les épreuves et les jurys sont mixtes. Suppression du déchiffrage, qui sera toutefois très rapidement rétabli. Après 1945, les modifications apportées aux concours de fin d'année seront nombreuses.
8. Parmi les candidats, plusieurs choisirent des œuvres de Fauré, de Ravel ou de Debussy. La *Toccata* de *Pour le piano*, tout comme les pièces extraites des *Estampes* (*La Soirée dans Grenade, Jardins sous la pluie*) ainsi que des *Préludes* (*Ce qu'a vu le vent d'ouest, Les Collines d'Anacapri*), des *Images* (*Poissons d'or*), des *Children's Corner*, ou de la *Suite bergamasque* et du *Tombeau de Couperin* rencontrèrent les faveurs des candidats.
9. Programme pour le prix d'honneur de piano : Couperin, *Le Carillon de Cythère* ; Schumann, *Fantaisie* op. 17 ; Liszt, *Concerto* en mi bémol ; Ravel, *Alborada del Gracioso*.
10. Illisible.
11. La série continue des registres ne permet pas de connaître le programme du concours de cette année ; nous avons donc recouru à d'autres sources, moins précises toutefois (AJ 37 [538]).
12. Programme pour le prix d'honneur de piano : Beethoven, *Sonate* op. 31 n° 2 ; Dukas, *Variation sur un thème de Rameau* ; Grieg, *Concerto*.
13. Programme pour le prix d'honneur de piano : Beethoven, *1re sonate* en mi bémol op. 27 ; Brahms, *Variations sur un thème de Paganini (2e livre)* ; Roger-Ducasse, *Prélude et fugue* en ut majeur extraits des *Études 1 et 2* ; Franck, *Variations symphoniques*.
14. Claude Delvincourt (1888-1954), directeur du Conservatoire de 1941 à sa mort en avril 1954.

Les courbes de la musique et les angles de la danse : Nijinsky, Debussy et *L'Après-midi d'un faune*

Gianfranco Vinay

À l'occasion d'une interview accordée à Alberto Gasco en février 1914, Debussy affirme à propos de la chorégraphie de *L'Après-midi d'un faune* de Nijinsky :

> Je renonce à vous décrire ma… terreur, lorsque, à la répétition générale, je vis que les nymphes et les faunes bougeaient sur la scène comme des marionnettes, ou plutôt comme des figurines de carton, se présentant toujours de côté, avec des gestes durs, anguleux, stylisés de façon archaïque et grotesque ! Pouvez-vous imaginer le rapport entre une musique ondoyante, berceuse, où abondent les lignes courbes, et une action scénique où les personnes se meuvent, pareil à ceux de certains vases antiques, grecs ou étrusques, sans grâce ni souplesse, comme si leurs gestes schématiques étaient réglés par des lois de géométrie pure ?….. Une « dissonance » atroce, sans résolution possible[1] !

L'année précédant la création de *L'Après-midi d'un faune*, Nijinsky avait dansé le rôle principal du *Spectre de la rose*, célèbre ballet de Fokine dont la courte durée et la formule adoptée présentent des analogies évidentes avec celle du *Faune*, à savoir : l'assemblage d'une intrigue minimaliste inspirée d'un poème (de Théophile Gautier), d'une pièce musicale du passé (*L'Invitation à la danse* de C. M. von Weber

1. François Lesure, « Une interview romaine de Debussy (février 1914), *Cahiers Debussy* n° 11, 1987, p. 5. Cette interview parut le 23 février 1914 dans *La Tribuna* sous le titre « Debussy a Roma. Un profilo e un colloquio ».

orchestrée par Berlioz) et d'une chorégraphie synchronisée avec la musique. Aussi les deux *fabulae* sont similaires : solitude (de la femme ou du faune) – apparition et rencontre (avec le spectre de la rose ou avec la grande nymphe) – disparition et souvenir solitaire stimulé par un objet fétiche (le pétale de rose ou le voile).

Tandis que dans *Le Spectre de la rose* il y a une intention manifeste de Fokine de créer des analogies formelles, phraséologiques, expressives et atmosphériques entre musique et danse, dans *L'Après-midi d'un faune* le dessein de Nijinsky est autre, ressenti par Debussy comme une « dissonance atroce » entre les lignes courbes de la musique d'une part, les angles et la géométrie des gestes du faune et des nymphes d'autre part. Il est fort probable que lorsque Debussy parle de « lignes courbes » il se réfère surtout aux courbes des arabesques mélodiques, fondées sur les figures de la descente et de la montée. Mais il est également vraisemblable qu'il percevait une autre dissonance, pour ainsi dire phraséologique, formelle, entre les vagues sonores de sa musique et le découpage réalisé par Nijinsky pour la réalisation de son projet chorégraphique. Afin de percevoir cette dissonance il faut se placer dans une perspective analytique plus axée sur la continuité et sur la répétition d'une même image que sur la discontinuité et sur le fractionnement en sections différentes.

C'est ce qui oriente l'analyse d'Albert Jakobik[1], à laquelle nous souscrivons, étant donné qu'elle met particulièrement en évidence la naturalité de l'image musicale. Une courbe régit l'œuvre dans son ensemble selon un processus du type : a) courbe rêveuse de la flûte ; b) tension/ ouverture du conséquent ; c) dissolution en écho ou en decrescendo. Tout au long du *Prélude à l'Après-midi d'un faune*, la répétition variée et amplifiée de ce processus crée des respirations et des vagues musicales, d'abord plus amples et ensuite plus courtes, après le climax central – mouvement qui se dissout à la fin. La répétition de la courbe rêveuse de la flûte au début de chaque cycle renforce particulièrement l'image de la « sonore, vaine et monotone ligne » du poème de Mallarmé et du temps-Aïon qu'elle ouvre. Un temps circulaire, qui revient à la fin, au cours de la dernière partie, après deux épisodes bâtis sur deux manifestations différentes du temps-Chronos : l'épisode « plus animé » et l'extase lyrique en *ré* bémol majeur de l'épisode central.

1. Albert Jakobik, *Claude Debussy oder Die lautlose Revolution in der Musik*, Tribsch, Würzburg, 1977 (analyse du *Prélude à l'Après-midi d'un faune*, p. 30-44).

Nijinsky synchronise chaque début et chaque conclusion des séquences chorégraphiques avec le début et la conclusion de chaque cycle et de chaque épisode musical. Mais les différentes actions qui se déroulent en correspondance du début et de la fin, ainsi que celles introduites au cours des différents épisodes inspirés d'images poétiques et iconographiques, détournent la mémoire musicale de la reconnaissance de cette synchronisation, saisie plutôt au niveau subliminal.

Il faut tenir compte du fait que la musique de Debussy n'est pas à l'origine du projet, mais qu'elle fut choisie a posteriori. Par conséquent, le découpage musical et le montage de l'action dansée sur la musique proviennent de la convergence d'un projet chorégraphique déjà avancé, avec une œuvre composée dix-huit ans auparavant.

Afin de saisir la façon dont Nijinsky réalise cette convergence, il convient de mettre en perspective la partition musicale et la partition chorégraphique qu'on peut découper en sept épisodes (de A à G)[1].

A (MESURES 1-10) : Mise en place de la séquence : 1) *courbe rêveuse* ; 2) *ouverture/tension* ; 3) *réponse en écho*

> 1) mesures 1-2 : courbe descendante – ascendante (liquescente : 4 arsis en 9/8 ; gamme chromatique-pentatonique dans l'ambitus de triton) – fermeture, douceur de rêve (« une sonore, vaine et monotone ligne ») ;
> 2) mesures 3-4 : conséquent – ouverture-tension – (rythme ternaire, crescendo, accord dissonant : septième diminuée ou sixte ajoutée) ;
> 3) mesures 5-10 : écho des cors lancé par un glissando à la harpe et soutenu par un accord de septième de dominante (ou coloration différente d'accord de septième sur *si♭-la♯* par enharmonie).

Le faune est d'abord allongé et fait semblant de jouer de la flûte. Sur le conséquent à la flûte (mes. 3-4) il fait monter lentement l'instrument. Sur la première intervention du cor il relève le buste (mes. 5-6) et sur les deux répétitions en écho (mes. 7-10) il tord le buste et allonge le bras droit vers le côté droit regardant l'accomplissement de ce mouvement. À l'ouverture et à la tension du conséquent, ainsi qu'à

1. Une analyse très détaillée de la partition chorégraphique (« Description of the Dance », p. 33-46) se trouve dans le livre *Nijinsky's Faune Restored (A study of Vaslav Nijinsky's 1915 Dance Score L'après-midi d'un Faune,* Gordon and Breach Publishers, 1991) par les soins de Ann Hutchinson Guest et de Claudia Jeschke, lesquelles ont « traduit » en notation Laban la notation originale de Nijinsky inspirée par la notation Stepanov.

l'ouverture de l'espace musical déterminé par la répétition en écho, correspondent des gestes et des mouvements d'élévation et d'ouverture.

B (MESURES 11-20) : Répétition variée du même schéma

mesures 11-12 : courbe rêveuse désormais non plus monodique mais soutenue par deux accords de septième enchaînés par tierce mineure (*ré* majeur – *si* mineur) ;
mesures 13-16 : ouverture-tension créée par la réponse en anacrouse des cors directement liée à la figure cadentielle de la flûte ; reprise de la phrase cadentielle de la flûte par le hautbois ;
mesures 17-19 : variante diatonique en mètre plan de la figure principale (courbe descendante – ascendante) ;
mesure 20 : réponse en écho des clarinettes.

Sur la répétition de la courbe rêveuse de la flûte, le faune, après avoir repris sa position assise, se relève et répète son mouvement du bras sur la reprise du conséquent au hautbois (mes. 15) ; un genou en terre, il saisit la grappe de raisin qu'il porte deux fois à la hauteur de son regard sur une variante diatonique de la figure principale, répétée une deuxième fois (mes.17-18). Le mouvement ascendant correspond à une pointe mélodique (le *la♯* au début de la figure est le son le plus aigu rencontré jusque-là) et dynamique (*crescendo*). Sur la répétition en *crescendo forte* de la courbe ascendante de la figure diatonique, le faune allonge son corps en avant depuis la position à genou et enfin, sur la répétition de la même courbe ascendante à la clarinette « diminuendo et retenu », tourne son corps pour reprendre la position allongée, cette fois-ci en miroir par rapport à sa position initiale.

C (MESURES 21-30) : Intensification expressive et cinétique de la figure principale (premier son longuement prolongé, accompagné d'arpèges) énoncée trois fois. Intensification cinétique de l'ouverture/tension. Cette partie correspond à l'entrée du chœur des nymphes. Tandis que le faune demeure immobile en faisant semblant de jouer de la flûte, les nymphes entrent côté jardin.

Nijinsky synchronise les différentes actions des personnages avec des pointes mélodiques, rythmiques-métriques, harmoniques, dynamiques ou timbriques. Les trois premières nymphes entrent sur les arpèges qui soutiennent le premier son prolongé de la figure principale et se promènent en accomplissant des gestes calqués sur les figures des vases grecs. Une quatrième nymphe entre en courant et en sautillant sur une figure ascendante riche en triolets, qui termine une deuxième répétition de la figure principale à la flûte (mes.24). La grande nymphe entre sur une répétition plus rapide (quartolets de triples croches) de la figure principale répétée une troisième fois (mes. 27) et les deux dernières nymphes sur des mélismes descendants en triolets (mes. 28-29).

D (MESURES 31-36) : Intensification expressive et cinétique de la figure principale en dialogue dramatique avec une note répétée jouée par le violoncelle à distance de triton du son longuement prolongé, joué par les clarinettes ; le conséquent est maintenant transformé en gamme en tons entiers. La même séquence est répétée à la tierce majeure supérieure.

C'est sur cet effet dramatique que la grande nymphe enlève deux de ses voiles. Pendant ce temps les nymphes, les bras relâchés, restent immobiles, tandis qu'au cours du conséquent en tons entiers, divisées en deux groupes (3 + 3) elles bougent latéralement, en se croisant, les bras levés. Le faune qui, jusque-là, jouait de la flûte, indifférent à ce qui se passait autour de lui, commence à regarder les nymphes et se lève en passant par la position à genou.

E (MESURES 37-54) : Les tritons et les tons entiers débouchent sur une transformation diatonique de la figure principale (« en animant doux et expressif ») jouée par le hautbois. Les violons assument pour la première fois un rôle thématique en énonçant une figure syncopée qui joue désormais un rôle important (mes. 40), suivie par un épisode en question-réponse, par des échanges thématiques entre bois et violons (mes. 41-43) et par un épisode animé en figure rapide (mes. 44), les figures des deux épisodes étant dérivées de la figure principale diatonisée. La reprise de la figure syncopée, d'abord aux cors (mes. 47-50) puis à la clarinette sur une pédale de *la* bémol (mes. 51-54) amène au climax sonore et expressif.

La grande nymphe danse seule, les bras courbés latéralement en avant et en arrière, sur la figure ascendante-descendante diatonisée. Tandis que la plupart des chefs d'orchestre ralentissent le tempo, ne tenant compte que de l'indication « doux et expressif », Nijinsky prouve qu'il comprend bien l'intention de Debussy, exprimée par l'indication « en animant ».

La figure syncopée énoncée au hautbois (mes. 38) et reprise par les violons I et II (mes. 40), déclenche la promenade d'une nymphe (figure au hautbois), suivie de celle de deux nymphes (figure aux violons), toutes les trois, les bras levés au-dessus de la tête et se dirigeant vers le côté jardin, tandis que les trois autres se dirigent vers le côté cour. La descente du faune de son rocher est synchronisée avec la figure descendante énoncée par la flûte et la clarinette (mes. 42) et reprise par les violons (mes. 43). La présence du faune épouvante les nymphes. Trois se dirigent vers le côté jardin ; une autre s'éloigne en courant, les bras levés sur la tête, en synchronie avec la répétition de la figure chromatique ascendante (mes. 48-50) qui amène à la reprise de la figure syncopée sur la pédale de *la* bémol. Sur cette pédale, le faune observe d'abord la grande nymphe qui lève un troisième voile et incite ensuite les deux nymphes encore présentes à s'évader côté jardin.

F (MESURES 55-78) : Climax sonore et expressif réalisé par une augmentation de la figure descendante accompagnée par des relations de triton et par des rythmes syncopés (mes. 55-60) et suivie de la reprise d'une figure en triolets déjà entendue (mes. 28-29, ici mes. 61-62). Après avoir été reprise aux cordes et accompagnée par l'orchestre au complet (mes. 63-66), cette augmentation revient d'abord aux cordes (mes. 67-73) puis aux instruments à vent (mes. 74-78).

Le faune reste statique face à la grande nymphe qui, sur l'augmentation de la figure descendante, se plie un peu (mes. 55-60) avant de renverser la tête en arrière (culbute) sur une reprise variée de la figure descendante en triolet (mes. 61-62), amenant à la répétition de la figure augmentée aux cordes. Le faune, après avoir sauté, se tourne vers la grande nymphe, demeurant rigide devant elle. Les mêmes gestes sont ainsi répétés, mais en miroir par rapport à la première fois. Sur la reprise aux cordes de la figure syncopée puis la répétition de la figure descendante en triolets (mes. 67-73), le faune et la nymphe se déplacent en avant et en arrière, chacun sur une ligne, en enlaçant leurs bras (seul moment de contact entre eux) sur une reprise « expressive et douce » de la figure syncopée aux cors (mes. 74). Les nymphes, rentrées à nouveau, quittent la scène côté jardin. La grande nymphe les suit après avoir laissé son dernier voile sur scène. Cette sortie des nymphes est accompagnée par la dernière reprise de la figure augmentée jouée par le violon solo de manière douce, expressive et nostalgique.

G (MESURES 79-110) : La figure principale est jouée quatre fois, comme portée par le mouvement des harpes. Les deux premières fois elle est suivie du conséquent du début, immédiatement coupé par des épisodes très animés et rapides (mes. 83-84 et 90-91). La troisième fois, elle est suivie de la figure syncopée et de celle en triolet (mes. 94-100). La quatrième fois, jouée à la fin par la flûte et le violoncelle à l'octave, elle est suivie du conséquent (mes. 103-105) dans la version du début, un demi ton plus bas. Cette reprise du conséquent rappelle le début et amène à la conclusion, où la figure principale (ascendante/descendante) est jouée par les cors qui la colorent d'une teinte nostalgique. L'écho, qui ne paraît pas au long de toute cette section finale (mes. 79-110), est remplacé par l'évocation nostalgique des cors. Une tierce mineure à la flûte (mes. 108) rappelle l'enchaînement harmonique le plus fréquent. Le timbre des cymbales antiques et les harmoniques de la harpe créent une sorte d'évaporation de la sonorité conduisant au silence.

Resté seul, le faune recueille le voile. Les deux épisodes très animés et rapides accompagnent : le premier (mes. 83-84) un retour des nymphes qui, par des gestes vifs des bras, se moquent du faune ; le deuxième (mes. 90-91) une course sauvage du faune étreignant le voile, la bouche ouverte comme un fauve criard. Après un dernier retour rapide de deux nymphes (la deuxième quitte la scène un bras tendu vers le faune qui répond en tendant le bras qui tient le voile, en synchronie avec les deux dernières reprises de la figure principale), le faune se promène lentement vers le rocher (mes. 94-99). Il monte ensuite dessus (mes. 100-102) et, sur la dernière reprise du conséquent (mes. 103-105), plie les jambes, reprenant, face au voile, son attitude initiale face à la grappe de raisin et, comme au début de la pièce, tord le buste et allonge le bras droit vers le côté droit, observant l'accomplissement de ce mouvement. Sur le tétracorde descendant à la harpe, répété une deuxième fois (mes.106), et sur une dernière reprise chromatique aux cors de la figure principale (mes. 107), le faune se couche et relève le buste sur une tierce mineure de la flûte (mes. 108) avant de demeurer allongé.

Ce « montage » des gestes et des actions scéniques sur la musique de Debussy découpée en petits fragments crée-t-il une « dissonance atroce » ou une « consonance » ? Il y a parfois une correspondance sémantique évidente : par exemple, la montée de la grappe de raisin, les entrées de la nymphe heureuse ou de la grande nymphe. Parfois il n'y en a pas : par exemple, la courbe rêveuse peut donner lieu à un mouvement (l'entrée des nymphes) ou à l'immobilité. Il faut tenir compte du fait que la synchronie entre geste musical dramatique ou affiché et geste chorégraphique est également nécessaire pour des raisons mnémoniques, afin que les danseurs puissent reconnaître les points d'attaque ; mais aussi que le contrepoint entre geste musical et geste chorégraphique est essentiel afin d'éviter que la synchronie devienne systématique. Nijinsky joue sur le double registre du changement constant des paramètres musicaux synchronisés et du contrepoint entre geste et mouvements.

Le lien entre ces gestes et ces mouvements n'est pas affectif, émotionnel ou sentimental, mais énergétique : un corps à corps entre les énergies sonores et les énergies cinétiques ; un découpage qui fait ressortir la charpente de la musique, ce que Debussy n'aimait pas du tout parce qu'il ne « respectait » pas les « courbes » (mélodiques et formelles) de la musique.

C'est en utilisant la métaphore des « spéciales mathématiques » que le 9 juin 1913 Debussy fait part à Robert Godet de son effroi face à la chorégraphie de *Jeux* :

> Permettez-moi de comprendre parmi ces derniers [événements], la représentation de *Jeux* où le génie pervers de Nijinsky s'est ingénié à de spéciales mathématiques ! Cet homme additionne les triples croches avec ses pieds, fait la preuve avec ses bras, puis, subitement frappé d'hémiplégie, il regarde passer la musique d'un œil mauvais. Il paraît que cela s'appelle la « stylisation du geste »... C'est vilain ! C'est même *dalcrozien*, car je considère Monsieur Dalcroze comme un des pires ennemis de la musique ! Et vous supposez ce que sa méthode peut faire de ravages dans l'âme de ce jeune sauvage qu'est Nijinsky ? La musique, croyez le bien, ne se défend pas ! Elle se contente d'opposer ses légères arabesques à tant de pieds malencontreux, – qui ne demandent même pas pardon[1] !

Les remarques concernant la chorégraphie ajoutées par Nijinsky sur une copie de la réduction pour piano de *Jeux* permettent de comprendre que dans cette seule véritable occasion de collaboration entre Debussy et Nijinsky, le chorégraphe coupe souvent en courts fragments les arabesques et les phrases musicales par des gestes, des pas, des mouvements[2].

1. Lettre de Claude Debussy à Robert Godet, 9 juin 1913, *Correspondance*, p. 1619.
2. Voir Gianfranco Vinay, « *Jeux* et la drammaturgia della voluttà secondo Debussy e secondo Nizinskii », dans *Omaggio a Sergei Djagilev. I Ballets Russes (1909-1929)*

C'est ce qui vexe Debussy, lequel interprète ce découpage comme une atteinte à ses « légères arabesques ».

Lorsque Debussy définit la musique comme « une mathématique mystérieuse dont les éléments participent de l'Infini[1] », il suggère une fonction médiatrice de la musique entre la nature et l'imagination. Cependant, la musique garde ce pouvoir de médiation lorsqu'on respecte l'intégrité sonore des images musicales. Si l'on altère cette intégrité en la découpant en morceaux, en mettant en relief et en interférant avec les éléments qui la constituent, la mathématique, selon lui, devient dangereuse et perverse.

Ce qui est ressenti par Debussy comme une dissolution de l'aura de l'œuvre musicale avant la lettre (avant Benjamin et Adorno) ouvre une perspective nouvelle non seulement dans le domaine de la chorégraphie et du ballet, mais aussi dans celui des œuvres audiovisuelles. Selon Barraqué, « Debussy, du *Prélude à l'Après-midi d'un faune* jusqu'à *Jeux*, a instauré une technique d'invention instantanée où les éléments ou paramètres musicaux sont appelés à rejaillir les uns sur les autres, à s'interférer[2] ». Adaptant cette citation de Barraqué à l'œuvre chorégraphique de Nijinsky, on pourrait affirmer qu'il a instauré une technique d'invention instantanée dans laquelle les éléments ou paramètres musicaux, gestuels et cinétiques sont appelés à rejaillir les uns sur les autres. Une interférence qui crée un nouvel espace audio-visuel dans le domaine du ballet.

Ce bas-relief animé par des personnages qui marchent parallèlement les uns aux autres, aplatissant leurs corps et leurs gestes sur deux dimensions, ainsi qu'une action chorégraphique synchronisée avec un accompagnement musical, offre des analogies évidentes avec le cinéma, à une époque où il devenait un spectacle populaire : un cinéma muet, dont la musique était fournie par des improvisations utilisant un certain nombre de clichés codés. Le projet de réaliser des scènes chorégraphiques inspirées de vases grecs sur une musique inspirée d'un tel sujet poétique amène Nijinsky à une animation gestuelle et à une synchronisation entre action, gestes et musique, plus

---

cent'anni dopo, Daniela Rizzi et Patrizia Veroli (dir.), Europa Orientalis (université de Salerno), 2012, p. 145-165.

1. Claude Debussy, « Considérations sur le Prix de Rome au point de vue musical », *Musica*, mai 1903, repris dans *Monsieur Croche*, p. 176.

2. Jean Barraqué, « Debussy ou l'approche d'une organisation autogène de la composition », *Écrits*, Laurent Feneyrou (éd.), Paris, Publications de la Sorbonne, 2001, p. 264.

proche du cinéma et de ses ancêtres (voir par exemple la décomposition du mouvement de Muybridge) que du ballet traditionnel et contemporain de cette époque (y compris *Le Spectre de la rose*). Le reproche que Debussy fait à Nijinsky de transformer les danseurs en « marionnettes » et en « figurines de carton » montre que, tout en le refusant, il avait parfaitement saisi le mécanisme dramaturgique et scénique qui anime le *Faune* : la codification rigide des gestes et des mouvements mettant en évidence le caractère artificiel et mécanique des actions. Le faune et les nymphes ne sont pas des personnages animés par des sentiments, mais des êtres instinctifs qui répondent à des pulsions et réagissent à des *stimuli* et à des provocations.

Le traitement chorégraphique de Nijinsky paraissait d'autant plus radical à Debussy que, l'année précédente, le danseur russe avait été l'interprète acclamé de *Pétrouchka*, dont le sujet principal est l'ambiguïté d'un pantin humanisé. Une partition que Debussy appréciait et qui était conçue selon une technique d'assemblage de courtes séquences, très semblable à celle d'un montage cinématographique, réalisant un rythme dramaturgique très rapide, comme des photogrammes filmiques. Dans ce cas, la musique avait été composée avant le traitement chorégraphique, mais selon des principes annulant toutes lignes « courbes » à la faveur des « angles », des aspérités : une sorte de pré-cubisme musical qui sera dorénavant l'un des caractères marquants du style stravinskien. La chorégraphie de Fokine, traduction fidèle de cet esprit nouveau et de cette dramaturgie inédite, est fondée sur une synchronisation parfaite entre geste musical, pantomime et danse.

Dans *L'Après-midi d'un faune*, le contraste entre les « courbes » de la musique et les « angles » de la chorégraphie dévoile la structure profonde de la musique, mettant en évidence, à rebrousse-poil, les raisons pour lesquelles Boulez a pu affirmer que « la musique moderne s'éveille à l'*Après-midi d'un faune*[1] ».

1. « Cette partition possède un potentiel de jeunesse qui défie l'épuisement ou la caducité ; et de même que la poésie moderne prend sûrement racine dans certains poèmes de Baudelaire, on est fondé à dire que la musique moderne s'éveille à *L'Après-midi d'un faune* » (Pierre Boulez, « Debussy », *Encyclopédie de la Musique,* Paris, Fasquelle, 1958, repris dans *Relevés d'apprenti*, Paris, Seuil, 1966, p. 336), réed. dans *Points de repère,* t. I, *Imaginer*, Jean-Jacques Nattiez et Sophie Galaise (éd.), Paris, Christian Bourgois/Seuil, 1995, p. 211.

Penser la composition

Les « esquisses » des dernières œuvres
Aperçu critique[1]

Paolo Dal Molin

Dans l'introduction à son *Catalogue de l'Œuvre de Claude Debussy* paru en 1977, François Lesure consacrait un chapitre aux « manuscrits autographes » du compositeur, présentant d'abord l'ensemble des manuscrits musicaux de Debussy, puis les « mises au net ayant servi à la gravure » conservées autrefois par les éditeurs et enfin les manuscrits « qui posent des problèmes d'identification ». Il ajoutait :

> En ce qui concerne les esquisses, on en a peu découvert, les exceptions les plus notables étant celles de *Pelléas* et d'*Ibéria*. Le fait peut

1. Je suis très reconnaissant à Denis Vermaelen (Université François-Rabelais de Tours) pour sa relecture attentive de ce texte et pour ses suggestions de reformulation. Je remercie également Jean-Louis Leleu (Université de Nice Sophia Antipolis), Cédric Segond-Genovesi (Centre de documentation Claude Debussy), Andres Betschart (Winterthurer Bibliotheken) et les éditeurs scientifiques du présent ouvrage de m'avoir aidé à préciser tel ou tel point de détail.

Dans le présent article, les volumes des *Œuvres complètes de Claude Debussy* sont indiqués par le sigle OCCD suivi par les numéros de série et de tome. Les références complètes aux sources sont, quant à elles, remplacées par les sigles suivants :

CDMS = Paris, Centre de documentation Claude Debussy, Manuscrits musicaux (reproductions) ;

Lang = Asnières-sur-Oise, Fondation Royaumont, Bibliothèque musicale François-Lang ;

Ms. = Manuscrit conservé au département de la Musique de la Bibliothèque nationale de France ;

Dep RS = Bibliothèques de Winterthur (Suisse), Collections Spéciales, Fondation Rychenberg, Dep RS.

paraître surprenant pour un auteur qui a longuement pensé certaines de ses œuvres et avait même coutume d'y apporter des modifications après leur publication. Voici comment Robert Godet l'explique dans un texte encore inédit : « La partition manuscrite de Debussy offrait le modèle d'une graphie pure et nette, la plus élégante du monde, et sans nulle trace de grattages. Or ce n'était pas une copie, mais l'original même, établi sur un très petit nombre de brouillons fragmentaires – la seule exception que vous rencontrerez confirmera la règle… Jamais compositeur ne gâcha moins de papier. Debussy ne se mettait à écrire un ouvrage qu'alors qu'il l'avait achevé dans sa tête, et sans aucun secours instrumental. En revanche, le temps de l'incubation mentale… était le plus souvent très long… Ses plus grandes œuvres de piano furent écrites sans qu'il eût sous les yeux un seul document tangible, et comme sous dictée[1]. »

Lesure n'ayant pas eu le temps de le remanier avant sa mort, ce passage est resté en l'état dans la « nouvelle version révisée et augmentée » de ce catalogue publiée en 2003 en tant qu'annexe à la réédition de sa biographie de Debussy[2]. Les nombreuses sources qui avaient été localisées ou découvertes entre-temps réclamaient, en effet, une reformulation du propos, que le musicologue avait déjà engagée en 1993, lorsqu'il écrivait dans la revue *Genesis* :

> Sur les procédés de composition de Debussy courait une légende, que son ami Robert Godet a largement contribué à répandre [...]. Cette thèse n'est plus crédible aujourd'hui. La découverte de plusieurs carnets d'esquisses, aussi bien que la publication de nombreux brouillons laissés pour *Pelléas* permettent de montrer que si Debussy ne conservait que rarement ses avant-textes, il ne pouvait se borner à garder dans sa tête les prémices de ses œuvres[3].

Les progrès accomplis au fil des ans dans la recension des sources n'ont pas entraîné, cependant, la révision du principe qui en régit le classement. Si on laisse de côté les œuvres avec orchestre, on constate en effet que, dans la seconde édition du catalogue, les manuscrits musicaux précédant celui « ayant servi à la gravure » sont classés,

1. François Lesure, *Catalogue de l'Œuvre de Claude Debussy*, Genève, Minkoff, 1977, p. 12-13.
2. Voir Lesure, *Debussy*, p. 463 note 1 et p. 467.
3. François Lesure, « L'édition critique de Claude Debussy », *Genesis. Revue internationale de critique génétique*, 4, 1993, p. 189-190.

comme dans la première édition, en une seule catégorie, celle de l'« esquisse », déclinée au singulier ou au pluriel. Seule l'entrée de la *Sonate pour violoncelle et piano* fait exception en ceci que le manuscrit Dep RS 11/2b y est signalé ainsi : « *esquisses* à Winterthur, Rychenberg Stiftung (*brouillon* très raturé)[1] ».

Le classement typologique des documents de genèse découle d'une opération – l'établissement de « chaînes » de sources et d'états textuels – qui dépasse les objectifs déclarés non seulement du *Catalogue de l'Œuvre*[2] mais aussi des *Œuvres complètes de Claude Debussy* :

> Après avoir étudié l'ensemble [des] sources et en avoir précisé la chronologie, l'éditeur d'un volume des *Œuvres complètes* établit une hiérarchie entre sources principales et sources secondaires – distinction qui permet de justifier les choix essentiels et facilite en outre la rédaction des notes critiques. Les sources secondaires ne sont en effet mentionnées dans ces notes que lorsqu'elles permettent de résoudre un problème par rapport aux sources principales[3].

Une telle hiérarchie documentaire ne contraint pas à établir de distinction claire entre différents types d'« esquisses », ce qui peut avoir pour conséquence l'emploi à ces fins de nomenclatures ne reflétant pas nécessairement les modes de travail du compositeur[4].

1. Lesure, *Debussy*, p. 563. C'est nous qui soulignons.

2. La rubrique « mss. autographes » de chaque entrée est propre, en premier lieu, à l'entreprise des *Œuvres complètes de Claude Debussy* dont Lesure fut l'initiateur et le premier rédacteur en chef. En effet, se référant aux catalogues antérieurs au sien, Lesure avait d'abord affirmé : « À tous ces efforts très méritoires il manquait un élément, devenu essentiel pour les chercheurs d'aujourd'hui : la mention des manuscrits de l'auteur. Qu'il s'agisse d'œuvres déjà publiées ou d'inédits, la connaissance des propres autographes de Debussy est devenue indispensable à toute recherche sérieuse et le sera plus encore à ceux qui demain auront la charge de publier une édition critique de l'ensemble de son œuvre » (Lesure, *Catalogue de l'Œuvre de Claude Debussy*, *op. cit.*, p. 9). Cette dernière phrase a été omise de la seconde édition du catalogue, dans laquelle on lit en revanche : « La publication des *Œuvres complètes* du musicien, commencée en 1985 par les éditions Durand, a naturellement fourni l'occasion d'une recherche accrue et systématique, non seulement des manuscrits proprement dits mais aussi des esquisses et des exemplaires imprimés sur lesquels, après publication, Debussy portait des corrections » (Lesure, *Debussy*, p. 463-464).

3. Lesure, « L'édition critique de Claude Debussy », article cité, p. 190.

4. L'édition des *Études* distingue, par exemple, entre « fragments » et « manuscrit de travail », précisant à propos de ce dernier : « Cette source n'est pas homogène.

Les éditions de fac-similés, quant à elles, ont a fortiori repris et même conforté l'usage de désigner par le terme « esquisse » n'importe quel manuscrit autographe précédant la mise au net éditoriale[1] : il reviendrait alors aux textes liminaires, non seulement de présenter les caractéristiques rédactionnelles des documents reproduits, mais aussi de considérer ces derniers en tant que témoins d'un processus de composition pouvant être complexe[2].

Aucune étude systématique des manuscrits de Debussy n'ayant encore été entreprise, le point de départ des recherches actuelles menées sur la genèse de ses dernières œuvres n'est pas fondamentalement différent de celui que décrivait, voici trente-cinq ans, Denis-François Rauss dans son travail pionnier sur la gestation du Finale de la *Sonate pour violon et piano* :

> Nous partons donc d'un système trivial : un "two-step-flow" jalonnant dans un ordre chronologique, en partie hypothétique, qu'il s'agira de vérifier et de différencier quelque peu, le double ensemble suivant :
>
> | | |
> |---|---|
> | A. Les esquisses | 1. deux cahiers |
> | | 2. un lot de 27 feuillets |
> | B. Les autographes | 1. le manuscrit destiné à la gravure |
> | | 2. les épreuves corrigées[3]. |

La première *Étude* est presque dans son état définitif. En revanche, certaines *Études* sont encore à l'état de brouillons ["*in sketch form*" dans la traduction anglaise] » (voir OCCD I/6, p. 91 [104]). D'autres appareils des *Œuvres complètes* se contentent, pour des raisons différentes, des rubriques « esquisses » ou « fragments » / « manuscrits autographes » selon les cas (voir par exemple OCCD I/3, p. 132 et p. 170-171, OCCD I/5, p. 146).

1. Claude Debussy, *Esquisses de* Pelléas et Mélisande *(1893-1895)*, François Lesure (éd.), Genève, Minkoff, 1977. Claude Debussy, *Études pour le piano. Fac-similé des esquisses autographes (1915)*, Roy Howat (éd.), Genève, Minkoff, 1989.

2. Voir l'introduction de Roy Howat (*ibid.*, p. 7-12), ainsi que OCCD VI/3, p. 87-91.

3. Denis-François Rauss, « "Ce terrible finale [*sic*]". Les sources manuscrites de la *Sonate pour violon et piano* de Claude Debussy et la genèse du troisième mouvement », *Cahiers Debussy*, nouvelle série, n° 2, 1978, p. 32.

Le *Catalogue de l'Œuvre* de 2003 recense, pour cette *Troisième Sonate*, deux groupes de manuscrits autographes[1]. Appartiennent au premier groupe :

– le document Ms. 992 comportant la mise au net ayant servi à la gravure (Ms. 992_1) et un jeu d'épreuves corrigées (Ms. 992_2) ;

– « un autre manuscrit (des trois sonates) [...] mis en vente sous le n° 185 (ter) du catalogue à l'Hôtel Drouot, 1er décembre 1933, par Mme [Emma] Debussy[2] ».

Le second groupe réunit les « esquisses » :

– Ms. 15380 : « 9 p. obl. » ;

– Ms. 17726 : « carnet rouge obl., fol. 23v-48, dédicacé à Emma Debussy le 8 avril 1917 » ;

– Ms. 17678 : « 8 p. de projets pour le Finale » ;

– Ms. 17732 : « 7 fol. idem » ;

– Winterthur, Sondersammlungen, Rychenberg-Stiftung, Dep RS 11/2a : « autres esquisses [...], 28 p.[3] » ;

– « une dizaine de pages dans la collection Hollanders, Louvain (anc. coll. de Tinan), photocopies au Centre de documentation Claude Debussy[4] ».

Toutefois, en amont des épreuves (Ms. 992_2), nous avons bien affaire à au moins trois ordres de sources (dorénavant S), qui se conforment à la tripartition *sketch(es) – draft(s) – fair copy/ies* communément répandue dans les études sur les processus d'écriture des compositeurs.

Considérons à ce propos les Mss. 992, 17726, 17732 et Dep RS 11/2a. Le manuscrit Ms. 992_1 (S1) réunit les pages de deux rédactions différentes. La première (pages *1* à *12* = $S1_a$)[5] comporte

1. Les citations suivantes sont extraites de Lesure, *Debussy*, p. 565-566.

2. Il s'agit, en réalité, de la source conservée à Winterthur (cf. *infra*). Voir à ce propos Claude Debussy, *Sonate pour violoncelle et piano*, Regina Back et Douglas Woodfull-Harris (éd.), Kassel, Bärenreiter, 2008, p. X, note 59.

3. Ce manuscrit était inconnu de Rauss.

4. CDMS 02.04 et CDMS 02.05. Notons que l'original d'un feuillet de CDMS 02.05 – qui n'a pas trait à l'élaboration de la sonate – est passé en vente en 2006 : cf. *Lettres et manuscrits autographes, documents historiques*, vente Piasa (exp. Thierry Bodin), 19-20 juin 2006, Drouot-Richelieu (Paris), p. 12, n° 42.

5. Les numéros en italiques renvoient à la pagination autographe des manuscrits.

Exemple 1a.
Brouillon de la *Sonate pour violoncelle et piano* :
verso de la page 9 du troisième mouvement.
Bibliothèques de Winterthur (Suisse), Bibliothèque des études,
Fondation Rychenberg, Dep RS 11/2b.

Exemple 1b.
Brouillon de la *Sonate pour violoncelle et piano* :
page 1 du premier mouvement.
Bibliothèques de Winterthur (Suisse),
Bibliothèque des études, Fondation Rychenberg, Dep RS 11/2b.

Exemple 2a.
Sonate pour violon et piano, troisième mouvement.
Paris, Bibliothèque nationale de France, département de la Musique, Ms. 17732, f. [5v]

Exemple 2b.
Sonate pour violon et piano, troisième mouvement.
Paris, Bibliothèque nationale de France, département de la Musique, Ms. 17732, f. [6]

notamment le texte des deux premiers mouvements et, au dernier système de la page 12, le début de la première version du troisième mouvement (Finale « Allegro Giocoso », mes. 1 à 5_1)[1]. La seconde partie de S1 (pages 13 à 19[2] = $S1_b$) comporte, quant à elle, la version retenue du Finale (« Très animé ») ainsi que la section « Plus lent jusqu'à la fin » par laquelle se clôt, après la révision, l'Intermède (page *13*).

Nous sommes confrontés ici aux conséquences de la gestation laborieuse du dernier mouvement de la sonate, dont témoignent également les sources antérieures. Les pages $S1_a$ ont été recopiées, en effet, à partir d'un brouillon qu'il s'agit de reconstituer. Ce document comprend les feuillets *1* à *10* + *1* à 7 du manuscrit Dep RS 11/2a ainsi que les cinq premiers feuillets du Ms. 17732, numérotés par le compositeur de *8* à *12* ($S2_a$) : le texte musical de l'Intermède s'interrompt dans Dep RS 11/2a (page *7*), à la mesure 122, la fin du mouvement se trouvant sur le premier feuillet (page *8*) du Ms. 17732 qui comporte aussi l'ébauche du Finale « Allegro giocoso »[3]. Les onze derniers feuillets de Dep RS 11/2a ($S2_b$) présentent, quant à eux, le brouillon du Finale « Très animé », recopié dans $S1_b$.

Alors que n'est conservé, à notre connaissance, aucun document de l'ultime version du Finale, en amont de $S2_b$, les deux premiers mouvements et la version rejetée du troisième (incomplète) existent bien, eux, dans un état antérieur à celui de $S2_a$, qu'attestent les ff. 23 *sqq.* du carnet Ms. 17726 (S3)[4].

---

1. Voir déjà Léon Vallas, *Claude Debussy et son temps*, Paris, Félix Alcan, 1932, p. 371. Il se peut que Debussy ait continué de recopier au propre cet « Allegro giocoso » jusqu'à la fin de la première section au moins (voir note 3 ci-dessous), ce qu'atteste, selon nous, un feuillet de la « collection Hollanders ». Ce document est reproduit partiellement dans l'article de Rauss, qui l'interprète autrement (Rauss, article cité, p. 55 et p. 57). Il s'agit probablement d'une maculature de $S1_a$. La photocopie conservée au Centre de Documentation Claude Debussy permet d'observer, en effet, que Debussy a laissé vides les cinq premières portées de la page, le premier système étant noté à partir de la sixième portée, conformément à l'usage adopté dans **S1**. En outre, le compositeur a écrit sur le feuillet, dans la marge supérieure à droite, le numéro 15, qui semble renvoyer à la pagination du même manuscrit. La graphie et les proportions du format ne semblent pas réfuter cette hypothèse.
2. Debussy avait numéroté les six premières pages de « 1 » à « 6 ».
3. Deux sections de texte se succèdent au sein de cette ébauche. La première, en 4/4, s'étend de la page *8* (système 2) à la page *11* (système 2) ; la deuxième, qui figure à la suite, est incomplète.
4. Voir Rauss, article cité, p. 41 *sqq.*

Parmi les compositions achevées par Debussy entre 1913 et 1918, les *Trois Poèmes de Stéphane Mallarmé*, *La Boîte à joujoux*, *En blanc et noir*, les *Études* et les trois *Sonates* ont en commun le fait qu'il existe au moins une source antérieure au « manuscrit ayant servi à la gravure » (S1). Pour chacune de ces œuvres, sauf les deux premières, cette source (S2) comporte l'ensemble du texte mis au point par la suite dans S1. Les autres documents musicaux qui subsistent, en ce qui concerne la première et la troisième *Sonates* ainsi que certaines *Études*, sont d'un ordre différent (S3), auquel se rattache, par ailleurs, l'unique témoin actuellement connu de l'élaboration des *Trois Poèmes de Stéphane Mallarmé* et de *La Boîte à joujoux*. Aussi convient-il d'examiner ici certaines caractéristiques remarquables des documents S2 et S3.

Dans les feuillets du brouillon $S2_a$ de la *Sonate pour violon et piano*, la musique est notée sans interruption sur trois systèmes de trois portées, chaque page comportant douze portées[1]. Les figures musicales (groupes des notes, hauteurs et durées) sont exprimées, pour la plupart, avec précision ; les répétitions littérales sont remplacées par des symboles selon l'usage du compositeur. Les signes de phrasé sont plus nombreux dans le texte du mouvement central, où apparaissent même différentes indications verbales (relatives aux modes de jeu, au tempo et au caractère). L'écriture est, dès la première strate, soignée voire très soignée, sauf en des rares passages dont le contour n'avait pas été fixé précédemment. Certaines leçons ont pu néanmoins faire l'objet, après coup, d'importantes modifications, esquissées dans les portées libres.

L'analyse des ratures montre que la première strate de $S2_a$ a été rédigée sur la base de S3 (Ms. 17726). Cela étant, le début de l'Intermède a exigé un travail de formulation intermédiaire pour aboutir à la leçon de Dep RS 11/2a. En effet, les pages *1* et *2* de Dep RS 11/2a (deuxième mouvement), d'une part, et la page *2/b* qui suit, d'autre part, appartiennent vraisemblablement à deux rédactions différentes du passage concerné (s'étalant chacune sur deux feuillets) : celle établie à partir du Ms. 17726 (ff. 31v-33r) – dont seul demeure le second feuillet (renuméroté *2/b*) – et la copie au propre de celle-ci (pages *1* et *2*). On entrevoit à peine ici ce que

1. Papier Montgolfier de Saint-Marcel-lès-Annonay de 268 x 210 mm.

d'autres documents des dernières années confirment plus clairement, à savoir le fait que, si Debussy pouvait recopier tout ou partie d'une rédaction en vue de l'établissement du manuscrit éditorial, il lui arrivait, en amont de cette phase, de réécrire l'ébauche d'un passage – quelle que soit sa longueur et indépendamment du nombre de ratures – pour en fixer le texte, et ce avant même de poursuivre la composition de l'œuvre. Le brouillon de la *Sonate pour violoncelle et piano* conservé à Winterthur (Dep RS 11/2b) fournit une belle illustration de ce dernier cas de figure, en ceci qu'au verso de la page *9* du Finale (une maculature) se trouve le début du Prologue initial, dans un état que l'auteur a d'abord recopié, puis retravaillé sur le premier feuillet du manuscrit [exemples 1a et 1b][1].

Les témoins les plus riches d'instructions quant à la formation des « documents de travail » de Debussy sont néanmoins les sources des projets non aboutis ou des versions abandonnées. Nous ne reviendrons pas ici sur le manuscrit new-yorkais de l'étude *Pour les arpèges composés* dont la composition matérielle prête à différentes lectures[2], préférant évoquer le cas des ff. [5v] et [6r] du Ms. 17732 mentionné plus haut (*Sonate pour violon et piano*, troisième mouvement). Sur la première de ces deux pages – qui coïncide avec le dos de la page *12* ($S2_a$) – le compositeur a noté deux esquisses [voir exemple 2a] ; celle qui figure dans la partie supérieure a été d'abord retranscrite puis partiellement reformulée sur le f. [6r] [voir exemple 2b]. Ce dernier constitue, quant à lui, la première page d'une ébauche plus développée dont subsistent trois feuillets conservés sous trois cotes différentes : le feuillet [6r] du Ms. 17732, un feuillet de la « collection Hollanders » (CDMS 02.05) et le Ms. 17678, f. 9v (verso de la page « [8] »)[3]. La numérotation autographe de f. [5v] (*1*) laisse supposer qu'il s'agissait là, non pas de la suite du Finale « Allegro Giocoso », mais de l'incipit d'une nouvelle version du mouvement[4].

1. Cette source est décrite dans Debussy, *Sonate pour violoncelle et piano*, *op. cit.*, Bärenreiter, 2008, p. 18-19. Deux pages du brouillon, dont la première, y sont aussi reproduites (*ibid.*, p. 16 et 17).

2. Voir Claude Debussy, *Étude retrouvée. A first version of "Pour les arpèges composés". Piano solo*, Roy Howat (éd.), Bryn Mawr, Theodore Presser Company, 1980.

3. Voir Rauss, article cité, p. 52-54 (feuillets « A" », « B" » et « C" »).

4. Rauss écrit : « [Le f. 5v] représente un pas important vers la conception définitive des mesures d'introduction, de par l'accompagnement au piano qui prend

Cette méthode de travail de Debussy a deux effets remarquables sur la nature (nombre de pages, type de papier, etc.) et le contenu des documents S2, et notamment de ceux ayant trait aux œuvres abouties. Le premier effet est la dispersion, voire la disparition des feuillets progressivement remplacés : les premières annotations ou rédactions n'étant plus d'une quelconque utilité, une fois établie la mise au net complète, il se peut que Debussy lui-même s'en soit débarrassé[1]. Toutefois, certaines d'entre elles ont quand même été conservées[2], le compositeur ayant pu, par exemple, les recycler par manque de papier (on vient de le voir à propos du manuscrit Dep RS 11/2b de la *Première Sonate*). L'autre effet est que d'importantes différences scripturales peuvent apparaître au sein d'une même source, ou de façon encore plus nette, entre sources de même ordre (S2) se rapportant à des œuvres différentes. Le contenu peut aller de l'ébauche à la mise au net pré-définitive (éventuellement retouchée après coup) en passant par différents types de brouillons, partiels ou complets, plus ou moins raturés selon les cas. Plusieurs critères permettent d'identifier ces différents états textuels : en premier lieu, le nombre et la séquence des documents conservés et, en second lieu, les caractéristiques scripturales de la première strate de texte noté dans chacun d'eux : la qualité du tracé varie, en effet, selon qu'il s'agit d'un premier document de travail (c'est le cas, par exemple, du brouillon de l'étude *Pour les degrés chromatiques*[3]), d'une copie retravaillée (plusieurs pages du brouillon de la *Première Sonate* vont jusqu'à la refonte complète du texte noté en premier) ou d'une copie au net (tels le Ms. 22742 d'*En blanc et noir* ou le

---

pour la première fois l'allure technique d'accords de tierces alternant avec l'octave inférieure » (*ibid.*, p. 47).

1. Voir les remarques similaires faites à propos des usages de Gustav Mahler dans l'article de James L. Zychowicz, « Re-evaluating the Sources of Mahler's Music », *Perspectives on Gustav Mahler*, Jeremy Barham (dir.), Aldershot, Ashgate, 2005, p. 421-423.

2. La page de « sonorités remplacées – ou expulsées » de la dixième *Étude* (Ms. 17973), pour prendre un exemple déjà connu des spécialistes, « survives from an even earlier [incomplete] draft » (Debussy, *Études pour le piano*, p. 8 [le commentaire établit une comparaison avec le brouillon de la même *Étude* qui appartenait à la Collection François Lang]).

3. Ms. 17733, f. 1 et Lang, Rés. 22 [5]. Le chiffre entre crochets qui suit la cote Lang, Rés. 22 provient du catalogue de la *Collection musicale François Lang*, Denis Herlin (éd.), Paris, Klincksieck, 1993 (entrée n° 1317).

manuscrit Lang, Rés. 22 [6] de l'étude *Pour les agréments*, couvert de variantes de lecture).

Venons-en brièvement aux documents d'ordre S3 du corpus en question que sont, par exemple, les Mss. 17726 (ff. 23 *sqq.* : *Sonate pour violon et piano*), 24375 (ff. 38v-44v : *Trois Poèmes de Stéphane Mallarmé* et ff. 45r-51r : *La Boîte à joujoux*), ainsi que le laissez-passer des chemins de fer N.l.a 32bis [9] (*Sonate pour violoncelle et piano*, études *Pour les notes répétées* et *Pour les arpèges composés* – version abandonnée)[1]. Outre leur position dans le dossier de genèse, ces témoins ont en commun le fait que le texte musical y est généralement réduit à sa plus simple expression, jusqu'à la notation hâtive de la ligne fondamentale du passage concerné. Cela dit, il importe de distinguer clairement les différents types d'annotations qu'ils contiennent, l'hétérogénéité des supports étant un aspect secondaire[2].

Les « esquisses » consignées dans le sauf-conduit pour Angers (N.l.a 32bis [9]) peuvent être considérées comme des mémorandums[3] alors que celles figurant dans les deux carnets (Mss. 17726 et 24375) sont, pour la plupart, des *continuity sketches* (ébauches ou brouillons préliminaires)[4] entourés d'annotations fragmentaires se rapportant au même projet ou à d'autres projets de composition[5]. Les pages relatives à *La Boîte à joujoux* du Ms. 24375 présentent, néanmoins, plusieurs esquisses courtes voire très courtes – relevant donc de la première catégorie – qui semblent attester les premières idées du compositeur pour différents passages de l'œuvre. Certaines d'entre elles ont été

1. BnF Musique, N.l.a. 32bis [9].

2. Les annotations ne changent pas de statut selon qu'elles sont inscrites sur un papier administratif, sur une page de musique ou sur un carnet, mais en fonction de la position qu'on leur accorde dans la reconstruction de la genèse. Notons à ce propos que les supports désignés couramment par l'expression « carnets d'esquisses » peuvent contenir des types d'annotations très différents allant de l'esquisse fragmentaire au brouillon complet.

3. Voir Paolo Dal Molin, « "Une note des chemins de fer couverte d'esquisses musicales". Étude de F-Pn, Mus. N.l.a. 32bis [9] », *Cahiers Debussy*, n° 33 (2009), p. 61-79.

4. Voir les observations sur le Ms. 24375 dans Paolo Dal Molin et Jean-Louis Leleu, « Comment composait Debussy. Les leçons d'un carnet de travail (à propos de *Soupir* et d'*Éventail*) », *Cahiers Debussy*, n° 35, 2011, p. 18-20.

5. Tel est le cas justement du Ms. 17726, ff. 23 *sqq.* ou de plusieurs pages du Ms. 24375.

par la suite retenues sous la même forme ou transformées ; d'autres ont été abandonnées.

Une distinction s'impose, s'agissant notamment des mémorandums, avant celles que peuvent faire, par ailleurs, les spécialistes d'autres compositeurs (par exemple, entre esquisses thématiques et non thématiques). Il est nécessaire, en effet, de discerner les véritables *preliminary memos*[1] d'un texte ou d'un projet, et de ne pas les confondre, bien qu'elles puissent présenter des caractéristiques matérielles similaires, avec les esquisses préliminaires à l'élaboration de tel ou tel passage d'une œuvre (ou d'un mouvement) déjà en chantier. Les annotations de N.L.a 32bis [9], par exemple, présentent, jusqu'à preuve du contraire, le premier état de différentes unités textuelles, dont : a) le thème du début de la Sérénade (*Première Sonate*) et b) un segment central de la onzième *Étude* (version abandonnée). Cependant, alors que l'esquisse « a » est vraisemblablement la première trace écrite de toute la Sérénade (elle appartient donc au type des « mémorandums préliminaires »), l'esquisse « b » présuppose l'existence d'un texte musical noté ailleurs, dans une source de même ordre (S3) ou, plus probablement, d'ordre supérieur (un brouillon S2)[2].

Quant aux *continuity sketches*, la comparaison des tracés suggère l'hypothèse, indémontrable mais vraisemblable, selon laquelle le texte du Ms. 17726 a été élaboré sur la base de quelques mémorandums, comme cela semble être le cas aussi pour les brouillons de la neuvième *Étude* (Lang, Rés. 22 [7]) et de la *Première Sonate* (Dep RS 11/2b). On remarque, par exemple, que Debussy y a noté le début de l'Intermède d'une écriture rapide mais sûre (Ms. 17726, ff. 31v *sqq.*), tandis que, pour le début de *Soupir* ou d'*Éventail* dans le Ms. 24375, la formulation semble hésitante. Une question surgit concernant ces ébauches ou brouillons préliminaires S3 et certains brouillons S2 très travaillés dès la première strate, tel celui de l'étude *Pour les degrés chromatiques* (Lang, Rés. 22 [5]) : pourquoi les inscrivons-nous dans deux ordres de sources différents, alors qu'en apparence ils peuvent sembler très proches, voire quasi identiques ? La

1. Cette expression est empruntée à László Somfai, *Béla Bartók. Compositions, Concepts, and Autograph Sources*, Berkeley-Los Angeles, University of California Press, 1996, p. 33 *sqq.*

2. Ce type d'esquisses se rapporte à celui des *partial sketches* (voir Somfai, *Béla Bartók*, *op. cit.*, p. 34).

raison tient au fait que le texte des documents S3, contrairement à celui des documents S2, présente de telles lacunes qu'il n'a pu servir, à lui seul, à la rédaction des sources S1, et tout particulièrement du manuscrit « ayant servi à la gravure ».

Le classement des manuscrits de Debussy précédant le « manuscrit autographe » soulève immédiatement des problèmes analytiques et méthodologiques que l'usage du terme « esquisses », en tant qu'hyponyme, permet d'éluder. L'étude d'une œuvre en particulier, et notamment de son élaboration, doit néanmoins s'appuyer sur un ordre documentaire et reconstituer une chronologie rédactionnelle. Ce travail, fondé sur les documents qui ont été conservés, exige que le chercheur porte un jugement sur leur nature, leur fonction et leur constitution[1]. Pour que ce jugement soit en adéquation avec les méthodes de Debussy, l'établissement de typologies transversales relatives à des corpus d'œuvres cohérents s'avère une opération nécessaire, dont les enjeux s'étendent à la conservation et à la valorisation des documents, jusqu'à la recherche et à l'identification de nouvelles sources.

1. Les distinctions terminologiques sont bien sûr indépendantes des usages de Debussy qui a pu, quant à lui, appeler simplement « mon esquisse » le Ms. 22742 d'*En blanc et noir* (voir lettre de Claude Debussy à Jacques Durand, 24 juillet 1915, *Correspondance*, p. 1913) et employer le terme de brouillon en se référant probablement aux dernières pages de Dep RS 11/2a : «Vu ce matin G. Poulet... je lui ai montré le brouillon du final – il tremble » (lettre de Claude Debussy à Jacques Durand, 14 avril 1914, *Correspondance*, p. 2099).

L'Art de préluder
Quelques questions de taxonomie chez Debussy

Richard Langham Smith

À travers les siècles, surtout aux XVIIIe et XIXe, ce sont sans doute les Allemands qui méritent le premier prix pour la sonate et pour la symphonie. Mais en ce qui concerne la taxonomie des œuvres, c'est-à-dire les titres et les genres, il semble que la médaille d'or revienne aux Français.

Remontons à François Couperin dit le Grand, dont les quatre Livres de pièces de clavecin possèdent des titres provocateurs et énigmatiques, invitant à rechercher leur signification. On connaît l'admiration que Debussy portait à Couperin et ceci en partie à cause de ses titres auxquels il fait allusion dans une lettre à Désiré Walter, organiste qui lui demande d'expliquer son titre *L'Isle joyeuse* :

> Si l'on avait interrogé François Couperin sur *Les barricades mystérieuses* – l'une de ses plus adorables pièces de clavecin – qu'aurait-il pu répondre[1] ?

On pourrait même suggérer qu'il y a de la musique dans les titres de ses pièces de caractère : *Le tic toc choc*, *Les Barricades mystérieuses*, *La Reine des cœurs*, titres quelquefois onomatopéiques, souvent à double sens. On peut de même trouver dans l'intitulé de son recueil de préludes, *L'Art de toucher le clavecin* – qui reprend le terme en

1. Lettre de Claude Debussy à Désiré Walter, 13 juillet 1914, *Correspondance*, p. 1834-1835.

usage à l'époque –, une double signification, physique et affective : en touchant l'instrument, on doit aussi *toucher* le cœur des auditeurs.

À l'époque de la jeunesse de Debussy, on connaît assez bien la musique de Couperin grâce à plusieurs recueils d'œuvres de clavecinistes français, dont une édition scientifique de qualité due à Amédée Méreaux, datant des années 1860 et dans laquelle figurent quelques préludes de *L'Art de toucher le clavecin*, assortis de notes sur l'exécution[1]. Quelques années plus tard, en 1887, les Éditions Durand publient une collection en quatre parties éditées par Louis Diémer, interprète apprécié pour sa maîtrise de ce répertoire[2].

Les *Préludes* de François Couperin, par contraste avec ses pièces de caractère, ont pour but de présenter au musicien quelques exemples de l'art de l'improvisation en usage chez les clavecinistes du XVIIe siècle, y compris les préludes non mesurés de son oncle Louis Couperin. À côté de ce répertoire pour instruments à clavier, Jacques Hotteterre (1684-1762), dont les œuvres ont été restituées par le flûtiste Paul Taffanel, compose quelques préludes qui se fixent un but analogue sous le titre *L'Art de préluder*. Comme le recueil de Couperin, il s'agit de présenter des modèles d'improvisation[3].

Vers la fin du XIXe siècle, une importante littérature est consacrée à l'art d'improviser des préludes pour piano. Quelques recueils empruntent le titre exact d'Hotteterre, *L'Art de préluder*. La plupart se réfèrent à la conception de J.-S. Bach : la maîtrise des vingt-quatre tonalités. Quelques autres ajoutent à cette idée l'art de moduler entre toutes ces tonalités. Mais dans ses deux livres de *Préludes*, Debussy ne semble pas penser à ces caractéristiques, à l'exception du numéro 12.

En 1882 paraît à Paris un autre *Art de préluder*, celui du flûtiste Giuseppe Gariboldi. Pour les instruments à vent surtout, il faut ajouter un autre objectif dans cet art de préluder : celui de maîtriser l'instrument lui-même, de mettre à l'épreuve ses possibilités et ses attributs pour arriver à la sonorité la plus belle dans tous ses registres. Préluder, c'est donc apprendre comment faire de la belle musique en improvisant, mieux connaître l'individualité de l'instrument et améliorer sa technique.

1. Amédée Méreaux, *Les Clavecinistes de 1637 à 1790. Histoire du clavecin. Portraits et biographies des célèbres clavecinistes*, Paris, Heugel, 1867.
2. Louis Diémer (éd.), *Les Clavecinistes français*, 4 volumes, Paris, Durand, 1895-1912.
3. Giuseppe Gariboldi, *L'Art de préluder du flûtiste*, Paris, 1882.

Chez Debussy aussi, le mot « Prélude » revêt plusieurs significations. La première ne nous intéresse que très peu : c'est l'emploi de ce mot pour l'introduction d'une œuvre, les mots « prélude » ou « ouverture » ayant une signification similaire. L'ouverture de *Carmen* s'appelle « Prélude » et parmi les œuvres de jeunesse de Debussy on trouve une ouverture intitulée *Diane*, probablement un premier essai de la cantate *Diane au bois*. Le début du deuxième acte de *Rodrigue et Chimène*, opéra inachevé dont il ne subsiste qu'une version piano-chant prête à être éditée, s'intitule « Prélude ». Dans *Pelléas* il n'y a ni prélude ni ouverture, mais des interludes.

Le sujet n'est pas ici les titres des deux recueils de *Préludes* pour piano, mis à part les ressemblances de quelques-uns avec la nomenclature couperinesque, c'est-à-dire des titres souvent ambigus dont la compréhension nécessite une connaissance du contexte, tels par exemple *Voiles*, *Bruyères* ou *Brouillards*. Il y a aussi des titres dans lesquels il faut rechercher un poème, un événement ou un lieu : *La Cathédrale engloutie*, *La Puerta del vino* et surtout *La Fille aux cheveux de lin*[1]. Il est avéré que le titre provient d'une chanson écossaise de Leconte de Lisle. Ce qui est moins connu et dont l'explication revient à Roy Howat, c'est que Leconte de Lisle appréciait les chansons de Robert Burns : *La Fille aux cheveux de lin* tient son nom d'une chanson de Burns, *The lassie wi' the lint-white locks*[2].

Bien plus intéressant est l'emploi du titre « Prélude » pour le *Prélude à l'Après-midi d'un faune*. Le premier projet d'œuvre composée sur le poème de Mallarmé annonce un triptyque intitulé *Prélude, Interludes et Paraphrase finale* dont le concept original reste inconnu. La suggestion de Jean Barraqué selon laquelle il s'agit d'un titre à la manière de César Franck ne nous semble pas recevable : pourquoi Debussy aurait-il emprunté une formule au « Pater Seraphicus » qu'il ne respectait point[3] ?

Pour mieux comprendre ses intentions, il faut, à la façon de Golaud (« Je vais revenir sur mes pas »), se tourner vers le jeune Debussy âgé de dix-huit ans, amateur de Théodore de Banville. À

1. Prélude que j'ai joué depuis l'enfance, mais dont l'origine du titre m'était demeurée inconnue jusqu'il y a peu.
2. Roy Howat, *The Art of French Piano Music*, New Haven and London, 2009, p. 254.
3. Jean Barraqué, *Debussy*, Paris, Seuil, 1967, p. 85.

part quelques mélodies sur les poèmes de ce dernier, la prétendue « cantate » *Diane au bois* mène à tâtons vers le *Prélude à l'Après-midi d'un faune*. Edward Lockspeiser et Eileen Souffrin, parmi d'autres, ont dévoilé les rapports littéraires de la comédie de Banville avec le poème de Mallarmé[1]. Nous avons, pour notre part, tenté d'aller un peu plus loin[2]. Il convient tout d'abord de rappeler le genre littéraire des deux poèmes dans leurs versions originales : les deux datent des années 1860, apogée de la popularité des pièces écrites en vers. Selon Henri Mondor et Georges Jean-Aubry, « c'était l'époque où l'*acte en vers* florissait[3] ».

Diane au bois fut créée au théâtre de l'Odéon en 1863 avec une musique de scène du compositeur J. J. Ancessy (1800-1871). Mallarmé, qui n'avait alors que vingt et un ans, était un admirateur de Banville, attiré à la fois par des sujets helléniques et par la versification des Parnassiens que Banville allait pérenniser en 1872 dans son œuvre de référence, le *Petit traité de poésie française*[4]. Entre-temps, le jeune Mallarmé adresse à Banville quelques poèmes en forme d'acte en vers, ce qui représentait, selon Mondor et Jean-Aubry, « une nouvelle forme d'hommage ».

Commencé en 1865 sous le titre *Improvisation d'un faune* puis *Monologue d'un faune*, le poème de Mallarmé emprunte non seulement quelques aspects à l'histoire de *Diane au bois* mais aussi son genre. Dans l'appendice de l'édition des œuvres de Mallarmé dans la Bibliothèque de la Pléiade, l'éditeur publie la première version, un acte en vers, avec des indications scéniques très proches de celles de *Diane au bois*.

Dans les deux actes de Banville, il y a deux faunes et deux nymphes qu'ils veulent séduire. L'un, le satyre Gniphon, n'ayant pas de succès

1. Eileen Souffrin-Le Breton, « Debussy lecteur de Banville », *Revue de musicologie*, décembre 1960. « Théodore de Banville et la musique », *French Studies*, Oxford, juillet 1955. Cité par Edward Lockspeiser, *Debussy, his life and mind*, vol. 1, London, Cassell, 1962 ; trad. fr. Fayard, 1980, p. 103-104.

2. Richard Langham Smith, « En cherchant le *LA* ». Debussy, Banville et Mallarmé de *Diane au bois* à *L'après-midi d'un faune* : évolution de trois esthétiques », dans *Musique française, Esthétique et identité en mutation, 1892–1992*, Pascal Terrien (dir.), Sampzon, Delatour, 2012, p. 205-209.

3. Voir Stéphane Mallarmé, *Œuvres complètes*, Henri Mondor et G. Jean-Aubry (éd.), Paris, Gallimard, Bibliothèque de la Pléiade, 1945, p. 1448-1466.

4. Théodore de Banville, *Petit traité de poésie française*, Paris, Librairie l'écho de la Sorbonne, 1872.

avec les nymphes, passe son temps à pleurer au-dessus d'une fontaine. L'indication scénique du début le présente ainsi :

> Une clairière, avec des tapis d'herbe, des ombrages, des ruisseaux et une cascade dont on entend le murmure par intervalles. On aperçoit dans le lointain les sommets d'Olympe, couverts de neige. Au lever du rideau, entre Gniphon, satyre aux oreilles pointues, aux cheveux ébouriffés, couronnés de lierre, au visage rougissant et imberbe. Il est vêtu d'une peau de chèvre, et l'on voit, attachée sur sa poitrine par un cordon en bandoulière, une flûte de roseau. Gniphon tient à la main une outre rebondie et pendant toute la première scène, il boit sans interruption, de façon à arriver graduellement à une ivresse complète.

En revanche, en ce qui concerne la séduction des nymphes, son maître Éros a beaucoup de succès ! Il lui suffit de fixer une nymphe d'un regard perçant pour qu'elle se débarrasse aussitôt, et sans hésitation, de ses sous-vêtements nymphiques ! Grand défi, pour séduire Diane, déesse à la fois de la chasse et de la chasteté, il faut « préluder » sur une flûte spéciale, celle de Silène, demi-dieu et ami de Bacchus, lui aussi toujours ivre.

On entend au lointain répondre des cors, attributs des nymphes chasseresses. Très spécial, celui de Diane est en ivoire. Mais à ces deux instruments il faut en ajouter un troisième : la lyre, outil indispensable de la batterie de séduction des faunes et des satyres, essentiel pour évoquer le paysage sonore de la Grèce ancienne. Instrument tout aussi primordial de la conception banvillesque de ses comédies qu'il apparentait aux odes classiques. On lit dans son avant-propos à l'édition de 1879 que « la voix du drame est si étroitement mêlée avec celle de la lyre », et que dans le drame lui-même on entend la « Lyre et syrinx, duo rare et mélodieux ». On remarque ce trio des instruments helléniques – la flûte, les cors et la lyre (imitée par les harpes) – au tout début du *Prélude à l'Après-midi d'un faune* de Debussy : il paraît évident que Debussy s'inspire du paysage mélodieux de Banville.

Il ne reste qu'une scène de *Diane au bois* mise en musique par Debussy. Celle-ci ne montre pas l'ironie douce de la pièce de Banville dont les alexandrins impeccables peuvent faire dire des inepties. C'est bien au contraire une scène passionnée pour soprano et ténor, tous deux dans des tessitures aiguës.

Il est évident que pour *Diane du bois*, du point de vue de la taxonomie, l'appellation « cantate » est une simplification inacceptable. Dans ses lettres à Henri Vasnier, époux de Marie Vasnier avec qui il entretient une liaison turbulente, Debussy précise pourquoi il a abandonné *Zuleima*, premier envoi de Rome, au profit de ce poème de Banville :

> c'est trop vieux, et sent trop la vieille ficelle [...] ma musique serait dans le cas de tomber sous le poids [...] jamais je ne pourrais enfermer ma musique dans un moule trop correct.

Concernant *Diane au bois*, il ajoute :

> il y a encore une raison qui me fait faire *Diane* – c'est que cela ne rappelle en rien les poèmes dont on se sert dans les envois, qui ne sont au fond que des cantates perfectionnées [...] J'aimerais toujours mieux une chose où en quelque sorte l'action sera sacrifiée à l'expression longuement poursuivie des sentiments d'âme, il me semble que là, la musique peut se faire plus humaine, plus vécue[1].

En employant les termes « plus vécue », Debussy n'a-t-il pas l'idée de mieux caractériser les deux personnages grâce à l'introduction de la musique dans la musique, en donnant la flûte à Éros ?

Pour préciser le genre de cette œuvre, tout comme celui du *Prélude à l'Après-midi d'un faune,* il paraît évident que *Diane au bois* était destinée à une présentation scénique. Non seulement on trouve en tête de la particelle une indication scénique concernant l'éclairage (« On voit tomber la nuit à demi, et le paysage s'effacer peu à peu ») mais on trouve plus loin une autre indication scénique destinée à Éros (« qui détache la flûte pendue à son cou [...] et joue [...] un chant rêveur et passionné »).

Il s'agit en réalité d'un acte en vers, d'un petit opéra à deux personnages dans lequel Éros commence à préluder pour séduire Diane. Bien que dans la deuxième version de *L'Après-midi d'un faune* Mallarmé ait supprimé les indications scéniques de son acte en vers, le poème n'en reste pas moins dramatique. Il n'est pas impossible que Debussy et Mallarmé aient pensé à une représentation scénique

1. Lettre de Claude Debussy à Henri Vasnier, Villa Médicis, Rome, [4 juin 1885], *Correspondance*, p. 28-29.

avec un Prélude, des interludes entre les sections du poème – qui se divise facilement en plusieurs parties – et un postlude. On ne le saura sans doute jamais. On sait en revanche que Debussy connaissait Mallarmé qui apprécia beaucoup la version finale de l'œuvre de Debussy. En 1865, dans une lettre à Henri Cazalis, Mallarmé soulignait le but théâtral de ce qu'il appelait son « intermède dont le héros est un faune » :

> Ce poème renferme une très haute et belle idée, mais les vers sont terriblement difficiles à faire, car je le fais absolument scénique, non possible au théâtre mais exigeant le théâtre[1].

Au fil des trois versions du poème, Mallarmé en renforce le contenu musical. Dans la première version du poème il n'y a qu'une toute petite allusion à la flûte, mais la phrase « la flûte où j'ajuste un pipeau » contient déjà la genèse des deux idées de la fabrication de la flûte à partir d'un roseau coupé par le faune et de son aspiration à perfectionner l'instrument. À l'origine de la conception du poète, l'idée de « préluder » sur la flûte était donc fondamentale pour perfectionner la sonorité.

La deuxième version développe plusieurs aspects supplémentaires : l'instrument est précisé comme un double pipeau, si le faune ne joue pas deux flûtes en même temps – ce qui n'est pas impossible selon l'iconographie hellénique. La flûte verse de l'eau « au bosquet rafraîchi de chant » dans *L'Improvisation*. Dans la version finale, la flûte veut verser « des larmes folles ou de moins tristes vapeurs » sur les corps des deux nymphes, soit sur les pieds de l'une et sur la poitrine de l'autre. Faune méchant et pervers !

On trouve dans la version finale une allusion à un « prélude » musical et à la fin de la strophe le mot maladroit « Holà » se change en « de qui cherche le *la* ». Le faune cherche le diapason musical, la note juste à laquelle le musicien, ou le facteur de flûte, doit accorder son instrument : la note de perfection, de pureté, et le mode éolien. En même temps, il cherche la perfection de la sonorité.

On peut ajouter une remarque sur cette trouvaille de Mallarmé, le vers « Trop d'hymen souhaité de qui cherche le *la* ». Pourquoi Debussy choisit-il l'*ut* dièse entendu plusieurs fois au début de son

1. Stéphane Mallarmé, *Œuvres complètes*, *op. cit.*

Prélude, prolongé chaque fois pendant deux ou trois secondes ? Aux flûtistes de répondre car c'est une note sans doigté, très difficile à produire de manière satisfaisante. La réponse se trouve sûrement dans ce vers du poème de Mallarmé. L'*ut* diésé de la flûte moderne, c'est-à-dire le son primitif de l'instrument lui-même, sans doigté, correspond précisément au Faune « qui cherche le *la* ». La prolongation de la première note des arabesques au début du *Prélude* reflète-t-elle l'idée de l'accord du pipeau ou le Faune cherche-t-il symboliquement la perfection du timbre et du *la* ?

Dernière question concernant le titre définitif de Debussy qui présente deux variantes orthographiques. Le « L » de *l'après-midi* doit-il être en majuscule ? Si oui, la signification éventuelle est qu'il s'agit d'un *Prélude* au poème de Mallarmé. C'est une subtilité qui ne s'entend pas mais c'est aussi un prélude dans lequel le faune improvise sur sa flûte pour se préparer aux plaisirs que lui réserve l'après-midi…

Pour une réévaluation critique du ramisme de Debussy

Julien Dubruque et Jean-Claire Vançon

Conformément à ce qui semble une véritable tradition française, Debussy ne fut pas moins écrivain que musicien. Or, dans ses écrits, il mentionne assez Jean-Philippe Rameau, dont il signe en outre l'édition des *Fêtes de Polymnie*[1], pour que ses propos aient fini par constituer, avec celui de Rousseau, le discours sur Rameau le plus cité par la critique. Ce point bien connu a été documenté avec précision par Anya Suschitzky dans un article récent[2], dans lequel Debussy devient « le "ramiste" le plus enthousiaste de sa génération[3] ». Or cette affirmation *a priori* nécessite d'être questionnée, en réévaluant la singularité du discours de Debussy sur Rameau.

Un ramisme mythifié

Debussy « ramicisé »

Nous ne prétendons pas découvrir les termes du discours de Debussy sur Rameau : nous avons lu ce discours dans le corpus

1. Jean-Philippe Rameau, *Les Fêtes de Polymnie*, Claude Debussy (éd.), Paris, Durand, 1908.
2. Anya Suschitzky, « Debussy's Rameau : French music and its others », *The Musical Quarterly*, LXVI/3, 2002, p. 398-448.
3. Article cité, p. 437.

connu[1]. Le tableau figurant en annexe révèle combien les vingt et un écrits retenus créent un réseau de motifs limité et redondant, par quoi l'on est fondé à les comprendre comme manifestation d'un discours. On constate d'abord que Debussy ne commence à s'intéresser à Rameau qu'après la fameuse exécution de *La Guirlande* à la Schola Cantorum en juin 1903. Louis Laloy, qu'il rencontre à la fin de l'année 1902[2], contribue à alimenter ce ramisme naissant. Autre évidence : Debussy, plutôt que d'œuvres précises, ne parle que de Rameau en général, et en association avec d'autres contemporains. Les qualités de Rameau, présentées comme étant celles de la musique « française », sont érigées en modèle pour ceux des musiciens actuels qui pesteraient contre la xénophilie des compositeurs nationaux. L'articulation entre temps passé et présent est ménagée par la figure de Gluck, tournée vers l'un (tout ce que Gluck a de grand est hérité de Rameau) autant que vers l'autre (la lignée Gluck-Meyerbeer-Wagner vaut au gluckisme d'être encore bien présent, quand Rameau est oublié). Cette articulation disparaît de l'argumentaire après 1910, au profit d'une homologie désirée des temps ancien et actuel, que seul disjoint un malheureux Moyen Âge.

François Lesure analyse le ramisme de Debussy comme une stratégie critique, dans le contexte polémique consécutif à la création de *Pelléas* : en s'affichant publiquement ramiste, Debussy aurait en effet voulu s'assurer certains soutiens dans le champ musical parisien[3]. Que la relation avec le passé constituât un des enjeux du débat critique semble d'ailleurs attesté par la satisfaction qu'il eut de voir d'Indy rapprocher son opéra du modèle monteverdien[4]. Le goût de Debussy pour Rameau n'en a pas moins été compris très tôt comme la trace d'une influence directe : dès 1904, La

1. Debussy, *Monsieur Croche* et *Correspondance*.

2. Debussy rencontre Laloy après la parution de son article prenant fait et cause pour *Pelléas*, paru en novembre 1902 dans *La Revue musicale*. Ils entretiendront des relations étroites jusqu'en 1910, plus sporadiques ensuite (voir « Table des correspondants » dans Debussy, *Correspondance*, p. 2267-2268). Or Laloy, ramiste convaincu, écrit en 1908 un *Rameau* (Paris, F. Alcan, 1909).

3. Voir Lesure, *Debussy*, p. 238.

4. Voir Vincent d'Indy, « À propos de *Pelléas et Mélisande* (Essai de psychologie et du critique d'art) », *L'Occident*, 7 (juin 1902), p. 379, et Debussy, *Correspondance*, article cité *in extenso* p. 672, note 1.

Laurencie croit entendre dans *Pelléas* l'empreinte de Rameau[1] ; ce sera encore, en 1999, la conviction de Jane Fulcher[2]. De nombreux travaux ont entre-temps tenté de peindre Debussy en compositeur néo-classique pétri de références ramistes[3]. Le paratexte de certaines de ses œuvres semble certes encourager cette lecture : la deuxième pièce du premier livre d'*Images* pour piano (1904) ne s'affiche-t-elle pas comme un « Hommage à Rameau », et cette pièce n'est-elle pas une sarabande ? Le compositeur ne s'identifie-t-il pas comme « Claude Debussy, musicien français » au seuil de trois *Sonates* pour divers instruments, dont il dit à Stravinsky qu'il les a écrites « dans notre vieille forme, qui gracieusement n'imposait pas aux facultés auditives des efforts tétralogiques[4] » ? Le crédit porté à cet héritage revendiqué empêche toutefois d'envisager d'autres modèles possibles à ces pièces. Ainsi Debussy n'a-t-il en rien besoin de Rameau pour écrire une sarabande, dont il peut trouver le modèle chez Satie, et qui, comme la habanera, semble l'occasion de satisfaire la quête d'une certaine manière de faire sonner le piano[5] : plutôt que l'inverse, ne serait-ce pas alors le fait d'avoir écrit une sarabande qui l'incite à intituler sa pièce *Hommage à Rameau* ? Et si les *Sonates*, dont la « vieille forme » emprunte bien plus à la sonate qu'à la forme binaire à reprises, sont dédiées à Emma plutôt qu'à Jean-Philippe, qui n'en a de toute façon écrit aucune, c'est que l'affirmation identitaire pourrait bien recouvrir des enjeux plus profonds qu'une simple influence historique[6].

---

1. Voir Lionel de La Laurencie, « Notes sur l'art de Claude Debussy », *Le Courrier musical*, VII/6 (15 mars 1904), p. 184-185.

2. Voir Jane Fulcher, *French Cultural Politics & Music. From the Dreyfus Affair to the First World War*, New York/Oxford, OUP, 1999, p. 176.

3. Voir Roland-Manuel, « Debussy. Tradition permanente », dans *Debussy et l'évolution de la musique au XX*e *siècle*, études réunies et présentées par Édith Weber, Paris, Éditions du CNRS, 1965, p. 27-30.

4. Lettre de Claude Debussy à Igor Stravinsky, *Correspondance*, p. 1953. Sur la perception « ramiste » des trois *Sonates*, voir notamment Jean Barraqué, *Debussy*, Paris, Seuil, 1962, p. 176.

5. Voir Olivier Huck, « Erik Saties "fruits d'une grande ignorance", Maurice Ravels "écriture pianistique assez spéciale" und Claude Debussys frühe Kompositionen "pour le piano" », *Musiktheorie : Zeitschrift für Musikwissenschaft*, XXII/2 (2007), p. 111-122.

6. Voir Jean-Claire Vançon, « La *Sonate* pour flûte, alto et harpe, ou l'appropriation d'un genre par Claude Debussy, musicien français », *Traversières*, 65 (3e trim. 2000), p. 49-58.

Rameau « debussyfié »

Le discours de Debussy sur Rameau n'a pas seulement conduit à excessivement « ramiciser » Debussy ; il a aussi mené à « debussyfier » Rameau. Ainsi la biographie de C. Girdlestone cite-t-elle en frontispice le thème de l'*Hommage à Rameau*[1]. Et si Rameau est souvent crédité d'avoir révolutionné l'art de l'orchestration, c'est lui prêter le même rôle que Debussy joua en son temps – Laloy, dont le « sentiment sur Rameau [est] tout pareil à celui de Debussy[2] », apprécie par exemple que Rameau ait su écrire « déjà pour chaque groupe d'instruments des parties différentes[3] ». Or la musicologie tend aujourd'hui à réenvisager l'originalité de Rameau, à la faveur d'une redécouverte générale de ses contemporains. Dès son premier opéra, son grand rival, Mondonville, recourt ainsi à deux violoncelles solos ou aux harmoniques de violon[4] – procédés auxquels n'eut jamais recours un Rameau par ailleurs suffisamment peu idiosyncrasique pour être imité par ses successeurs, comme Dauvergne[5]. Il n'est pas, en somme, le Debussy-du-XVIIIe-siècle que beaucoup ont voulu voir.

Un ramisme singulier ?

Un ramisme hérité

Debussy n'est en outre ni le seul, ni surtout le premier, à élire Jean-Philippe Rameau père de la musique française[6]. En 1876, des « Fêtes nationales » organisées à Dijon en l'honneur de Rameau filent continûment l'argument identitaire, tant local que national[7]. Or

1. Voir Cuthbert Girdlestone, *Jean-Philippe Rameau. His Life and Work*, New York, Dover, 1969, p. v.

2. Louis Laloy, *La Musique retrouvée : 1902-1927*, Paris, Plon, 1928, p. 162.

3. *Ibid.*, p. 179.

4. Voir Jean-Joseph Cassanéa de Mondonville, *Isbé*, Paris, Le Clerc, 1742, p. 55-56, 102-103.

5. Voir Benoît Dratwicki, *Antoine Dauvergne (1713-1797)*, Wavre, Mardaga, 2011.

6. Voir Jean-Claire Vançon, *Le Temple de la Gloire. Visages et usages de Jean-Philippe Rameau en France entre 1764 et 1895*, Thèse de musicologie, Université Paris-Sorbonne, 2009, vol. III, p. 299-384.

7. Voir Katharine Ellis, « Rameau in Nineteenth-Century Dijon : Memorial, Festival, Fiasco », dans *Music, Culture and National Identity in France. 1870-1939*, Barbara

il n'existe justement pas d'histoire de la musique *française* écrite en France avant celle de l'initiateur de ces « Fêtes », Charles Poisot[1] : on ne trouve avant lui que des histoires de la musique *en France*, à l'instar de celle qu'élabore Castil-Blaze dès 1836[2]. Mais entérinant le programme historiographique constitué par Wagner, « musicien de l'avenir », et la défaite de 1871, de nombreux ouvrages se succèdent ensuite pour traiter de l'« histoire de la musique dramatique en France », « depuis Lully » ou « depuis Gluck jusqu'à nos jours[3] », mais aussi des « fondateurs », des « vrais créateurs », des « maîtres » ou des « origines » de « l'opéra français »[4]. Or Rameau est appelé à occuper une place essentielle dans ce cadre historiographique. Il n'y est pas une figure isolée : Rameau et Gluck ayant chacun dans son temps été successivement crédités d'avoir fait « révolution[5] », ces histoires, depuis 1778 au moins, sont présentées comme faisant se succéder « trois âges de l'opéra[6] », ceux de Lully, de Rameau et de Gluck. Que ce rôle historique soit systématiquement ramené à l'horizon national n'est pas non plus ce qui constitue la singularité de ces textes – car il est estimé dès les années 1830 que Rameau fut celui

L. Kelly (dir.), Rochester, University of Rochester Press, 2008, p. 197-214 ; Jean-Claire Vançon, « Patrimoine et identité : Jean-Philippe Rameau par Charles Poisot (1854-1876) », dans *Music and the Construction of National Identities in the 19th Century*, Beat A. Föllmi, Nils Grosh et Matthieu Schneider (dir.), Baden-Baden / Biuxwiller, éd. Valentin Koerner, 2010, p. 283-303.

1. Voir Charles Poisot, « Essai sur l'histoire de la musique française... », *L'Univers musical*, du n° II/3 (1er février 1854) au n° III/6 (15 mars 1855) ; voir aussi *Essai sur les musiciens bourguignons*, Dijon, Lamarche et Drouelle, 1854.

2. Voir Castil-Blaze, « Histoire de la musique en France », *Revue et Gazette musicale de Paris*, III/26 (26 juin 1836), p. 211-220 ; III/27 (3 juillet 1836), p. 227-233.

3. Gustave Chouquet, *Histoire de la musique dramatique en France*, Paris, Pottier de Lalainne, 1873 ; Alphonse Pellet, *Essai sur l'opéra en France, depuis Lully jusqu'à nos jours*, Nîmes, Roger et Laporte, 1875 ; Jacques Hermann, *Le Drame lyrique en France, depuis Gluck jusqu'à nos jours*, Paris, Dentu, 1877.

4. Paul Lacôme, *Les Fondateurs de l'opéra français*, Paris, Enoch, 1878 ; Arthur Pougin, *Les Vrais Créateurs de l'opéra français*, Paris, Charavay frères, 1881 ; Léon Brethous-Lafargue, « Les Maîtres de l'opéra français », *Revue des deux mondes*, 15 juillet 1884, p. 427-448 ; Charles Nuitter et Ernest Thoinan, *Les Origines de l'opéra français*, Paris, Plon, 1886.

5. Jean-Claire Vançon, « Les "deux âges du goût" : Lully, Rameau et l'écriture de l'histoire de l'opéra en France entre 1687 et 1764 », dans *L'Invention des genres lyriques français et leur redécouverte au XIXe siècle*, Alexandre Dratwicki et Agnès Terrier (dir.), Lyon, Symétrie, 2010, p. 287-307.

6. *Les Trois Âges de l'Opéra*, prologue en un acte de De Vismes et Grétry (1778).

qui porta « la musique française à un haut point de perfection[1] ». L'enjeu repose plutôt sur l'identité du musicien autour duquel se configure le flux en trois temps de l'histoire de l'opéra national, voire la paternité de l'opéra français. Si les historiens sont en effet nombreux à juger, jusqu'au seuil des années 1860, que Gluck « créa la musique dramatique en France[2] », le choix des quatre statues que Charles Garnier, dès 1866, projette d'élever dans le vestibule du nouvel Opéra de Paris témoigne d'une conception différente. Inaugurées en 1887-1888, elles représentent les quatre chefs des principales écoles musicales européennes : Lulli (musique italienne), Gluck (musique allemande), Haendel (musique anglaise), Rameau (musique française)[3]. Or cette germanisation de Gluck n'est pas sans rapport avec les remous suscités par Wagner, dont les propositions seront souvent mises en rapport avec les solutions gluckistes[4]. Elle a son corollaire : brandi contre la xénophilie excessive des institutions musicales et des compositeurs français, un lexique de combat se met en place, fait de « réhabilitation », de « défense », de « rehaussement » ou de « fierté ». Et la musique de Rameau fait évidemment partie de ces répertoires nationaux dont il convient de réévaluer la valeur : il est « une des gloires les plus éclatantes de l'art français[5] », appelée à faire « la gloire éternelle de sa patrie[6] ». Rameau, dont Gluck bouta la musique hors de scène, peut alors être brandi contre Wagner lui-même. Les « Fêtes Rameau » de Dijon sont d'ailleurs quasi contemporaines du premier Festival de Bayreuth ; aussi fortuite que fût la coïncidence, nombreux furent les journalistes à sacrifier au parallèle[7]. Que ce soit dans sa manière d'isoler Rameau au sein du Panthéon des musiciens anciens, de l'entendre comme un « musicien français » susceptible d'être le père d'une « musique française », de

1. « Rameau », *Encyclopédie pittoresque de la musique*, Adolphe Ledhuy et Henri Bertini (dir.), Paris, H. Delloye, 1835, t. I, p. 77.

2. Castil-Blaze, « Histoire de la musique en France », *Revue et Gazette musicale de Paris*, III/26 (26 juin 1836), p. 219.

3. Voir « Actualités », *La France musicale*, XXX/27, 8 juillet 1866, p. 210.

4. À commencer par François-Joseph Fétis, « Richard Wagner », *Revue et Gazette musicale de Paris*, du n° XIX/23 (6 juin 1852) au n° XIX/32 (8 août 1852).

5. Arthur Pougin, *Rameau : essai sur sa vie et ses œuvres*, Paris, G. Decaux, 1876, p. 11.

6. *Ibid.*, p. 118.

7. Voir *La Presse*, XLI (12 août 1876), p. 1 ; Léon Kerst, « Les fêtes de Rameau à Dijon », *La Presse*, XLI (13 août 1876), p. 3 ; *Le Ménestrel*, XLII/37 (13 août 1876), p. 291 ; « Nouvelles diverses », *L'Art Musical*, XV/33 (17 août 1876), p. 263.

relier Gluck à Wagner ou de conspuer une xénophilie musicale, le discours de Debussy sur Rameau ne fait donc que perpétuer un discours préexistant.

Un ramisme mesuré

Debussy fut-il d'ailleurs aussi ramiste qu'on l'affirme généralement ? Sa découverte, on l'a vu, est tardive ; à l'exception d'une commande d'André Caplet pour un « prospectus[1] », il n'évoque par la suite Rameau que pour réagir à des initiatives qui lui sont étrangères. Rameau est certes le deuxième compositeur ancien le plus cité dans *Monsieur Croche*, à égalité avec Bach, et derrière Beethoven, mais il se fait beaucoup plus discret dans sa correspondance. Digressant sur Rameau dans une lettre de 1915, Debussy s'excuse ainsi de « tourne[r] à "l'article"[2] » : il est inutile de recourir à l'argument « Rameau » en privé. Que connaît-il d'ailleurs réellement de sa musique ? Qu'il l'évoque le plus souvent aux côtés de « nos vieux clavecinistes » indique combien Debussy envisage la musique française classique essentiellement du point de vue des œuvres pour clavier, et non des œuvres lyriques. Et ce qu'il peut en connaître tient à ce que compilent les anthologies publiées dans la deuxième moitié du XIXe siècle[3]. Tout juste l'unique mention de Destouches semble-t-elle signaler une connaissance de la *Collection des chefs-d'œuvre classiques de l'opéra français* réunie entre 1877 et 1884 par Théodore Michaëlis. De Rameau, il ne cite aucune pièce ; il n'est jamais, sous sa plume, que le plus éminent représentant d'une école. L'œuvre de Rameau que Debussy a peut-être le mieux connue serait alors *Les Fêtes de Polymnie*, pour en avoir supervisé l'édition par Durand. Avec un certain génie politique et publicitaire, ce dernier avait en effet fait appel à une équipe de

1. Lettre de Claude Debussy à André Caplet, 11 octobre 1912, *Correspondance*, p. 1549.
2. Voir lettre de Claude Debussy à Robert Godet, 14 octobre 1915, *Correspondance*, p. 1947-1948.
3. On peut penser au *Trésor des pianistes*, Aristide et Louise Farrenc (éd.), Paris, A. Farrenc, 1861-1872, ou aux *Clavecinistes français du XVIIIe siècle*, Louis Diémer (éd.), Paris, Durand, 1887-1912. *Les Clavecinistes (de 1637 à 1790)*, Amédée Méreaux (éd.), Paris, Heugel et Cie, 1864-1867, ne contiennent que Couperin et Rameau. De Daquin, on peut ainsi raisonnablement affirmer que Debussy ne connaissait que *Le Coucou*.

compositeurs français contemporains, censés faire communauté avec les compositeurs français anciens. L'essentiel du travail critique n'en est pas moins réalisé par Charles Malherbe, qui signe jusqu'à sa mort des *Commentaires bibliographiques* remarquables ; charge seulement à l'éditeur « artiste » de compléter l'orchestration parfois fragmentaire des sources et faire une réduction pour le piano. Or Debussy semble avoir accordé suffisamment peu d'intérêt à l'entreprise pour avoir demandé, selon toute vraisemblance, à Francisco de Lacerda de faire le travail à sa place. C'est en effet ce que suggèrent les lettres dans lesquelles, par deux fois, pressé par Durand, il lui réclame le manuscrit[1]. De même Debussy ne réalisera-t-il pas la « révision » de *Pygmalion* à laquelle il affirme pourtant en 1911 être sur le point de s'atteler[2] : c'est Henri Busser qui la signera[3]. Ces défections successives invitent à tempérer l'image d'un Debussy ardemment ramiste.

Un ramisme paradoxal

L'élégance du fracas

Le Rameau que laisse paraître le filtre debussyste n'est pas, de surcroît, le Rameau réel. Au début du XXe siècle, il est traditionnel d'apprécier en lui, comme le fait Debussy, les qualités de « grâce », d'« élégance » et de « charme ». Donné pour la première fois à la Société des Concerts le 12 janvier 1851, dans une version remaniée par Adolphe Adam[4], le menuet extrait de la seconde version de *Castor et Pollux*, « Dans ces doux asiles », fut ainsi d'emblée salué comme un chœur « ravissant », une « fraîche inspiration » dans laquelle « le ton gracieux de la mélodie emprunte un nouveau

1. Lettres de Claude Debussy à Francisco de Lacerda, 22 janvier et 9 mars 1906, *Correspondance*, p. 936 et 944. Voir aussi Lesure, *Debussy*, p. 282.

2. Claude Debussy, « La Pensée d'un grand musicien », *Excelsior*, 18 janvier 1911, repris dans *Monsieur Croche*, p. 318.

3. Jean-Philippe Rameau, *Pygmalion. Les Surprises de l'Amour. Anacréon. Les Sybarites*, Henri Busser (éd.), Paris, Durand, 1913. Voir Henri Busser, *De* Pelléas *aux* Indes galantes… *de la flûte au tambour*, Paris, A. Fayard, 1955, p. 174 : « [Saint-Saëns] me fait une proposition flatteuse : écrire la révision de *Pygmalion* et des *Surprises de l'Amour* de Rameau pour les grandes éditions Durand. »

4. Voir Jean-Claire Vançon, *Le Temple de la Gloire… op. cit.*, t. III, p. 137-140.

charme à l'accompagnement du quatuor en sourdines[1] ». Grâce, charme, fraîcheur : le champ lexical ne changera pas, et servira autant à qualifier ce menuet que l'essentiel des fragments de Rameau donnés en concert[2]. La France musicale du XIXe siècle, en somme, privilégie le Rameau de la danse et des « fêtes galantes » aux dépens du Rameau mâle et tragique – attributs gluckistes. Le « charme » est la qualité essentielle d'un XVIIIe siècle fantasmé, permettant de satisfaire un désir de couleur locale – ainsi la pastorale *Laitière de Trianon* de Jean-Baptiste Weckerlin[3] cite-t-elle le « Tambourin » des *Fêtes d'Hébé*, et Rameau est-il considéré, avec Watteau, Houdon, Chardin ou Greuze, comme un de ceux qui ont le mieux « chanté la symphonie de l'Art français[4] » de leur époque. Le Rameau de Debussy, accompagné de Watteau et Couperin, est bien ce Rameau-là.

Or ces qualités de grâce, de charme et de fraîcheur sont de longue date attachées à l'opéra-comique. Le genre est par ailleurs tenu comme « éminemment national[5] » depuis la fin du XVIIIe siècle : « Notre œuvre à nous, c'est l'opéra-comique[6]. » À l'occasion du centenaire d'Auber (1882), Jules Barbier oppose ainsi « les qualités distinctives du génie français : la clarté, la précision, le respect de la forme, l'inspiration mélodique, le goût sans lequel il n'y a pas de proportion » à « l'envahissement d'une école de brouillard, d'indécision, de chaos, de symphonie informe, d'algèbre musicale, de philosophie transcendante, d'interminables mélopées sans règle et sans limite, – école [...] qui offre [...] le très grand danger de porter atteinte au caractère même de notre

1. Edmond Viel, « Société des Concerts du Conservatoire », *Le Ménestrel*, XVIII/8 (19 janvier 1851), p. 2.
2. Voir Jean-Claire Vançon, *Le Temple de la Gloire... op. cit.*, t. III, p. 248-249.
3. Voir Jean-Baptiste Weckerlin, *La Laitière de Trianon*, Paris, Heugel, s.d. [1873].
4. Arsène Houssaye, *Histoire de l'art français au dix-huitième siècle*, Paris, Henri Plon, 1860, p. 1. Un chapitre de cet ouvrage (p. 409-417) est consacré à Rameau.
5. Martin d'Angers [Julien Martin, dit], « L'École Française doit-elle souhaiter un nouvel opéra de M. Meyerbeer ? », *L'Univers musical*, VI/22 (1er décembre 1858), p. 170 ; Stéphen de la Madelaine [Étienne Madelaine, dit], « Histoire de l'opéra-comique », *La France musicale*, IV/41 (10 octobre 1841), p. 346 ; Charles Poisot, *Histoire de la musique en France*, p. iii ; Ralph, « Les trois genres », *L'Art musical*, III/35 (6 août 1863), p. 282.
6. Camille Bellaigue, *Un siècle de musique française*, Paris, Librairie Ch. Delagrave, 1887, p. 9.

esprit national[1] ». On croirait lire Debussy comparant Rameau et Wagner : il suffit de substituer à un Auber « charmant » et « français » un Rameau auquel les mêmes qualités étaient attachées de longue date, et que sa carrière dans le genre sérieux rend plus solidement opposable à Wagner que le seul opéra-comique. Le critique envoyé par *L'Art musical* aux « Fêtes Rameau » de 1876 juge d'ailleurs que « le *doux et calme* tableau des fêtes de Dijon nous séduit bien plus que *l'orgie enharmonique* de Bayreuth[2] ». Cette manière de reconnaître dans Rameau les qualités nationales de l'opéra-comique est toutefois paradoxale : car c'est précisément la vogue de ce genre qui précipite le désamour pour sa musique. La « musique moderne[3] » que Chabanon oppose à Rameau en 1771 est en effet celle des opéras-comiques ; et Nougaret affirme dès 1769 que « le Théâtre lyrique va bientôt changer de face », en voyant « succéder insensiblement la légèreté, les grâces séduisantes du nouveau chant Français, à la gravité de notre ancienne mélodie[4] ».

Entendre dans l'œuvre de Rameau une « tendresse délicate et charmante », comme le fait Debussy, contredit de fait l'écoute des contemporains. Considérons seulement le portrait que fait Diderot, par la bouche de son *Neveu*, de « ce musicien célèbre [...] de qui nous avons un certain nombre d'opéras où il y a [...] des idées décousues, du fracas, des vols, des triomphes, des lances, des gloires, des murmures, des victoires à perte d'haleine[5] ». Et si Debussy déplore que ses compatriotes aient renoncé à la « déclamation simple et naturelle » de Rameau, dont il vante la prosodie, c'est au mépris des contemporains qui regrettaient, comme Mme du Châtelet, qu'il eût abandonné la simplicité du récitatif lullyste[6], et lui reprochaient

1. Jules Barbier, « L'Hommage à Auber de Jules Barbier », *Le Ménestrel*, XLVIII/10 (5 février 1882), p. 74.

2. « Nouvelles diverses », *L'Art musical*, XV/33 (17 août 1876), p. 263. Nous soulignons.

3. « Lettre de M. de Chabanon sur les propriétés musicales de la langue françoise », *Mercure de France*, janvier 1773, t. I, p. 177.

4. Pierre-Jean-Baptiste Nougaret, *De l'art du théâtre en général...*, Paris, Cailleau, 1769, t. II, p. 198.

5. Denis Diderot, *Le Neveu de Rameau*, Jean-Claude Bonnet (éd.), Paris, GF-Flammarion, 1983, p. 47.

6. Voir Voltaire, *Correspondence and related documents*, Theodore Besterman (éd.), Genève, Institut et musée Voltaire, 1968-1977, 51 vol., D 1260.

de se moquer des paroles et des librettistes[1]. Relire aujourd'hui la prophétie de Voltaire n'est, à cet égard, pas sans saveur :

> On dit que dans les *Indes* l'opera de Ramau pouroit réussir. Je croi que la profusion de ses doubles croches peut révolter les lullistes. Mais à la longue il faudra bien que le goût de Rameau devienne le goust dominant de la nation, à la mesure qu'elle sera plus savante. Les oreilles se forment petit à petit. trois ou quatre générations changent les organes d'une nation. Lully nous a donné le sens de l'ouie que nous n'avions point. Mais les Ramaux le perfectionneront. Vous m'en direz des nouvelles dans cent cinquante ans d'ici[2].

Voltaire aurait-il pu imaginer qu'un peu plus de cent cinquante ans plus tard, Debussy se servirait de Rameau pour critiquer les musiciens à « doubles croches » de son temps ?

Un Français germanisé

Peu avant que Durand ne lance l'édition des *Œuvres complètes* de Rameau, Magnard avait réclamé des partitions qui ne fussent pas aussi « fautives » et « incohérentes »[3] que les éditions de Rameau disponibles jusque-là, et Dukas en avait appelé à une « simple et fidèle reconstitution d'orchestre, n'utilisant que les instruments en usage à l'époque de Rameau, les écrivant suivant les indications de la partition et des parties séparées que doit posséder la bibliothèque de l'Opéra, en réalisant les parties intermédiaires avec goût[4] ». Or la plupart des volumes des *Œuvres complètes* – parmi lesquels celui des *Fêtes de Polymnie*[5] – contreviennent à cette dernière exigence, et altèrent, ce faisant, la « francité » prêtée à Rameau. Ces réécritures relèvent en effet d'une forme d'italo-germanisation inconsciente[6] : quasiment jusqu'à leur interruption, les *Œuvres complètes* assimilent l'orchestre de cordes à quatre parties de Rameau à l'orchestre symphonique

1. Voir Charles Collé, *Journal et mémoires de Charles Collé*, Honoré Bonhomme (éd.), Paris, Firmin-Didot, 1868, p. 93-94.
2. Voltaire, *Correspondence and related documents*, *op. cit.*, D 911.
3. Albéric Magnard, « Pour Rameau », *Le Figaro*, XL/88 (29 mars 1894), p. 1-2.
4. Paul Dukas, « Chronique musicale. Pour un maître français », *La Revue hebdomadaire*, n° 118 (25 août 1894), p. 626.
5. Voir l'excellente analyse musicale d'Anya Suschitzky, « Debussy's Rameau... », article cité, p. 416-431.
6. *Ibid.*, p. 437.

moderne. Que l'orchestre français classique polarisât les tessitures à l'extrême, au lieu de chercher à les homogénéiser comme dans la tradition orchestrale allemande[1], constituait pourtant une authentique spécificité nationale. Mais les éditeurs ne la voient pas.

Terminologie et clés utilisées par Rameau	Interprétation par les éditeurs des Œuvres complètes[2]	Terminologie moderne réelle et effectifs historiques[3]
« violons » (Sol 1)	violons 1	≈ 15 violons 1 et 2
« hautes-contre » (Ut 1)	violons 2	3 altos 1
« tailles » (Ut 2)	altos	3 altos 2
« basses » (Fa 4)	violoncelles et contrebasses	≈ 11 violoncelles et 1 contrebasse

L'orchestre à cordes de Rameau

Entre autres falsifications[4], d'Indy récrit parfois les vents de manière viennoise classique, au lieu de les laisser à l'unisson des violons. Or Debussy a bien conscience de ces déformations : « On parle bien de Rameau… “Il est ennuyeux”, on n'ose pas avouer qu'on ne sait plus l'exécuter », affirme-t-il alors qu'on envisage de reprendre *Castor et Pollux* à l'Opéra de Paris. « Ce n'est certainement pas Mr d'Indy, entrepreneur de Scholas qui leur apprendra. C'est l'esprit le plus bochard qui soit, sans parler des autres[5] ! » Le peu d'enthousiasme de Debussy pour Rameau n'est donc peut-être que la conséquence de sa lucidité esthétique : non seulement Rameau a été oublié, mais toute tentative de le recréer est vouée à l'échec.

1. Voir John Spitzer et Neal Zaslaw, *The birth of the orchestra : history of an institution, 1650-1815*, New York, Oxford, Oxford University Press, 2004.

2. Sauf le dernier volume (XVIII, 1924), où l'erreur est rectifiée.

3. D'après Jérôme de La Gorce, « L'orchestre de l'Opéra et son évolution de Campra à Rameau », *Revue de Musicologie*, vol. 76/1, 1990, p. 23-43.

4. Voir Graham Sadler, «Vincent d'Indy and the Rameau *Œuvres complètes* : a case of forgery ? », *Early Music*, XXI, 1993, p. 415-422.

5. Lettre de Claude Debussy à Robert Godet, 14 octobre 1915, *Correspondance*, p. 1947.

Pour célèbre qu'il soit, le discours de Debussy sur Rameau n'en demeure donc pas moins d'une parfaite banalité. Qu'il soit resté singulièrement dans les mémoires tient à plusieurs facteurs : l'identité de son auteur, compositeur majeur de son temps ; le contexte de sa profération, identifié comme celui d'une « résurrection » de Rameau dont l'initiative des *Œuvres complètes* et les productions de la Schola Cantorum ou de l'Opéra de Paris sont les manifestations les plus tangibles ; le désir des contemporains de Debussy de reconstituer une continuité spécifiquement française entre l'auteur de *Castor* et celui de *Pelléas*[1], perpétué par une musicographie toujours heureuse d'expliquer le développement du style musical par des continuités géographiques[2]. Célébré pour des raisons contraires à celles qui firent de lui un événement de l'histoire de la musique, le Rameau-de-Debussy apparaît de surcroît comme un anti-Rameau. L'estime que Debussy lui accorde publiquement ne trouve en outre guère de débouchés concrets : même après la révélation de 1903, Debussy refuse en pratique de travailler sur Rameau quand l'occasion se présente à lui. Le nom de Rameau, qu'une constellation de quelques qualificatifs et de quelques repoussoirs suffit à constituer en exemple, lui permet de formuler certaines convictions esthétiques et politiques ; mais il n'a, pour cela, nul besoin du vrai Rameau. Rameau, en somme, occupe dans son espace mental la même place que dans ce si peu ramiste *Hommage à Rameau* : il est, d'abord, un mot.

1. Le 21 mars 1918, Laloy rend visite à un Debussy sur le point de mourir et qu'il doit quitter pour aller assister à la répétition générale de *Castor et Pollux* à l'Opéra : « Ce fut un de ses derniers regrets que de n'y pouvoir assister. Essayant de sourire, il me disait de sa voix éteinte, en me voyant partir : "Bien le bonjour à M. Castor !" » (Louis Laloy, *La Musique retrouvée*, *op. cit.*, p. 228). On ne saurait mieux imager la transmission de témoin.

2. Voir John Eliot Gardiner, « Rameau, Berlioz, Debussy : une filiation ? Réflexions d'un musicien francophile », dans *Berlioz*, Christian Wasselin et Pierre-René Serna (dir.), Paris, Éditions de l'Herne, 2003, p. 274-279. Voir Anya Suschitzky, « Debussy's Rameau… », article cité, p. 439.

Annexe

Le discours de Debussy sur Rameau

Sources

Debussy, *Monsieur Croche*

MC1 : « À la Schola Cantorum », *Gil Blas*, 2 février 1903, p. 89-94
MC2 : « Lettre ouverte. – À la Société Nationale. – Au Concert Lamoureux », *Gil Blas*, 23 février 1903, p. 100-106
MC3 : « De l'opéra et de ses rapports avec la musique. – À la Société Nationale », *Gil Blas*, 9 mars 1903, p. 115-120
MC4 : « Le bilan musical en 1903 », *Gil Blas*, 28 juin 1903, p. 192-196
MC5 : « L'état actuel de la musique française », *La Revue bleue*, 2 avril 1904, p. 278-279
MC6 : « À propos d'*Hippolyte et Aricie* », *Le Figaro*, 8 mai 1908, p. 202-205
MC7 : « Debussy parle de sa musique », *Harper's Weekly*, 29 août 1908, p. 282-284
MC8 : « Une renaissance de l'idéal classique ? », *Paris-Journal*, 20 mai 1910, p. 303-304
MC9 : « La pensée d'un grand musicien », *Excelsior*, 18 janvier 1911, p. 317-319
MC10 : « Jean-Philippe Rameau », un article commandé par Caplet en novembre 1912 pour une revue contemporaine, p. 210-212
MC11 : « Fin d'année », *S.I.M.*, 15 janvier 1913, p. 223-227
MC12 : « Enfin, seuls !... », *L'Intransigeant*, 11 mars 1915, p. 265-266

Debussy, *Correspondance*

C1 : Lettre à Jacques Durand, 18 février 1903, p. 718
C2 : Lettre à André Messager, 29 juin 1903, p. 746
C3 : Lettre à Louis Laloy, 10 septembre 1905, p. 969
C4 : Lettre à Louis Laloy, 24 août 1910, p. 1308
C5 : Lettre à Louis Laloy, 30 novembre 1913, p. 1706
C6 : Lettre à Louis-Pasteur Vallery-Radot, 6 janvier 1915, p. 1865
C7 : Lettre à Bernardino Molinari, 9 janvier 1915, p. 1866
C8 : Lettre à Jacques Durand, 4 septembre 1915, p. 1929
C9 : Lettre à Robert Godet, 14 octobre 1915, p. 1947-1948

Sujet (de quoi parle Debussy ?)
– (MC1 1903) : « Pour beaucoup de personnes, Rameau est l'auteur du célèbre rigaudon de *Dardanus*, et c'est tout… » ; *Castor et Pollux* (« Que tout gémisse », « Tristes apprêts », divertissement du 1er acte, "Nature, amour", « il faudrait tout citer [dans le 2eme acte] » – C1 (1903) : « Rameau » – MC2 (1903) : « Rameau ». Renvoie à MC1. – MC3 (1903) : « Rameau » ; *Castor et Pollux*, *Les Indes Galantes* – MC4 (1903) : *Les Indes Galantes* – C2 (1903) : « Rameau » ; *La Guirlande* – MC5 (1904) : « Rameau » – C3 (1905) : « Rameau » – MC6 (1908) : Une courte biographie de Rameau – MC7 (1908) : « Rameau » – MC8 (1910) : « Rameau » – C4 (1910) : « Rameau » – MC9 (1911) : « Rameau », *Pygmalion* – MC10 (1912) : « Rameau » – MC11 (1913) : « Rameau » – C5 (1913) : « Vous n'auriez pas un vieil habit ayant appartenu à J. Ph. Rameau ? » – C6 (1915) : « Rameau » – C7 (1915) : « Rameau » – MC12 (1915) : « Rameau » – C8 (1915) : « Rameau » – C9 (1915) : « Rameau »

	Passé
Les figures autour de Rameau	– MC4 (1903) : « Nous avons dans Rameau le double parfait de Watteau. » – MC5 (1904) : Couperin – MC6 (1908) : Couperin – MC7 (1908) : Couperin, Daquin « et autres artistes de leur temps » – C4 (1910) : Couperin – MC11 (1913) : Destouches, Couperin, Watteau – C8 (1915) : Couperin
Les qualités de Rameau	– MC2 (1903) : « lyrique […] déclamation fine et vigoureuse » – MC3 (1903) : « grâce » – MC4 (1903) : « élégance d'écriture et […] émotion » – C3 (1905) : « le goût parfait, l'élégance stricte » – MC10 (1912) : « son charme, sa forme si finement rigoureuse […] trouvaille harmonique […] sensibilité dans l'harmonie »
Les qualités de Rameau sont des qualités spécifiquement françaises	– MC1 (1903) : « Nous avions pourtant une pure tradition française dans l'œuvre de Rameau » ; « tendresse délicate et charmante, d'accents justes, de déclamation rigoureuse dans le récit, sans cette affectation à la profondeur allemande […] cette clarté dans l'expression, ce précis et ce ramassé dans la forme, qualités particulières et significatives du génie français » – MC3 (1903) : « la grâce si française des *Indes Galantes* » – MC5 (1904) : « Couperin, Rameau, voilà de vrais Français ! » – MC6 (1908) : « cette façon charmante d'écrire la musique » ; « la grâce de Couperin » ; « Elle évitait la redondance et avait de l'esprit » ; « élégance » – MC8 (1910) : « Il y a eu, oui, une grande époque française : c'est le XVIIIe siècle, le temps de Rameau. »

Les qualités de Rameau sont des qualités spécifiquement françaises	– MC10 (1912) : « Il faut l'aimer avec ce tendre respect que l'on conserve à ces ancêtres » – C6 (1915) : « … non pas à une tradition française étroite et trop contemporaine, mais à la “vraie”, que l'on peut situer à la suite de Rameau » – C9 (1915) : « Alors ! où est la musique française ? Où sont nos vieux clavecinistes, où il y a tant de vraie musique ? »
Les qualités de la musique française, déduites de celles de Rameau	– MC2 (1903) : « Rameau était lyrique, cela nous convenait à tous points de vue » – C3 (1905) : « La musique française, c'est la clarté, l'élégance, la déclamation simple et naturelle ; la musique française veut, avant tout, faire plaisir.[…] Le génie musical de la France, c'est quelque chose comme la fantaisie dans la sensibilité » – C6 (1915) : « la clarté française »
Du passé au présent : la figure de Gluck	
Gluck post-ramiste	– MC1 (1903) : « Pourtant, le génie de Gluck trouve dans l'œuvre de Rameau de profondes racines. *Castor et Pollux* contient en raccourci les esquisses premières que Gluck développera plus tard ; on peut faire de singuliers rapprochements, qui permettent d'affirmer que Gluck ne put prendre la place de Rameau sur la scène française qu'en s'assimilant et rendant siennes les belles créations de ce dernier. » – MC2 (1903) : « Rameau, qui aida à former votre génie… »
Comparaison des qualités de Rameau et de Gluck	– MC2 (1903) : Rameau « contenait des exemples de déclamation fine et vigoureuse qui auraient dû mieux vous servir ».

Influence de Gluck sur la musique française	– MC1 (1903) : « On sait l'influence de Gluck sur la musique française ». – MC2 (1903) : « On vous retrouve d'abord dans Spontini, Lesueur, Méhul, etc. ; […] De vous avoir connu, la musique française a tiré le bénéfice assez inattendu de tomber dans les bras de Wagner. » – MC6 (1908) : Meyerbeer
Relation Gluck-Wagner	– MC2 (1903) : « … vous contenez l'enfance des formules wagnériennes et c'est insupportable […] De vous avoir connu, la musique française a tiré le bénéfice assez inattendu de tomber dans les bras de Wagner. » – MC6 (1908) : « nous aboutissons très logiquement d'ailleurs à Wagner » – MC8 (1910) : Le gluckisme « prépara de loin le wagnérisme »
Présent	
Critique de la xénophilie française (et de ce à quoi ressemble, en conséquence, la musique française)	– MC1 (1903) : « Au nom de quoi la tradition de Gluck est-elle encore vivante ? » – MC4 (1903) : « … au lieu d'obliger la musique française à se recommander des traditions lourdement cosmopolites qui empêchent son naturel génie de se développer librement » – C3 (1905) : « cette musique aurait dû nous garder de la grandiloquence menteuse d'un Gluck, de la métaphysique cabotine d'un Wagner, de la fausse mysticité du vieil ange belge [Franck], que nous avons si maladroitement adaptées à une manière de comprendre qui en est exactement l'antipode [...] vaniteux que nous sommes d'une science qui n'a pas été faite pour notre esprit et qui, peut-être même, est la négation de la musique… » – C4 (1910) : [Ricciotto Canudo] « m'a écorché les oreilles avec des doctrines d'un internationalisme dégoûtant. Avec ces gens-là je deviens immédiatement nationaliste, traditionaliste »

Critique de la xénophilie française (et de ce à quoi ressemble, en conséquence, la musique française)	– MC10 (1912) : « Nous sommes infidèles à la tradition musicale de notre race depuis un siècle et demi. » – C7 (1915) : « ... la musique française dans son vrai chemin, que tant d'influences ont fait dévier… » – MC12 (1915) : « En fait, depuis Rameau, nous n'avons plus de tradition nettement française » ; « Nous sommes infidèles à la tradition musicale de notre race depuis un siècle et demi. » ; « Nous avons subi les surcharges d'orchestre, la torture des formes, le gros luxe et la couleur criarde… » – C9 (1915) : « Quelle triste leçon pour nous ! […] Je veux dire : cette lourde mainmise sur nos pensées, nos formes, acceptée avec une souriante négligence. »
Nécessité de revenir au modèle ramiste et de redonner à Rameau la place qu'il mérite en France	– MC1 (1903) : « C'est bien là un exemple de cette sentimentalité particulière au peuple français qui le pousse à adopter frénétiquement aussi bien des formules d'art que des formes de vêtements, qui n'ont rien à faire avec l'esprit du sol. » – MC2 (1903) : « nous devrions rester lyriques sans attendre un siècle de musique pour le devenir. » – MC4 (1903) : « N'est-il donc grandement temps de lui rendre une place à laquelle il a seul le droit de prétendre […] ? » – C3 (1905) : « je ne vois qu'une bonne révolution pour nous tirer de cette mélasse cosmopolite » – MC6 (1908) : « Pourquoi ne pas regretter cette façon charmante d'écrire la musique que nous avons perdue, aussi bien qu'il est impossible de retrouver la grâce de Couperin. [...] [N]ous n'osons presque plus avoir de l'esprit, craignant de manquer de grandeur, ce à quoi nous nous essoufflons sans y réussir bien souvent. » – C4 (1910) : « et je ne peux souffrir que, même au profit de Bach, on maltraite Rameau, Couperin » – C6 (1915) : « Il me semble qu'il y a une occasion de revenir, non pas à une tradition française étroite et trop contemporaine, mais à la "vraie", que l'on peut situer à la suite de Rameau, – moment où elle commence à se perdre ! »

Nécessité de revenir au modèle ramiste et de redonner à Rameau la place qu'il mérite en France	– C7 (1915) : « Il faudra pourtant songer, – un peu tard, à remettre la musique française dans son vrai chemin […]. Depuis Rameau, nous écoutons des voix, qui à part quelques, ne nous ont donné que de mauvaises directions. L'occasion sera bonne à nous l'avouer ! » – C9 (1915) : «Voilà la faute grave, impardonnable, difficile à réparer, car elle est en nous comme un sang vicié. »
Les marques d'affection de Debussy pour Rameau	– MC1 (1903) : « les minutes de vraie joie sont rares » ; « restitution de beauté » – C1 (1903) : « un méchant article où j'avais très sincèrement essayé de dire mon émotion en même temps que mon regret qu'on ne la partage pas davantage… » – MC2 (1903) : « je ne parle pas du musicien qu'était Rameau pour ne pas vous désobliger. » – C2 (1903) : « la délicate joie musicale qu'est cette œuvre [*La Guirlande*] .» – C3 (1905) : « Je suis heureux de votre enthousiasme pour Rameau, il le mérite » ; – C9 (1915) : « l'absolue beauté de la musique chez Rameau »
L'interprétation de Rameau en question	– C3 (1905) : « si nous avions l'air de revenir vers lui, ce n'est guère que par vaine curiosité, car nous sommes presque incapables de sentir ce que nous avons perdu en l'écoutant si mal ». – MC9 (1911) : [À propos de *Pygmalion*, que Debussy est censé orchestrer] « Ce n'est pas une besogne bien longue, certes, mais elle est pour moi très intéressante, en ce qu'il s'agit de rendre à ces vieilles partitions, si savoureuses leur véritable caractère, que l'intervention des copistes et des chefs d'orchestre a corrompu. » – C9 (1915) : « il est ennuyeux », « on n'ose pas avouer qu'on ne sait plus l'exécuter. »

L'influence sur Debussy des procédés de composition non européens

Michael Fend

L'un des aspects les plus remarquables des souvenirs souvent cités de Debussy sur l'Exposition universelle de 1889 est la cohérence avec laquelle le compositeur redistribue complètement les valeurs culturelles. Alors que la musique non occidentale était généralement perçue comme représentant au mieux un niveau artistique que la musique occidentale avait dépassé depuis longtemps, Debussy affirma en 1895, et de nouveau en 1913, que la tonique et la dominante dans le contrepoint de Palestrina étaient toutes deux des procédés caractéristiques d'un stade infantile quand on les comparait à la complexité des musiques javanaises[1], dont le « charme de [la] percussion » réduisait la musique occidentale à n'être plus qu'un « bruit barbare de cirque forain ». Pour être d'accord avec cette manière de voir les choses, ajoute-t-il avec une simplicité charmante, il suffit d'écouter « sans parti pris européen[2] ».

Dans sa lettre de 1895 comme dans son article de 1913, Debussy évoquait la musique javanaise en attribuant à la musique occidentale une position comparativement inférieure. Cela étant, Jean-Pierre Bartoli va sans doute trop loin quand il assimile la formulation informelle de Debussy en 1913 à la définition par Todorov des

1. Voir lettre de Claude Debussy à Pierre Louÿs, 22 janvier 1895, *Correspondance*, p. 237.
2. Claude Debussy, « Du Goût », *Société internationale de Musique*, 15 février 1913, repris dans *Monsieur Croche*, p. 229.

attitudes « exotistes », « où l'autre [est] systématiquement préféré au même »[1]. Quoi qu'il en soit, si nous voulons accéder à une vue plus juste des choses, il nous faut nous intéresser à la pratique de composition de Debussy. Dans le même article de 1913, celui-ci rendait également hommage au théâtre annamite de l'Exposition de 1889 à cause de l'économie des moyens musicaux et dramatiques à l'aide desquels il parvenait néanmoins à remplir « un instinctif besoin d'art, ingénieux à se satisfaire ; aucune trace de mauvais goût[2] ». Le théâtre annamite apprit à Debussy que s'il est vrai que l'art a avant tout pour fonction d'évoquer quelque chose d'envoûtant, cet effet peut être obtenu avec les moyens les plus simples, sans exiger le « mauvais goût » d'une œuvre d'art totale, d'un *Gesamtkunstwerk* wagnérien.

Alors que nous avons des témoignages rétrospectifs de la cohérence des idées du compositeur sur la musique javanaise, la pensée de Debussy en 1889 ne nous est connue que par les notes prises par Maurice Emmanuel à la suite des conversations que Debussy avait eues avec leur professeur Ernest Guiraud au cours de quelques dîners, et par les mémoires du journaliste suisse Robert Godet. Ces deux textes ne furent publiés qu'en 1926. Pour la plus grande surprise de Guiraud, Debussy plaidait en 1889 pour une esthétique de l'opéra dans laquelle « la musique [...] commence là où la parole est impuissante à exprimer », en sorte qu'elle « eût l'air de sortir de l'ombre et que, par instants, elle y rentrât » ; et dans laquelle l'auteur du livret conçoit des personnages « dont l'histoire et la demeure ne seront d'aucun temps, d'aucun lieu »[3]. En s'appuyant sur ces principes, qui devaient porter leurs fruits dans *Pelléas et Mélisande*, Annegret Fauser a relevé des traits communs entre les danseurs javanais et Mélisande, comme leur fragilité, leur origine étrangère et leur mystère, ainsi que les procédés de gamelan dans

1. Jean-Pierre Bartoli, « Orientalisme dans la musique européenne », dans *Musiques. Une encyclopédie pour le XXIe siècle*, vol. 5, *L'Unité de la musique*, Jean-Jacques Nattiez (dir.), Arles/Paris, Actes Sud/Cité de la musique, 2007, p. 175, avec une citation de Tzvetan Todorov, *Nous et les autres. La réflexion française sur la diversité humaine*, Paris, Seuil, 1989, p. 355.

2. Claude Debussy, « Du Goût », article cité, p. 230.

3. Maurice Emmanuel, *Pelléas et Mélisande. Étude et analyse*, Paris, Mellottée, 1926/1950, p. 35.

le « contour mélodique et le rythme » qui caractérisent Mélisande lors de sa première apparition[1].

Avec l'état d'esprit iconoclaste qui était le sien en 1889, Debussy voulait même abandonner les gammes tempérées, les tonalités harmoniques et la régularité rythmique[2]. Il n'acceptait plus « l'ensemble des données qui caractérisent le langage tonal[3] » et proposait aussi d'abolir la subdivision de l'octave en huit tons ainsi que l'équilibrage de la structure musicale par l'alternance régulière d'événements sonores accentués et non accentués – paradigmes de la musique occidentale qui avaient pour partie été mis en place dès l'Antiquité grecque. Debussy avait acquis un sens de liberté totale en matière auditive, devenant lui-même une sorte de *tabula rasa*, ce qui n'est pas sans évoquer le souhait de Pierre Boulez, au début des années 1950, « de partir d'un point zéro – sans point de vue esthétique[4] ».

Moussorgski et Wagner mis à part, les gamelans javanais et le théâtre annamite de l'Exposition ont à l'évidence joué un rôle de stimulant dans la réflexion de Debussy. Les « heures vraiment fécondes » passées au « campong javanais », où il avait pu apprécier la « polyrythmie percutée d'un gamelan qui se montrait inépuisable en combinaisons de timbres éthérées » et les danses Bedayas, « musique faite image »,

1. Annegret Fauser, *Musical Encounters at the 1889 Paris World's Fair*, Rochester, University of Rochester Press, 2005, p. 203.

2. « Plus la foi en *do ré mi fa sol la si do ; faut lui donner la compagnie* ; 6 tons [...] on peut fabriquer les gammes diverses ; le tempérament ne me blouse pas ; on étouffe dans les rythmes ; Rythme n'égale pas Mesure ; mesures simples et mesures composées : quelle baliverne... Interminables séries des unes ou des autres ; sans qu'on cherche à varier les figures rythmiques. Les tons relatifs. Blague ! *La musique n'est ni majeure ni mineure* [...] Il faut noyer le ton [...] Il n'y a pas de théorie : suffit d'entendre. Le plaisir est la règle » (« Entretiens inédits d'Ernest Guiraud et de Claude Debussy notés par Maurice Emmanuel (1889-1890) », présentation de Arthur Hoérée, *Inédits sur Debussy*, Collection Comœdia-Charpentier, Paris, 1942, p. 33), repris dans *Pelléas et Mélisande cent ans après : études et documents*, Jean-Christophe Branger, Sylvie Douche et Denis Herlin (dir.), Lyon, Symétrie – Palazzetto Bru Zane, 2012, Annexe 1, p. 279-287). Voir également Edward Lockspeiser, *Debussy : His Life and Mind*, Londres, Cassell, 1962, I, p. 206 (traduction française, Paris, Fayard, 1980, p. 86).

3. Patrick Revol, *Influences de la musique indonésienne sur la musique française du XXe siècle*, Paris, L'Harmattan, 2000, p. 77.

4. Barbara Zuber, « Komponieren – Analysieren – Dirigieren. Ein Gespräch mit Pierre Boulez », *Pierre Boulez. Musik-Konzepte*, vol. 89/90, Heinz-Klaus Metzger et Rainer Riehn (éd.), Munich, Text + Kritik, 1995, p. 40.

le remplirent sans nul doute de ce « plaisir » qu'il avait évoqué lors des conversations de table avec Guiraud[1].

Les témoignages de Robert Godet et de Maurice Emmanuel, joints aux textes de Debussy de 1895 et de 1913, fournissent des preuves suffisantes pour retracer le dialogue intérieur qui dut se dérouler dans l'esprit de Debussy, dans la mesure où les gamelans et le théâtre annamite correspondaient aux principes esthétiques qui devaient le conduire à créer une musique de l'avenir libérée de tous les principes de la tradition européenne. Il avait déjà utilisé des gammes pentatoniques et des gammes par tons dès avant 1889, mais l'Exposition lui fit vivre les expériences musicales et théâtrales qui allaient lui permettre de devenir bien plus radical dans ses propres compositions. Lors de l'Exposition universelle, « le paysage urbain et le paysage sonore étaient inextricablement mêlés l'un à l'autre[2] ». La musique était omniprésente. C'était une situation sans précédent historique, en particulier du fait de la présence importante de musiques non occidentales. L'Exposition transformait virtuellement tous ses visiteurs en étrangers, parce que, idéalement, toutes les cultures qui y étaient présentées pouvaient exiger d'être vues, entendues et étudiées en fonction de leurs valeurs propres. Les représentations du théâtre annamite, par exemple, devinrent des spectacles rituels, dont la dimension symbolique culturelle se trouvait par là même mise en valeur, ce qui pouvait donner plus d'authenticité aux représentations.

Mais chercher à connaître une autre culture de l'intérieur est une entreprise ardue. Et ce n'était certainement pas plus aisé en 1889 que ce ne l'est aujourd'hui, du fait des obstacles variés, comme l'idéologie monogéniste républicaine (l'idée que « toutes les races descendent d'une seule »), ou le ressentiment des Sénégalais, par exemple, qui furent exhibés comme des sauvages dans un zoo, alors que dans leur pays, ils avaient « des maisons, des gares et des voies de chemin de fer » ainsi qu'un « comité pour la santé »[3].

Il n'est donc pas surprenant que bien des visiteurs ayant laissé des récits écrits de leurs impressions soient restés prisonniers de

1. Robert Godet, « En marge de la marge », *La Jeunesse de Claude Debussy*, numéro spécial de *La Revue musicale*, 1er mai 1926, p. 152.

2. Annegret Fauser, *Musical Encounters at the 1889 Paris World's Fair*, *op. cit.*, p. 9.

3. Jann Pasler, *Composing the Citizen. Music as Public Utility in Third Republic France*, Berkeley, University of California Press, 2009, p. 426, 550 et 571.

leurs goûts, produits de leur éducation, de préjugés nationaux et d'un racisme regrettable. Bizarrement, parmi celles des compositeurs français de l'époque, Annegret Fauser et Jann Pasler ne citent pas les opinions que Delibes, Massenet, Fauré, Gounod ou Bruneau ont pu avoir sur la musique à l'Exposition ; elles ne relèvent que celle de Saint-Saëns, qui trouva que la musique chinoise était « atroce à nos oreilles, mais [que,] quand on prend la peine de l'étudier, elle offre un grand intérêt[1]... ».

Arthur Pougin, Julien Tiersot et Louis Benedictus traitent de ces nouveautés musicales à des titres divers, respectivement comme journaliste, comme chercheur en ethnomusicologie et comme éditeur de musique[2]. Ils expriment une grande sympathie pour les musiciens exotiques en même temps que pour leur public cultivé, transposant dans la prose française leur expérience de cette musique non occidentale. En résumant ses impressions du théâtre annamite, Arthur Pougin reconnaît son ignorance du langage vietnamien : il « nous a du moins familiarisés avec le côté extérieur et plastique d'un art sous ce rapport très particulier, très riche, très brillant[3] ». Pougin tenait à attirer l'attention sur les progrès qu'il faisait dans la compréhension et l'appréciation de cette musique.

L'attitude de Julien Tiersot va au-delà de l'ethnocentrisme de son temps, selon ce que conclut Pasler dans son propos nuancé[4]. Piégé par la nécessité de décrire les instruments non occidentaux à l'aide de comparaisons avec les instruments occidentaux et de la terminologie élaborée pour eux, il aide certes ses lecteurs à s'en faire une idée, mais l'objet exotique reste inévitablement au second plan. Il reconnaît néanmoins qu'on pourrait trouver une harmonie tonale dans les mélodies du Gabon et qu'il s'agit par conséquent d'une « chose naturelle à l'homme » et non de quelque chose d'exclusivement européen. Il reste qu'un tel argument pourrait inciter à conclure que

1. Cité dans Julien Tiersot, *Musiques pittoresques. Promenades musicales à l'Exposition de 1889*, Paris, 1889, p. 47. Texte repris dans Camille Saint-Saëns, *Écrits sur la musique et les musiciens 1870-1921*, présentés et annotés par Marie-Gabrielle Soret, Paris, Vrin, 2012, p. 415.

2. Louis Benedictus, *Les Musiques bizarres de l'Exposition*, Paris, Hartmann & Cie, 1889.

3. Arthur Pougin, *Le Théâtre à l'Exposition universelle de 1889 : notes et descriptions, histoire et souvenirs*, Paris, Librairie Fischbacher, 1890, p. 98.

4. Jann Pasler, *Composing the Citizen*, *op. cit.*, p. 574-576.

la musique africaine de 1889 représentait une étape préhistorique de la musique européenne. De même, Tiersot qualifia l'expérience de l'été 1889 de « distraction charmante » après laquelle il fallait « redevenir sérieux » et « songer un peu à l'art de l'avenir »[1]. Il est clair qu'il ne pouvait imaginer que la musique de l'Exposition pût exercer une influence quelconque sur les futurs compositeurs français.

Depuis Louis Laloy, de nombreux spécialistes de Debussy ont consacré des études spécifiques aux « influences » non occidentales sur son œuvre[2]. Les plus anciennes d'entre elles cherchaient à évaluer l'ampleur réelle de ces influences. L'étude novatrice d'Annegret Fauser a fait progresser notre connaissance et notre compréhension de ces influences de trois manières. Elle reconstitue la musique javanaise telle qu'elle fut jouée en 1889 de manière bien plus pertinente. Elle analyse les ressemblances entre la musique des gamelans et les « structures de timbre et de rythme » dans les parties de piano des mélodies de Debussy comme « En sourdine » ou « Clair de lune ». Enfin, comme on l'a déjà signalé, elle attire l'attention sur les répercussions du théâtre annamite sur *Pelléas et Mélisande*[3].

Abordant dans la perspective des études postcoloniales l'attitude impérialiste qui domina pendant trop longtemps la rencontre entre les peuples européens et les peuples asiatiques, africains et américains, Annegret Fauser conclut que Debussy « consomma en enfant de son temps ces exécutions [de musique javanaise et vietnamienne] comme des "spectacles exotiques" avec toute leur richesse. En fin de compte,

1. Julien Tiersot, *Musiques pittoresques*, *op. cit.*, p. 117.

2. Voir par exemple : Louis Laloy, *La Musique chinoise*, Paris, Dorbon-Aîné, 1910 ; Jens Peter Reiche, « Die theoretischen Grundlagen javanischer Gamelan-Musik und ihre Bedeutung für Claude Debussy », *Zeitschrift für Musiktheorie*, 3/1972, p. 5-15 ; Anik Devriès, « Les Musiques d'Extrême-Orient à l'Exposition universelle de 1889 », *Cahiers Debussy*, n° 1, 1977, p. 24-37 ; Jürgen Arndt, *Der Einfluss der javanischen Gamelan-Musik auf Kompositionen von Claude Debussy*, Francfort-sur-le-Main, Peter Lang, 1993 ; Mervyn Cooke, « "The East in the West" : Evocations of the Gamelan in Western Music », *The Exotic in Western Music*, Jonathan Bellman (dir.), Boston, Northeastern University Press, 1998, p. 258-280 ; Jean-Pierre Chazal, « "Grand succès pour les exotiques" : retour sur les spectacles javanais de l'Exposition universelle de Paris en 1889 », *Archipel*, 63/2002, p. 109-152 ; Cédric Segond-Genovesi, « Exégèse, rhétorique et production(s) du sens : une lecture de *Et la lune descend sur le temple qui fut* », *Cahiers Debussy*, n° 33, 2009, p. 5-31.

3. Annegret Fauser, *Musical Encounters at the 1889 Paris World's Fair*, *op. cit.*, p. 165-215.

ces produits exotiques étaient des marchandises analogues aux batiks ou aux estampes japonaises. Enrichir la culture et la prospérité françaises, tel devait être leur rôle. En ce sens, l'appropriation par Debussy d'éléments tirés des représentations exotiques pour servir la cause de la musique française fait partie de l'entreprise coloniale au même titre que ce que nous relevons d'habitude dans des œuvres comme *Lakmé*. Mon propos n'est pas de savoir si l'exotisme de Debussy est plus intériorisé que celui de Delibes. Je voudrais plutôt suggérer de réinterpréter la fascination qu'exercent sur lui le spectacle du kampong javanais et le théâtre annamite comme une rencontre de l'altérité qu'il ne faut pas comprendre comme un facteur de rupture, ainsi que l'a si souvent postulé l'interprétation moderniste de Debussy, mais comme une forme d'appropriation profondément ancrée dans la tradition de la musique française des années 1890[1] ».

Une des critiques que les études postcoloniales adressent aux Expositions universelles consiste à dire qu'elles furent, en fait, des *zoos humains*[2]. Un « village nègre » et une « rue arabe » dans lesquels 400 personnes mettaient en scène un bazar oriental complet jouirent apparemment d'une telle popularité qu'ils furent exhibés lors d'une série d'expositions ultérieures, de Chicago à Milan[3]. On peut en conclure que les musiciens javanais et vietnamiens furent exposés aux mêmes regards voyeurs et aux mêmes rejets de la part des auditeurs que les figurants du « village nègre ». Tous mimaient virtuellement leurs vies et leur art pour eux-mêmes seulement, sans susciter aucune communication ni aucun contact visuel ou auditif. Ils étaient hors d'état d'empêcher d'être consommés comme des phénomènes exotiques.

Étant donné les trois objectifs politiques de l'Exposition universelle de 1889 qui, à en croire Lemaire et Blanchard, étaient « la construction d'un imaginaire social de l'autre », « la théorisation scientifique de la hiérarchie des races » et « l'édification d'un empire colonial

1. *Ibid.* p. 205.

2. *Zoos humains. Au temps des exhibitions humaines*, Nicholas Bancel, Pascal Blanchard, Gilles Boëtsch, Éric Deroo et Sandrine Lemaire (dir.), Paris, La Découverte, 2004 ; voir aussi Pascal Blanchard, Gilles Boëtsch, Nanette Jacomijn Snoep, Lilian Thuram, *Exhibitions. L'invention du sauvage*, Arles, Actes Sud, 2011, p. 184-189.

3. Sandrine Lemaire et Pascal Blanchard, « Exhibitions, expositions, médiatisation et colonies », dans *Culture coloniale : la France conquise par son empire. 1871-1931*, Pascal Blanchard et Sandrine Lemaire (dir.), Paris, Éditions Autrement, 2003, p. 44.

alors en pleine expansion »[1], il ne devait pas être aisé d'entendre ce qui allait au-delà des manifestations musicales du nationalisme français lors des concerts et des opéras dont Annegret Fauser donne la liste[2]. Cette dernière consigne les réactions négatives des journalistes face aux musiciens javanais et vietnamiens. Quoi qu'il en soit, ces concerts ne furent pas le « voyage merveilleux » dans lequel se résumaient les impressions de Lenôtre[3], ni ces « musiques bizarres » que décrivit Benedictus, ni des « musiques pittoresques », selon l'expression de Tiersot, et Debussy n'aurait sûrement pas été d'accord avec l'opinion de Saint-Saëns qui trouvait la musique chinoise « atroce ».

Si l'on analyse les propos de Debussy lors des conversations qu'il eut avec Guiraud, sa réaction à la musique javanaise et vietnamienne consiste à ne pas formuler de réponse verbale directe. Qu'aurait-il pu dire ? Il lui aurait fallu nommer l'objet et le mettre ainsi à distance, que ce soit comme objet de son admiration, de son rejet ou de son mépris. Au lieu de quoi, Debussy relève le défi que représentent les musiciens javanais et vietnamiens et fait un saut à la fois esthétique et intellectuel en remettant en jeu le langage musical occidental. En tant que compositeur, il n'était évidemment pas censé fournir une description, une évaluation ou une transcription comme il revenait à Pougin, Tiersot et Benedictus de le faire.

Néanmoins, à la différence de ses collègues compositeurs, il profite de l'occasion des rencontres à l'Exposition universelle pour remettre en cause ses propres paradigmes (tonalités, tempérament, mesure, etc.). On admet généralement que c'est ce questionnement personnel qui lui permit de remonter à la matérialité du son et de se libérer des techniques de composition européennes. En se référant aux études postcoloniales, Annegret Fauser doute que l'évolution de Debussy puisse être décrite comme une « rupture ». Mais si l'on juge insuffisante son intention d'abandonner les traditions occidentales de composition telle qu'il la formule en 1889, quel critère supplémentaire lui aurait-il fallu remplir pour que l'on puisse qua-

1. *Ibid.*, p. 47-48.

2. Annegret Fauser, *Musical Encounters at the 1889 Paris World's Fair*, *op. cit.*, p. 313-343.

3. G. Lenôtre, *Voyage merveilleux à l'Exposition universelle de 1889*, Paris, Duquesne, [s.d.].

lifier de « rupture » sa réaction à la découverte des musiques non occidentales ?

Commencée en octobre 1889, immédiatement après l'Exposition, la *Fantaisie pour piano et orchestre* a été de ce fait l'objet d'une attention particulière, notamment parce qu'elle demeura inédite et ne fut jamais exécutée du vivant de Debussy, malgré ses essais répétés d'en faire publier la partition. Richard Mueller soutient à ce propos les thèses suivantes : (1) le « thème cyclique de la *Fantaisie* repose sur une mélodie javanaise » ; (2) « Debussy retira son œuvre [avant sa première exécution publique prévue pour le 21 avril 1890] avant tout parce qu'il était insatisfait de son assimilation des influences javanaises » ; (3) en outre, « les révisions importantes de Debussy montrent que l'insatisfaction que lui causait la *Fantaisie* provenait en partie de l'influence javanaise »[1].

Je vais reprendre ces trois points l'un après l'autre. Richard Mueller pense pouvoir identifier le thème cyclique de la *Fantaisie* (I, 1-3) avec une mélodie javanaise particulière, *Vani-vani*, que Tiersot décrit dans ses *Promenades* et que Debussy aurait seulement « clarifiée » et « simplifiée »[2]. Richard Mueller se montre prudent dans ses formulations car il sait bien qu'en fait, Debussy n'avait pas copié la mélodie javanaise pour ses propres fins. Cela étant, Roy Howat lui objecte à juste titre que le thème principal de la *Fantaisie* consiste en variations sur un schéma de quatre notes dont le profil pentatonique « pourrait aussi bien servir à mettre ce thème en relation avec la "Promenade" des *Tableaux d'une exposition* de Moussorgski, voire avec "The Bonnie Banks of Loch Lomond"[3] ». L'effort de Richard Mueller pour repérer parmi les mélodies javanaises le thème en *ostinato* de la *Fantaisie* ne fait en effet que démontrer leur structure pentatonique commune.

En ce qui concerne le retrait par Debussy de sa *Fantaisie* avant la première exécution, Jean-Pierre Marty a souligné que la longueur du programme prévu pour le concert pourrait à elle seule avoir incité

1. Richard Mueller, « Javanese Influence on Debussy's *Fantaisie* and Beyond », *19th-Century Music*, X/1986, p. 158 et 181. Selon Mueller, ces corrections ne sont pas postérieures à 1895 (voir p. 186).

2. Richard Mueller, « Javanese Influence on Debussy's *Fantaisie* and Beyond », article cité, p. 162-170 ; Julien Tiersot, *Musiques pittoresques*, *op. cit.*, p. 44-45.

3. Roy Howat, « Debussy and the Orient », dans *Recovering the Orient : Artists, Scholars, Appropriations*, Andrew Gerstle et Anthony Milner (dir.), Chur, Harwood Academic Publishers, 1994, p. 48.

Vincent d'Indy à ne jouer que le premier mouvement de la *Fantaisie*, ce qui, compromettant la structure cyclique de l'œuvre, aurait provoqué son retrait du programme par Debussy[1]. Teresa Davidian a relevé qu'en d'autres occasions ultérieures, Debussy refusa de manière analogue que soient exécutés des extraits ou des mouvements isolés de ses œuvres[2].

La liste des « variantes, corrections, remarques » figurant dans l'édition critique des *Œuvres complètes* révèle que Debussy a surtout voulu simplifier ou clarifier l'instrumentation[3]. À l'occasion, comme aux mesures 64-66 du premier mouvement, la correction lui sert à « créer un crescendo plus efficace[4] ». Cependant, deux passages retravaillés méritent une attention particulière. Le manuscrit autographe de la partie de piano, préparé pour René Chansarel et comprenant des indications pour les entrées d'orchestre, montre que le second mouvement fut réécrit après la mesure 76 : sa continuation originale, peut-être sa fin, insipide et à l'accompagnement banal (fol. 11r-11v), est remplacée par une combinaison du thème principal de ce mouvement au premier violon et d'un contre-thème au piano que l'on entend pour la première fois joué par le violoncelle dans le passage à 12/8. Annoncée dans les mesures 73-74, cette combinaison de thèmes crée un moment de plénitude (mesures 35 *sq.* et 77-83 du deuxième mouvement)[5]. Après avoir ainsi rendu hommage au genre de la fantaisie, répondant au désir de félicité éternelle avec une sonorité profondément traditionnelle, Debussy compose une fin virtuose sur une nouvelle feuille (fol. 12r-v et mesures 84-95 dans l'édition des *Œuvres complètes*) qui annonce le mouvement final. Cette révision, de même que le mouvement dans son ensemble, n'a manifestement rien à voir avec l'influence javanaise. En se ravisant, Debussy semble avoir senti le besoin de donner plus d'énergie au flux musical à l'intérieur du deuxième mouvement.

---

1. Claude Debussy, *Fantaisie pour piano et orchestre* (2e version), Paris, Durand, Édition des Œuvres complètes, Série V, volume 2bis, 2007, p. XI-XII.
2. Teresa Davidian, « Debussy's *Fantaisie* : Issues, Proofs and Revisions », *Cahiers Debussy*, n° 17-18, 1993-1994, p. 16-17.
3. Claude Debussy, *Fantaisie pour piano et orchestre* (2e version), *op. cit.*, p. 189-208.
4. Teresa Davidian, « Debussy's *Fantaisie* : Issues, Proofs and Revisions », article cité, p. 20.
5. Claude Debussy, *Fantaisie pour piano et orchestre*, manuscrit autographe de la partie de piano, Londres, British Library, fonds Zweig 31.

La partie la plus importante de l'argumentation de Mueller concerne le passage lent entièrement réécrit dans le mouvement final (mesures 145-160). Il considère que les « tons apparents d'un groupe d'*angklung* javanais » utilisés par les joueurs de gamelans de l'Exposition, que Tiersot a transcrits dans ses *Promenades* comme correspondant à des trémolos de *ré*, *fa*, *sol* et *la* (le *sol* et le *ré* étant redoublés à l'octave), seraient à l'origine d'une « formation d'accord » équivalente dans la version originale de la *Fantaisie* à la main gauche du piano, à la mesure 145 du finale (*ré*♭ *mi*♭, *fa*, *la*♭, *si*♭)[1]. Son entrée bien préparée, en combinaison avec un retour simultané du thème pentatonique en *ostinato* au premier violon, représenterait, pour ainsi dire, le moment le plus javanais de la partition. La modification par Debussy de l'« accord *angklung* » en un accord de septième conventionnel exige quelques explications.

Le fait d'avoir supprimé de la *Fantaisie* un procédé javanais oblige à écouter cet accord *ré*♭, *mi*♭, *fa*, *la*♭, *si*♭ d'abord comme un accord javanais. Joué en arpège et créant une tension avec les tons du thème *ostinato*, la sonorité spécifique de l'« accord *angklung* » est considérablement diminuée. Il peut en outre difficilement rivaliser avec les octaves de *mi*♭ en *ostinato* dans le registre supérieur du piano, sur lesquelles culmine une figure de gamme par tons ascendante à la harpe (mesures 135-144), ou avec la ligne mélodique descendante aux cordes graves (mesures 145-148). En somme, l'« accord *angklung* » est un accord de septième conventionnel (*si*♭, *ré*♭, *la*♭) auquel a été ajoutée une nouvelle note centrale (*mi*♭) pour faire contrepoids au thème *ostinato*. Il se peut que Debussy ait senti qu'avec ses stratégies complexes, il n'avait pas tiré le meilleur parti du potentiel musical de ce passage. On s'en rend compte lorsque l'on compare les enregistrements de la *Fantaisie* par Walter Gieseking et par Jean-Efflam Bavouzet, qui reprennent, l'un la première version, l'autre la version de l'édition des *Œuvres complètes*. Dans la version révisée, la section lente commence par la présentation en solo du thème *ostinato* à la

1. Richard Mueller, « Javanese Influence on Debussy's *Fantaisie* and Beyond », article cité, p. 163 et 171 ; voir aussi Claude Debussy, *Fantaisie pour piano et orchestre*, manuscrit autographe de la partie de piano, Londres, British Library, fonds Zweig 31, (fol. 15v) ; Claude Debussy, *Fantaisie pour piano et orchestre* (édition Fromont), Paris, Jobert, 1920, p. 117 ; les *angklung* javanais étaient organisés selon une gamme pentatonique. Julien Tiersot, *Musiques pittoresques. Promenades musicales à l'Exposition de 1889*, *op. cit.*, p. 35.

main droite du piano (*pp*, « doux et expressif ») pendant que la main gauche joue des arpèges conventionnels[1]. Joué dans un tempo lent (« Le double moins vite »), le thème *ostinato* prend un caractère de nostalgie et de mélancolie qu'il était impossible de prévoir dans la frénésie antérieure du mouvement, qui est absent de la première version et qui va vite être oublié dans l'apogée du finale qui suit. La « forme cyclique » de l'œuvre déploie l'histoire d'un thème à la manière de Liszt, Saint-Saëns, Franck ou d'Indy.

Même si l'argumentation de Richard Mueller me semble dépourvue de consistance musicale, il faut reconnaître que la perception d'une influence javanaise dépend également d'intérêts culturels et de la hiérarchie que l'on choisit pour les paramètres de composition. Tandis que Maurice Emmanuel et Mark De Voto, par exemple, se concentrent sur les moyens formels et écoutent la *Fantaisie* dans la tradition française, voire germano-autrichienne[2], Richard Mueller privilégie les aspects mélodiques et sonores afin de rapprocher la partition de l'expérience et des connaissances très importantes que Debussy avait acquises à l'Exposition de 1889. Si l'on admet que le thème *ostinato* repose sur une mélodie javanaise, il faut alors reconnaître que la révision de la mesure 145 du finale ne rend pas sa présence moins évidente, mais bien davantage encore. S'il s'agit d'un élément de la mode du pentatonisme, la révision témoigne de l'intérêt que Debussy portait aux raffinements techniques dans le cadre d'une forme cyclique traditionnelle.

On peut donc dire qu'il y a un abîme considérable entre les propos iconoclastes tenus par Debussy au cours de ses conversations avec Guiraud en 1889 et sa pratique de compositeur dans la *Fantaisie* de 1890. À cette date, il n'avait pas encore acquis une technique de composition lui permettant de mettre en pratique sa

---

1. Claude Debussy, *Fantaisie pour piano et orchestre* (2e version), *op. cit.*, p. 137, troisième mouvement, mesure 145 ; les deuxièmes épreuves annotées des mesures 144-148 sont reproduites p. 223. Claude Debussy, *Fantaisie pour piano et orchestre*, Walter Gieseking (piano), Orchester des Hessischen Rundfunks dirigé par Kurt Schröder, enregistré le 30 octobre 1951, *Debussy, The Complete Works for Piano*, EMI, 72435658552 ; Claude Debussy, *Fantaisie pour piano et orchestre*, Jean-Efflam Bavouzet (piano), BBC Symphony Orchestra dirigé par Yan Pascal Tortelier, enregistré les 27 et 28 avril 2010, Chandos CHSA5084.

2. Maurice Emmanuel, *Pelléas et Mélisande*, *op. cit.*, p. 214 ; Mark De Voto, « Debussy's Neglected "Fantaisie" », *Pendragon Review*, 2/2002, p. 27.

« rupture » verbale. En revanche, l'accent mis sur l'orchestration et sur la clarté formelle lors de sa révision de l'œuvre montre toute l'importance qu'il accordait à l'éthique du travail bien fait. On ne peut guère parler ici d'« influence », tant il est clair que Debussy s'efforçait d'assimiler pas à pas l'expérience de la nouveauté plutôt que d'en imiter passivement les originalités et de se revêtir d'un accoutrement exotique. Le fait qu'à cet égard Debussy soit un cas unique parmi les compositeurs en 1889 peut servir à démontrer la complexité des exigences techniques et esthétiques requises pour parvenir à « une assimilation de codes musicaux différents » et à la découverte de nouvelles sonorités[1]. Cela peut également démontrer à quelle profondeur il lui fallait aller dans cette épreuve de la découverte de soi.

Traduit de l'anglais par Laurent Cantagrel

1. Jürgen Osterhammel, « Globale Horizonte europäischer Kunstmusik, 1860-1930 », *Geschichte und Gesellschaft*, 38/2012, p. 108.

Debussy selon Ernst Kurth
La mise en perspective du théoricien

Jean-Louis Leleu

Il peut paraître surprenant de voir le nom de Debussy associé directement à celui d'Ernst Kurth – le célèbre théoricien né à Vienne en 1886 et établi dès 1912 à Berne, où il enseigna jusqu'à sa mort en 1946. Si l'on met de côté le dernier ouvrage publié par Kurth, *Musikpsychologie*[1], somme théorique visant à jeter les fondements de cette discipline que nomme le titre : la psychologie de la musique, conçue à la fois comme prolongement et comme dépassement de la *Tonpsychologie* de Carl Stumpf, les trois grands livres par lesquels s'est fait connaître le théoricien sont centrés, respectivement, sur Bach, sur Wagner – et plus particulièrement sur *Tristan* (on l'appelle volontiers le *Tristan-Buch*) –, enfin sur Bruckner. Ces trois livres exposent l'un après l'autre, séparément, les éléments de la théorie dont *Musikpsychologie* fera la synthèse. Les deux premiers surtout sont complémentaires. Paru en 1917, *Grundlagen des linearen Kontrapunkts* (*Fondements du contrepoint linéaire*) envisage la musique de Bach du point de vue du déploiement de la ligne mélodique, en elle-même et au sein du tissu polyphonique. *Romantische Harmonik und ihre Krise in Wagners "Tristan"* (*L'harmonie romantique et sa crise dans* Tristan *de Wagner*), paru en 1920 et augmenté de quelques développements pour une seconde édition en 1922, est, comme son titre l'indique, centré sur la question de l'harmonie. La monographie sur Bruckner, parue en 1925, traite, quant à elle, du problème de la forme

1. Ernst Kurth, *Musikpsychologie*, Berlin, Max Hesse, 1931.

musicale. Concernant Debussy, c'est le *Tristan-Buch* qui est du plus haut intérêt. Dans cet ouvrage, en effet, Wagner, et spécialement *Tristan et Isolde*, sont présentés comme le moment-clé d'une trajectoire qui conduit du classicisme viennois (de la manière spécifique dont y sont exploitées les ressources de la tonalité) à ce que Kurth nomme l'« impressionnisme musical », dont Debussy apparaît comme le représentant majeur et qui se caractérise par une désintégration, une dissolution (*Zersetzung, Auflösung*) de la logique tonale. À propos du terme « impressionnisme musical », il convient de souligner que Kurth reprend ici, non sans réserves, une expression passée dans l'usage au cours des années 1910 dans la littérature musicologique de langue allemande – l'ouvrage de référence étant, à cet égard, le livre de Walter Niemann paru en 1913 *La Musique depuis Richard Wagner* – livre que cite Kurth –, dont l'un des chapitres est intitulé « L'impressionnisme français. La musique d'atmosphère picturale (*malerische Stimmungsmusik*) de Claude Debussy[1] ».

Le sixième chapitre de la *Romantische Harmonik*, intitulé « Traits impressionnistes » (*Impressionistische Züge*)[2], est l'un des premiers textes qui aient tenté de saisir, au moyen d'une mise en perspective rigoureuse, la signification historique de la musique de Debussy, en rendant compte de la mutation de la pensée harmonique qui s'est opérée dans le courant que cette musique incarne de façon paradigmatique. Pourtant, l'apport de Kurth à la compréhension de la musique de Debussy n'a guère été évalué jusqu'ici. Si célèbre qu'il soit, le *Tristan-Buch* reste mal connu, du fait que l'original allemand n'est pas d'une lecture aisée, et que dans le volume de textes choisis de Kurth, en traduction anglaise, qu'a proposé Lee A. Rothfarb ne figurent que des extraits des 3e et 4e chapitres du livre[3] : ni le chapitre sur les

1. Voir Walter Niemann, *Die Musik seit Richard Wagner*, Berlin-Leipzig, Schuster & Loeffler, 1913, p. 211-221. Il s'agit du 3e chapitre de la partie consacrée à la modernité (« Die Moderne ») : le 1er est intitulé « Richard Strauss et ses successeurs. Les débuts d'un impressionnisme allemand ». Walter Niemann (1876-1953), qui était également pianiste et compositeur, allait s'affirmer lui-même comme l'un des principaux représentants de cet « impressionnisme allemand ».

2. Ernst Kurth, *Romantische Harmonik und ihre Krise in Wagners "Tristan"*, reprint de la 3e édition (1923), Hildesheim-Zürich-New York, Georg Olms Verlag, 1985, p. 384-443. Dans la 1re édition de 1920, le chapitre se trouve aux p. 351-405 (le texte de la 3e édition est identique à celui de la 2e).

3. Ernst Kurth, *Selected Writings* (edited and translated by Lee A. Rothfarb), Cambridge, Cambridge University Press, 1991, p. 98-147.

« traits impressionnistes » ni les deux chapitres également importants qui l'encadrent (dont celui sur la « mélodie infinie ») n'y sont représentés. L'étude même que Rothfarb a consacrée à Kurth « comme théoricien et comme analyste[1] » ne mentionne à aucun moment le chapitre relatif à l'« impressionnisme musical ». Dans son compte rendu de l'ouvrage, Serge Gut notait précisément à ce sujet :

> Nous regrettons que l'auteur n'ait pas dit mot de la VIe section de la *Romantische Harmonik*, intitulée « Impressionistische Züge » (p. 384-385). On y trouve, pensons-nous, les remarques peut-être les plus remarquables que l'on a pu faire sur l'impressionnisme en général, sur Debussy en particulier. Le fait est si exceptionnel, chez un théoricien germanique, qu'il méritait d'être signalé[2].

Toutefois, les développements du *Tristan-Buch* sur l'« impressionnisme » en général, et sur Debussy en particulier, n'ont pas toujours passé inaperçus. Ainsi, André Cœuroy publia en 1921, dans l'un des premiers numéros de *La Revue musicale* qui venait d'être fondée sous la direction d'Henry Prunières, un article portant ce titre sibyllin : « Debussy et l'harmonie romantique d'après un livre récent » – ce « livre récent » n'étant autre que la première édition de la *Romantische Harmonik* de Kurth[3]. Cœuroy y fait une recension de l'ouvrage, mais, comme l'indique le titre de son article, cette recension est nettement orientée, et le propos de Kurth est, pour user d'un terme aujourd'hui en vogue, instrumentalisé au service d'une cause peu scientifique, dans le contexte on ne peut plus sensible des débats relatifs au lien entre Debussy et Wagner : il s'agit pour Cœuroy de montrer, à la fois, que l'harmonie debussyste ne sort pas du néant, qu'elle s'inscrit de façon logique dans une certaine continuité historique, mais aussi et surtout que c'est avec Debussy que s'accomplit le sens de toute cette évolution. On lit dans l'introduction de l'article :

> L'harmonie debussyste en son temps fit scandale. Sa richesse et sa nouveauté ne furent point d'abord comprises, parce qu'on ne sut point d'abord, comme parlent les philosophes, l'intégrer dans le système où

1. Lee A. Rothfarb, *Ernst Kurth as Theorist and Analyst*, Philadelphia, University of Pennsylvania Press, 1988.
2. *Revue de Musicologie*, n° 79/2, 1993, p. 394.
3. Kurth possédait un exemplaire de l'article de Cœuroy, aujourd'hui conservé dans le fonds Ernst Kurth de l'*Institut für Musikwissenschaft* de l'Université de Berne.

> elle s'insérait. On ne vit qu'une arbitraire négation destructrice là où prévalait un logique accroissement de valeur. Ce n'est pas la partie la moins captivante du considérable travail de M. Kurth que celle où une analyse déliée et respectueuse démêle cette logique, cet accroissement et cette valeur[1].

Mais c'est dans la conclusion qu'est le plus nettement détourné, au profit d'un discours aux résonances discrètement nationalistes, le sens de la démonstration de Kurth :

> Bien des vues ingénieuses et diverses viennent [...], en ce livre lucide, éclairer le rôle fécond du rénovateur qui sut, comme tous les vrais génies, tirer nouvelle vie de l'héritage transmis, en lui insufflant, par delà les formelles combinaisons de notes, un esprit vraiment neuf. Et ce n'est pas le moindre mérite du savant historien que d'avoir fait comprendre que c'était à Debussy que nous étions redevables de la pleine conscience du sentiment de l'*énergie* sonore, et que là où ne régnait encore que le goût s'était introduite, toute-puissante et créatrice, la Volonté[2].

Onze ans plus tard, la même *Revue musicale* allait publier un nouveau texte consacré à l'harmonie debussyste, considérée à travers le prisme de la théorie de Kurth. Il s'agit cette fois de la traduction française, fort laborieuse, d'un chapitre de la thèse sur Debussy soutenue à Vienne en 1928 par Andreas Liess – chapitre dans lequel le jeune musicologue allemand s'appuie sur les analyses et les catégories du *Tristan-Buch* pour construire l'image d'un Debussy qui, en ouvrant la voie au néoclassicisme dans ses dernières œuvres, met un terme au processus engagé dans la période romantique[3]. Liess fera paraître en 1936 un ouvrage entier (en deux volumes) sur Debussy, où la

---

1. André Cœuroy, « Debussy et l'harmonie romantique d'après un livre récent », *La Revue musicale*, mai 1921, p. 117-118.

2. *Ibid.*, p. 124 (la dernière phrase, en particulier, rend méconnaissable la démonstration de Kurth par la manière très lâche dont y sont convoquées les notions d'« énergie » et de « volonté »). Il est éclairant de rapprocher de ce texte l'introduction rédigée par Cœuroy pour la traduction française de l'ouvrage de Strobel sur Debussy, publiée à Paris sous l'Occupation (Heinrich Strobel, *Claude Debussy*, préface et traduction d'André Cœuroy, Paris, Éditions Balzac, 1943).

3. Andreas Liess, « L'harmonie dans les œuvres de Claude Debussy », *La Revue musicale*, janvier 1931, p. 37-54. La thèse avait pour titre *Grundelemente der Harmonik in der Musik von Claude Debussy*.

référence à Kurth se fait beaucoup plus discrète, mais qui développe, en la radicalisant, la vision de Debussy comme stade ultime d'une évolution – « peut-être le dernier grand maître d'une période de la culture touchant à sa fin[1] ». Là encore, les enjeux propres au travail de Kurth cessent d'être lisibles. Plus près de nous, il n'est guère que Stefan Jarociński qui, dans son ouvrage sur Debussy, ait mentionné l'importance de la *Romantische Harmonik* concernant la définition d'un « impressionnisme musical » – sans toutefois approfondir la question[2].

La théorie de Kurth s'est construite, dans les années 1910, en référence aux débats animés qui venaient alors d'opposer, pour ne citer que les acteurs principaux, Carl Stumpf, Hugo Riemann et Georg Capellen, au moment où, avec la percée de la modernité, se tournait la page de la tradition tonale. Kurth entre lui-même dans ces débats avec un premier grand écrit théorique, qui est celui avec lequel il soutient son habilitation à Berne en 1912 : *Die Voraussetzungen der theoretischen Harmonik und der tonalen Darstellungssysteme* (que l'on pourrait traduire par « Les prémisses des théories de l'harmonie tonale »). La discussion porte principalement sur deux points : d'une

1. Andreas Liess, *Claude Debussy. Das Werk im Zeitbild*, Leipzig-Straßburg-Zürich, Heitz & Co, 1936, p. 422.

2. Stefan Jarociński, *Debussy, impressionnisme et symbolisme* (traduit du polonais par Thérèse Douchy, préface de Vladimir Jankélévitch), Paris, Seuil, 1971, p. 32. Ces remarques de Jarociński sont sans doute à mettre en relation avec l'écho important que les travaux de Kurth ont rencontré dans l'Union soviétique dès les années 1920 (voir à ce sujet Andreas Wehrmeyer, *Studien zum russischen Musikdenken um 1920*, Frankfurt am Main, Peter Lang, 1991, p. 105-106). Le *Tristan-Buch* n'a du reste été traduit jusqu'ici que dans une seule langue, le russe – assez tardivement certes, mais il y a tout de même plus de 35 ans. Martin Kaltenecker déclarait récemment : « On a mis quatre cents ans à traduire Burmeister, mettra-t-on quatre cents ans à traduire *L'Harmonie romantique* d'Ernst Kurth, qui me paraît un livre essentiel ? C'est à craindre » (*La Fabrique des constellations. Entretien avec Martin Kaltenecker*, propos recueillis par Elsa Rieu et Yann Rocher, Paris, janvier 2009, en ligne sur le Portail Musique de l'EHESS). Dans un article récent, où il s'attache à mettre en lumière l'influence des écrits de Capellen sur la théorie de Kurth, Ludwig Holtmeier mentionne le chapitre de la *Romantische Harmonik* sur l'impressionnisme comme « cette partie du livre qui apparaîtra sans doute à la plupart comme la contribution la plus essentielle de Kurth à la théorie musicale » (« Die Erfindung der romantischen Harmonik », dans *Zwischen Komposition und Hermeneutik. Festschrift für Hartmut Fladt*, Würzburg, Verlag Königshausen & Neumann, 2005, p. 122) ; il écrit encore, plus loin : « On pourrait ainsi réellement reprocher à Kurth d'avoir trop examiné la musique de Wagner à travers les lunettes de Debussy » (*ibid.*, p. 126).

part la construction des accords, d'autre part la question de la consonance et de la dissonance. Comme cette dernière question joue un rôle essentiel s'agissant de Debussy, il convient de rappeler ce qui oppose, à son propos, Stumpf et Riemann[1]. Alors que pour Riemann il n'existe que des *notes* dissonantes par référence à la consonance de l'accord parfait (par exemple la septième dans l'accord du 5e degré, ou la sixte dans l'accord du 4e degré), et qu'à ses yeux il y a, de ce fait, une différence de nature entre consonance et dissonance, Stumpf, dont le travail s'inscrit dans le champ de la psychologie expérimentale, voit dans la consonance et la dissonance des propriétés de l'*intervalle*, et la différence est pour lui de degré, et non de nature, entre l'intervalle consonant et l'intervalle dissonant ; plus précisément : un intervalle est plus ou moins dissonant ou plus ou moins consonant selon que l'on perçoit les deux notes qui le constituent comme distinctes ou, au contraire, comme fusionnant en un tout, la notion de « fusion » (*Verschmelzung*) étant ici déterminante. Dans un texte publié en 1911, qui doit avoir beaucoup influencé Kurth, Stumpf proposera de parler, à propos des accords, de concordance et de discordance, pour éviter toute confusion avec la propriété qu'il réserve aux seuls intervalles. Or, écrit-il, si celle-ci (la consonance, la dissonance) est l'affaire de la perception sensible immédiate – en tant que phénomène physiologique –, la concordance et la discordance sont l'objet de l'appréhension musicale (*Auffassung*), de la pensée qui met en relation des objets entre eux (*beziehendes Denken*)[2]. Pour illustrer ce propos, Stumpf prend l'exemple de l'intervalle *mi-sol*♯ qui, en tant qu'intervalle de tierce majeure, est, du point de vue de la perception sensible, consonant, mais qui, changeant de statut[3], devient « concordant » ou « discordant » selon qu'il est saisi (*aufgefaßt*) comme une composante de l'accord parfait de *mi* majeur (*mi-sol*♯*-si*) ou de l'accord de quinte augmentée *do-mi-sol*♯. On voit ainsi le passage se faire, chez Stumpf lui-même, de la *Tonpsychologie* à la *Musikpsycho-*

1. Voir Carl Stumpf, « Konsonanz und Dissonanz », *Beiträge zur Akustik und Musikwissenschaft*, 1. Heft, Leipzig, 1898, et « Konsonanz und Konkordanz », *Beiträge zur Akustik und Musikwissenschaft*, 6. Heft, Leipzig, 1911, p. 116-150, ainsi que Hugo Riemann, « Zur Theorie der Konsonanz und Dissonanz », dans *Präludien und Studien. Gesammelte Aufsätze zur Ästhetik, Theorie und Geschichte der Musik*, Bd. III, Leipzig, H. Seemann Nachfolger, 1901, p. 31-46.

2. Carl Stumpf, « Konsonanz und Konkordanz », *op. cit.*, p. 136.

3. Stumpf parle alors, non plus d'*Intervall*, mais de *Zweiklang* (*ibid.*, p. 135).

logie, dans laquelle s'appliquent d'autres méthodes que celles de la psychologie expérimentale dont il se réclamait au départ (dans le texte de 1911, c'est, de fait, en théoricien qu'il s'exprime).

La thèse centrale du *Tristan-Buch*, partant de là, s'éclaire aisément. La crise de l'harmonie romantique, telle que l'analyse Kurth, tient au fait qu'au cours du XIXe siècle, et chez Wagner tout spécialement, les accords tendent à se charger de tensions de plus en plus fortes, par la substitution constante, aux notes mêmes des accords constitutifs du vocabulaire de la tonalité (par exemple l'accord de 7e de dominante), de notes étrangères (notamment d'appogiatures) et d'altérations (quinte augmentée ou diminuée). C'est ce que Kurth nomme l'*Alterationsstil* (la terminologie allemande, notons-le, ne permet pas de distinguer entre accord et agrégat). Comme, par ailleurs, la résolution sur des accords parfaits devient elle-même rare, voire exceptionnelle au sein du discours musical, il en résulte, paradoxalement, que les accords dissonants, notamment l'accord de 7e de dominante, finissent par prendre la valeur de moments de repos, c'est-à-dire par être entendus, musicalement, comme des accords consonants. Bien que le nom de Stumpf n'apparaisse pas dans le *Tristan-Buch*, Kurth ne cesse de renvoyer implicitement à sa théorie en accordant une place centrale à la notion de *Verschmelzung* (fusion), qu'il applique toutefois, lui, à l'accord (et non plus à l'intervalle) et, qui plus est, à l'accord dissonant, tel qu'il en vient à être appréhendé au fil de l'évolution historique[1]. Allant au bout de cette logique, Kurth montre que chez Wagner lui-même, déjà, la *Verschmelzung* tend à s'étendre, potentiellement, à toutes les harmonies « dissonantes » : ce à quoi l'on est sensible, finalement, ce n'est plus au jeu des tensions internes dont vit l'accord ou l'agrégat, et sur lesquelles repose la logique tonale, mais à une *couleur* harmonique particulière, qui agit comme un stimulus quasi sensoriel.

Au début du *Tristan-Buch*, le fameux « accord de *Tristan* » (*fa-si-ré♯-sol♯*) est lui-même examiné de deux points de vue complémen-

1. On notera que dans la théorie de Capellen les accords de 7e et de 9e majeure entrent dans la catégorie des « harmonies naturelles » et sont donc considérés *d'entrée de jeu* comme consonants – d'où il découle que les intervalles de 2de majeure, de 7e mineure et de triton sont eux-mêmes classés comme *Halbkonsonanzen* (*Fortschrittliche Harmonie- und Melodielehre*, Leipzig, C. F. Kahnt Nachfolger, 1908, p. 6 et 56) ; voir à ce sujet les remarques de Holtmeier dans l'article déjà cité, p. 119-120.

taires[1]. Du point de vue, d'abord, des tensions dont il est chargé, et qui appellent une double résolution par le mouvement mélodique chromatique, contraire, de ses deux notes critiques : la résolution du *sol♯*, interprété comme appogiature du *la*, montant à cette dernière note au sein même de l'accord, et la résolution du *fa♮* (altération descendante de la quinte) descendant au *mi* de l'accord suivant[2]. Toutefois, montre Kurth, la résolution anormalement tardive du *sol♯* (sur la dernière croche du 6/8) fait que, durant quelques secondes, on ne peut pas encore interpréter cette harmonie de l'« accord de Tristan » comme ce qu'elle se révélera être dans l'enchaînement, à savoir l'agrégat *fa♮-si-ré♯-sol♯* devenant, avec la résolution de l'appogiature, l'accord de quinte diminuée *fa♮-si-ré♯-la* – en tant que dominante de la dominante dans la perspective tonale de *la* mineur –, lequel débouche, à la mesure suivante, sur l'accord de septième de dominante *mi-sol♯-ré-si*. D'autant que cette harmonie peut très bien être entendue autrement, ne serait-ce que comme un pur et simple accord de septième : au point culminant du Prélude lui-même, Wagner le donne précisément à entendre comme accord de septième sur le 2e degré de *mi* bémol majeur, *fa-do♭-mi♭-la♭* (réécrit enharmoniquement)[3]. Dans les premières mesures du Prélude, étant donné l'écriture du passage, la logique tonale est, l'espace d'un instant, suspendue. Sans doute, chez Wagner, cette logique, en fin de compte, reprend-elle toujours ses droits – du moins dans *Tristan*. Mais ce que montre Kurth, c'est que dans cette évolution qui conduit de la période classique à la période romantique la musique tonale en vient à porter en elle, paradoxalement, les germes de la dissolution de la tonalité, de sa désagrégation. Or, c'est là le pas décisif qu'accomplit l'« impressionnisme musical », et tout spécialement la musique de Debussy : les harmonies qui, au regard de la logique tonale, eussent été les plus « dissonantes » y sont totalement déliées de cette logique ; le phénomène de la *Verschmelzung*, touchant jusqu'aux intervalles les

1. Ernst Kurth, *Romantische Harmonik*, *op. cit.*, p. 44-77.

2. À cela s'ajoute que le *la* ne descend pas au *sol♯*, mais que la tension mélodique du motif le fait monter chromatiquement au *si*, via la nouvelle appogiature *la♯*. Le *ré♯* lui-même, dans l'enchaînement, ne monte pas au *mi*, mais descend au *ré♮* (7e de l'accord de dominante). La résolution de la quinte diminuée ne s'effectue donc pas, elle-même, de façon régulière (*ibid.*, p. 49).

3. Voir déjà, à ce propos, les remarques de Capellen dans *Fortschrittliche Harmonie- und Melodielehre*, *op. cit.*, p. 93 (ex. 105a et b).

plus rétifs à la fusion (en particulier la seconde mineure), transforme ces harmonies, pour notre oreille, en consonances : nous ne sommes plus sensibles qu'à la *couleur* harmonique qui les caractérise en tant que blocs sonores[1].

Cette nouvelle écoute, entièrement affranchie du modèle cognitif propre à la musique tonale, ne s'applique pas, cependant, qu'à l'accord pris isolément, mais également – et c'est là un point essentiel – à la succession des accords. Kurth forge, pour rendre compte de ce phénomène, la notion d'*absolute Fortschreitungswirkung*[2], signifiant par là que la succession d'accords entendue ne s'inscrit plus dans un réseau de relations syntaxiques gouvernées par un principe général (celui de la logique tonale, dans laquelle toutes les harmonies peuvent être rapportées, en termes de *fonctions* clairement hiérarchisées, à une tonique bien définie[3]), mais forme une progression (*Fortschreitung*) que justifie seule sa couleur – ou, pour user d'une autre métaphore, sa saveur – particulière. De longs développements du *Tristan-Buch* analysent de ce point de vue les fréquents écarts par rapport à une conduite proprement tonale du discours musical qui se rencontrent chez Wagner (voire, avant lui, chez Schubert ou chez Berlioz)[4] et dans lesquels s'annonce l'idéal « impressionniste ». Lorsqu'il en vient aux compositeurs chez qui s'incarne sans équivoque cet idéal, Kurth illustre son propos à l'aide d'exemples tirés des *Tableaux d'une exposition*, de divers opéras de Strauss (*Salome*, *Elektra*, *Der Rosenkavalier*), mais aussi de la *Sixième Symphonie* de Mahler[5]. Parvenu à ce point de

1. Voir le rôle important que joue à cet égard, chez Kurth, l'opposition *Schwere / Masse* : « [...] die Schwerewirkung weicht dem Ineinanderfluten zur Klangmasse » (*Romantische Harmonik*, p. 420) ; le « poids » (*Schwere*) de l'accord est celui que détermine l'attraction exercée par le *Grundton* (sur lequel s'empilent les tierces).
2. *Ibid.*, p. 262-269.
3. Tout comme, sur le plan morphologique, le principe de la superposition de tierces (*Terzschichtung*) régit la construction des accords eux-mêmes.
4. Voir notamment le chapitre consacré à ce que Kurth nomme les « effets médiantiques » (*mediantische Fortschreitungswirkungen*, ou simplement *mediantische Effekte*), à propos de successions d'accords dont les fondamentales sont en relation de tierce (majeure ou mineure), voire décrivent un *cycle* de tierces (*ibid.*, p. 269-284).
5. *Ibid.*, p. 368 et p. 421-425. Kurth accorde également une importance particulière à Grieg en tant que compositeur représentatif de l'impressionnisme musical. Il est probable que se marque là l'influence de Capellen, qui consacre au compositeur norvégien toute une série d'analyses dans *Die Freiheit oder Unfreiheit der Töne und Intervalle als Kriterium der Stimmführung* (Leipzig, C. F. Kahnt Nachfolger, 1904,

sa démonstration, l'auteur du *Tristan-Buch* s'interrompt, n'approfondit pas la question de savoir ce qui fonde, dans l'« impressionnisme », la logique de ces enchaînements d'accords déliés du principe tonal. Il lui manque – mais quel théoricien, en 1920, est plus avancé que lui[1] ? – de prendre nettement conscience de la manière dont sont exploitées, chez Debussy tout spécialement, les propriétés des échelles qui se sont substituées à la gamme majeure/mineure de la tonalité – notamment celles qui procèdent de cycles d'intervalles autres que la quinte, telle l'échelle par tons entiers[2] –, matériau dont l'emploi confère une couleur harmonique propre, non plus simplement à un accord donné, mais à la succession de plusieurs accords, y compris de simples accords parfaits.

Les passages d'œuvres de Debussy que cite Kurth – il s'agit toujours de pièces pour piano, tirées des *Estampes*, des deux recueils d'*Images* et du premier livre de *Préludes* – sont toujours de simples échantillons. On ne trouve dans la *Romantische Harmonik* aucune étude d'une composition entière, comme ce sera le cas pour Bruckner dans la monographie de 1925. Kurth insiste, cependant, sur l'importance chez Debussy d'une forme de continuité mélodique : tout en s'intéressant à la manière dont les thèmes se réduisent, dans sa musique, à de courts motifs – des bribes de mélodies peu caractérisées –, il s'élève contre ceux pour qui la musique « impressionniste » se résume à une juxtaposition de moments isolés, de stimuli sonores semblables à de simples touches de couleur. « Debussy, écrit-il, est le maître de la mélodie infinie[3] », ce dont témoignent, à ses yeux, les vastes mélodies formées justement par les successions d'accords, mais également le lien subtil qui se tisse entre les différents mouvements d'une même œuvre, par exemple la *Suite bergamasque*. Mais le dernier chapitre du

---

p. 41-66 [*Anhang : Grieg-Analysen als Bestätigungsnachweis und Wegweiser der neuen Musiktheorie*]).

1. Voir néanmoins, à ce propos, l'annexe – « Zukunftmusik (Exotik) » – de la *Fortschrittliche Harmonie- und Melodielehre* de Capellen, où sont décrites un certain nombre d'échelles heptatoniques autres que la gamme majeure/mineure de la tonalité, ainsi que l'échelle par tons entiers (*op. cit.*, p. 147-188).

2. Kurth relève dans *Tristan* déjà la prégnance de configurations de tons entiers (*Romantische Harmonik*, *op. cit.*, p. 53-54 et p. 404-405) ; sur l'emploi de la *Ganztonleiter* elle-même chez Debussy, voir p. 429-430 (à propos de *Cloches à travers les feuilles*).

3. *Ibid.*, p. 431.

livre, consacré justement à la mélodie infinie, ne fait plus référence à l'impressionnisme musical, ni à Debussy en particulier[1].

En revanche, parmi les « traits impressionnistes » auxquels s'intéresse Kurth, il y a d'autres dimensions de la composition sur lesquels il livre des aperçus remarquables : la mutation de l'écriture rythmique, déliée de toute carrure, aboutissant à une respiration tout à fait neuve du discours musical, respiration à laquelle participent également les silences, non mesurés, et allégés de toute tension dramatique. Là encore, Kurth préfère s'attarder sur les préfigurations de ces traits distinctifs de la modernité que contiennent les drames wagnériens. Dans une très belle page, il montre par exemple comment l'harmonie de dominante d'*ut* mineur qui retentit longuement à la fin du Prélude de *Tristan* se trouve résolue, non par l'accord de tonique, mais, au lever du rideau, par la vision de l'espace, que l'on devine ouvert sur la mer, que révèle alors la scène, tandis que retentit du haut d'un mât la voix du matelot[2]. *Pelléas*, dont Kurth ne parle pas, recueille certainement l'héritage de tels moments dramatiques, dont le ressort n'est pas nécessairement la *tension* dramatique. L'approche dialectique de Kurth se marque ici dans un autre aspect encore de sa théorie qui mérite d'être relevé. Telle qu'il la présente, l'évolution, à partir de Wagner, n'est pas aussi univoque que le laissait entendre le début de la présente étude : elle se scinde bien plutôt en deux courants, celui de l'impressionnisme, fondé sur l'importance dévolue à la couleur ainsi qu'à la suggestion – au flou des contours –, et celui de l'expressionnisme, dans lequel l'éclatement de la tonalité résulte d'une intensification des tensions. Or, Kurth récuse ici toute vision schématique et réductrice, mettant l'accent sur la présence insistante, chez Debussy, de traits « expressifs » qui s'inscrivent en faux contre son étiquetage comme compositeur « impressionniste », tout comme les drames de Strauss, à l'inverse, abondent, écrit-il, en traits impressionnistes[3]. Si Kurth ne mentionne à aucun moment la musique de Schoenberg, il est frappant de voir combien sa théorie

---

1. Kurth semble n'avoir consacré à Debussy que deux cours à l'Université de Berne, lors des semestres d'été 1927 et 1928 (respectivement « Der französische Impressionismus mit Debussy als Mittelpunkt und die modernen Russen » et « Studien zur Harmonik für Vorgeschrittene : Die Entwicklung bei Debussy und Skrjabin ») ; cf. *Inventar Nachlass Ernst Kurth*, Universität Bern, 2007, p. 532.
2. Ernst Kurth, *Romantische Harmonik*, *op. cit.*, p. 441.
3. *Ibid.*, p. 386-387.

d'une écoute harmonique « impressionniste » s'applique adéquatement, par exemple, à l'accord de *Farben,* la troisième des *Cinq pièces pour orchestre* op. 16, et permet de rendre compte de façon précise, techniquement, de sa complexion interne. Par delà Debussy, c'est sur une grande part de la modernité musicale que la théorie de Kurth, sans qu'il en ait eu conscience, ouvre de riches aperçus.

« De l'aube à midi sur la mer » selon Jean Barraqué
Une analytique de Debussy

Laurent Feneyrou

À trois reprises, et dans des termes essentiellement similaires, Jean Barraqué a analysé *La Mer* de Debussy : dans une communication intitulée « Debussy ou l'approche d'une organisation autogène de la composition », prononcée à l'occasion du colloque international « Debussy et l'évolution de la musique au XXe siècle » en octobre 1962 et publiée en 1965[1] ; dans son *Debussy*, monographie parue en 1962[2] ; dans « *La Mer* de Debussy, ou la naissance des formes ouvertes », longtemps resté inédit et dont Alain Poirier a réalisé l'édition posthume d'après les notes d'André Riotte et de Rose Marie Janzen, après avoir achevé l'analyse du troisième mouvement – la datation de cette analyse reste néanmoins problématique, que ne renseignent que partiellement des rapports établis pour le CNRS[3].

La présente étude écarte :

– l'examen philologique de ces sources, manuscrites, tapuscrites et imprimées – une étude plus complète devrait porter aussi sur

1. Jean Barraqué, « Debussy ou l'approche d'une organisation autogène de la composition », *Debussy et l'évolution de la musique au XXe siècle*, études réunies et présentées par Édith Weber, Paris, Éditions du CNRS, 1965. Repris dans *Écrits*, Laurent Feneyrou (éd.), Paris, Publications de la Sorbonne, 2001, p. 261-275.
2. Jean Barraqué, *Debussy*, Paris, Seuil, « Collection Solfèges », 1962, 190 p. Édition revue et mise à jour par François Lesure en 1994.
3. Jean Barraqué, « *La Mer* de Debussy, ou la naissance des formes ouvertes » [années 1960], *Écrits*, *op. cit.*, p. 277-386.

les partitions de Debussy annotées par Barraqué, ainsi que sur sa connaissance de la bibliographie et de la discographie alors existantes ;

– un panorama complet du discours de Barraqué sur Debussy : son inscription, par exemple, dans le sillage de Moussorgski (la première mélodie de *Sans soleil* comme modèle de l'œuvre debussyste) et l'idée d'un musicien qui, seul, aurait compris la révolution beethovénienne à laquelle Brahms aurait stérilement substitué l'archétype. C'est pourquoi la thèse de Barraqué sur « la Forme musicale considérée non plus comme un archétype mais comme un devenir » devait comprendre des analyses de Beethoven (*Sixième* et *Quatorzième Quatuors, Troisième, Cinquième* et *Neuvième Symphonies*) et de Debussy (*Prélude à l'Après-midi d'un faune, La Mer, Jeux, Nocturnes, Études pour piano*). Barraqué entreprendra celles de la *Cinquième Symphonie* et de *La Mer*, qu'il laissera inachevées, et en esquissera une du *Prélude à l'Après-midi d'un faune*, en tant qu'amalgame de formes (forme-sonate, par l'exposition et le développement ; forme lied, par le milieu ; thème et variations par les lignes de la flûte) ;

– l'histoire générale de ces textes, inscrits dans le dépassement de l'« impressionnisme » de Debussy, dont on peut considérer Olivier Messiaen comme le principal instigateur ;

– une comparaison de la réception de l'œuvre debussyste par les sériels (Boulez, Eimert, Leibowitz, Stockhausen, Zimmermann…), qui obligerait à établir un dialogue, sinon un parallèle avec l'œuvre webernien, auquel Barraqué, analyste aussi des *Variations pour piano* op. 27, ne fut certes pas étranger, mais que d'autres avaient déjà suggéré avant lui (voir notamment l'article « Actualité de Debussy, actualité de Webern[1] » de Pierre Boulez) ;

– une réflexion sur le choix des œuvres privilégiées par ces sériels, parmi lesquelles principalement *Jeux*, la plus commentée, et à peine plus tardivement les *Études pour piano*.

1. Pierre Boulez, « Actualité de Debussy, actualité de Webern », texte d'une conférence prononcée à Darmstadt le 2 juin 1955 et publiée en français sous le titre « Claude Debussy et Anton Webern » dans *Musik-Konzept*, Sonderband « Darmstadt-Dokumente I », janvier 1999. Repris dans *Regards sur autrui*, Sophie Galaise et Jean-Jacques Nattiez (éd.), Paris, Christian Bourgois, 2005, p. 359-366.

Nous nous concentrons ici sur des questions de langage à partir du seul premier mouvement de *La Mer*, « De l'aube à midi sur la mer », celui que Barraqué a le plus systématiquement analysé dans les trois textes mentionnés précédemment, celui aussi qui réduit les références à d'autres auteurs : l'analyse de « Jeux de vagues », deuxième mouvement vers lequel Barraqué inclinait plus volontiers et dont il louait l'insaisissable et une « pulvérisation sonore[1] » valorisant ou détruisant la continuité, aurait impliqué un commentaire circonstancié, en dialogue avec les thèses d'André Boucourechliev, qui y soulignait les prémisses de *Jeux*, mais dépassées du fait que le temps est ici « *ouvert*, sans aucune limite repérable, pur mouvement[2] ». Quant à « Dialogue du vent et de la mer », son analyse par Barraqué demeure inachevée – et nous aurions dû nous limiter à rappeler l'idée de forces contrastantes et les lois de passage qui président à l'organisation du mouvement. Nous mesurerons, avec « De l'aube à midi sur la mer », la distance avec la pensée de Messiaen et, surtout, son influence sur les techniques de composition de Barraqué, dans un mouvement dialectique qui en aura mis en évidence ici même les principes.

C'est à d'Indy, plus encore qu'à Schoenberg, Messiaen ou Boulez, que Barraqué reconnaît sa dette d'une investigation technique renonçant aux dérives des sollicitations métaphysiques du romantisme jusque dans les écrits de Liszt, Wagner ou Kierkegaard, où dominaient des descriptions littéraires esquivant le plus souvent une formalisation des traits caractéristiques de l'œuvre – mentionnons néanmoins l'exception de l'étude des contrepoints du Finale de la *Symphonie Jupiter* de Mozart par Simon Sechter[3], l'un des rares précédents dont Barraqué se réclame. L'analyse musicale suppose un discours sur l'œuvre dans l'immanence de ses procédures, de sa morphologie, de sa syntaxe et de son style, mais aussi l'usage d'un vocabulaire, d'une technicité, sinon d'une scientificité de ce discours qu'elle produit et qui la constitue. Barraqué n'eut de cesse d'invoquer la nécessité d'un « véritable langage analytique » et d'une

1. Jean Barraqué, *Debussy*, *op. cit.*, p. 190.
2. André Boucourechliev, *Le Langage musical*, Paris, Fayard, 1993, p. 172.
3. Simon Sechter, *Das Finale von W. A. Mozarts Jupiter-Symphonie*, Vienne, Wiener Philharmonischer Verlag, 1923, 64 p. (exemplaire annoté par Barraqué, Paris, Association Jean Barraqué).

analyse « strictement technique », notamment dans un rapport inédit de 1962, destiné au CNRS[1]. Ce n'est donc nullement par une philosophie, une esthétique ou une poétique que l'œuvre debussyste se révèle, mais par une analytique, par un déliement du tissage de ses éléments. Comme celle de la *Cinquième Symphonie*, l'analyse de *La Mer* est une analyse chronologique de l'œuvre, dans sa continuité, dans l'attitude d'une première audition. Barraqué s'écarte ainsi, résolument, de deux modèles : l'analyse organisée par degré de complexité, à l'exemple des rythmes du *Sacre du printemps* explorés par Boulez, et le morcellement de l'analyse par prélèvement, qu'il juge nécessairement subjective, « non seulement inutile, mais nuisible », car indifférente au devenir, « contraire à une forme d'analyse qui voudrait vider l'œuvre de son contenu, de son message historique, dans son étape chronologique, pour lui donner une existence presque virtuelle, un aspect sans cesse à réviser, qui est son propre Destin historique[2] ». Barraqué envisage l'œuvre dans sa totalité et dans son ordre. C'est aussi maintenir la temporalité du musical, quand le structuralisme accentuait alors sa spatialisation par des analyses paradigmatiques[3].

Barraqué reconduit, mais en la modifiant quelque peu, l'analyse de Messiaen dans trois directions : le découpage du mouvement, l'harmonie et la terminologie de la thématique.

1. Rapport inédit rédigé à la demande du CNRS, sans titre, 1962 (Paris, Association Jean Barraqué, document non catalogué).
2. Texte inédit, sans titre (Paris, Association Jean Barraqué, document non catalogué).
3. Voir Nicolas Ruwet, « Note sur les duplications dans l'œuvre de Claude Debussy », *Revue belge de musicologie*, 1962, vol. 18, n° 14, repris dans *Langage, musique, poésie*, Paris, Seuil, p. 70-99. Voir aussi Sylveline Bourion, *Le Style de Claude Debussy. Duplication, répétition et dualité dans les stratégies de composition*, Paris, Vrin, 2012, 514 p. *A contrario*, il convient de rappeler dans ce contexte que selon Barraqué, soucieux d'incessants renouvellements, « l'écriture avec répétition de deux en deux est la seule faiblesse que l'on puisse trouver dans les partitions de Debussy » (voir Jean Barraqué, « *La Mer* de Debussy… », article cité, p. 306).

Le découpage

Messiaen découpe « De l'aube à midi sur la mer » en sept sections :

1. Une introduction en *si* mineur, où se manifeste le premier thème (cyclique) ;
2. Le thème principal en *ré♭* majeur, exposé et repris avec deux commentaires ;
3. Un premier retour du premier thème cyclique, avec son élimination ;
4. Un milieu en *si♭* majeur, introduisant un troisième thème ;
5. Un second retour du premier thème cyclique ;
6. Une nouvelle phrase, avec ce que Messiaen nomme le « thème de tendresse » aux violoncelles solistes et au cor anglais, sur pédale de dominante de *ré♭* majeur ;
7. Une coda, incluant un quatrième thème (cyclique) aux cuivres, à la sous-dominante.

En somme, le découpage de Messiaen est d'abord thématique, secondairement tonal. Mais surtout, il accumule ou juxtapose plus qu'il organise. Chacune des sections est l'objet moins d'un déliement que d'un commentaire ou d'une description linéaire, n'excluant pas une expression littéraire (l'aube initiale « avec une lumière indécise et triste[1] » ; le thème cyclique comme « thème du vent, qui hurle, et retombe[2] » ; le grouillement léger et le miroitement des vagues au lever du jour, aux cordes de la mesure 68 ; le « réveil lumineux de l'eau » dans la quatrième section, où « la vie et le mouvement semblent renaître de la masse liquide[3] » ; la « joie éclatante[4] » de l'accord de *ré♭* majeur avec sixte ajoutée, concluant le mouvement…).

À l'évidence, Barraqué reprend les divisions de Messiaen, mais il les regroupe – nous considérerons ultérieurement sur quelles bases – et dessine en conséquence une hiérarchisation qu'il affine. Voici en vis-à-vis les divisions du mouvement chez l'un et l'autre.

---

1. Olivier Messiaen, *Traité de rythme, de couleur, et d'ornithologie*, tome VI, Paris, Alphonse Leduc, 2001, p. 183.
2. *Ibid.*, p. 184.
3. *Ibid.*, p. 187.
4. *Ibid.*, p. 189.

MESURES	MESSIAEN	BARRAQUÉ
Mesures 1-30	Section 1 Avec le thème cyclique sur un rythme debussyste constitué de lourés et de syncopes	Introduction divisée en : A (mesures 1-5) B (mesures 6-22) C (mesures 23-30)
Mesures 31-71	Section 2 Avec alternance du thème principal et de « commentaires »	Première section 1a, divisible en six sous-sections : 1a1 (affirmation du ton) 1a2 (thème) 1a3 (corrélatif-développement), encore divisible en deux 1a2' (thème) 1a3' (corrélatif-développement), encore divisible en deux 1a2" (élimination du thème)
Mesures 72-84	Section 3	Première section 1b
Mesures 85-112	Section 4	Deuxième section 2a, divisible en quatre sous-sections : 2a1, 2a2, 2a1' et 2a2' (encore divisible en deux)
Mesures 113-122	Section 5	Deuxième section 2b
Mesures 123-132	Section 6	Coda : première section
Mesures 133-143	Section 7 : coda	Coda : seconde section

Le regroupement des sections deux à deux, à l'exception de l'introduction, devient ainsi explicite. Il aboutit à un type de division fréquent chez Barraqué, où le second membre d'une entité est notoirement plus court que le premier (1b et 2b, en regard de la durée de 1a et de 2a).

Soulignons aussi le problème de la coda, que Barraqué fait commencer avant Messiaen, par ce qu'il désigne comme « une sorte de vision évanescente de tout le mouvement, une dernière fusion des éléments où tout est reconsidéré, renouvelé dans un dépassement des possibilités chimiques. Alors que le développement classique ne s'épuise jamais, on est arrivé ici à un tel point de décomposition des éléments premiers que la seule recréation possible – sur cette pédale de dominante, car c'en est bien une – est une gamme descendante[1] ».

L'harmonie

Sur le plan harmonique, l'analyse de Barraqué n'apporte *a priori* guère plus que celle de Messiaen, qui note les tonalités principales des thèmes et des sections, ainsi que des couleurs harmoniques plus ponctuelles, mais qui n'établit pas de plan systématique du mouvement. Voici donc brièvement quelques caractéristiques bien connues : l'accord avec sixte et seconde (neuvième chez Messiaen) ajoutées (la gamme chinoise selon la terminologie de Messiaen), les septièmes de dominante parallèles, les neuvièmes, parfois sans tierce et avec quinte altérée, les gammes par tons et autres structures modales, y compris avec « tritonisation » du quatrième degré, sur laquelle repose le mouvement (le mode hindou *vachaspati* dans la terminologie de Messiaen : *ré♭ mi♭ fa sol la♭ si♭ do♭ ré♭*, ou selon Barraqué, un mode composite obtenu par glissement du mode de *sol* sur le mode de *fa*).

Ce qui retient l'attention chez Barraqué, c'est l'insistance sur le ton du degré napolitain, moins dans les enchaînements harmoniques que dans la structuration de l'œuvre. Cette relation apparaît tôt, dès ses propres *juvenilia*, dans lesquelles Barraqué conserve encore les cadres de la tonalité, et traverse ensuite toutes ses analyses. On relève quelques exemples dans ce mouvement :

– dans l'introduction : le *si* mineur d'origine induit allusivement un *ré* majeur (relatif), que Barraqué considère comme le ton du degré napolitain du ton principal : *ré♭* ;

– dans l'introduction encore : l'entrée du thème cyclique en *do*, même modal, impliquerait que le ton principal (*ré♭*) est celui du degré napolitain de ce thème ;

1. Jean Barraqué, « *La Mer* de Debussy, ou la naissance des formes ouvertes », texte cité, p. 307.

– à la fin du premier corrélatif-développement de 1a, une neuvième de dominante suggère un *la* majeur, ton du degré napolitain de *la♭*, dominante du ton principal, Debussy recréant la réalité de la fonction de cadence à l'échelle du mouvement ;

– dans 1b, *la* est le ton du degré napolitain de *la♭*, dominante du ton principal, mais *la* est aussi le ton dont *si♭* est le degré napolitain – et *si♭* sera le ton du thème du milieu. En somme, cette section est une « charnière » entre ce qui précède et ce qui suit, et suppose une double relation de degré napolitain, à la fois droite et rétrograde.

Vivement critiquées par Edmond Costère dans sa discussion avec Barraqué lors du colloque « Debussy et l'évolution de la musique au XXe siècle[1] », de telles relations, indifférentes au mode de la tonalité principale et élargies à la notion de « napolitain de la dominante », ne peuvent être comprises qu'à considérer la seconde mineure, le chromatisme, et non plus la quinte classique, voire la tierce de l'ère romantique, comme l'intervalle de base du langage moderne. De sorte que Barraqué replierait, sans doute maladroitement, le chromatisme, mélodique ou harmonique, sur les déterminations structurelles des tonalités.

La thématique

Là encore, Barraqué respecte la terminologie de Messiaen : l'« appel » initial, « impressionniste », le « thème cyclique », le « thème principal » et le « thème de milieu ».

Trois remarques, néanmoins, s'imposent, qui modèrent l'impression de copie :

1 – Le premier thème du mouvement, commentaire de la note *ut*, s'écarte d'un « thème cyclique », dont la notion évoquerait immanquablement Franck et d'Indy. Car, plus sonore que thématique *stricto sensu*, il ne varie pas, ne se développe pas, ne concourt pas, thématiquement, à l'élaboration thématique des autres motifs, et est donc

1. Sur le débat entre Barraqué et Costère, voir Rémy Campos, « L'analyse musicale en France au XXe siècle : discours, techniques et usages », dans *L'Analyse musicale, une pratique et son histoire*, Nicolas Donin et Rémy Campos (dir.), Genève, Droz / HEM – Conservatoire supérieur de musique de Genève, 2009, p. 355-363.

un « thème-objet », non agissant, et dont la fonction est « d'assurer, à certains moments de clivage, un rôle proprement passif[1] », autrement dit d'établir une zone de *neutralité* au sein du discours.

2 – Une autre substitution terminologique induit un déplacement conceptuel majeur, mis en évidence par Gianmario Borio[2]. Dans la deuxième section, là où Messiaen utilise le terme « commentaire », élargissant la notion traditionnelle de développement, Barraqué lui substitue d'abord une notion dérivée, celle de « commentaire-développement », puis une autre notion, novatrice, de « corrélatif-développement ». Qu'est-ce à dire ? « Le commentaire est un développement mélodique du thème. Un ou deux fragments du thème y sont répétés dans le ton initial sur divers degrés, ou dans d'autres tons, et variés rythmiquement, mélodiquement et harmoniquement. Le commentaire peut aussi développer des éléments étrangers au thème, mais présentant avec ce dernier une certaine concordance d'accent[3]. » Cela suppose un thème ouvert et conçu comme un ensemble de rapports rythmiques, mélodiques, harmoniques. Il conviendrait néanmoins de préciser – ce que Messiaen se garde bien de faire – le sens du terme obscur d'« accent », qui autorise précisément le déplacement de la notion de développement. Barraqué accuse davantage l'« originalité d'une thématique engendrant une auto-progression[4] » par la notion de corrélatif, reprise dans l'essence mais non à la lettre, et dissociant les dimensions constitutives d'un élément, sur lesquelles agissent des modes de variations distincts. Par cette notion, audacieuse, Barraqué insiste sur l'ambivalence, l'ambiguïté et l'osmose de Debussy, soucieux d'une logique non linéaire. Au développement classique, continu, orienté, d'une cellule ou d'une « idée musicale » unique, exposée, variée et reprise selon une architecture donnée, un modèle préétabli, un archétype, s'oppose la corrélation debussyste, transformant subtilement des éléments, en constellation, selon d'incessants amalgames

1. Jean Barraqué, « Debussy ou l'approche d'une organisation autogène de la composition », article cité, p. 271.

2. Gianmario Borio, « La réception de l'œuvre de Debussy par les compositeurs sériels : discours analytique et construction collective d'une image du passé », dans *L'Analyse musicale, une pratique et son histoire*, *op. cit.*, p. 208-210.

3. Olivier Messiaen, *Technique de mon langage musical*, vol. I, Paris, Alphonse Leduc, 1944, p. 31.

4. Jean Barraqué, *Debussy*, *op. cit.*, p. 187.

et mutations. Une forme où l'exposition est déjà développement, et inversement. Une forme « ouverte », mais rigoureuse, au destin propre, indissociable de ses éléments, depuis l'organisation élémentaire jusqu'à l'œuvre complète. Partant, un « monde mystérieux qui, à mesure qu'il évolue, s'invente en lui-même et se détruit[1] ». Ceci, à travers :

– la mise en exergue du détail d'un élément,
– l'interférence, la répercussion d'éléments, sans que l'on sache lequel agit sur l'autre,
– la variation de densité rythmique ou motivique, incluant la polyrythmie (comme dans la section 1b), ou la stratification d'éléments – toujours en 1b, un dessin aux flûtes, hautbois, cor anglais et clarinettes, une variation de ce dessin aux cordes, une autre variation, rythmique, aux harpes et violoncelles déroulant une transposition de l'élément initial (*mi-fa♯-si-ut♯*), et le thème cyclique aux trompettes (mais de tels exemples de coagulation ne manquent pas, notamment en 2 ou dans la coda),
– l'ellipse, l'agrandissement, l'évidement, la contraction, la diminution…
– le tuilage de sections (entre 1a et 1b, par exemple), d'où l'ambivalence formelle,
– l'ambivalence d'une section en soi, diversement divisible selon les critères retenus,
– l'ambivalence d'un motif : en 2a2 (mesures 97-98), l'appel se superpose à lui-même, transpose l'élément initial (*sol-la-ré-mi*), mais si l'on néglige l'ornement de la petite note, c'est aussi la tête du thème du milieu, donc l'élimination d'un autre élément,
– l'ambivalence d'une note en soi, à l'instar, mesure 111, d'un *ré* des deux cors et de la première harpe, qui a une double fonction : « Dernière vibration du mode qui vient de s'évanouir, il forme déjà anacrouse sous-entendue de ce qui vient et il est seul, encadré par des silences. L'orchestration très pure met en valeur cet exemple frappant d'un entendement sonore de la continuité dans la discontinuité[2]. » Cette ambivalence sera à l'origine d'une distinction entre la note-ton (considérée en tant que degré) et la note-son (utilisée en tant que sonorité, hors de toute relation),
– l'ambivalence d'une note déliée de ses fonctions comme, dans la section 1a, dans laquelle une tonique (*ré♭*), qui n'apparaît qu'affaiblie, presque étrangère à son propre univers tonal, se présente toujours sous la forme de broderie, note de passage ou échappée…

---

1. Jean Barraqué, « *La Mer* de Debussy, ou la naissance des formes ouvertes », texte cité, p. 279.
2. *Ibid.*, p. 304-305.

Ce qui importe pour Barraqué, c'est cette ambivalence, ce « zigzag[1] » selon ses termes, ailleurs. Son œuvre en témoigne magistralement, où une section, une série, une note de cette série, une cellule rythmique, un timbre, un groupe instrumental, etc. se chargent de diverses logiques, invitant à une pluralité d'analyses, sinon à un inanalysable né du délire même de l'organisation. Il en résulte que rien n'est en soi : l'œuvre et ses éléments sont en devenir, n'existent qu'en tant qu'ils deviennent, fût-ce sans avancer, car le revers de ce devenir n'est pas l'achèvement, la clôture, mais la stase, l'immobile, une suspension « où s'efface toute hiérarchie du devenir[2] » en une « hallucinante giration[3] », qu'illustrent la fin de la première section et la coda, et où la musique, par réduction, épuisement ou destruction de ces éléments, se met à tourner sur elle-même « dans un délire tel qu'il donne une impression de fixité[4] ». De même, la « chimie[5] » debussyste transforme l'exposition classique, dynamique, en une force d'inertie. C'est le cas des quatre « états », des quatre « étagements[6] » du début du mouvement : la pédale de *si* des contrebasses et timbales (permanence harmonique), le mouvement mélodique et rythmique des violoncelles (l'appel), l'agrégat harmonique déroulé mélodiquement aux altos et l'appel en valeurs longues égales aux harpes. Dès lors, si tout est possiblement commencement, tout est aussi, possiblement et en miroir, fin. En conséquence, le corrélatif ouvre à une poétique du « devenir mourant », sur laquelle Barraqué insiste constamment dans son analyse : « Dans la mesure où il donne une raison d'être au thème, le corrélatif le conduit à la mort[7]. » Debussy anticiperait les formes délétères dont participait déjà le développement par élimination de la *Cinquième Symphonie*, et dont la *Sonate* de Barraqué donnera un exemple radical. C'est cette poétique qui traverse *La Mort de Virgile* de Hermann Broch, pour laquelle, on le sait, Barraqué s'enthousiasma. « Brûlez *L'Énéide* ! »,

1. *Ibid.*, p. 330.
2. *Ibid.*, p. 300.
3. *Ibid.*, p. 307.
4. *Ibid.*, p. 294.
5. Jean Barraqué, « Debussy ou l'approche d'une organisation autogène de la composition », article cité, p. 270.
6. *Ibid.*
7. Jean Barraqué, « *La Mer* de Debussy, ou la naissance des formes ouvertes », texte cité, p. 292.

s'y exclame Virgile. Là, au plus près, à l'instant du trépas, s'ouvre l'étrange concorde de l'œuvre et de sa destruction. S'approcher de cet instant et tenter de le circonscrire, telle sera la tâche ardue de la création.

3 – L'accentuation des thèmes est soigneusement étudiée par Barraqué, qui utilise un vocabulaire emprunté au *Cours de composition musicale* de d'Indy, dont il fut un lecteur assidu au cours de ses années de formation auprès de Langlais, puis de Messiaen. Reprenant à d'Indy l'idée selon laquelle la mélodie est déterminée par trois facteurs (la durée, l'intensité et l'acuité ou intonation), qui marquent dans les langues la prononciation des mots et des phrases, et dont les variations s'opèrent autour du phénomène essentiel de l'accent, Barraqué écrit : « Une mélodie musicale est une succession de groupes mélodiques soumis à des lois d'accentuation (une des formes de l'intensité), de mouvement et de repos (manifestation de la durée) enfin de tonalité (conception plus complexe de l'intonation)[1]. » C'est pourquoi l'on retrouve, non sans surprise chez un sériel, les notions d'indystes d'anacrouse, d'accent et de désinence, de rythmes masculin (« dont le temps lourd ne contient qu'un seul son[2] ») et féminin (« dont le temps lourd est formé d'un son principal accentué et suivi d'un ou de plusieurs autres sons dont l'intensité décroît comme celle de nos syllabes muettes[3] »), mais aussi et surtout d'accent tonique (affectant le mot, sur le temps léger d'un rythme masculin ou sur le temps lourd d'un rythme féminin, de sorte que la désinence est un rebondissement de l'accent) et d'accent expressif (affectant la phrase entière).

Le thème principal, quant à lui, est un groupe d'accentuation féminine, avec anacrouse sur le premier *do♭*, accent sur le deuxième, désinence à partir du *ré♭* – et répétition abrégée avec accent tonique, chez Messiaen comme chez Barraqué, sur *la♭* en noire, désinence dès le *fa* en noire qui suit immédiatement, désinence répétée sur *do♭* en croche, et accent expressif sur les deux *mi♭* de l'élimination. Messiaen mesure à la double croche, sur des entités de cinq unités

1. Jean Barraqué, « Guide de l'analyse musicale », *Guide du concert*, 1953, n° 14, p. 664.
2. Vincent d'Indy, *Cours de composition musicale*, Premier Livre, Paris, Durand, 1903, p. 26 (exemplaire annoté par Barraqué, Paris, collection particulière).
3. *Id.*

de durée (alternance de 5 et de 2), quand Barraqué mesure à la croche et inclut les silences[1].

Exemple 1.
Jean Barraqué, analyse du thème principal
de « De l'aube à midi sur la mer »[2]

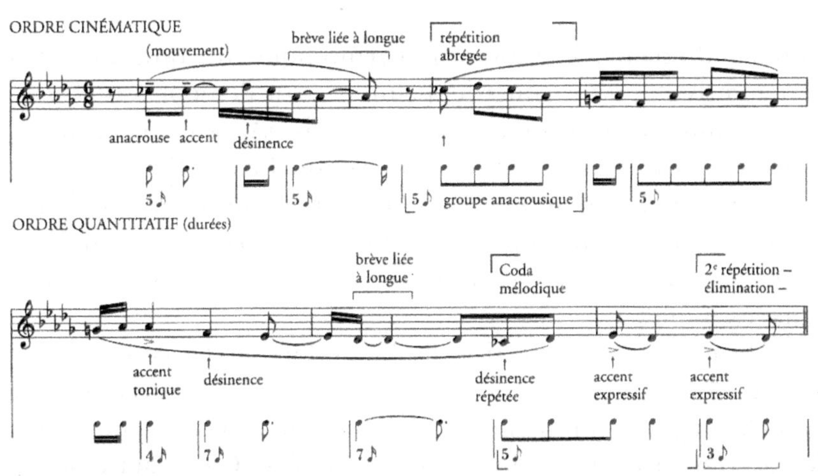

Exemple 2.
Olivier Messiaen, analyse du thème principal
de « De l'aube à midi sur la mer »[3]

1. Les différences d'analyse reposent sur des fondements théoriques qu'il serait trop long d'étudier ici. Voir notre article « Entre l'écorce et le bourgeon. Trois analyses du Refrain de la "Danse sacrale" », dans *Du politique en analyse musicale*, Esteban Buch, Nicolas Donin et Laurent Feneyrou (dir.), Paris, Vrin, 2013, p. 227-252.

2. Extrait de Jean Barraqué, « *La Mer* de Debussy, ou la naissance des formes ouvertes », texte cité, p. 286.

3. Extrait de Olivier Messiaen, *Traité de rythme, de couleur, et d'ornithologie*, t.VI, *op cit.*, p. 185.

Où se tient alors la singularité de l'analyse de Barraqué ? Le recours à une telle terminologie a suscité, au moment du colloque de 1962, les vives critiques d'Edmond Costère, qui contesta l'annonce d'une nouvelle méthode et de nouveaux moyens analytiques que Barraqué n'avait, selon lui, pas su forger. C'était mésestimer que Barraqué part de la terminologie traditionnelle, mais lui confère une autre signification, de même que Debussy a réinventé la technique musicale, « non point tant au niveau syntaxique, qui reste somme toute assez traditionnel, mais dans la conception même de l'organisation dialectique et du devenir sonore[1] ». C'était aussi mésestimer l'analyse des premières mesures de l'œuvre, dont l'analyse complète apportera une illustration exemplaire des devenirs.

L'INTERVALLE

En ce domaine, la sensation harmonique de quintes, « sensation auditive[2] », n'est jamais exprimée verticalement : *si-fa♯-do♯-sol♯* ou son interversion au centre *si-do♯-fa♯-sol♯*, qui constitue l'élément *x*, « constellation autour de la tonalité[3] ». Barraqué traque dans l'ensemble du mouvement l'élément qu'il a ainsi défini. Il serait sans doute fastidieux de dresser ici la liste complète de ses occurrences et de ses transformations. On peut se limiter à deux exemples :

1 – Dans la seconde section de l'introduction, l'accord *la-si-mi-fa♯*, sur lequel aboutit le troisième appel, en est une transposition à la seconde majeure inférieure, que déclineront ailleurs, sans la tierce, des accords avec seconde et sixte ajoutées. C'est, autrement dit, l'identité de l'horizontal et du vertical : « Cette conception, la grande découverte de Schoenberg, projette horizontalement l'harmonie : notion tout à fait étrangère aux classiques. Même cette notion de l'identité de l'horizontal et du vertical, construite sur les fonctions de l'intervalle, est ici détruite dès sa naissance puisqu'elle n'est jamais intervalle ; l'agrégat *x* est une notion *autour* de la tonalité qui va

1. Jean Barraqué, *Debussy*, *op. cit.*, p. 182.
2. Jean Barraqué, « *La Mer* de Debussy, ou la naissance des formes ouvertes », texte cité, p. 282.
3. Jean Barraqué, *Debussy*, *op. cit.*, p. 186.

plus loin, en définitive, que les théories initiales de la musique sérielle : nous ne sommes en effet ni tonals, ni atonals, puisque *si* est tonique, *fa*♯ dominante, *ut*♯ seconde ajoutée et *sol*♯ sixte ajoutée[1]. » Ambivalence encore, de l'intervalle et de la « sensation », lourde de conséquences pour les œuvres de Barraqué.

Exemple 3.
Claude Debussy, *La Mer*, « De l'aube à midi sur la mer »,
mesures 1-5 (Paris, Durand, 1997, p. 3)

1. Jean Barraqué, « *La Mer* de Debussy, ou la naissance des formes ouvertes », texte cité, p. 285.

2 – En 1a, un dessin des flûtes et des clarinettes en quintes parallèles est une inversion mélodique rétrécie de *x* (*si♭-la♭-fa-mi♭*, dans une quinte), « divination étonnante d'un monde plus raffiné dans son apparente simplicité que tout Schoenberg[1] ». De la même manière, toujours en 1a, le commencement du thème principal des cors [*do♭-ré♭-do♭-la♭-(sol)*] se base sur une inversion mélodique rétrécie [*ré♭-do♭-la♭-(sol)*], dans une quinte diminuée) ; puis, dans le premier corrélatif-développement, sur une forme droite intervertie et rétrécie [(*si♭*)-*la♭-do♭-ré♭*, dans une quarte] ; et, dans le second corrélatif-développement, sur une inversion mélodique rétrécie et réduite à trois notes (*ré♭-do♭-si♭*, dans une tierce mineure), dessinant premièrement la seconde majeure sur laquelle se basait l'appel initial et qui est assimilable à la désinence du thème principal des cors et deuxièmement une seconde mineure, ultime destruction de *x* donnée aux flûtes (mesure 60). En somme, « les univers successifs se rejoignent en se détruisant[2] ».

L'analyse que livre Barraqué de « De l'aube à midi sur la mer », certes dans le sillage de Messiaen, aura ainsi introduit une dialectique créatrice, si féconde pour sa propre pratique compositionnelle, entre d'une part la phrase musicale, ses accents, ses fonctions thématiques et leurs devenirs, et, d'autre part, une combinatoire, les mutations et permutations des notes constituant une structure de base : chez Debussy, la « cellule », chez Barraqué, la « série ».

1. *Ibid.*, p. 286.
2. *Ibid.*, p. 287.

Réception et héritages

Enjeux de mémoire après la mort de Debussy
Débats entre Prunières, Vallas et Vuillermoz

Barbara L. Kelly*

Après la mort de Debussy, en 1918, ses défenseurs jouent un rôle majeur dans la construction de la mémoire de ce « chef de file » de la musique française. Musiciens de formation et critiques reconnus, Émile Vuillermoz (1878-1960), Henry Prunières (1886-1942) et Léon Vallas (1879-1956) mettent à profit leur position professionnelle pour influencer lecteurs et auditeurs. Vuillermoz se distingue à plusieurs égards. Critique expérimenté, il a été l'un des plus ardents défenseurs de Debussy de son vivant. Après la Première Guerre mondiale, nostalgique d'une ère irrémédiablement révolue, il mène campagne pour déifier celui dont il a été l'ami. Prunières joue pour sa part de son renom de directeur de la toute jeune *Revue musicale* et de sa qualité de musicologue pour publier une série d'essais et d'œuvres en hommage à Debussy. En s'adressant à un lectorat international, son but principal est de présenter ce musicien comme un symbole de la réussite française, contrairement à Vallas qui le considère comme un nationaliste soucieux du maintien d'une tradition française. À la différence de Vuillermoz, Vallas n'a pas été lié à Debussy, mais il a conservé depuis 1903 des coupures de presse le concernant, il a écrit des articles sur sa technique novatrice et les biographies qu'il a publiées à partir de 1926 sont le fruit d'années d'observation. En 1934, sa deuxième biographie déclenche une affaire publique entre Prunières, Godet

* Je remercie Dominique Belkadi pour son aide à la traduction de ce texte.

et Vallas[1] qui s'affrontent violemment dans *La Revue musicale*, révélant de profondes divergences sur deux questions clés : comment commémorer un compositeur comme Debussy et qui a autorité pour le faire ?

Vuillermoz prend part à plusieurs évènements organisés en hommage à Debussy. Le 15 avril 1920, il donne dans le cadre des Concerts historiques Pasdeloup une conférence publique au cours de laquelle il invite le public à considérer Debussy comme symbole national majeur et exhorte l'État et ceux qui font autorité dans le milieu musical à lui rendre hommage[2]. Il oppose l'image de la famille et des amis réunis autour d'une tombe anonyme pour le deuxième anniversaire de sa mort à des funérailles nationales dont, selon lui, Debussy aurait dû bénéficier. Il en veut profondément au vénérable Saint-Saëns qui a refusé d'honorer son confrère. Il critique aussi l'État qui n'honore que les conformistes. Il prétend que, loin de solliciter une telle reconnaissance, Debussy la fuyait :

> Pour forcer l'attention des passants, pour obtenir des faveurs, des titres, des honneurs, dans la « République des Camarades », il faut se conformer à la règle du jeu. Or, si Debussy avait quelques amis – quelques rares amis – il n'avait pas de camarades ! Il n'avait pas, non plus, le tempérament électoral de certains maîtres qui savent s'entourer d'une garde d'honneur, d'un Comité de disciples, attentifs, dévoués, influents, constituant une sorte de « permanence » chargée de la propagande verbale et écrite, de l'action directe et indirecte, de la défense de la doctrine et des intérêts de leur grand homme[3].

Même s'il est difficile de croire Vuillermoz, c'est bien lui qui met les musiciens au défi de faire l'inventaire des apports de Debussy. En affirmant que ce dernier n'a jamais recherché ni la canonisation ni

1. Voir Barbara L. Kelly, « L'Affaire Prunières-Vallas », dans *Henry Prunières. Un musicologue engagé dans la vie musicale de l'entre-deux-guerres*, Myriam Chimènes, Florence Gétreau, Catherine Massip (dir.), Paris, Société française de musicologie, à paraître.

2. Voir Émile Vuillermoz, « Claude Debussy », *Le Ménestrel*, vol. 82, n° 24, 11 juin 1920, p. 1-3 et « Claude Debussy », *Le Ménestrel*, vol. 82, n° 25, 18 juin 1920, p. 1-3 ; voir aussi « Claude Debussy », conférence prononcée le 15 avril 1920 aux Concerts historiques Pasdeloup, Paris, Heugel, 1920.

3. Émile Vuillermoz, « Claude Debussy », *Le Ménestrel*, vol. 82, n° 24, 11 juin 1920, p. 241.

les disciples, il donne précisément l'impression d'être l'un d'eux, prêt à lutter pour la « cause » de la reconnaissance posthume de Debussy comme « saint national laïc[1] ». L'action de promotion de Debussy par Vuillermoz s'effectue de plusieurs manières. En 1920, il contribue au numéro spécial de *La Revue musicale*[2]. En 1924, il est membre du Comité du monument à Claude Debussy, dont le but est de lever des fonds destinés à l'érection d'un monument commémoratif digne du compositeur[3]. Mais, contrairement à Vallas, il attend 1956 pour publier son unique biographie de Debussy ; son action revêt d'autres formes.

Dans la presse, Vuillermoz critique de manière véhémente la génération des compositeurs français d'après guerre qui considèrent le debussysme comme une mode éphémère dépassée. Il est au contraire convaincu que le debussysme doit persister au-delà de sa propre génération :

> L'esthétique de Debussy n'est pas une mode éphémère, c'est un idéal éternel. Et les jeunes musiciens d'aujourd'hui, qui croient devoir renier bruyamment l'impressionnisme debussyste avant de pousser plus loin leurs investigations sonores, se rendent coupables d'un blasphème inutile. C'est Debussy qui leur a appris à se libérer des formules et à s'évader vers la nature et vers la vie. C'est grâce à lui, et non malgré lui, qu'ils pourront faire un pas de plus vers le soleil[4]...

Il brosse le portrait d'un Debussy sauveur ayant découvert la vérité et il considère ceux qui le rejettent comme des blasphémateurs. Il

---

1. Voir Edward Berenson, « Unifying the French Nation, Savorgnan de Brazza and the Third Republic », dans *French Music, Culture, and National Identity*, Barbara L. Kelly (dir.), Rochester, University of Rochester Press, 2008, p. 17-39. Les efforts considérables faits par Debussy à travers ses paratextes, ses dédicaces, titres et écrits pour édifier sa propre mémoire sont examinés dans Barbara L. Kelly, "Debussy and the Making of a musicien français", dans *French Music, Culture, and National Identity*, *op. cit.*, p. 58-76.

2. Émile Vuillermoz, « Autour du *Martyre de saint Sébastien* », *La Revue musicale*, numéro spécial consacré à Debussy, 1er décembre 1920, p. 155-158.

3. Deux monuments sont finalement érigés en 1932. Voir Deborah Priest, *Louis Laloy (1874-1944), Ravel and Stravinsky*, Aldershot, Ashgate, 1999, p. 114-124 et Marianne Wheeldon, « Debussy's Legacy : The Controversy over the *Ode à la France* », *The Journal of Musicology*, vol. 27, n° 3, p. 304-341.

4. Émile Vuillermoz, « Claude Debussy », conférence prononcée le 15 avril 1920 aux Concerts historiques Pasdeloup, Paris, Heugel, p. 21.

s'oppose ainsi à l'avant-garde parisienne d'après guerre, ses attaques visant notamment le groupe des Six et plus particulièrement Darius Milhaud. Il est le premier à promouvoir Georges Migot, aujourd'hui oublié, surtout parce que ce compositeur blessé de guerre témoigne d'un grand respect pour le passé récent et pour Debussy en particulier[1]. Ne supportant pas la façon dont les Six utilisent la presse pour promouvoir leurs idées, il fait bon accueil au conservatisme de Migot. Il s'en explique dans un article repris dans *Musiques d'aujourd'hui*[2]. Utilisant une imagerie grotesque, il met en scène Migot et les « jeunes anthropophages [...] exécutant, autour du cadavre de Debussy, une furieuse danse du scalp[3] ». L'amertume de Vuillermoz s'explique par son sentiment que la guerre a non seulement engendré une génération perdue incapable de se défendre mais abrégé la période normalement dévolue à établir son succès :

> Aujourd'hui, la page est tournée. Une jeunesse brutale nous propose un autre idéal et emploie tous les moyens pour le faire triompher. Une lutte sauvage se livre actuellement autour d'Akela sur le rocher du conseil... il n'y a rien à dire, car telle est la loi de la jungle[4].

Désorienté, Vuillermoz paraît admettre la défaite. Paul Landormy soutient qu'une certaine nostalgie se cache derrière la détermination de Vuillermoz à soutenir une esthétique que les Six considèrent avec provocation comme périmée : « M. Vuillermoz est avant tout un esprit conservateur qui s'en tient à la conception fauréenne et debussyste de l'art musical et ne veut pas la dépasser[5]... » Jann Pasler

1. Barbara L. Kelly, *Music and Ultra-Modernism in France : A Fragile Consensus (1913-1939)*, Woodbridge, Boydell and Brewer, chapitre 4, à paraître en 2013.
2. Émile Vuillermoz, « Georges Migot », *Le Temps*, 25 février 1921, p. 4 ; « Georges Migot : Quintette, Trio... », *Musiques d'aujourd'hui*, Paris, Les Éditions G. Crès et Cie, 1923, p. 89-99.
3. Georges Auric, *Le Coq*, n° 1, 1er avril 1920. Voir Barbara L. Kelly, *Tradition and Style in the Works of Darius Milhaud*, Aldershot, Ashgate, 2003, p. 6-7. Voir Léon Vallas à propos d'une représentation posthume de *L'Enfant prodigue*, *Le Progrès de Lyon*, 18 novembre 1919 ; voir aussi Barbara L. Kelly, « Remembering Debussy in Interwar France : Authority, Musicology, and Legacy », *Music and Letters*, vol. 93, n° 3, 2012, p. 387.
4. Émile Vuillermoz, *Musiques d'aujourd'hui*, Paris, Les Éditions G. Crès, 1923, p. 94.
5. Paul Landormy, « Musiques d'aujourd'hui », *La Victoire*, 9 octobre 1923 ; voir Léon Vallas, « Compositeur et esthéticien », *Nouvelle Revue musicale*, n° 1, novembre 1923, p. 15-16.

observe qu'à partir de 1901 Vuillermoz joue un rôle essentiel dans le développement d'une théorie de l'impressionnisme musical, le présentant comme « la plus parfaite expression de l'art contemporain » et défendant son « bataillon sacré » de debussystes[1]. C'est pour ces raisons que dans le Paris des années 1920, Vuillermoz passe pour un personnage réactionnaire. Il se démarque de critiques comme Louis Laloy et Landormy ou de certains compositeurs, dont Kœchlin, Roussel et Ravel, qui cherchent de façon plus positive à s'adapter au climat musical de l'après-guerre.

Vuillermoz attend la fin de sa vie pour écrire une biographie de Debussy. Plutôt que de se contenter de raconter la vie et la réussite musicale de son idole, il hésite entre une simple biographie, une biographie de groupe et une apologie. Il présente un Debussy divinisé ayant eu, en effet de fervents et loyaux disciples. Le texte est rempli de références à Debussy considéré comme Dieu ou sauveur dont les disciples, le « bataillon sacré », seraient des croyants persécutés, des catéchumènes voulant prêcher la bonne nouvelle[2]. Son livre n'est pas tant le récit d'une existence remarquable qu'une défense renouvelée de l'impressionnisme. Au lieu de renier le terme « impressionnisme », Vuillermoz l'aborde de front malgré ses connotations négatives du vivant de Debussy et de manière plus marquée encore depuis sa mort. S'opposant à son association avec « le langage du vague et de l'indécis », il se justifie ainsi : « Il faut évidemment se joindre à tous ceux qui cherchent à venger Debussy de cette perfide diffamation[3]. » Pour Vuillermoz, l'impressionnisme ne fut pas une étape éphémère et dangereuse mais une vision révélant une vérité de tous les temps :

> Être impressionniste, c'est chercher à traduire et à transposer dans le vocabulaire des lignes, des couleurs, des volumes ou des sons, non pas l'aspect extérieur et réaliste des choses, mais les impressions qu'elles éveillent dans notre sensibilité… Loin d'être « l'un des plus dangereux ennemis de la vérité dans les œuvres d'art », l'impressionnisme est,

1. Jann Pasler, « A Sociology of the Apaches », *Berlioz and Debussy : Sources, Contexts and Legacies, Essays in Honour of Francois Lesure*, Barbara L. Kelly et Kerry Murphy (dir.), Aldershot, Ashgate, 2007, p. 159-161.

2. Voir Émile Vuillermoz, *Claude Debussy*, Genève, Éditions René Kister, 1957, p. 34, 38, 100, 103, 150-151.

3. *Ibid.*, p. 33.

> au contraire, un mode d'expression qui peut se flatter de servir le mieux cette vérité puisqu'il arrive à la saisir au-delà des apparences. Mais le « voyant » favorisé de ce don magique est voué à l'exécration des aveugles qui ne lui pardonnent pas facilement ce privilège et le poursuivent de leur tenace rancune[1].

Vuillermoz présente l'impressionnisme musical comme une « révolution », « un renouvellement total » qui a irrémédiablement transformé les perceptions du monde et de la nature humaine dans l'art et la musique[2]. Il le décrit comme un système de croyances à transmettre aux générations suivantes et affirme qu'il conserve sa pertinence.

L'autojustification et l'auto-défense constituent le troisième fil conducteur qui se dessine dans le *Claude Debussy* de Vuillermoz. Conscient de la campagne visant à discréditer les debussystes, il aborde de front ce qui exaspère Debussy : « Les debussystes me tuent ! » Il consacre un tiers de son livre à discréditer les paroles que son idole est supposée avoir prononcées, montrant l'injustice et l'absurdité de telles accusations[3]. Ayant inventé un nouveau langage, Debussy ne peut qu'avoir été fier du fait que d'autres le suivent, comme les compositeurs Caplet, Inghelbrecht et Louis Aubert et les critiques Laloy et Jean Marnold[4]. Bien qu'il fasse partie des debussystes les plus fervents, il ne mentionne pas le rôle qu'il a joué. Vers la fin du livre, il accuse de manière plus accentuée les debussystes d'être les assassins du Debussy divinisé. Il emploie en fait le terme « déicide », montrant comment lui-même et d'autres « fervents » disciples ont contribué à faire du *Martyre de saint Sébastien* « la dernière grande joie de sa carrière artistique[5] ». Pourtant, il accuse les fidèles les plus zélés d'avoir terni la réputation de Debussy en insistant sur une définition trop étroite du Debussy « essentiel[6] ». Les mots de Debussy semblent avoir été prophétiques au sens où les debussystes ont sonné le glas de l'impressionnisme. Vuillermoz œuvre toute sa vie comme avocat et fervent défenseur de Debussy

1. *Ibid.*, p. 34.
2. *Ibid.*, p. 33-34, 39, 144.
3. *Ibid.*, p. 100.
4. *Ibid.*, p. 103.
5. *Ibid.*, p. 151.
6. Ibid. p. 152.

mais échoue. Ses dernières pages se lisent comme un aveu de culpabilité, la confession d'avoir tenté de promouvoir « l'éternel idéal » qui pourtant n'a été qu'un moment éphémère[1].

Henry Prunières[2] fait partie des premiers à répondre au défi lancé par Vuillermoz d'honorer publiquement la mémoire de Debussy. En témoigne la lettre qu'il adresse en 1926 à la veuve du compositeur :

> Je vous jure que personne n'a plus que moi le respect de la mémoire de Debussy ; en fondant ma Revue mon premier acte a été de lui élever ce monument qu'a été le *Tombeau de Debussy* et qui a, je le sais par les nombreux témoignages reçus, contribué encore à le faire connaître et aimer dans bien des pays étrangers[3].

Alors que le numéro spécial de 1920 était encore à l'état de projet, Prunières affirmait :

> Cet hommage international à la mémoire de Debussy si toutes les promesses sont tenues, sera un véritable « monument » comme ceux que les poètes de la Renaissance élevaient aux artistes qu'ils avaient aimés[4].

Prunières considère *La Revue musicale* à la fois comme un outil de propagande pour la musique française à l'étranger et comme un vecteur de promotion de la musique étrangère en France[5]. C'est ce qu'il explique à Vallas :

---

1. *Ibid.*, p. 152-53.
2. Musicologue spécialiste de la musique italienne des XVIIe et XVIIIe siècles (Monteverdi, Lully et Cavalli), il s'intéresse aussi de près à la musique européenne contemporaine.
3. Lettre d'Henry Prunières à Emma Debussy, 11 mars 1926 (copie, Archives Henry Prunières). Je suis reconnaissante à René Prunières de m'avoir donné une copie de cette lettre.
4. Lettre d'Henry Prunières à André Caplet, 11 juin 1920 (BnF, Musique, N.l.a. 269 [74]). Voir Denis Herlin, « Défendre la cause debussyste : Henry Prunières et Robert Godet », dans *Henry Prunières : un musicologue engagé dans la vie musicale de l'entre-deux-guerres*, *op. cit.* Je suis reconnaissante à Denis Herlin de m'avoir donné une copie de son article.
5. À cet égard, il se différencie de Charles Tenroc, directeur du *Courrier musical*, qui continue dans les années 1920 les efforts qu'il avait faits pendant la guerre pour interdire la musique austro-allemande. Tenroc était le président fondateur de la Ligue nationale pour la défense de la musique française. Voir Tenroc, « Grillouilles », *Le Courrier musical*, 15 février 1923, p. 61-62. Voir également Barbara L. Kelly, *Tradition and Style in the Works of Darius Milhaud*, *op. cit.*, p. 13.

> Je comprends parfaitement bien votre point de vue pour la protection des artistes français, mais ce n'est pas le mien, car je dirige une revue essentiellement internationale. J'estime que mon rôle est de faire connaître la musique française à l'étranger et, pour faciliter cette expansion même, de me faire la juste réputation d'un protecteur de la musique étrangère en France[1].

Deux exemples illustrent les dispositions dans lesquelles se trouve Prunières pour rendre hommage à Debussy. Son état d'esprit transparaît dans une lettre à Vallas, qui ne contribue finalement pas à ce premier numéro spécial :

> Je serais très heureux de votre […] collaboration au numéro Debussy […] Seulement je préférerais ne pas attirer trop l'attention sur les opinions nationalistes de Debussy, puisque ce numéro est particulièrement destiné à [la] propagande à l'étranger[2].

Le second exemple concerne l'hommage musical de Malipiero dans le *Tombeau de Claude Debussy*. Après avoir promis de faire « quelque chose, en pensant à la grande tristesse qu'a provoquée sur moi sa mort[3] », Malipiero annonce qu'il inscrira son hommage dans une collection d'hommages adressés à des animaux et « À un idiot[4] », ce qui choque profondément Prunières :

> Je suis abasourdi de votre idée de publier « L'Hommage à Debussy » à la suite d'hommages burlesques adressés à des animaux et à un idiot. Je n'ai pas besoin de vous dire que cela va causer un scandale inutile et d'autant plus surprenant que vous vous déclarez grand admirateur de DEBUSSY. Je ne veux pas avoir de responsabilité en cette affaire et tiens à vous dire que je vous désapprouve absolument et

1. Lettre d'Henry Prunières à Léon Vallas, 2 décembre 1921, Archives Léon Vallas, Ms Vallas 44, Correspondance concernant *La Revue musicale* (H. Prunières), 1920-1924.
2. Ce texte apparaît sur une petite note collée sur la lettre du 3 juin 1920, Archives Léon Vallas, Ms Vallas 44, Correspondance concernant *La Revue musicale* (H. Prunières), 1920-1924.
3. Lettre de Gianfrancesco Malipiero à Henry Prunières, 4 mars 1920 (Archives Prunières). Je suis reconnaissante à René Prunières de m'avoir fourni des copies de cette correspondance.
4. Lettre de Gianfrancesco Malipiero à Henry Prunières, 6 septembre 1920 (Archives Prunières).

que votre idée me semble une grave erreur de goût que je n'aurais pas attendue de vous[1].

Prunières est alors soucieux tant de la bonne réputation du jeune compositeur que de celle de sa revue :

Mais je vous ai dit que cela me paraissait d'un goût douteux et infiniment dangereux pour vous en raison de l'interprétation malveillante que ne manqueraient pas de donner de votre geste les nombreux critiques qui se sont déchaînés contre vous[2].

Malipiero semble en définitive avoir suivi le conseil de Prunières et retiré la mention du nom de Debussy des portraits d'animaux publiés chez Chester[3].

Les lettres de Prunières révèlent qu'il ne réussit pas tout à fait à échapper à la controverse qu'il a cherché à éviter. Le numéro spécial consacré à Debussy est en préparation au moment même où il lance sa revue et essaie d'assurer son avenir financièrement en obtenant notamment des soutiens et des souscriptions à l'étranger[4]. Reprochant à Prunières d'associer de trop près Debussy à la musique contemporaine en Europe[5], l'un de ces « actionnaires », M. Berly, se retire peu après la sortie du numéro spécial :

M. Berly donne sa démission de Président du Conseil d'Administration et d'administrateur, ne pouvant, me dit-il, être moralement complice d'une action artistique qu'il juge dangereuse et infiniment déplorable. Ce ne sont pas les quelques notes sur les nouveaux jeunes qu'il incrimine, mais surtout le « Tombeau de Debussy » qui lui paraît une monstruosité[6].

---

1. Lettre d'Henry Prunières à Gianfrancesco Malipiero, 13 septembre 1920 (copie, Archives Prunières).
2. Lettre d'Henry Prunières à Gianfrancesco Malipiero, 15 septembre 1920 (copie, Archives Prunières).
3. Voir la lettre de Gianfrancesco Malipiero à Henry Prunières, 21 septembre 1920 (Archives Prunières). Il changea le titre de l'édition complète, passant de « Au divin Claude » à « À un mort ».
4. Bibliothèque Royale de Belgique, MUS MS 4147/XXI/1.
5. Voir lettre d'Henry Prunières à Francis Poulenc, 14 février 1921 (copie, Archives Prunières). Je suis reconnaissante à Myriam Chimènes et Florence Gétreau de m'avoir donné accès à cette lettre.
6. Lettre d'Henry Prunières à Henri Le Bœuf, 27 janvier 1921, Bibliothèque Royale de Belgique, MUS MS 4147/XXI/1/69. Il faut noter que dans sa lettre à Poulenc il donne une raison légèrement différente : cette fois, il s'agit de la

Prunières s'attache également à obtenir le soutien des amis de Debussy. En juin 1920, il exhorte en vain Caplet à écrire ses souvenirs sur Debussy pour la simple raison qu'« il vous aimait beaucoup[1] ». Non sans poser de problème, sa démarche en direction de Robert Godet, l'un des plus vieux amis de Debussy, est plus fructueuse[2]. Godet promet de contribuer par un article de cinq ou six pages sur « Le lyrisme intime de Debussy[3] » mais il en rédige finalement soixante, mettant évidemment Prunières dans l'embarras. L'éditeur trouve la solution en divisant l'article en deux et n'en publiant que la moitié dans son numéro spécial, ce qui rend Godet furieux[4]. Ce dernier n'en continue pas moins à fournir à *La Revue musicale* des chroniques sur la musique suisse et des articles, en particulier pour le numéro spécial consacré à « La Jeunesse de Claude Debussy » publié en mai 1926[5]. Les lettres que Godet adresse à Willy Schmid révèlent qu'il critique ce numéro spécial qu'il qualifie de « honteux[6] ». Loin d'atteindre l'esprit d'unité et de cohérence que les intellectuels décèlent aujourd'hui dans ce monument virtuel, l'hommage ambitieux de Prunières sème la discorde, en particulier en essayant

---

publication de *Deux petits airs* de Milhaud dans le volume 1, n° 3 du 1er janvier 1921. L'élément de connexion est le soutien actif de Prunières à la nouvelle musique européenne. Voir lettre de Prunières à Poulenc, 14 février 1921.

1. Voir Denis Herlin, « Défendre la cause debussyste », article cité.

2. Prunières contacte Godet à ce sujet pour la première fois en mars 1920. La première lettre au sujet du projet Debussy date du 4 mars 1920 (copie, Archives Prunières). Je suis reconnaissante à René Prunières de m'avoir laissé consulter les lettres de Godet à Prunières.

3. Lettre de Robert Godet à Henry Prunières, 31 mars 1920 (Archives Prunières). Voir Denis Herlin, « Défendre la cause debussyste », article cité.

4. Godet est furieux, en particulier à cause des erreurs d'édition et des coupures dont Prunières accuse son imprimeur (voir Herlin, *ibid.*). Prunières omet également d'indiquer que le texte qui paraît dans le numéro spécial n'est que la première partie d'un essai plus long. Voir Robert Godet, « Le Lyrisme intime de Claude Debussy », *La Revue musicale*, numéro spécial consacré à Debussy, 1er décembre 1920, p. 167-190 ; voir 2e partie, *La Revue musicale*, janvier 1921, p. 43-60. L'indignation et le mépris de Godet pour Prunières sont évidents dans ses lettres à son ami Willy Schmid (citées dans Denis Herlin, « Défendre la cause debussyste », article cité).

5. Robert Godet, « En marge de la marge », *La Jeunesse de Claude Debussy*, numéro spécial de *La Revue musicale*, 1er mai 1926, p. 51-86. Voir Barbara L. Kelly, « Writing Early Debussy », dans *Debussy's Resonance*, Michel Duchesneau, François de Médicis, Steven Huebner (dir.), University of Rochester Press, à paraître.

6. Denis Herlin, « Défendre la cause debussyste », article cité.

de rapprocher Debussy de musiciens contemporains vivants[1]. On peut donc s'étonner que Prunières et Godet aient mis de côté leurs différends pour faire front contre Vallas qui lui aussi tente d'honorer la mémoire de Debussy dans sa biographie controversée de 1932, *Claude Debussy et son temps*.

Léon Vallas, qui est un spécialiste des institutions musicales lyonnaises, est comme Prunières un musicologue de formation universitaire. Originaire de Roanne, il a passé une bonne partie de sa vie active à Lyon tout en participant étroitement à la vie musicale parisienne. Il a dirigé un certain nombre de revues musicales lyonnaises, *La Revue musicale de Lyon* (1903-1912), la *Revue française de musique* (1912) et la *Nouvelle Revue musicale* (1920-1929) et a contribué à la presse lyonnaise et parisienne[2]. Il est l'auteur de plusieurs biographies de Debussy (1926, 1932, 1944), d'Indy (1944-1949) et Franck (1955). Les Archives de Léon Vallas révèlent son rôle dans la vie musicale comme critique, musicologue, biographe et organisateur de concerts. Outre l'étude des partitions, il puise ses sources dans la presse. Sa vie durant, il travaille sur Debussy en collectionnant des articles de presse et en prenant une multitude de notes détaillées dont beaucoup n'ont pas été utilisées dans ses biographies. Sans avoir connu personnellement le compositeur (aucune correspondance entre eux n'a été repérée), il choisit d'étudier la carrière du musicien essentiellement à travers des débats que son œuvre suscite dans la presse. À cet égard, ses biographies diffèrent considérablement de celle de Vuillermoz qui a joué un rôle prépondérant dans la formation d'une interprétation du debussysme du vivant du compositeur.

Le travail de reconstitution de la vie de Debussy et les commentaires de ses écrits sont dignes d'intérêt. Outre la presse et les

1. Voir Marianne Wheeldon, *Debussy's Late Style*, Bloomington and Indianapolis, Indiana University Press, 2009, p. 121, 125 et 128. Alors que les œuvres de jeunesse sont abordées dans le numéro de 1926, seuls Alfred Cortot, André Suarès et Georges Jean-Aubry examinent les œuvres tardives du compositeur : André Suarès, « Debussy », *La Revue musicale*, numéro spécial consacré à Claude Debussy, 1er décembre 1920, p. 118-121 ; Alfred Cortot, « La Musique pour piano de Debussy », *ibid.*, p. 127-150 ; Georges Jean-Aubry, « L'œuvre critique de Debussy », *ibid.*, p. 191-202.

2. Les journaux de Lyon comptent *Le Progrès de Lyon, Le Salut Public, Tout-Lyon, Lyon Universitaire.* Il collabore également à la presse musicale parisienne : *Guide de Concert, Gazette musicale et théâtrale, Mercure musical et Bulletin français de la SIM.*

écrits de Debussy, Vallas se sert d'une source complémentaire : les informations tirées des témoignages de ceux, dont Jacques Durand, qui ont connu le compositeur. Tout en utilisant avec précaution les sources privées et en respectant certains proches encore vivants[1], il n'hésite pas, dans le numéro de 1926 de *La Revue musicale* consacré à la jeunesse de Debussy[2], à privilégier ces témoignages, tels les souvenirs de condisciples ou d'amis. Ces documents paraissent au moment où il travaille à sa première courte biographie qu'il décrit comme « un ouvrage provisoire[3] ».

En racontant les débuts de l'activité créatrice de Debussy, Vallas insiste sur son originalité, sa liberté, son toupet et sur l'inspiration que lui fournit la nature. Il s'intéresse particulièrement à la nouveauté de son langage harmonique. À plusieurs reprises, il identifie des procédures harmoniques « debussystes » et souligne la fascination du compositeur pour la recherche de nouvelles formes. Dans le même esprit, pour alimenter le portrait de cette figure révolutionnaire apte à maîtriser son originalité, il utilise le récit de Maurice Emmanuel relatif à l'audace du jeune musicien pendant ses études.

Vallas n'en critique pas moins les techniques moins innovantes de Debussy, en particulier dans ses œuvres de jeunesse. Il qualifie par exemple *Romance* et *Les Cloches*, sur des textes de Paul Bourget, de « prédebussystes » et proches de Massenet dans leur orientation esthétique[4]. L'idée que ces œuvres sont « prédebussystes » est intéressante et suggère, comme l'avance Charles Kœchlin, que Debussy n'était pas encore lui-même. Tout en identifiant plusieurs sources d'influences (Wagner, la musique russe, Franck), il recourt au témoignage d'Emmanuel pour rejeter celles qui lui déplaisent, notamment celle de Satie[5].

1. Léon Vallas, *Debussy*, Paris, Librairie Plon, 1926, p. 5-6.
2. Il clarifie ses sources principales dans une note de la préface : « Avant l'année dernière on ne savait guère de la jeunesse de Claude Debussy que ce que le compositeur avait confié à son ami Louis Laloy en vue de la composition d'un livre admirable… En 1926 ont paru deux publications qui éclairent cette histoire : l'étude de Maurice Emmanuel sur *Pelléas et Mélisande* (Paris, Mellotée) et *La Revue musicale* (numéro de mai 1926) » (*ibid.*, p. 6).
3. *Ibid.*, p. 6.
4. *Ibid.*, p. 20 et 59.
5. *Ibid.*, p. 45.

Paru en 1927, *Les Idées de Claude Debussy, musicien français* constitue un complément important aux biographies de 1926 et 1932. Vallas y reprend le contenu des écrits de Debussy en leur imposant sa structure personnelle, ce qui est très différent du volume *Monsieur Croche*, paru en 1921 en édition limitée et réédité en plus fort tirage en 1926[1]. Sa première préoccupation est la vulgarisation. Selon lui, Debussy est apprécié des musiciens, dont seul un petit cercle a lu les articles, mais pas du grand public qui le considère comme une « figure révolutionnaire[2] ». Désireux de toucher ce public, il se doit de transmettre la pensée du compositeur à qui, selon lui, la première édition de *Monsieur Croche* ne rend pas justice[3].

Cependant, en faisant connaître les idées de Debussy, il impose ses propres priorités, choisissant de se concentrer sur l'« art libre » du compositeur, sur son lien à la nature et sur son désir de renouer avec les traditions nationales, ce qui reflète ses sympathies nationalistes[4]. Il est vraisemblable que les positions politiques de Vallas, associées à la volonté de populariser la culture de l'élite, l'opposent à certains de ses contemporains, en particulier à Prunières dont l'objectif est d'abord d'étendre la réputation de Debussy à l'étranger mais au sein de cercles privilégiés.

Vallas, dont les livres sont bien reçus, contribue à faire de 1926 et 1927 des années charnières dans l'établissement de Debussy comme sujet d'intérêt intellectuel[5]. Robert Godet correspond avec Vallas, qui lui a envoyé un exemplaire de son ouvrage[6]. Ces lettres témoignent

1. Voir G. Jean-Aubry, « Le retour de Monsieur Croche », *Christian Science Monitor*, 31 mars 1927.

2. Léon Vallas, *Les Idées de Claude Debussy*, Paris, La Librairie française, 1927, p. 7.

3. Il était particulièrement préoccupé par leur « ton moqueur » et leurs « opinions paradoxales » qui « contribuent à répandre sa réputation d'artiste dérangeant et même dangereux » (*ibid.*, p. 8).

4. Léon Vallas va plus loin dans la réflexion sur ses luttes artistiques en consacrant un certain nombre de pages aux commentaires de Debussy sur G. M. Witkowski, dont la renommée nationale n'était pas aussi grande qu'elle ne l'était dans la région lyonnaise. Il avait d'abord été un ami de Vallas mais ils étaient devenus rivaux et même ennemis dans les années 1920. Vallas aime attirer l'attention sur le jugement parfois sévère de Debussy sur ce compositeur d'indyste (voir *Les Idées de Claude Debussy*, *op. cit.* p. 50, 72-73).

5. Voir Barbara L. Kelly, « Remembering Debussy in Interwar France », article cité, p. 374-392.

6. Lettre de Robert Godet à Léon Vallas, 25 juin 1927, Ms Vallas 142, pièce 33, Archives Vallas. Je suis reconnaissante à Denis Herlin de m'avoir communiqué

d'échanges respectueux d'idées concernant des évènements et des œuvres. Ils discutent entre autres des premières œuvres, telle la *Fantaisie,* de la phase Wagner, de l'impact de *Boris Godounov* et des dernières sonates. Godet attend avec impatience la sortie de la seconde biographie à paraître en mars 1929[1]. Rien ne laisse présager l'animosité qui se développera entre eux plus tard.

L'idée d'une seconde biographie vient de Calvocoressi[2] qui, dès 1927, encourage Vallas à écrire une biographie différente qui serait publiée à la fois en anglais et en français – Calvocoressi l'aide en effet à obtenir un contrat avec Oxford University Press. Chose curieuse, Calvocoressi pensait que ce nouveau livre serait le fruit d'une collaboration entre Vallas et Vuillermoz[3]. Le fait que ce projet ne se soit pas matérialisé témoigne de la différence de leurs engagements en faveur de Debussy et du debussysme[4]. Vallas fonde sa deuxième biographie, plus complète, sur des conférences qu'il a données à la Sorbonne entre avril et juin 1929. Calvocoressi exerce une influence sur la conception expérimentale de ce volume dans lequel Vallas conjugue sa formation d'érudit, habitué à l'étude des sources, et son expérience de critique. Calvocoressi lui suggère de « reprendre [son] bouquin, mais de refaire le travail sur une base nouvelle » en y incluant « des tableaux complets ou presque de la presse »[5]. L'analyse détaillée de la réception de certaines œuvres, comme *Pelléas* et *La Mer,* et des polémiques qu'elles déclenchent est remarquable et révélatrice de la qualité de la documentation du musicologue-critique[6].

une copie de cette correspondance de sept lettres de 1927 et 1929. Voir Léon Vallas, « Autour de Debussy : réponse de M. Léon Vallas », *La Revue musicale,* juin 1934, p. 29.

1. Lettres de Robert Godet à Léon Vallas, 25 juin, 29 juin, 1er juillet, 26 septembre 1927, 24 mars et 11 juillet 1929, Archives Vallas.

2. Michel-Dimitri Calvocoressi (1877-1944), critique musical franco-britannique.

3. Voir correspondance entre Calvocoressi et Vallas, spécialement 4 et 7 ou 9 avril 1927, MS Vallas 190 : Problèmes et contrats d'édition pour Debussy, 1925-1932, 1957-1958.

4. Voir Barbara L. Kelly, « Remembering Debussy in Interwar France », article cité, p. 383. Voir la critique de Vuillermoz du « cours » de Vallas, « La Musique : le cours de Léon Vallas », *Le Temps,* 16 juin 1930.

5. Lettre de Michel-Dimitri Calvocoressi à Léon Vallas, 7 ou 9 avril 1927, MS Vallas 190, Archives Vallas.

6. Voir la collection d'articles de presse souvent annotés par Vallas, Ms Vallas 86 Dossier Claude Debussy, Archives Vallas.

Ce que Vuillermoz considère comme un véritable champ de bataille devient un sujet d'observation pour Vallas qui a passé des années à commenter, principalement pour les mélomanes lyonnais, la scène musicale parisienne. C'est flagrant dans sa manière de traiter la première de *Pelléas*, dont il note, organise et interprète l'importance de la couverture médiatique[1]. Cette approche n'a trouvé son équivalent que récemment dans l'étude de Jann Pasler[2].

Vallas ne se contente pas de citer des articles : il soumet ses sources à une interprétation nuancée, montrant par exemple comment *Pelléas* est devenu une œuvre culte. Il prétend en fait que c'est l'attaque menée par Jean Lorrain dans un article publié dans *Le Journal* du 22 janvier 1904 contre ceux qu'il appelle les *Pelléastres* qui donna de l'élan au debussysme[3] :

> Ce debussysme étroit ne fut heureusement le privilège que d'acolytes sans envergure. Un debussysme large, intelligent anima les meilleurs compositeurs, qui profitèrent de la leçon générale autant que des exemples particuliers d'écriture et de style offerts par les chefs-d'œuvre de leur aîné[4].

Il prétend également que le succès de *Pelléas* provoque et prolonge « une intéressante division des musiciens français... Peu à peu dans le monde musical se forment deux clans » : les scholistes et les debussystes[5]. Cette critique culturelle contraste nettement avec la démarche plus personnelle de Vuillermoz, dont les activités, aux côtés d'éminents critiques comme Jean Marnold, Louis Laloy, Pierre Lalo et Gaston Carraud, s'inscrivent dans une partie essentielle du

---

1. Léon Vallas, *Claude Debussy et son temps*, Paris, Librairie Félix Alcan, 1932, p. 177-211.
2. Jann Pasler, « Pelléas and Power : Forces behind the Reception of Debussy's Opera », *19th-Century Music*, vol. 10, n° 3, printemps 1987, p. 243-264 et Barbara L. Kelly, « Originalité et tradition : *Pelléas* et la bataille pour la musique française (1902-1920) », dans *Pelléas et Mélisande cent ans après : études et documents*, Jean-Christophe Branger, Sylvie Douche et Denis Herlin (dir.), Lyon, Symétrie – Palazzetto Bru Zane, 2012, p. 113-124.
3. Léon Vallas, *Claude Debussy et son temps*, *op. cit.*, p. 212-215. Le véritable nom de Jean Lorrain était Paul Duval (1855-1906). L'article devint plus tard le premier chapitre du roman satirique *Les Pelléastres*, Paris, Albert Méricant, 1910. Voir *Correspondance*, p. 825.
4. Léon Vallas, *Claude Debussy et son temps*, *op. cit.*, p. 214-215.
5. *Ibid.*, p. 215.

récit de la vie de Debussy[1]. Dans le cadre de sa seconde biographie, l'expression de sa perception du rôle et de l'autorité des critiques ainsi que sa description des positions politiques des musiciens français sont étonnantes pour l'époque[2].

Bien que témoin des luttes esthétiques provoquées par Debussy et le debussysme, il doit s'appuyer sur d'autres sources pour écrire sa biographie. Il y parvient grâce à une étude minutieuse de toutes les étapes de la vie du compositeur, se basant en particulier sur le récit de Maurice Emmanuel pour les années de Conservatoire, sur les comptes rendus et les lettres publiées par son éditeur Durand et sur le témoignage de Lilly Debussy qui a assisté à ses conférences et lui a parlé de son ex-mari[3]. Sur cet aspect, il se heurte à d'autres témoins et critiques, en désaccord avec son interprétation[4].

La biographie de Vallas provoque un scandale deux ans après sa parution. L'« affaire » est dévoilée en 1934 dans plusieurs numéros de *La Revue musicale*. Elle révèle les divergences d'opinion entre musicologues et amis de Debussy quant à la manière de commémorer et de contrôler la perception publique du musicien, soulevant ainsi la question de la légitimité pour le faire.

Henry Prunières lance son attaque dans le numéro de mai 1934 de *La Revue musicale*. Au cœur du problème, le fait que Vallas n'a pas connu Debussy et que, même s'il a su rassembler des témoignages, « on a constamment le sentiment qu'il passe à côté de la vérité[5] ». Prunières révèle que c'est grâce à Robert Godet, « celui des amis de Debussy qui a été le plus longtemps témoin de son existence », qu'il peut ainsi mettre en cause les affirmations de Vallas. Il se présente comme le scribe de Godet[6]. Niant avoir cherché à transformer

1. Voir son évaluation du rôle de Vuillermoz comme défenseur du debussysme, *op. cit.*, p. 218-219.
2. Voir, par exemple, le récit de la bataille des « chapelles » et « Le cas Debussy » de Vallas, *op. cit.*, p. 265-269 et p. 277-281.
3. Léon Vallas, « Autour de Debussy, réponse de M. Léon Vallas », *La Revue musicale*, juin 1934, p. 27.
4. Voir Barbara L. Kelly, « L'Affaire Vallas-Prunières », article cité et « Remembering Debussy in Interwar France », article cité, p. 384-388.
5. Henry Prunières, « Autour de Debussy », *La Revue musicale*, mai 1934, p. 349.
6. « Je l'ai trouvé rempli d'indignation contre "ce livre répugnant". Il a bien voulu me communiquer les notes dont il avait criblé les marges de son exemplaire... Je tiendrai donc la plume mais lui laisserai souvent la parole, l'estimant plus autorisé

Debussy en « petit saint », Prunières explique que « c'est pourquoi il [lui] paraît nécessaire de rectifier çà et là des erreurs matérielles et des interprétations qui portent préjudice à la mémoire de Claude Debussy[1] ».

Prunières désapprouve tout d'abord la tendance de Vallas à dramatiser la vie de Debussy. Godet et lui accusent Vallas de faire du sensationnel avec certains aspects de la vie privée de Debussy en relatant des anecdotes scandaleuses, indignes d'un critique sérieux. Il fait référence en particulier au titre « Lilly, abandonnée par son mari, tente de se suicider », ainsi qu'au commentaire sur la paternité incertaine de Debussy suggérant une possible illégitimité. Ils sont choqués par les insinuations laissant entendre que Debussy aurait choisi sa seconde épouse pour des questions sociales et financières[2]. En la matière, ils jugent les écrits de Vallas proches de la calomnie[3].

Vallas souhaite toucher le grand public. Après des années passées à rendre compte aux Lyonnais de la vie musicale parisienne et à prononcer des conférences devant des mélomanes, il éprouve le besoin d'éduquer le public et de sensibiliser les « amateurs » à la culture musicale et aux grandes figures de la musique. Sans se repentir le moins du monde des violents échanges publics avec Godet et Prunières, il exprime clairement sa mission de vulgarisateur dans sa dernière biographie :

> Cette présentation systématique, voire un peu didactique, satisfera probablement les amateurs désireux de posséder en un petit volume des indications succinctes et claires sur l'existence, l'art et l'œuvre d'un grand musicien, qui naguère paraissait difficile et qui commence à trouver auprès du grand public la large audience méritée par son génie[4].

Après la mort de Prunières et des proches de Debussy, au premier rang desquels ses épouses Lilly (1932) et Emma Debussy (1934),

que moi à rétablir la vérité de faits qu'il a connus d'origine » (*La Revue musicale*, mai 1934, p. 351-352).

1. *Ibid.*, p. 350.
2. Henry Prunières, « Autour de Debussy », *La Revue musicale*, mai 1934, p. 350-555.
3. Robert Godet cité par Henry Prunières, « Autour de Debussy », article cité, p. 355.
4. Léon Vallas, *Achille-Claude Debussy*, Paris, PUF, 1944, p. VII-VIII.

Vallas ne censure plus ses commentaires sur la vie affective compliquée de Debussy[1].

Prunières et Godet attaquent également Vallas sur son analyse des œuvres de Debussy, jugeant ses observations discutables. Les influences et les « emprunts » détectés par Vallas indignent Godet[2]. S'il est admis aujourd'hui que même les plus grands compositeurs sont influencés par leurs prédécesseurs et leurs contemporains, il s'agit d'un sujet controversé dans le Paris de l'entre-deux-guerres. Le débat est lancé par Maurice Emmanuel qui considère l'originalité de Debussy comme innée, ce dont témoignent avec évidence ses improvisations audacieuses au Conservatoire[3]. Si Vallas est en partie d'accord avec la théorie d'Emmanuel sur le génie de Debussy, il n'en consacre pas moins un temps considérable à discuter des influences et des « emprunts », à Moussorgski en particulier. Ce faisant, il contredit Godet selon lequel l'influence de Moussorgski n'a été que négligeable[4]. Craignant qu'admettre la moindre influence sur Debussy ne diminue son originalité, Godet lance deux accusations importantes : Vallas, qui n'était pas un proche de Debussy, ne peut entrer en concurrence avec ceux qui l'ont connu personnellement ; plus sérieusement, il met en cause ses compétences musicales lorsqu'il détecte des liens qui, selon lui, ne peuvent exister et qu'il en omet d'autres bien réels[5]. Le manque de respect de Prunières et de Godet pour Vallas est manifeste, qu'il s'agisse de l'historien, du musicien ou du critique.

Vallas est convaincu que l'utilisation conjuguée de documents d'archives et de sources musicales est fondamentale en musicologie. Il révèle que sa tendance à jumeler l'érudition et la démarche journalistique est délibérée et il critique la musicologie, discipline

1. Alors qu'il supprime le commentaire sur la paternité de Debussy, il est plus direct à propos du second mariage de Debussy. Voir Léon Vallas, *Achille-Claude Debussy*, *op. cit.*, p. 1-3 et p. 46-49.

2. Correspondance Godet-Prunières, s.d., n° 400 (Archives Prunières).

3. Maurice Emmanuel, « Les Ambitions de Claude-Achille », *La Jeunesse de Claude Debussy,* numéro spécial de *La Revue musicale*, 1er mai 1926, p. 43-50 et *Pelléas et Mélisande de Debussy : Étude et analyse*, Paris, Éditions Mellottée, 1926, p. 9-27.

4. Robert Godet, « En marge de la marge », article cité, p. 75.

5. Henry Prunières, « Autour de Debussy », *La Revue musicale,* mai 1934, p. 356-358.

encore naissante, qui écarte l'interprétation des sources[1]. Il est donc paradoxal qu'il s'indigne lui-même de l'interprétation qui peut être faite de la vie et de l'œuvre de Debussy, alors que ce qu'il redoute le plus est « un amas de documents[2] ». Ces divergences expliquent les tensions et la rivalité entre Godet, Prunières et Vallas pour déterminer qui était le plus apte à transmettre la pensée d'un compositeur comme Debussy.

Vuillermoz, Prunières et Vallas sont les premiers à jeter les bases de la mémoire d'un Debussy symbole national et international de la réussite française[3]. Tous trois contribuèrent de façon particulière à l'émergence de la recherche sur le musicien, même si leurs points de vue les mettent publiquement en désaccord. Vuillermoz est un éternel militant, qui s'interroge sur sa propre responsabilité dans l'échec de sa mission consistant à faire du debussysme un idéal durable. Même si Prunières utilise parfois les témoignages sans se poser de questions, il est le premier à créer un monument basé sur l'évaluation de l'œuvre de Debussy et fournit une somme inestimable de documents et témoignages inédits concernant en particulier les débuts de la carrière de Debussy, jusqu'alors peu connus. Vallas est au contraire un vulgarisateur qui utilise ses qualités conjuguées de musicologue et de critique pour faire reconnaître Debussy au-delà des cercles restreints qui l'ont promu. En jumelant l'étude et l'interprétation des sources, il remet également en question, d'une manière extrêmement moderne et pertinente, la méthodologie employée en musicologie.

La qualité des travaux de ces premiers spécialistes de Debussy perdure au-delà des polémiques qui ont pu les diviser. Ils n'en sont pas moins parvenus à imposer Claude Debussy comme un cas à part,

1. Léon Vallas, « Musicologie », *Nouvelle Revue musicale*, vol. 4, février 1924, p. 97-98. À cet égard, ses vues diffèrent de manière significative de celles de Vuillermoz qui pense que la musicologie et la critique doivent demeurer distinctes. Voir sa recension du livre d'André Cœuroy : « L'Édition musicale, André Cœuroy : la Musique française moderne », *Le Temps*, 5 mai 1922. Voir Barbara L. Kelly, *Music and Ultra-modernism in France : A Fragile Consensus*, *op. cit.*, chapitre 4.

2. Voir Henry Prunières, « Autour de Debussy », *La Revue musicale*, juin 1934, p. 26.

3. Voir Marianne Wheeldon, « Debussy's Reputational Entrepreneurs », dans *Authority, Advocacy, Legacy : Music Criticism in France (1918-1939)*, Barbara L. Kelly et Christopher Moore (dir.), en préparation.

comme le plus éminent compositeur français et comme un trésor du *patrimoine* national. Debussy a non seulement pesé sur l'innovation musicale de l'entre-deux-guerres, mais fourni une base de référence qui sert encore à mesurer la valeur d'un compositeur, (re)définissant, fixant même les principes de ce qui constitue la francité en musique. Alors qu'a été célébré en 2012 le 150e anniversaire de sa naissance, il est possible de réfléchir à plus d'un siècle de perpétuation de sa mémoire et de conservation des sources. Les manifestations commémoratives internationales organisées dans le cadre de cette célébration ont en effet offert une nouvelle occasion de réévaluer et affirmer l'importance universelle de Claude de France.

Portrait d'André Schaeffner en exégète debussyste
De l'« admiration aveugle » à l'« admiration raisonnée »

Nicolas Southon

> « Que nous importe la vie d'un musicien » – dit-on. Il faudrait admettre que le musicien n'a jamais eu d'inspirateurs, qu'il n'a jamais connu personne dont la conversation aurait éveillé une idée ou dont un trait, physique ou moral, n'aurait été repris dans un drame.
>
> André SCHAEFFNER[1].

« Historien et sociologue de la musique, auditeur de Debussy, ami de Stravinsky » : c'est par ces mots qu'André Schaeffner (1895-1980), quelques mois avant son décès, se présente en quatrième de couverture de ses *Essais de musicologie et autres fantaisies*[2]. Parmi les dix-sept études, rédigées entre 1924 et 1979, que contient l'ouvrage, certaines traitent d'ethnomusicologie et d'organologie, principaux champs de recherche de Schaeffner, qui fonda en 1929 le département d'ethnomusicologie du Musée d'ethnographie du Trocadéro (futur Musée de l'homme), où il fut en poste jusqu'en 1965. D'autres sont consacrées à des sujets tels que *Le Sacre du printemps* (Schaeffner a publié dès 1931 une biographie de Stravinsky), Francis Poulenc ou encore *Pierrot lunaire*. Avant de s'intituler «Variations Schoenberg », ce dernier article du recueil était baptisé « Pourquoi Debussy n'a-

1. Note de travail inédite conservée au Centre de Documentation Claude Debussy (DOSS-08.02, folio 4. Fonds Schaeffner).
2. André Schaeffner, *Essais de musicologie et autres fantaisies*, Paris, Le Sycomore, 1980, 371 p.

t-il pas composé *Pierrot Lunaire* ? » C'est que la question debussyste a particulièrement préoccupé Schaeffner : au cœur de ses *Essais de musicologie et autres fantaisies*, six articles traitent de Claude Debussy. Mais ce sont au total une douzaine de textes que Schaeffner, au cours de sa carrière, a consacrés au musicien. « Il n'écrivit jamais un livre entier sur Debussy, mais si ses études [...] concernant directement ou indirectement le compositeur étaient réunies, nous aurions un livre de plus de deux cents pages qui ne ressemblerait à nul autre et montrerait des aspects de l'auteur de *La Mer* qu'on ne trouverait nulle part ailleurs », estimait en 1990 sa veuve, l'ethnologue Denise Paulme-Schaeffner[1].

Debussy est ainsi, en quantité, le deuxième sujet traité par Schaeffner[2] (voir en Annexe la liste des travaux en question). En 1953 paraît sa première étude debussyste, particulièrement fouillée, s'intéressant aux liens du compositeur avec la musique russe (ce texte provoquera quelques remous[3], dont les échos sont encore perceptibles dans la préface des *Essais de musicologie et autres fantaisies*). L'article « Claude Debussy », dans l'*Histoire de la musique* dirigée par Roland-Manuel pour la prestigieuse collection de la Pléiade, témoigne de la légitimité qu'a rapidement acquise Schaeffner à propos du compositeur (c'est le seul texte panoramique qu'il lui consacre). En 1961, il livre des préfaces à la correspondance de Debussy et d'André Caplet, ainsi qu'à l'essai d'Edward Lockspeiser sur le musicien et Edgar Poe. Le centenaire de la naissance de Debussy accélère l'activité de Schaeffner : il publie un compte rendu de différents ouvrages sur le sujet, traite des goûts picturaux du compositeur lors du colloque organisé par

1. Denise Paulme-Schaeffner, « Avant-propos » à A. Schaeffner, *Le Sistre et le Hochet, musique, théâtre et danse dans les sociétés africaines*, Paris, Hermann, 1990, p. 10.

2. Signalons d'une part l'article de Rosângela Pereira de Tugny, « Miroirs croisés. André Schaeffner et ses variations sur Debussy », dans *Claude Debussy. Jeux de formes*, Maxime Joos (dir.), Paris, Éditions Rue d'Ulm, 2004, p. 131-144, qui s'attache à trois aspects du travail du musicologue sur le compositeur : la notion de « femme-luth », le lien entre nature et musique, la question de la « terreur » (autrement dit du « théâtre de la cruauté », que nous aborderons plus loin) ; d'autre part, la thèse de Doctorat en musicologie que prépare Gabriela Elgarrista : *Portrait intellectuel d'André Schaeffner à travers sa pensée sur Debussy et Stravinsky* (université Sophia Antipolis de Nice).

3. Voir « Une correspondance entre André Schaeffner et Marcel Dietschy. Dialogue et controverses debussystes (1963-1971) », édition et présentation de Nicolas Southon, *Cahiers Debussy*, n° 34, 2010, p. 96-97.

le CNRS, et rédige une préface à la correspondance entre Debussy et Victor Segalen. Quatre articles suivent jusqu'en 1971, consacrés aux nombreux projets de théâtre avortés du musicien, ainsi qu'à l'ouvrage *Monsieur Croche et autres écrits* édité par François Lesure (significativement, Schaeffner fait de son texte une véritable étude des écrits de Debussy, plus qu'un compte rendu du volume concerné). Schaeffner ne consacrera plus au compositeur qu'un article, en 1979, centré sur *Rodrigue et Chimène* ; ce sera l'un des deux seuls inédits de ses *Essais de musicologie et autres fantaisies* de 1980.

Dans le panorama des études debussystes, les travaux de Schaeffner s'inscrivent à la suite de ceux de Louis Laloy, d'Émile Vuillermoz, et surtout de Léon Vallas et d'Edward Lockspeiser. Contemporains de ceux de Marcel Dietschy et des analyses musicales de l'avant-garde (celle du *Prélude à l'Après-midi d'un faune* par Jean Barraqué date de 1954), ils précèdent les réalisations de François Lesure, principal spécialiste de Debussy dans le dernier quart du XXe siècle (Schaeffner est en contact avec lui à partir de 1962). Réalisé tardivement dans les écrits du chercheur, son intérêt pour Debussy remonte pourtant à ses dix-huit ans. C'est même le compositeur, raconte-t-il, qui lui a « ouvert les oreilles et [l'a] rendu sensible à un ordre de sonorités qui ne se percevait guère dans la musique classique[1] ». Dans ses archives figure une liste de la dizaine d'occasions lors desquelles, entre juin 1913 et mars 1917, Schaeffner aperçut Debussy, au détour d'une rue, dans une librairie ou une salle de concert, ou l'entendit sur scène[2]. Dès 1924, critique musical au *Ménestrel*, Schaeffner s'interroge sur l'orchestration de *Khamma,* due à Charles Kœchlin, dans laquelle il ne reconnaît nullement le style de Debussy, signe de son excellente connaissance du compositeur[3]. En 1946, il répond vigoureusement à Vladimir Jankélévitch, après que celui-ci a violemment affirmé que Ravel fut le bénéficiaire d'une gloire que

1. André Schaeffner, « Discours de départ à la retraite », dans Jean Jamin, « André Schaeffner », *Objets et Mondes. La Revue du Musée de l'Homme*, n° 20 (3), 1980, p. 135.

2. Document conservé au Centre de Documentation Claude Debussy (Fonds Schaeffner, chemise III [1-4]).

3. Voir André Schaeffner, « Concerts-Colonne, dimanche 30 novembre », *Le Ménestrel*, 5 décembre 1924, n° 49, p. 508 (cet article donna lieu à une réaction de Kœchlin, à laquelle répondit Schaeffner dans les numéros du périodique des 19 et 26 décembre suivants).

seul Debussy, le véritable novateur mort dans l'indifférence, méritait. Schaeffner remet alors les pendules à l'heure en rappelant que la qualité humaine de Ravel fut bien supérieure à celle de Debussy[1]. L'objection est significative : d'une manière qui peut rappeler l'idée de « moi mythique » développée en 1947 par Boris de Schlœzer[2], Schaeffner distingue nettement l'homme de l'artiste. Cette position lui vaudra plus tard un différend avec Marcel Dietschy, qui l'accusera d'avoir discrédité Debussy dans son article de 1953. « J'ai horreur de l'imagerie, lui répondra Schaeffner [...] J'aurais fait un très mauvais hagiographe. [...] Je ne dénigre point, mais ne suis non plus un dévot. Je crois être plus proche de Debussy en le voyant humainement, avec ses faiblesses, ses défauts, ses rancœurs et aussi ses souffrances[3]. » Les deux hommes apaiseront leurs divergences, sans les faire taire totalement. Dans son premier courrier à Dietschy, Schaeffner résume parfaitement son rapport au compositeur :

> Debussy est en moi un point *très* sensible. C'est à lui d'abord, à Stravinsky ensuite, que je dois de m'être tourné vers la musicologie. [...] J'ai eu pour Debussy une véritable adoration, au point, durant plusieurs années de ma jeunesse, de ne voir qu'en lui seul la musique. Sur mon piano ne se trouvaient que *Pelléas*, ou les *Estampes*, *Images*, *Préludes*, etc. : je n'allais à peu près qu'aux concerts où l'on jouait du Debussy. Et mon culte s'adressait autant à l'homme ; j'essayais par tous les moyens de m'approcher de lui[4]. Comme dirait Golaud, je n'étais qu'un enfant. [...] Mon admiration pour la musique de Debussy passa

1. André Schaeffner, « Halifax R G 587 », *Contrepoints*, n° 5, décembre 1946, repris dans *Essais de musicologie et autres fantaisies*, *op. cit.*, puis dans *Variations sur la musique*, Paris, Fayard, 1998, p. 223-225.

2. Dans son *Introduction à J.-S. Bach : essai d'esthétique musicale* (Paris, Gallimard, 1947 ; nouvelle édition de Pierre-Henry Frangne, Rennes, Presses universitaires de Rennes, 2009, 305 p.), Boris de Schlœzer développe l'idée qu'il faut distinguer chez l'artiste entre l'homme du quotidien, façonné par des facteurs historiques et psychologiques, et le créateur, dont l'œuvre produirait l'identité (à ce sujet voir l'introduction de P.-H. Frangne, *ibid.*).

3. Voir lettre d'André Schaeffner à Marcel Dietschy, 13 juin 1963, publiée dans « Une correspondance entre André Schaeffner et Marcel Dietschy. Dialogue et controverses debussystes (1963-1971) », article cité, p. 96-97.

4. Cinq mois avant sa mort, Schaeffner racontait encore à la radio ces épisodes de sa jeunesse et la fascination qu'avait exercée Debussy sur lui (voir « André Schaeffner, mars 1980 : regards sur le passé (Debussy, Stravinsky, Poulenc) », document présenté et annoté par Gabriela Elgarrista et Jean-Louis Leleu, *Revue de musicologie*, t. 96, n° 2, 2010, p. 397-400).

> ensuite par des hauts et des bas. Toutefois il me suffisait d'une belle interprétation (Inghelbrecht, Ansermet, Toscanini) d'une de ses œuvres d'orchestre pour revenir à mon ancien amour. Et c'est plutôt en cette période où j'avais acquis un esprit plus critique, et surtout de plus larges connaissances en musique, que je sus mieux distinguer la vraie valeur de Debussy. À une admiration aveugle succéda une admiration raisonnée. Et celle-ci n'a fait qu'augmenter[1].

Le propos de Schaeffner, dans sa douzaine d'articles sur Debussy, est rédigé dans un style dense et littéraire qui n'appartient qu'à lui, et sous-tendu par une connaissance remarquable de l'œuvre du compositeur. Émaillé de fulgurances, de rapprochements frappants voire audacieux, il étonne surtout par le foisonnement et la prolifération de ses développements, par l'attention accordée aux détails et par ses vastes digressions. Schaeffner, c'est sa marque, s'éloigne souvent de son sujet, en quadrille les alentours au moyen d'une exceptionnelle érudition, pour y revenir avec une argumentation d'autant plus serrée. Ce que François Lesure appellera « chercher autour du musicien[2] ». Jusqu'au vertige du lecteur, jusqu'à sa fatigue parfois, Schaeffner veut traduire la « polyphonie » complexe du réel, formée d'un « encombrement de lignes, souvent peu faites pour s'accorder entre elles, et qu'il faut bien que l'historien admette dans la *composition* de son récit », ainsi qu'il l'explique dans l'un des détours, justement, de son étrange article « Halifax R G 587[3] », qui mêle autobiographie, musique et musicologie au lendemain de la Seconde Guerre mondiale. Schaeffner s'attache aux filiations, aux convergences, aux correspondances entre les arts, aux liens entre eux d'événements apparemment lointains. Il cherche à repenser le génie de Debussy dans son interaction avec un contexte culturel, surtout littéraire d'ailleurs, jusqu'à vouloir comprendre tout ce qui détermine un fait, en amont et synchroniquement : « Il importe de savoir quels *sentiments* animaient Debussy quand il composait la première version de *Pelléas* », écrit-il par exemple pour justifier sa

1. Lettre, d'André Schaeffner à Marcel Dietschy, 13 juin 1963, publiée dans « Une correspondance entre André Schaeffner et Marcel Dietschy. Dialogue et controverses debussystes (1963-1971) », article cité, p. 96.

2. François Lesure, « [Nécrologie d']André Schaeffner (1895-1980) », *Cahiers Debussy*, n° 4-5, 1980-1981, p. 68.

3. André Schaeffner, « Halifax R G 587 », article cité, p. 234.

démarche[1]. Significatif est son projet, vite abandonné semble-t-il, dont il fait part à Dietschy en 1971 : « Dépouiller toutes les revues et ouvrages symbolistes, décadents, même naturalistes, où Debussy aurait pu trouver quelque inspiration, peu à peu reconstituer le climat intellectuel où il vécut[2]. »

Schaeffner traite de manière approfondie de thématiques restreintes, mais il n'y a pas chez lui d'aspiration à la biographie traditionnelle (au contraire de chez Dietschy, dont le travail sur Debussy ne s'accomplit qu'en un ouvrage qui respecte, de manière assez attendue, le contrat tacite du genre biographique). Son ami Michel Leiris rappelle cette phrase de Marcel Mauss, sociologue et père de l'ethnologie française, qui fut le maître de Schaeffner : « Peu importe par quel bout l'ethnographe prend une société : dès l'instant qu'il mène une enquête serrée, tout y passe et l'essentiel est qu'il soit parti d'un élément concret auquel solidement s'accrocher[3]. » Il faut souligner que le travail de Schaeffner sur Debussy est redevable en partie à sa formation d'ethnologue. Le chercheur explique ainsi :

> L'ethnographe possède […] ce rare avantage d'avoir été *dedans* et d'avoir vécu une certaine expérience. […] il n'y a […] pas entre lui et les faits cette série d'écrans qu'interposent inévitablement […] les documents dont se sert l'historien. La seule responsabilité de l'ethnographe est engagée ; elle est pour le moins lourde. […] Malgré ce qui le sépare de cette civilisation […], il aura au moins découvert que les choses se déroulent toujours différemment de ce qui en est présenté dans les livres d'histoire […] Toutefois cette expérience, vécue par l'ethnographe, serait en partie perdue si elle le portait à rejeter les livres, et non pas à les lire avec une attention accrue. […] Nous sourions parfois des efforts déployés par les musicologues […] pour établir une date quelconque […] Une chronologie certaine est cependant précieuse et risque de faire entrevoir […] d'étranges relations de causalité. La preuve, par exemple, que l'on a acquise que Debussy avait composé

1. André Schaeffner, « Théâtre de la peur ou de la cruauté ? », préface à Edward Lockspeiser, *Debussy et Edgar Poe*, Monaco, Éditions du Rocher, 1962, repris dans *Essais de musicologie et autres fantaisies*, *op. cit.*, puis dans *Variations sur la musique*, *op. cit.*, p. 381.

2. Lettre d'André Schaeffner à Marcel Dietschy, 12 janvier 1971, publiée dans « Une correspondance entre André Schaeffner et Marcel Dietschy… », article cité, p. 115.

3. La phrase est citée par Michel Leiris dans sa préface à André Schaeffner, *Le Sistre et le hochet, musique, théâtre et danse dans les sociétés africaines*, *op. cit.*, p. 7.

> deux de ses *Chansons de Charles d'Orléans* non pas l'année où il les publia (en 1908), mais en avril 1898 […] m'a permis d'établir en outre que l'idée assez surprenante d'écrire des chansons *a capella* avait été suggérée à Debussy par l'audition […] le 7 du même mois d'avril, à l'Opéra de Paris, des *Pezzi sacri* de Giuseppe Verdi[1].

De son expérience de terrain comme ethnologue, Schaeffner a retenu que la réalité n'était jamais telle que ce qu'en laissaient paraître ensuite ses traces écrites, et que les discours théoriques ne la reflétaient que plus partiellement encore[2]. Coupé de la réalité dont il traite, l'historien ne doit pas s'interdire de laisser place à son intuition, et même de reconstituer en partie cette réalité, puisque les livres en fin de compte ne lui seront jamais fidèles. Schaeffner le dit clairement ailleurs : concernant Debussy, « une demi-vérité sera toujours préférable à une platitude[3] ». Il estime par exemple que les « biographes de Debussy » ayant seulement confronté ses réactions contradictoires face à Wagner n'ont pas pris la mesure de son voyage à Bayreuth dans sa formation[4] ; il fustige encore les musicologues « trop exclusivement historiens, plus soucieux de la présence de documents écrits que de celle, autrement réelle et concrète, de la personne de Debussy[5] ». Puisque la musicologie peine à légitimer sa place dans les sciences humaines, il l'invite à réaliser sa mue en s'émancipant des méthodes purement « "historisantes", désuètes et

1. André Schaeffner, « Ethnologie musicale ou musicologie comparée ? », *Les Colloques de Wégimont*, Paul Collaer, Bruxelles, Elsevier, 1956, p. 20-22. Voir aussi dans ce volume l'article de Marianne Wheeldon, « Debussy, le debussysme et les *Chansons de Charles d'Orléans* », p. 211-220.

2. Sur cette réflexion méthodologique de Schaeffner, voir aussi ses articles « Musique primitive ou exotique et musique moderne d'Occident », *Atti del terzo congresso internazionale di musica* [1938], Firenze, Le Monnier, 1940, p. 176-186, et « Contribution de l'ethnomusicologie à l'histoire de la musique », *International musicological Society. Report of the eight Congress, New York, 1961*, Kassel, Bärenreiter, 1961-1962, t. 1, 376-379.

3. André Schaeffner, « [Comptes rendus d'ouvrages sur Debussy] », *Revue de musicologie*, vol. 48, n° 125, juillet-décembre 1962, p. 174.

4. André Schaeffner, « Claude Debussy », dans *Histoire de la musique*, Roland Manuel (dir.), Paris, Gallimard, Bibliothèque de la Pléiade, 1963, t. II, p. 915.

5. André Schaeffner, « Debussy et ses rapports avec la musique russe », dans *Musique russe*, études réunies par Pierre Souvtchinsky, Paris, PUF, 1953, t. 1, p. 95-138, repris dans *Essais de musicologie et autres fantaisies, op. cit.*, puis dans *Variations sur la musique, op. cit.*, p. 296.

mesquines », position marginale à l'époque (Schaeffner mentionne l'avertissement en ce sens de François Lesure – qu'il ne présente encore que comme un « spécialiste de la musique XVIe siècle » –, attentif lui aussi aux questions de méthodologie[1]). Rejet d'un positivisme étroit, méfiance vis-à-vis des sources traditionnelles, souci de révéler l'envers de ce qui est observable, prise en compte des domaines extra-musicaux, souhait de problématiser des thèmes précis et de les développer au moyen d'une narration libre, recul méthodologique : ces particularités du travail de Schaeffner ne sont pas sans rappeler les préoccupations, contemporaines, de l'École des Annales. De manière assez visionnaire, elles annoncent aussi une histoire sociale de la musique[2] que la musicologie ne développera véritablement qu'après la disparation de Schaeffner. Dans l'introduction de son article fondateur de 1953, le chercheur évoque la méthode qu'il a adoptée face à son sujet :

> Je me suis efforcé […] de replacer la vie de Debussy dans celle de son temps dont rien ne prouve qu'il ait cherché à s'abstraire. […] À peu près rien de ce qui est valable en d'autres cas ne semble applicable à Debussy : mode de prospection, ordre de conclusions que l'on en doit tirer. […] Qu'est-ce qui, tout d'abord, est *certain* avec Debussy ? […] Sur ses goûts réels comme sur l'étendue exacte de ce qu'il connaît, nous ne saurions nous prononcer avec trop de circonspection. […] Quelle part d'imaginaire se glisse dans les choses dont il nous entretient ? Enfin, il faut tenir compte de ses silences et de l'ombre portée sur maints détails de sa vie ou de son œuvre. […] Sur le plan de l'art comme dans le commerce de la vie, Debussy s'est plus dérobé que prêté à des éclaircissements. […] À défaut de témoignages de l'histoire devons-nous former des conjectures sur le comportement habituel de l'artiste et entrevoir dans ses œuvres, à certains indices, des stimulations probables venues de l'extérieur. […] Cet art qui semble avoir emprunté au rêve matière et forme, son créateur n'en fut pas moins constamment éveillé[3].

1. André Schaeffner, « Ethnologie musicale ou musicologie comparée ? », article cité, p. 21. Schaeffner fait référence à l'article de François Lesure « Musicologie et sociologie », *Revue musicale*, n° 221, 1953, p. 4-11.

2. En plus des références déjà citées, voir par exemple « Musique populaire et art musical », *Journal de Psychologie normale et pathologique*, janvier-février 1951, repris dans *Essais de musicologie et autres fantaisies*, *op. cit.*, puis dans *Variations sur la musique*, *op. cit.*, p. 49 *sq.* (à partir de « Toute l'histoire de la musique, telle qu'elle est généralement présentée »).

3. André Schaeffner, « Debussy et ses rapports avec la musique russe », article cité, p. 256.

Tout le travail de Schaeffner sur Debussy est traversé par cette thématique d'un artiste s'entourant de secret, camouflant ses sources d'inspiration, compartimentant ses amitiés tout comme ses projets auprès de ses différents collaborateurs, créant parfois un écheveau de mensonges par souhait de dissimulation[1]. « J'ai trop de raisons de croire que Debussy a enveloppé de mystère son œuvre comme sa vie. [...] Debussy était prédestiné à composer *Pelléas*, drame par excellence du mystère », écrit Schaeffner[2]. Et dans un courrier à François Lesure : « L'idée qu'on se fait de Debussy, au moins l'homme et l'artiste, est pour moi entièrement fausse et conventionnelle... Je n'en démordrai pas. J'aime trop Debussy, même l'homme, pour me contenter d'images d'Épinal. [...] Il faut que la vérité sorte[3]. » C'est sur ce motif d'un Debussy insaisissable, entouré de fausses légendes, objet d'affirmations opposées des musicologues et pouvant être rapporté à tout et son contraire, que Schaeffner ouvre son article dans l'*Histoire de la musique* publiée par Roland-Manuel. Son souci de voir révéler l'homme en même temps que l'artiste Debussy explique que la question de sa correspondance, encore très partiellement connue à son époque, l'inquiète particulièrement[4] : il en appelle le premier

1. Ce dernier point est évoqué par Schaeffner dans son « Avant-propos » à Claude Debussy, *Lettres inédites à André Caplet*, Monaco, Éditions du Rocher, 1957, p. 10-11.

2. André Schaeffner, « [Comptes rendus d'ouvrages sur Debussy] », article cité, p. 175-176. Voir aussi « Teatro immaginario di Debussy », *Nuova rivista musicale italiana*, n° 2, juillet-août 1967, repris en version française (« Le théâtre imaginaire de Debussy ») dans *Essais de musicologie et autres fantaisies*, *op. cit.*, puis dans *Variations sur la musique*, *op. cit.*, p. 317-318 (à partir de « Une question se pose d'abord : que connaissons-nous de la vie de Debussy ? »).

3. Lettre d'André Schaeffner à François Lesure, 27 octobre 1961, citée dans Gilbert Rouget et François Lesure, « Mais qui étiez-vous André Schaeffner ? », *Les Fantaisies du voyageur*, XXXIII (« Variations Schaeffner »), Jean Gribenski et Jean-Michel Nectoux (éd.), Paris, Société française de musicologie, t. 68, 1982, n°s 1-2, p. 12. Lesure cite également cette lettre dans « [Nécrologie d']André Schaeffner (1895-1980) », article cité. Cette lettre est conservée dans le Fonds Lesure du Centre de documentation Claude Debussy.

4. Voir en particulier le début de l'« Avant-propos » à Claude Debussy, *Lettres inédites à André Caplet*, *op. cit.*, p. 9 ; une discussion lors du colloque organisé par le CNRS à Paris du 24 au 31 octobre 1962, dans *Debussy et l'évolution de la musique au XXe siècle*, études réunies et présentées par Édith Weber, Paris, Éditions du CNRS, 1965, p. 341 ; « Le théâtre imaginaire de Debussy », article cité, p. 318 ; la lettre à Marcel Dietschy du 12 janvier 1971 dans « Une correspondance entre André Schaeffner et Marcel Dietschy... », article cité, p. 112 ; le compte rendu de *Monsieur Croche et autres écrits* dans la *Revue de musicologie*, t. 57, n° 2, 1971,

à lancer ce vaste chantier, qui ne parviendra à son aboutissement qu'en 2006.

Cherchant encore à renouveler la compréhension de Debussy, Schaeffner insiste sur l'expression de l'angoisse et de l'étrange dans son œuvre ; ce qu'il appelle son « théâtre de la peur », « de la terreur » ou « de la cruauté ». Son article de 1961 en traite précisément, mais l'idée est présente aussi dans d'autres textes[1], en particulier « Le théâtre imaginaire de Debussy », de 1967, qui en est une extension[2]. Schaeffner emprunte bien sûr l'expression à Antonin Artaud, qui avait défendu en 1932 le projet d'un « théâtre de la cruauté » dans lequel la représentation théâtrale deviendrait, par sa violence, une expérience aux vertus cathartiques. Au prisme des projets de théâtre inaboutis de Debussy, l'un de ses intérêts majeurs, Schaeffner explore le rapport complexe du musicien au genre de l'opéra, à ses personnages, et reconsidère sa production achevée. Il insiste ce faisant sur le versant sombre de sa psychologie, sur son attirance pour l'horreur et le morbide, remarquables dans ses goûts littéraires et ses choix de sujets ; la fascination de Debussy pour les spectacles musicaux d'Extrême-Orient et de Java, qu'il découvrit aux Expositions universelles de 1889 et 1900, y renvoie également[3]. Il semble que cette conception ait profondément marqué Pierre Boulez, avec qui Schaeffner noue un dialogue à partir du milieu du siècle. En 1951, le musicologue répond avec « Variations Schoenberg » à son polémique « Trajectoires : Ravel, Strawinsky, Schoenberg[4] ». Il n'est

---

repris dans *Essais de musicologie et autres fantaisies, op. cit.*, puis dans *Variations sur la musique, op. cit.* (sous le titre « M. Croche »), p. 373.

1. Voir « Claude Debussy et ses projets shakespeariens », *Revue d'histoire du théâtre*, XVI/1, octobre-décembre 1964, repris dans *Essais de musicologie et autres fantaisies, op. cit.*, puis dans *Variations sur la musique, op. cit.*, p. 311.

2. Voir par exemple « Le théâtre imaginaire de Debussy », article cité, p. 331. Cette expression de « théâtre imaginaire » est elle-même déjà présente dans « Claude Debussy », *Histoire de la musique, op. cit.*, p. 924.

3. Rappelons qu'Artaud a décrit les spectacles de Bali dans un texte préparant son projet de « théâtre de la cruauté » (« Sur le Théâtre balinais vu à l'Exposition Coloniale », *La Nouvelle Revue Française*, n° 217, octobre 1931), ce qui ajoute à la cohérence du « théâtre de la cruauté » debussyste imaginé par Schaeffner.

4. Pierre Boulez, « Trajectoires : Ravel, Strawinsky, Schoenberg », *Contrepoints*, n° 6, octobre-décembre 1949, repris dans *Relevés d'apprenti*, Paule Thévenin (éd.), Paris, Seuil, 1966, puis dans *Points de repère*, t. I, *Imaginer*, Jean-Jacques Nattiez et Sophie Galaise (éd.), Paris, Christian Bourgois/Seuil, 1995 ; André Schaeffner, « Variations Schoenberg », *Contrepoints*, n° 7, 1951, repris dans *Essais de musicologie et autres*

pas impossible en outre que l'article de Boulez « La corruption dans les encensoirs[1] », qui insiste en 1956 sur la modernité debussyste et sur ce qu'elle doit à des influences extra-musicales, soit redevable à Schaeffner[2]. En 1969 surtout, Boulez réclame au musicologue un article pour accompagner l'enregistrement de *Pelléas et Mélisande*, qu'il s'apprête à graver :

> J'aimerais vous demander [...] si vous vouliez écrire un texte – ou une variation du texte existant – sur Debussy et le théâtre de la cruauté en replaçant *Pelléas* au milieu de ses efforts inaboutis de théâtre, spécialement *La Chute de la maison Usher*. J'aimerais pouvoir produire votre texte à l'appui de la musique [...] afin qu'on voie bien que Debussy n'était pas ce débile mollasson qu'on présente comme le fin du fin de la musique française entre les marrons glacés et Chanel n° 4 (ou 5 ou 10 ?) [...] Je crois que vous êtes le seul à pouvoir faire cela, et à justifier, documents en main, ce que j'ai fait partition en main[3].

Dans la vision esthétique que Schaeffner a proposée de Debussy, s'inscrit donc la vision d'interprète de Boulez. À l'encontre de l'imagerie conventionnellement associée au compositeur, le chef appuie la noirceur de *Pelléas et Mélisande*, en plaçant l'accent notamment sur la démence de Golaud, qu'il voit en personnage-clef de l'ouvrage[4]. Dans son propre article « Miroirs de *Pelléas* », rédigé pour la production londonienne de l'opéra qu'il dirige en 1969, puis joint l'année suivante à son enregistrement, le chef d'orchestre se place dans les pas du musicologue : « Comme André Schaeffner l'a écrit, il s'agit

---

fantaisies, *op. cit.* ; ces textes de Boulez et Schaeffner ont été réunis dans leur *Correspondance 1954-1970*, R. Pereira de Tugny (éd.), Paris, Fayard, 1998, p. 131-161 et p. 162-196.

1. Pierre Boulez, « La corruption dans les encensoirs », *La Nouvelle Revue Française*, n° 48, décembre 1956, repris dans *Relevés d'apprenti*, *op. cit.*, p. 33-41, puis dans *Points de repère*, t. I, *Imaginer*, *op. cit.*, p. 155-163.

2. C'est l'avis d'Edward Campbell dans *Boulez, Music and Philosophy*, Cambridge, Cambridge University Press, 2010, p. 24.

3. Lettre de Pierre Boulez à André Schaeffner, 3 décembre 1969, dans leur *Correspondance 1954-1970*, *op. cit.*, p. 108. Schaeffner évoque à Boulez son article « Théâtre de la peur ou de la cruauté ? » dès l'époque de sa rédaction (voir la lettre qu'il lui adresse le 22 novembre 1961, *ibid.*, p. 42) ; Boulez reprend cette conception de Debussy (voir le post-scriptum à son courrier du 24 novembre suivant, *ibid.*, p. 50) ; voir aussi la lettre de Schaeffner à Boulez du 30 décembre 1969, *ibid.*, p. 114.

4. Voir lettre de Pierre Boulez à A. Schaeffner, 1er décembre 1970, dans *ibid.*, p. 125.

bien d'un théâtre de la peur et de la cruauté ; [*Pelléas*] doit être interprété comme tel[1]. » Boulez ridiculise la poésie fade et les clichés, « cartes postales exsangues et sottes », que la tradition a perçus dans l'ouvrage ; il fustige la réduction de Debussy à l'élégance, au charme et à la sempiternelle clarté française : « Tout l'œuvre de Debussy, et non, hélas ! le seul *Pelléas*, a pâti de l'emprise de thuriféraires locaux qui ont asphyxié leur idole sous un encens de qualité douteuse[2]. »

Sans prendre part directement aux combats de l'avant-garde sérielle, Schaeffner voit rapidement en Boulez « l'héritier le plus direct de Debussy[3] ». En cela, le jeune compositeur supplante Poulenc dans son esprit. En 1946, Schaeffner avait en effet publié l'article « Francis Poulenc, musicien français », dont le titre disait suffisamment qu'il voyait l'auteur de *Figure humaine*, dont il était proche depuis le milieu des années vingt, en successeur de Debussy. Le bouleversement esthétique de l'après-guerre change la donne, et Schaeffner se désintéresse peu à peu de la musique de Poulenc. Ce n'est pas un hasard en outre si le musicologue professe une admiration spéciale pour le dernier Debussy, à l'instar des représentants de l'avant-garde sérielle (Schaeffner est l'un des rares de sa génération à évoquer *Jeux* de Debussy comme « son chef-d'œuvre peut-être[4] »). Une telle conver-

1. Pierre Boulez, « Miroirs de *Pelléas* », dans le livre-programme de la production de *Pelléas et Mélisande* de l'Opéra de Covent Garden à Londres en 1969, repris dans l'enregistrement de l'œuvre sous la direction de Boulez, édité par CBS en 1970 (réf. 77324), puis dans *Points de repère*, Paris, Christian Bourgois/Seuil, 1981, puis dans *Points de repère*, t. II, *Regards sur autrui*, Jean-Jacques Nattiez et Sophie Galaise (éd.), Paris, Christian Bourgois, 2005, p. 137.

2. *Ibid.*, p. 130 et 136.

3. Lettre d'André Schaeffner à Marcel Dietschy, 12 janvier 1971, dans « Une correspondance entre André Schaeffner et Marcel Dietschy… », article cité, p. 113. Pour approfondir la question du dialogue entre Schaeffner et Boulez à propos de Debussy, voir les articles de Luisa Bassetto, « Pierre Boulez e André Schaeffner : storia di un'influenza reciproca », *Musica e storia*, vol. 11, n° 2, 2003, p. 371-392 ; Thomas Bösche, « Des résonnances obstinément mystérieuses… Claude Debussy et Pierre Boulez ou le portrait des compositeurs en Roderick Usher », *Claude Debussy. Jeux de formes*, *op. cit.*, p. 145-155 ; Maxime Joos, « Variations esthétiques (Schlœzer, Boulez, Schaeffner) », *Revue de musicologie*, t. 91, n° 2, 2005, p. 401-424 ; Brice Tissier, « Pierre Boulez et le Théâtre de la Cruauté d'Antonin Artaud : de *Pelléas* à *Rituel in memoriam Bruno Maderna* », *Intersections : revue canadienne de musique*, vol. 28, n° 2, 2008, p. 31-50.

4. André Schaeffner, « Avant-propos » à Claude Debussy, *Lettres inédites à André Caplet*, *op. cit.*, p. 13. La question du dernier Debussy restera une pomme de discorde entre Schaeffner et Dietschy.

gence trahit une même volonté de renouveler l'image de Debussy : l'avant-garde a besoin de mettre en exergue la modernité du compositeur, Schaeffner cherche à percer son secret. Le musicologue, certes, ne saurait imaginer l'œuvre de Debussy, source pour lui de tout modernisme avec celle de Stravinsky, coupée de son environnement culturel, contrairement à l'avant-garde sérielle imprégnée de structuralisme[1]. Mais dans les deux cas, il s'agit de lutter contre une vision académique et par trop traditionnaliste du compositeur, de le dépouiller des récupérations idéologiques ou des clichés musicologiques qui menacent de figer sa figure en un récit historique officiel, et son œuvre dans une distinction et une volupté bon teint.

Relire Schaeffner : espérons que son portrait en « auditeur » et exégète de Debussy en aura fait naître le désir. Bien sûr, depuis ses travaux la musicologie a résolu nombre des interrogations qu'il avait posées, bien sûr elle a approfondi des voies dans lesquelles il s'était engagé, et s'est dotée de nouveaux outils relatifs au compositeur. Mais ces avancées n'ont en rien diminué la force des écrits debussystes de Schaeffner et l'intérêt que l'on peut trouver aujourd'hui à les fréquenter. Toujours, ils offrent le modèle d'une pensée magnifiquement rigoureuse et érudite, mais libre, inventive et excitante tout autant. Ils invitent encore à un questionnement fertile sur Debussy, dont la personnalité se trouve cernée comme les principaux enjeux de son œuvre, et constituent une porte d'entrée vers les spécificités de son génie. Un génie dont Schaeffner s'attacha à montrer, davantage qu'aucun autre avant lui, qu'il n'était pas isolé, mais au contraire, en dialogue étroit avec son époque. D'après François Lesure, qui réalisa et lança les chantiers musicologiques selon des normes scientifiques dont Debussy n'avait pas encore bénéficié, Schaeffner fut un « rénovateur des études debussystes » qui modifia « en profondeur l'image qu'un Vallas avait léguée du musicien[2] ». Même si ses travaux, somme toute, sont demeurés confidentiels, car à la fois touffus et dispersés, ils ont permis d'infléchir l'idée que l'on se faisait du composi-

1. Voir Olivier Roueff, « L'ethnologie musicale selon André Schaeffner, entre musée et performance », *Revue d'Histoire des Sciences Humaines*, avril 2006, vol. 14 (« Musique et sciences humaines. Rendez-vous manqués ? », coordonné par Rémy Campos, Nicolas Donin et Frédéric Keck), p. 94.

2. François Lesure, « [Nécrologie d']André Schaeffner (1895-1980) », article cité, et « Mais qui étiez-vous André Schaeffner ? » (avec Gilbert Rouget), article cité, p. 12.

teur. Schaeffner était convaincu que le « mystère Debussy » n'avait pas encore été percé, mais qu'admirer le musicien n'impliquait pas nécessairement d'en faire une icône intouchable. Ce faisant, il a préparé et initié le basculement des études debussystes vers la scientificité[1]. « Mais qui étiez-vous André Schaeffner ? », s'interrogeaient Gilbert Rouget et François Lesure en 1982, face à l'œuvre étonnante du chercheur[2]. Les mots de l'intéressé à propos de l'ethnomusicologue Constantin Brăiloiu, en 1962, s'appliquent parfaitement à lui-même – il est impensable que Schaeffner n'en ait pas eu conscience en les écrivant : « Là s'exprime un historien doublé d'un ethnologue, qui a pleinement conscience du caractère exceptionnel, pour ne pas dire anormal, de toute notre musique. Mais qui a saisi en celle de Debussy, tout accidentelle qu'elle paraisse, le produit d'inévitables rencontres[3]. »

1. François Lesure rend explicitement hommage à Schaeffner (ainsi qu'à Edward Lockspeiser et Stefan Jarociński) dans *Debussy*, p. 9.

2. François Lesure et Gilbert Rouget, « Mais qui étiez-vous André Schaeffner ? », article cité.

3. A. Schaeffner, Introduction à la conférence de Constantin Brăiloiu, « Claude Debussy (coup d'œil historique) », *Revue de musicologie*, vol. 48, n° 125, juillet-déc. 1962, p. 122.

Annexe

Bibliographie des travaux d'André Schaeffner sur Claude Debussy

« Debussy et ses rapports avec la musique russe », *Musique russe*, t. 1, sous la direction de Pierre Souvtchinsky, Paris, PUF, 1953, p. 95-138, repris dans *Essais de musicologie et autres fantaisies*, Paris, Le Sycomore, 1980, p. 157-206, puis dans *Variations sur la musique*, Paris, Fayard, 1998, p. 255-303.

« Claude Debussy », *Histoire de la musique*, sous la direction de Roland-Manuel, Paris, Gallimard, 1963, Bibliothèque de la Pléiade, p. 909-926. La dactylographie originale datée de 1955 est conservée dans le Fonds Schaeffner du Centre de Documentation Claude Debussy [DOSS-08.01].

« Avant-propos » à Claude Debussy, *Lettres inédites à André Caplet (1908-1914)*, Monaco, Éditions du Rocher, 1961, Domaine Musical, p. 9-19.

« Théâtre de la peur ou de la cruauté ? », préface à *Debussy et Edgar Poe*, documents recueillis et présentés par Edward Lockspeiser, Monaco, Éditions du Rocher, 1961, coll. Domaine Musical, p. 7-29, repris dans *Variations sur la musique, op. cit.*, p. 374-390[1].

« Du côté de chez Debussy », préface à *Segalen et Debussy*, Monaco, Éditions du Rocher, 1962, coll. Domaine Musical, p. 19-45, repris dans *Variations sur la musique, op. cit.*, p. 391-410 (sous le titre « Segalen et Debussy »). *Segalen et Debussy* devait initialement paraître en janvier 1959. L'article suivant est une version raccourcie, et traduite en italien, de sa préface : « Claude Debussy e Victor Segalen », *La Rassegna Musicale*, vol. 29, n° 3, septembre 1959, p. 205-218[2].

Introduction à Constantin Brăiloiu, « Coup d'œil historique sur l'œuvre de Debussy », *Revue de musicologie*, vol. 48, n° 125, juillet-décembre 1962, p. 121-128.

« [Comptes rendus d'ouvrages sur Debussy] », *Revue de musicologie*, vol. 48, n° 125, juillet-décembre 1962, p. 169-179.
Schaeffner rend compte ici de cinq ouvrages (il est l'un des maîtres d'œuvre et/ou l'auteur de la préface des deux premiers) : *Debussy et Edgar*

1. Les différents articles du recueil de 1980 *Essais de musicologie et autres fantaisies* ont été révisés à l'occasion de leur reparution, excepté « En peine d'un livret », qui en était l'unique texte inédit.

2. Nous remercions Gabriela Elgarrista de ses précisions concernant cette référence.

Poe, *op. cit.*, 132 p. ; *Segalen et Debussy*, *op. cit.*, 344 p. ; Marcel Dietschy, *La Passion de Claude Debussy*, Neuchâtel, Éditions de la Baconnière, 1962, coll. Langages, 287 p. ; Yvonne Tiénot et Oswald d'Estrade-Guerra, *Debussy. L'homme, son œuvre*, Paris, Lemoine, 1962, 260 p. ; *Claude Debussy* (catalogue de l'exposition présentée cette même année à la Bibliothèque nationale, conçue par François Lesure), Paris, Bibliothèque nationale, 1962, 72 p.

« Les goûts en peinture de Debussy », *Debussy et l'évolution de la musique au XXe siècle*, actes du colloque du CNRS organisé à Paris entre les 24 et 31 octobre 1962, études réunies et présentées par Édith Weber, Paris, Éditions du CNRS, 1965, p. 151-162, repris dans *Essais de musicologie et autres fantaisies*, *op. cit.*, p. 239-263 (sous le titre « Ses goûts en peinture »), puis dans *Variations sur la musique*, *op. cit.*, p. 335-357.

« Claude Debussy et ses projets shakespeariens », *Revue d'histoire du théâtre*, XVI/1, octobre-décembre 1964, p. 446-453, repris dans *Essais de musicologie et autres fantaisies*, *op. cit.*, p. 207-218 (sous le titre « Ses projets shakespeariens »), puis dans *Variations sur la musique*, *op. cit.*, p. 304-315. Ce texte est issu de la communication, portant le même titre, donnée par Schaeffner lors des Journées d'études du Groupe de recherches théâtrales du CNRS des 24 et 25 avril 1964.

« Teatro immaginario di Debussy », *Nuova rivista musicale italiana*, n° 2, juillet-août 1967, p. 303-318, repris en version française sous le titre « Le théâtre imaginaire de Debussy », dans *Essais de musicologie et autres fantaisies*, *op. cit.*, p. 219-238 (sous le titre « Son théâtre imaginaire »), puis dans *Variations sur la musique*, *op. cit.*, p. 316-334. Ce texte est probablement issu des deux communications, portant le même titre, données par Schaeffner le 4 mars 1960 à l'Institut des Hautes études de Belgique et le 12 mars 1962 au Collège philosophique de Jean Wahl.

« Debussy et le théâtre », Livret de l'enregistrement de *Pelléas et Mélisande* sous la direction de Pierre Boulez, CBS, 1970, réf. 77324, repris dans *p. Boulez et A. Schaeffner, Correspondance 1954-1970*, présentée et annotée par Rosângela Pereira de Tugny, Paris, Fayard, 1998, p. 204-209. Ce texte devait être à l'origine une version remaniée et raccourcie de l'article « Théâtre de la peur ou de la cruauté ? », ce qu'il est finalement loin d'être.

« [Compte rendu de C. Debussy, *Monsieur Croche et autres écrits*, introduction et notes de François Lesure, Paris, Gallimard, 1971, 332 p.] », *Revue de musicologie*, vol. 48, n° 125, juillet-décembre 1962, p. 169-179, repris (sous le titre « M. Croche ») dans *Essais de musicologie et autres fantaisies*, *op. cit.*, p. 265-281, puis dans *Variations sur la musique*, *op. cit.*, p. 358-373.

– « En peine d'un livret », *Essais de musicologie et autres* fantaisies, *op. cit.*, p. 145-156, repris dans *Variations sur la musique*, *op. cit.*, p. 243-254. Ce texte a été rédigé en 1979.

Autres travaux ou écrits d'André Schaeffner évoquant Debussy

« Wagnérisme et debussysme », cinq conférences prononcées en 1916, dont le texte est conservé sous forme manuscrite dans le Fonds Schaeffner de la Médiathèque Musicale Mahler.

« Debussy et l'Orient », communication conservée sous forme manuscrite dans le Fonds Schaeffner de la Médiathèque Musicale Mahler. Schaeffner l'a prononcée le 9 juin 1950 lors d'une assemblée de la Société française de musicologie.

« Il "ritorno a Verdi" : la fine del Purgatorio », *La rassegna musicale*, n° 21, juillet 1951, p. 225-236.

« Variations Schoenberg », *Contrepoints*, n° 7, 1951, p. 110-129, repris dans P. *Boulez et A. Schaeffner, Correspondance 1954-1970, op. cit.*, p. 162-196.

« À propos d'une correspondance de Debussy », communication prononcée le 29 avril 1959 lors d'une assemblée de la Société française de musicologie (source non localisée).

« Impressionismo », *Voce estratta da La Musica, vol. II, Parte prima*, Turin, 1966, Unione Tipografico, Editrice Torinese, p. 743-748.

« Correspondances baudelairiennes », *Quaderni della Rassegna musicale*, n° 4, 1968, p. 97-104.

« Une correspondance entre André Schaeffner et Marcel Dietschy. Dialogue et controverses debussystes (1963-1971) », présentation et annotation de Nicolas Southon, *Cahiers Debussy*, n° 34, 2010, p. 81-124.

« André Schaeffner, mars 1980 : regards sur le passé (Debussy, Stravinsky, Poulenc) », présentation et annotation de Gabriela Elgarrista et Jean-Louis Leleu, *Revue de musicologie*, t. 96, n° 2, 2010, p. 387-409.

Signalons enfin l'ouvrage *Une correspondance debussyste : Edward Lockspeiser-André Schaeffner (1951-1970)*, avec introduction, notes et index, édité par Gabriela Elgarrista et Jean-Louis Leleu, Paris, Symétrie, à paraître en 2013.

Incarner le génie musical français : Alfred Cortot et Claude Debussy

François Anselmini

S'il est aujourd'hui surtout connu comme un interprète de musique romantique, Alfred Cortot (1877-1962) a aussi côtoyé tous les compositeurs français de son temps, de Camille Saint-Saëns à Pierre Boulez. Dans le cadre de ses activités de pianiste d'abord, mais aussi de chef d'orchestre, de pédagogue et de musicographe (l'une des particularités du personnage est d'être un « musicien qui écrit »), il a en effet noué des contacts personnels et des relations artistiques avec ces musiciens, dont il estime que la production forme « un des moments les plus parfaits de l'histoire musicale de notre pays[1] ». Parmi les compositeurs français dont Cortot célèbre « le génie inventif », Claude Debussy s'impose naturellement, que ce soit pour les contemporains ou pour la postérité, comme la figure la plus éminente. Dès lors, considéré comme le plus grand pianiste français de son époque, et représentant à ce titre le génie musical national, quels rapports Cortot entretient-il avec l'œuvre de Debussy, qui incarne elle aussi l'excellence de la musique française et une musique française par excellence ? Quelles ont été ses relations avec le compositeur du vivant de celui-ci ? Quelle place accorde-t-il à la musique de Debussy dans son répertoire au long de sa très longue

1. Alfred Cortot, *La Musique française de piano. 1re série (Claude Debussy, César Franck, Gabriel Fauré, Emmanuel Chabrier, Paul Dukas)*, Paris, Rieder, 1930, rééd. PUF, coll. « Quadrige », 1981, p. 8.

carrière ? Comment s'en fait-il à double titre l'interprète, à son clavier comme dans ses écrits ?

De quinze ans son cadet, Alfred Cortot a pu fréquenter personnellement Debussy jusqu'au décès de celui-ci en 1918. Il raconte avoir fait sa connaissance dans le salon d'Ernest Chausson[1] : dans la mesure où Debussy ne voit plus guère Chausson après 1897, il semble que les deux hommes se soient rencontrés à une époque où le compositeur est encore très peu connu et où le pianiste achève tout juste ses études au Conservatoire (il obtient son Premier Prix de piano en 1896). Sans doute se sont-ils côtoyés ultérieurement, jusqu'à la Première Guerre mondiale, dans d'autres lieux de la vie musicale et mondaine parisienne, mais sans qu'une quelconque amitié s'établisse entre eux. En 1953, Cortot déclare en effet que Debussy ne lui « inspira pas l'ombre d'une sympathie », ajoutant qu'« au reste, il n'en inspirait à personne »[2]. Surtout, leurs relations semblent presque inexistantes sur le plan artistique. Aucune œuvre de Debussy n'a été créée par Cortot, le compositeur faisant pour cela appel à d'autres pianistes, Ricardo Viñes notamment. Pour sa part, Cortot est proche d'autres compositeurs, notamment de Vincent d'Indy (il compose alors quelques œuvres d'inspiration « scholiste[3] ») et surtout de Gabriel Fauré, qui lui confie l'exécution d'un grand nombre de ses œuvres nouvelles[4]. Alors interprète d'élection de Beethoven et de Liszt, plus encore que de Chopin, Cortot tente surtout de mener une carrière de chef wagnérien. Ainsi, en 1902, Debussy et Cortot sont chacun de son côté à l'origine des deux grands événements de la saison musicale : la création de *Pelléas et Mélisande*, le 30 avril, est en effet exactement contemporaine de la première représentation française du *Crépuscule des dieux*, mis en scène et dirigé à partir du 15 mai suivant par Cortot qui doit sa célébrité à cette entreprise[5].

1. Manuscrits de la Bibliothèque de l'Institut de France, fonds Bernard Gavoty, Ms 8359, chemise 13, « Entretiens de Radio-Lausanne » (1953). Nous abrégerons désormais la référence à ces dix entretiens accordés à Bernard Gavoty sous le sigle *ERL*.

2. *Ibid.*

3. *Ibid.*

4. Par exemple, le *7e Nocturne opus 74* (créé le 20 mars 1901) ou le *9e Nocturne opus 97*, dédié à l'épouse de Cortot.

5. François Lesure note d'ailleurs que l'attention de la critique parisienne se porte alors davantage sur l'entreprise de Cortot que sur la création de *Pelléas* (Lesure, *Debussy*, p. 215).

Accaparé par les répétitions, Cortot ne prend donc aucune part à la « bataille de *Pelléas*[1] », pas plus que Debussy n'évoque les représentations du *Crépuscule* dans ses articles de critique musicale. Mais un an plus tard, le pianiste-chef d'orchestre se lance dans un nouveau projet wagnérien, en faisant entendre de larges fragments de *Parsifal* au public parisien ; à cette occasion, Debussy fait paraître dans le *Gil Blas* un compte rendu railleur demeuré célèbre :

> Monsieur Cortot est le chef d'orchestre qui a le mieux profité de la pantomime habituelle aux chefs d'orchestre allemands. Il a la mèche de Nikisch (celui-ci est d'ailleurs hongrois) et cette mèche est attachante au dernier point par le mouvement passionné qui l'agite à la moindre nuance… […] Comme Weingartner, il se penche affectueusement sur les premiers violons en leur murmurant d'intimes confidences ; se retourne vers les trombones, les objurgue d'un geste dont l'éloquence peut se traduire ainsi : « Allons, mes enfants, du nerf ! Tâchez d'être plus trombones que nature[2] ! »

Ce que le futur « Claude de France » dénonce ainsi avec ironie, c'est que le jeune chef d'orchestre se fasse, jusque dans sa gestique, le défenseur ardent d'un germanisme musical qu'il rejette pour sa part très largement. En effet, lorsque Cortot fonde en 1904 une association de concerts portant son nom, c'est également pour faire découvrir certaines œuvres allemandes que méconnaît le public français. Les programmes de l'unique saison de ces Concerts-Cortot comportent ainsi la *Missa Solemnis*, *La Légende de sainte Élisabeth* de Liszt ou encore le *Requiem allemand* de Brahms[3] : on n'ose imaginer ce que le féroce Debussy aurait écrit de ces concerts s'il avait fait le choix d'en rendre compte. En outre, si les Concerts-Cortot défendent également la création française contemporaine, aucune œuvre de Debussy n'y est donnée. De même, lorsque Cortot renonce à la carrière de chef d'orchestre pour se consacrer exclusivement à son piano (à partir de 1905-1906), il ne paraît pas ou très peu avoir joué les œuvres majeures que compose alors Debussy pour son instrument : nous n'avons en effet trouvé trace de leur pré-

1. *ERL*.
2. Claude Debussy, « *Parsifal* et la Société des Grandes Auditions de France », *Gil Blas*, 6 avril 1903, repris dans *Monsieur Croche*, p. 141-142.
3. Manuscrits de la Bibliothèque de l'Institut de France, fonds Bernard Gavoty, Ms 8359, chemise 9, « Association des grandes auditions musicales ».

sence dans aucun récital du pianiste avant 1914[1]. Ainsi, en l'absence de sympathie personnelle et de véritables relations artistiques, Cortot et Debussy semblent avant 1914 n'avoir eu l'un pour l'autre qu'une certaine estime distante. D'une part, le critique du *Gil Blas* amende son article moqueur de 1903 en écrivant que Cortot est un bon connaisseur de Wagner et un « parfait musicien[2] ». D'autre part, Cortot affirme en 1953 qu'« avoir été le prosélyte de Wagner ne [l]'empêcha aucunement de reconnaître le génie de Debussy » au moment de la création de *Pelléas*[3] (toutefois la reconstruction n'est peut-être pas absente de ces propos tenus longtemps après 1902).

C'est la Première Guerre mondiale qui marque le début d'un rapprochement de Cortot avec Claude Debussy et sa musique. Elle constitue en effet un tournant majeur dans la carrière du pianiste ; jusque-là champion déclaré de la musique allemande (qu'il ne renie d'ailleurs pas entre 1914 et 1918), il interrompt dès le début du conflit ses activités d'interprète pour se consacrer à différentes actions ayant pour but d'engager la musique et les musiciens français dans l'effort de guerre[4] ; c'est dans le cadre de ces entreprises, qui sont moins celles d'un artiste que d'un administrateur, qu'il paraît s'intéresser à l'œuvre de Debussy. Tout d'abord, Cortot fait une place significative au compositeur dans les programmes des Matinées nationales, un cycle de spectacles patriotiques qui célèbrent par le biais de la musique les valeurs de la France en guerre et de l'Union sacrée[5] : moins jouées que celles de Saint-Saëns, Fauré ou d'Indy, les œuvres de Debussy y apparaissent cependant une dizaine de fois. Debussy

1. D'après nos recherches dans « l'agenda de carrière » que tient Cortot à partir de 1906 (Manuscrits de la Bibliothèque de l'Institut de France, fonds Bernard Gavoty, MS 8359, chemise 14) et dans les collections du *Ménestrel* et du *Courrier musical*. Dans les *ERL*, Cortot affirme pourtant avoir joué certains des *Préludes* à Debussy, mais aucun autre élément documentaire ne permet de corroborer cette déclaration.

2. Claude Debussy, « *Parsifal* et la Société des Grandes Auditions de France », article cité, p. 141.

3. *ERL*.

4. Voir François Anselmini, *Vers une biographie d'Alfred Cortot (1877-1962). Un pianiste dans la Grande Guerre (1914-1918)*, mémoire de Master 2, Université de Caen-Basse Normandie, 2010.

5. Sur les Matinées nationales, voir François Anselmini, « Alfred Cortot et la création des Matinées nationales : l'Union sacrée mise en musique », *Revue de Musicologie*, t. 97, n° 1, 2011, p. 61-84.

est en outre sollicité pour diriger l'une de ces Matinées ; il décline l'offre de Cortot en raison de ses problèmes de santé, mais témoigne de sa sympathie pour l'entreprise[1]. Puis, à partir de 1916, l'engagement de Cortot prend un caractère officiel, puisqu'il crée et dirige un service de propagande extérieure au sein de l'administration des Beaux-Arts ; il organise alors dans les pays neutres et alliés des manifestations artistiques françaises, parmi lesquelles les concerts occupent une place prépondérante. Choisissant personnellement les interprètes et les programmes de ces concerts chargés de mettre en avant l'excellence musicale de la France, il programme de nombreuses œuvres de Debussy, notamment lors des manifestations les plus ambitieuses, telles qu'une tournée en Suisse de l'orchestre de la Société des Concerts du Conservatoire en avril 1917, qui joue les *Nocturnes* et le *Prélude à l'Après midi d'un faune*, ou les représentations du Théâtre français de La Haye, où *Pelléas et Mélisande* est monté en 1918. C'est donc dans le cadre de ses engagements politico-administratifs que Cortot aborde la musique de Debussy, dont il fait un usage idéologique et politique. En effet, toute son action entre 1914 et 1918 repose sur l'idée, nouvelle pour lui, selon laquelle la musique est devenue au début du XXe siècle le domaine d'excellence de l'art français : ayant supplanté la musique allemande, « notre école française [est] incontestablement la première du monde à l'heure actuelle[2] », écrit-il ainsi en 1917. Il n'est dès lors pas étonnant que cette politique culturelle accorde un rôle déterminant à l'éminente figure de Claude Debussy, dont le génie est alors largement reconnu en France et à l'étranger, et qui revendique volontiers, en ses dernières années, le titre de « musicien français ».

Lorsque Cortot choisit de retourner à son piano à l'automne 1918, avant même la fin des hostilités, il semble cependant prolonger son engagement mais avec des moyens différents. Tout au long de l'entre-deux-guerres, l'essentiel de sa carrière se déroule en effet à l'étranger : dans les années 1920, il passe ainsi jusqu'à six mois par saison aux États-Unis, où il donne de très nombreux concerts, et à

1. Lettre de Claude Debussy à Alfred Cortot, 16 octobre 1915, *Correspondance*, p. 1950.
2. Alfred Cortot, « Note pour M. le Ministre de l'Instruction Publique et des Beaux-Arts sur le fonctionnement du service de décentralisation artistique depuis sa création. Propagande intellectuelle, artistique et pédagogique à l'étranger », 20 novembre 1917 (AN, C//75 41, dossier 7112, p. 17).

ces voyages transatlantiques s'ajoutent d'innombrables tournées à travers l'Europe, qu'organise l'Association française d'Action artistique (qui a succédé en 1922 au service de propagande qu'il a fondé). Le pianiste se comporte alors comme une sorte de diplomate musical, ou de représentant pianistique de la France : il est ainsi souvent reçu par les autorités locales ou les agents diplomatiques français comme un personnage officiel, et chacun de ses concerts est présenté comme une action de propagande en faveur de la France et de sa musique ; et en 1934, c'est au titre des Affaires étrangères, et non des Beaux-Arts, qu'il est élevé au grade de commandeur de la Légion d'honneur, en récompense de « l'influence [exercée] en faveur de nos arts[1] ».

Dans le cadre de cette mission, le pianiste est évidemment appelé à jouer de la musique française en plus de celle de ses compositeurs favoris qui sont Beethoven, Chopin ou Schumann ; les œuvres de Debussy font alors une apparition massive dans ses programmes. Au cours des récitals de sa première tournée américaine (octobre 1918-février 1919), il joue ainsi quatre *Préludes* du Premier Livre[2] ; l'année suivante, il donne à Londres la première audition de la *Fantaisie pour piano et orchestre*, le 9 novembre 1919[3] ; il crée également cette *Fantaisie* aux États-Unis au début de 1920. Cette œuvre, que le compositeur avait pourtant renoncé à faire exécuter de son vivant, lui paraît en effet digne d'incarner la musique concertante française sur les scènes étrangères, mieux que celles d'autres compositeurs : Fauré lui reproche ainsi amèrement de négliger sa propre *Fantaisie pour piano et orchestre* opus 111 (pourtant composée spécialement pour Cortot) au profit de celle de Debussy[4]. Si Cortot ne rejoue guère la *Fantaisie* les années suivantes, ses récitals entre 1920 et 1939 comprennent très fréquemment l'un ou l'autre des deux cycles pianistiques qui

1. Archives nationales, Archives de l'ordre de la Légion d'Honneur, dossier n° 19800035/778/88140, Alfred Cortot (1877-1962).

2. Manuscrits de Bibliothèque de l'Institut de France, fonds Bernard Gavoty, Ms 8359, chemise 14, « Biographie et agenda de carrière ».

3. *Ibid.* Ses partenaires sont Albert Coates et la Royal Philharmonic Society. Cortot devance de quelques jours sa grande rivale Marguerite Long, qui assure la création parisienne le 7 décembre 1919.

4. Lettre de Gabriel Fauré à Alfred Cortot, mai 1922 (Gabriel Fauré, *Correspondance*, Jean-Michel Nectoux (éd.), Paris, Flammarion, coll. « Harmoniques, 1980, p. 319-320).

comptent désormais parmi ses œuvres fétiches : le Premier Livre des *Préludes* et *Children's Corner*. La préférence semble-t-il exclusive accordée à ces deux recueils nous paraît due à des raisons à la fois esthétiques et techniques. D'une part en effet, Cortot ne goûte guère les œuvres pianistiques de jeunesse de Debussy (celles composées avant 1903) et reconnaît aussi avoir moins d'affinités avec le Second Livre des *Préludes* qu'avec le Premier[1]. D'autre part, n'étant pas un virtuose doué de moyens techniques exceptionnels, il ne s'est jamais aventuré à jouer en public les œuvres redoutables que sont les *Études* ou les *Images*. Il est en revanche un chambriste accompli, et jusqu'à la Seconde Guerre mondiale incluse, il donne à d'innombrables reprises la *Sonate pour violon et piano* avec son ami Jacques Thibaud[2].

Ces œuvres favorites font également l'objet d'enregistrements, ce qui est une autre façon de les faire connaître à un large public[3]. Dès ses premières véritables sessions d'enregistrement, en janvier 1919, Cortot grave *Minstrels* et *La Fille aux cheveux de lin* ; d'autres disques sont réalisés tout au long des années 1920, avec d'autres *Préludes* isolés du Premier Livre, la *Sonate pour violon et piano* (en juin 1929 avec Thibaud) et surtout trois versions successives de *Children's Corner*. Enfin, Cortot est le premier pianiste à enregistrer l'intégralité du Premier Livre des *Préludes* en 1930-1931, ainsi qu'une large sélection de mélodies, avec la soprano britannique Maggie Teyte en 1936[4]. La musique de Debussy occupe désormais une place importante dans la carrière de Cortot.

Et ce n'est pas seulement à son piano que ce dernier s'en fait l'interprète, puisqu'il lui consacre également plusieurs études critiques. La plus importante est publiée en 1920 dans le numéro spécial Debussy de *La Revue musicale*[5] ; elle sera ensuite reprise dans

1. Alfred Cortot, « La Musique pour piano de Claude Debussy », *La Musique française de piano. 1re série, op. cit.*, p. 11-20 et p. 37.

2. De façon beaucoup moins fréquente, Cortot joue également la *Sonate pour violoncelle et piano* avec Pablo Casals (par exemple le 5 juin 1931).

3. Nous nous appuyons ici sur la discographie établie par M. René Quonten (inédite, collection particulière).

4. *Fêtes galantes, Chansons de Bilitis, Le Promenoir des deux amants, la Ballade des femmes de Paris* et *De grève*. Voir aussi dans ce volume l'article de Roy Howat, « Les enregistrements historiques des mélodies de Debussy. Des sources pour l'interprétation », p. 253-261.

5. « La Musique pour piano de Claude Debussy », *La Revue musicale*, numéro spécial consacré à Debussy, 1er décembre 1920, 1920, p. 97-216.

La Musique française de piano et ses conclusions se retrouvent largement dans d'autres textes ultérieurs[1]. Passant au crible l'ensemble du corpus pianistique debussyste, Cortot s'attache d'abord à montrer que celui-ci incarne le génie musical français : avec ces œuvres, « ce sont les voix ressuscitées de nos familières muses latines qui se sont fait entendre de nouveau[2] », écrit-il par exemple. Il souligne la filiation « classique » du compositeur : l'*Hommage à Rameau* s'adresse ainsi selon lui « à toute la lignée des clairs génies issus de notre sol[3] ») ; il affirme en outre que l'œuvre de Debussy constitue « un sursaut d'émancipation nationale » à l'égard des influences germaniques (et notamment wagnériennes), redonnant à la musique française « cette transparence, cette fluidité, ce précieux pouvoir d'élimination qui sont à l'origine de notre particularisme intellectuel[4] ». On comprend dès lors pourquoi Debussy, ainsi présenté comme le rénovateur et le libérateur du génie national, se voit accorder une place déterminante dans l'entreprise de propagande que mène Cortot entre 1918 et 1939.

Pourtant, ce n'est pas uniquement pour des raisons « politiques » que Cortot devient un interprète privilégié de Debussy : si le pianiste s'est peut-être d'abord intéressé à cette musique pour donner une coloration plus française à des programmes trop germanisants, il semble avoir découvert à travers elle un mode d'expressivité musicale qui lui était auparavant inconnu. Cortot souligne en effet tout ce qui sépare Debussy des compositeurs romantiques qui forment le cœur de son répertoire : l'art bien français de Debussy est pour lui fait de réserve et de mesure ; s'il est bien porteur d'une intense émotion musicale, il ne l'exprime pas avec l'ardeur et l'éloquence des romantiques, mais la « suggère par contrecoup », à la manière d'un Verlaine, grâce à son subtil pouvoir d'évocation. Cortot écrit ainsi que « c'est presque à notre insu, par la volupté secrète de deux accords enchaînés, la nervosité vibrante d'un rythme ou le mystère d'un silence, qu'il nous décoche en pleine sensibilité cette flèche dont l'insinuant et délicieux poison nous procurera […] la sensation

1. Notamment « Musique de France II. Claude Debussy », *Conferencia*, XXVIIe année, n° 18, 1er septembre 1933, p. 309-319.
2. « Musique de France II. Claude Debussy », *op. cit.*, p. 309.
3. « La Musique pour piano de Claude Debussy », *La Musique française de piano. 1re série*, *op. cit.*, p. 26.
4. « Musique de France II. Claude Debussy », *op. cit.*, p. 309.

qu'il avait préméditée[1] ». La découverte de cette poétique debussyste semble ainsi avoir profondément modifié les conceptions du wagnérien fervent et du pianiste surtout romantique qu'était jusqu'alors Cortot, qui estimait que « l'interprétation de l'œuvre de Debussy exige une collaboration plus littéraire et plus subtilement nuancée que nulle musique jusqu'alors ne l'avait nécessité[2] ». De même, le pianiste a maintes fois raconté avoir reçu « la plus éloquente leçon d'art » de la part de Chouchou, la fille de Debussy[3] : étant allé jouer quelques *Préludes* à la veuve du compositeur en présence de la fillette, il demande ensuite à cette dernière : « Est-ce bien comme cela que jouait votre papa ? ». L'enfant répond : « Non, Papa écoutait davantage » ; réponse qui stupéfie et marque profondément Cortot, qui raconte avoir tenté de tenir compte dans ses interprétations de cette invitation à moins d'éloquence et à plus de virtuosité.

La rencontre d'Alfred Cortot avec la musique de Debussy constitue donc un tournant dans sa carrière, puisqu'elle lui a permis, de son propre aveu, d'enrichir et d'affiner son art d'interprète ; à partir des années 1920, le pianiste est bien devenu un admirateur fervent du génie de « Claude de France », manifestant notamment sa dévotion par l'acquisition de nombreux manuscrits du compositeur[4]. Il lui accorde aussi une large place dans les cours d'interprétation qu'il donne à l'École normale de Musique[5], s'efforçant de guider ses élèves dans « la recherche de la couleur et du timbre particulier[6] » qu'il faut donner à Debussy. Et l'on assiste bien, dans l'entre-deux-guerres, au grand moment debussyste de la carrière de Cortot.

Il convient en effet de noter que pendant la Seconde Guerre mondiale, Cortot, accaparé par les responsabilités politiques qu'il a

1. « La Musique pour piano de Claude Debussy », *op. cit.*, p. 15-16.
2. *Ibid.*
3. Par exemple dans « Musique de France II. Claude Debussy », *op. cit.*, p. 318 ou dans les *ERL*.
4. Cortot acquiert notamment auprès de Gabrielle Dupont les manuscrits de *Rodrigue et Chimène*, du *Prélude à l'Après-midi d'un faune* et du Premier Livre des *Préludes*. Rachetés par un collectionneur américain, ces manuscrits sont aujourd'hui en dépôt à la Pierpont Morgan Library de New York.
5. Il consacre notamment un cours aux *Préludes* en 1927 et un autre à l'ensemble de l'œuvre pianistique en 1930 (BnF, Musique, Fonds Montpensier, dossier Alfred Cortot, Boîte 1D).
6. Alfred Cortot, *Cours d'interprétation* [1934], recueillis par Jeanne Thieffry, Genève, Slatkine, 1980, p. 57.

cru bon d'endosser et une ardente germanophilie qui le compromet gravement dans la Collaboration, semble se détourner quelque peu de Debussy. Par exemple, dans sa contribution à un ouvrage collectif sur les grandes figures de l'histoire de France, c'est Berlioz, et non Debussy, qu'il propose alors en modèle aux jeunes compositeurs français[1]. En 1942, il participe toutefois aux célébrations du quarantième anniversaire de la création de *Pelléas* en consacrant un article à *Rodrigue et Chimène*, œuvre par laquelle le compositeur s'essaya tout d'abord à l'art lyrique[2]. De même, après 1945 et jusqu'à la fin de sa carrière, Cortot, atteint par les conséquences de la mise en cause de sa conduite sous l'Occupation et affaibli par l'âge, n'inscrit plus beaucoup Debussy à son répertoire, qui se restreint de plus en plus aux seuls Schumann et Chopin. Il se présente alors volontiers comme un homme du XIXe siècle, dépositaire d'une tradition révolue de l'interprétation pianistique ; cette tradition, c'est celle du romantisme bien sûr, mais aussi celle des musiciens français du début du siècle. On soulignera ainsi que parmi les nombreux disques qu'il continue à enregistrer pour faire connaître aux générations d'après guerre (et aux auditeurs de l'avenir) cet art du piano en train de disparaître, sont réalisées en 1947 et 1949 de nouvelles versions de ses œuvres de prédilection, *Children's Corner* et le Premier Livre des *Préludes*. Les doigts s'y montrent moins souverains, mais ces enregistrements tardifs donnent à entendre une dernière fois ce Debussy que Cortot cherche à rendre, selon ses propres termes, « rutilant mais lointain[3] », et dont il est devenu trente ans plus tôt un interprète d'élection ; ils nous offrent ainsi un ultime témoignage de la révélation peut-être tardive, mais éclatante que fut pour le pianiste la musique de « Claude Debussy, musicien français ».

1. « Berlioz », dans *De 1429 à 1942, c'est-à-dire de Jeanne d'Arc à Philippe Pétain, c'est-à-dire 500 ans de l'Histoire de la France,* Sacha Guitry (dir.), Paris, Sant'Andrea et Lafuma, 1944, p. 250-252.
2. « Un drame lyrique de Claude Debussy », *Inédits sur Claude Debussy*, Paris, Les Publications techniques, collection Comœdia-Charpentier, 1942, p. 13-16.
3. Alfred Cortot, *Cours d'interprétation, op. cit.*, p. 58.

« *Bent Scales and Stained-Glass Attitudes*[1] »
La réception critique de la musique de Debussy aux États-Unis (1884-1918)

Sylvia Kahan*

« C'est un virtuose au sens le plus profond du terme : il réussit tout ce qu'il touche. Il fait usage de la palette de composition la plus large possible [...] Il a été dépeint avec exaltation comme "la jeune étincelle de la musique contemporaine", mais a aussi déjà été relégué au niveau du jeune homme habile parmi tant d'autres qui n'iront pas plus loin que ça[2]. » Ainsi s'ouvre la critique d'Alex Ross publiée en 1995 dans le *New York Times* et consacrée à Thomas Adès, un jeune compositeur très novateur. Critique respecté, auteur célèbre d'ouvrages à succès sur les musiciens de sa génération[3], Alex Ross jouit d'une large audience, inspire confiance, attise la curiosité et suscite l'intérêt. Grâce à ces quelques lignes élogieuses parues dans le *Times,* le nom du jeune compositeur a été repéré par les musiciens et

1. « Debussy's *Pelléas and Mélisande* in New York », *New York Times*, 31 mars 1918. Traduit littéralement, *Bent Scales* veut dire gammes faussées ou altérées de manière non académique ; mais le terme *bent* est également argotique et signifie alors fou ; dans le *Blues*, *bent note* est une note dont la hauteur est en dessous de celle attendue. Traduit littéralement, *Stained-Glass* veut dire vitrail ; l'association de la musique de Debussy à des vitraux incite à penser à des images fortement colorées mais rarement placées à hauteur du regard et exigeant une élévation spirituelle.

* Je remercie Sylviane Louzoun pour son aide à la traduction de ce texte.

2. Alex Ross, « On Britten's Ground, Fresh Generation », *New York Times*, 2 juillet 1995.

3. Le livre d'Alex Ross, *The Rest is Noise* (New York, Farrar, Straus, and Giroux, 2007) a été un best-seller aux États-Unis. Il a reçu de prestigieux prix littéraires et a été traduit en dix-sept langues, dont une traduction française éditée par Actes Sud en 2010.

mélomanes new-yorkais, qui ont commencé à assister à des concerts où sa musique était programmée. Désormais, sa musique est appréciée dans le monde entier et sa réputation de grand compositeur assurée.

Le compte rendu de Ross fait étrangement penser à ce qui semblerait être le premier article consacré à Debussy par un journal américain, dans les colonnes du *New York Times*, le 17 juillet 1884 :

> Le Prix de Rome a été décerné, et plutôt en dehors de la ligne habituelle. Un jeune homme – un élève de M. Ernest Guiraud – M. Debussy, est l'heureux élu. Le talent de ce nouveau musicien est tout à fait original, spontané et charmant ; bien qu'il soit encore un peu agité, indécis, et ait une tendance assez dramatique et violente, on y trouve une certaine sonorité joyeuse, de l'individualité, ce qui est merveilleux en ces jours de symphonie discordante harmonieuse. M. Debussy est un jeune homme d'environ 19 ou 20 ans[1] […] et on pourrait honnêtement penser qu'il vit pour son art, et pour celui-là seul[2].

Il est significatif de chercher le nom de Debussy dans les archives en ligne du *New York Times*, pendant les deux premières décennies du XXe siècle. Sur une période de six ans, de 1902 à 1907, sa musique est généralement considérée comme « intéressante » et « pleine de couleur », mais aussi « étrange » et « vague »[3] ; certains journalistes conservateurs la traitent même de « laide[4] ». Toutefois, autour de 1908, l'année de la première représentation new-yorkaise de *Pelléas et Mélisande*, on remarque un soudain changement de la critique qui, dorénavant, parle d'une musique d'une beauté « presque indéfinissable ; étrange et inhabituelle, mais très réelle[5] ». Et, à l'époque de la mort du compositeur, en 1918, la presse décrit *Pelléas et Mélisande* comme « un chef-d'œuvre moderne ». Qu'est-ce qui a changé en seize ans ? Quand la musique de Debussy est-elle devenue compréhensible et digne d'admiration ?

Cette première série de recherches nous a permis d'élargir notre champ d'investigation pour examiner les tendances de la presse

1. Un mois plus tard, en août 1884, Debussy allait avoir 22 ans.
2. « Some Parisian Gossip », *New York Times*, 17 juillet 1884.
3. « The New York Symphony, New Pieces by Debussy Played », *New York Times*, 9 janvier 1905.
4. « Boston Symphony Pays Last Visit ; Its Concert in Carnegie Hall Devoted to Modern Music », *New York Times*, 22 mars 1907.
5. « First Hearing Here of Debussy's Opera », *New York Times*, 20 février 1908.

américaine à l'égard de la musique de Debussy et tenter d'évaluer l'influence que ces écrits pouvaient avoir eu sur le public et sur sa perception du compositeur en particulier, et de la musique moderniste en général. En s'appuyant sur le travail antérieur de James Briscoe dans son essai « Debussy in Daleville[1] », nos recherches se sont étendues aux journaux quotidiens des grandes villes des États-Unis[2], ainsi qu'à des magazines tels que *The Etude* et *Harper's Magazine*, et quelques monographies et recueils d'essais par des critiques éminents.

Le parallèle entre Thomas Adès et Claude Debussy a pourtant ses limites : la musique d'Adès est nouvelle, originale et éblouissante, mais elle a un siècle de « jurisprudence » derrière elle ; la musique de Debussy, elle, est sans précédent. Et ainsi, défenseurs ou détracteurs, les critiques contemporains de sa musique ont dû trouver un langage qui permette de décrire et de rendre compréhensible ce qu'ils ou elles ont entendu : une musique inexplorée jusqu'alors. Trois critiques ont été particulièrement remarquables dans leurs rôles de champions de la première heure de la musique de Debussy : deux dont les noms sont connus encore aujourd'hui, Philip Hale (1854-1954) à Boston et Lawrence Gilman (1878-1939) à New York, et, malheureusement oublié car il exerçait loin de la côte Est, Glenn Dillard Gunn (1874-1963) à Chicago. Ils ont, par leurs écrits, enseigné au public comment écouter et entendre différemment ; grâce au pouvoir de séduction de la presse et à sa puissance pédagogique, ils ont drainé un auditoire pour cet « ultramoderne » et ont rendu le concept de modernité en général un peu moins effrayant pour le mélomane ordinaire.

Debussy l'« ultramoderne »

Après 1884, le nom de Debussy disparaît complètement de la presse américaine jusqu'en 1902, alors que le Quatuor Kneisel fait une tournée nationale qui inclut le *Quatuor* à son programme.

1. James Briscoe, « Debussy in Daleville », dans *Rethinking Debussy*, Elliott Antokoletz and Marianne Wheeldon (dir.), New York, Oxford University Press, 2011, p. 225-268.
2. Parmi les quelque mille articles de presse consultés, la plupart viennent du *Baltimore Sun*, du *Boston Globe*, du *Chicago Examiner*, du *Chicago Tribune*, du *New York Herald*, du *New York Times*, du *New York Tribune*, du *San Francisco Chronicle* et du *Washington Post*.

Étant donné que les Kneisel ont fréquemment programmé le quatuor de Debussy dans leurs tournées américaines entre 1902 et 1907, cette œuvre aura servi d'introduction à la musique de Debussy pour de nombreux mélomanes américains. Les critiques qui ont suivi ont employé, presque à l'unanimité, le langage qui va persister dans les descriptions de Debussy et de sa musique pendant une décennie : Debussy est décrit comme « l'un des plus "avancés" (au sens péjoratif) des jeunes compositeurs français », « le plus moderne de l'école moderne française ». Dans son « emploi des progressions chromatiques et successions de dissonances », il est écrit qu'il essaie de « sur-wagnériser/dépasser Wagner[1] ». Sa musique « ultramoderne » est dite « plus intéressante que séduisante », « plus bizarre que rythmique[2] », créant une « ambiance », étirant « un voile de gaze » entre lui et ses auditeurs[3]. Le critique du *New York Times* écrit :

> Le combat abrupt de rythmes opposés et la lutte incessante de dissonances stimulent l'intellect de l'auditeur attentionné, mais ceci inspire bien peu de fantaisie et a encore moins le pouvoir d'émouvoir le cœur […] Il a quelque chose à dire, et il sait comment le dire, mais après l'avoir entendu, on souhaiterait que les dieux lui aient offert le don de la poésie[4].

L'idée selon laquelle Debussy ne sait pas écrire de mélodie apparaît très tôt. Contre une telle attaque, Debussy a néanmoins trouvé son premier défenseur en la personne de Philip Hale, critique au *Boston Globe*. Ayant assisté à la première représentation bostonienne du *Quatuor*, lui aussi trouvait l'œuvre étrange et bizarre. Mais, d'après James Briscoe, très vite, Hale change complètement d'avis sur Debussy : à l'écoute du *Prélude à l'Après-midi d'un faune*, il comprend l'intention symboliste du compositeur[5]. Commentateur doué, auditeur attentif, Hale croit qu'« un critique musical devrait avoir de la compassion pour la musique du présent, et devrait être en mesure d'anticiper, dans une certaine mesure, la direction que l'art prendra dans l'ave-

1. W.-J. Henderson, « Advances in Musical Form », *New York Times*, 30 mars 1902.
2. « Kneisels at Peabody », *Baltimore Sun*, 12 février 1905.
3. « Fine Program by Kneisels », *Baltimore Sun*, 3 avril 1909.
4. « The Kneisel Quartet », *New York Times*, 26 mars 1902.
5. James Briscoe, « Debussy in Daleville », dans *Rethinking Debussy*, *op. cit.*, p. 227.

nir[1] ». C'est dans cet esprit qu'en 1902 Hale prend la défense de Debussy dans un article repris dans le *Washington Post* :

> La vieille clameur s'est élevée contre Debussy. La musique est « peu mélodieuse », *Pelléas et Mélisande* n'a pas de « mélodie ». Ne nous laissons pas effrayer par ces cris. Lorsque le *Faust* de Gounod a été produit pour la première fois, l'opéra a été condamné par beaucoup pour sa « sécheresse ». Seul son chœur de soldats a rencontré l'approbation populaire. Gounod a été accusé de « germanisme », ce qui était alors synonyme d'« absence de mélodie ». Rappelons également que *Carmen* a tout d'abord été considérée comme une œuvre sèche et pédante[2].

Après la première américaine des *Nocturnes* donnée par le Boston Symphony Orchestra, Hale écrit :

> Bien que ces choix de programmation puissent ne pas être du goût populaire, ils sont d'un genre à susciter l'intérêt de l'étudiant en musique et du mélomane en général, en particulier le groupe des *Nocturnes* de Debussy, qui a été donné à deux reprises afin de permettre aux auditeurs de mieux appréhender une œuvre qui est si étonnante et bizarre dans sa matière et son orchestration qu'elle en devient une curiosité musicale. Les trois parties sont largement constituées de pizzicati et d'instrumentations en sourdine, presque sans forme [...] Dans le dernier mouvement, la voix des sirènes se fait entendre dans un legato bizarre de voyelles articulées.
> Cette œuvre est orchestrée à merveille, mais n'a aucune ligne mélodique régulière, ce qui est néanmoins agréable à l'oreille, mais vraiment déroutant, et on sent bien, même après avoir entendu le groupe à deux reprises, qu'on ne pourra l'apprécier pleinement qu'après avoir fait plus ample connaissance avec l'œuvre[3].

Lawrence Gilman et *The Music of Tomorrow*

1905 est une année cruciale pour Debussy sur la scène musicale américaine : les premières auditions du *Prélude à l'Après-midi d'un faune* ont lieu à New York et Boston ; à la fin de l'année, le Boston

1. Berenice Thompson, « Music and Musicians », *Washington Post*, 8 novembre 1903.
2. Philip Hale, *Boston Journal*, date inconnue, repris dans « Opera and Concert », *Washington Post*, 8 septembre 1902.
3. Philip Hale, « Music and Drama », *Boston Daily Globe*, 11 février 1904.

Symphony, dirigé par Vincent d'Indy, joue plusieurs programmes de musique française dans cinq villes de la côte Est, y compris des extraits des *Nocturnes* de Debussy (*Nuages* et *Fêtes*). Plus d'un journal décrit ces mouvements comme « impressionnistes ». Les opinions critiques sur le nouveau langage musical des jeunes compositeurs français sont nettement opposées. Un commentateur du *New York Sun* écrit :

> Leur idiome est l'idiome de Wagner francisé. De la douceur sucrée du bon vieux temps de la mélodie française, ils ont fait pencher le pendule de leur fantaisie aux confins de l'extrême du vinaigre chaud. Ils détestent la triade de la tonique et les tonalités relatives leur répugnent. Ils préfèrent écrire en deux tonalités à la fois, ou en aucune tonalité du tout, qu'en un mode majeur simple[1].

Pourtant le *New York Times,* lui, estime que Debussy déploie ces idiomes avec un talent plus sûr :

> Légères comme elles le sont, ces pièces contribuent à renforcer la conviction que, dans ce mouvement artistique, Debussy dépasse largement ses semblables par l'imagination, la spontanéité et l'originalité pure, ainsi que par l'ingéniosité qui lui a donné la maîtrise de nouvelles ressources de la technique musicale[2].

Les opinions sont alors en train d'évoluer, et pas seulement pour des raisons esthétiques. Pour certains mélomanes, la musique de Claude Debussy représente le modernisme même. En 1907, un critique du *Washington Post* écrit :

> Le *Post* a soutenu que le public de Washington était prêt pour ce qu'il y a de plus récent et de plus moderne dans la musique, et qu'il est inutile (comme certaines visites d'organisations en ont pris l'habitude) de vérifier les programmations de New York et Boston avant de les lâcher dans cette ville. Cette opinion a été largement confirmée au concert d'hier, où les spectateurs ont applaudi les extraits de Debussy avec plus d'enthousiasme que toutes les autres parties du programme[3].

1. « From *The Sun* », *New York Times,* 17 décembre 1905.
2. « D'Indy Conducts More French Music », *New York Times,* 10 décembre 1905.
3. « Quartet Plays Farewell : Boston Symphony Artists Delight Hearers with Strong Programme », *Washington Post,* 21 mars 1907.

En d'autres termes : si le monde devenait moderne, alors on était bien obligé de suivre la mode même si la musique laissait encore perplexe.

C'est à ce moment-là que le très respecté écrivain et critique musical Lawrence Gilman se penche sur la musique de Claude Debussy. Ancien critique musical du *New York Herald* (et futur critique du *New York Herald-Tribune*), Gilman devient en 1901 critique musical pour le *Harper's Magazine*, le magazine par excellence de la « high society » américaine[1]. Ses écrits attirent un lectorat cultivé, à la fois élégant et intelligent. En 1906, Gilman écrit un livre, *The Music of Tomorrow* (*La musique de demain*), qui comporte un chapitre intitulé « Claude Debussy, poète et rêveur ». Gilman y suggère que c'est non plus vers l'Allemagne, mais plutôt vers la France que l'on doit se tourner pour trouver les développements les plus fructueux et significatifs dans « le plus jeune des arts ». Le musicien y est décrit comme « le tempérament le plus subtil dans la musique européenne » qui « emploie son art exotique et lumineux en exprimant un mysticisme sensuel dans des dessins d'une beauté impalpable et iridescente[2] ». Ce livre qui a fait date est suivi en 1907 par *Pelléas et Mélisande de Debussy. Guide pour l'opéra*. La prose claire et puissante de Gilman est accessible à la fois au musicien professionnel *et* au mélomane amateur. Un extrait du *Guide* montre la souplesse avec laquelle Gilman dévoile au public Debussy et ses compositions :

> Quel est le principe secret de sa méthode ? [...] Il est tout simplement que Debussy, au lieu de se soumettre aux limites strictes des modes majeur et mineur du système de gammes moderne, emploie presque continuellement les modes de l'église médiévale comme base structurelle de sa musique, avec leur marge de manœuvre beaucoup plus grande, leur liberté et leur variété. C'est, pour le moins, un nouveau processus. D'autres compositeurs modernes avant Debussy avaient, bien sûr, utilisé les progressions caractéristiques du plain-chant, [...] mais personne jamais n'avait délibérément adopté le chant grégorien comme substitut des gammes modernes majeur et mineur, avec leurs tendances

1. Le *Harper's Magazine* traitait de littérature, de politique, de culture, de finances et d'arts. Pour une étude sur les magazines s'adressant au lectorat américain cultivé, voir Joseph A. Mussulman, *Music in the Cultured Generation : A Social History of Music in America, 1870-1900*, Evanston, Illinois, Northwestern University Press, 1971, p. 9-11.

2. Lawrence Gilman, *The Music of Tomorrow*, New York, John Lane, 1907, p. 12.

> harmoniques aux racines profondes et immuables, leur suggestion perpétuelle de cadences et leurs résolutions traditionnelles. Oublier les principes sous-jacents de trois siècles de pratique harmonique, et revenir à des méthodes de compositeur de l'église médiévale […], vitaliser les modes antiques avec le produit cumulé de divination et d'accomplissement modernes – était, pour le moins, inspiré.
> Une de ses caractéristiques les plus frappantes est son utilisation de progressions de tons complets, un résultat naturel, bien sûr, de sa dépendance aux anciens modes. D'autres Français contemporains ont utilisé occasionnellement des effets grégoriens, mais Debussy a été le premier à les adopter délibérément comme base systématique de son écriture, et les a employés avec de plus en plus de cohérence et de dévotion. Son exemple a indubitablement servi à enrichir le champ d'expression à la disposition des compositeurs de musique moderne […] et a agi sur un principe qui est, sans conteste, libérateur et stimulant[1].

Dans la deuxième partie du livre, Gilman explique les thèmes de l'opéra et leur traitement musical. Le chef d'orchestre Walter Damrosch fait alors des efforts similaires pour introduire l'opéra de Debussy auprès d'un public aussi large que possible, en présentant une conférence-récital avec laquelle il fait le tour des États-Unis. Et c'est ainsi que le 19 février 1908 la première représentation de *Pelléas et Mélisande* fait salle comble au Manhattan Opera House de New York, dans la foulée d'une puissante campagne d'information et de séduction du public. On peut alors lire dans le *New York Times* :

> Sa beauté est presque indéfinissable ; étrange et inhabituelle, mais très réelle. On pourrait dire, pour le spectateur d'opéra habitué à tout l'éventail d'expressions musicales, de Gluck et Mozart et de Wagner à Strauss, que c'est le parfait négatif de tout ce qu'on a coutume d'appeler musique. Il est complètement étranger à l'art traditionnel. Dans sa substance harmonique, d'où sa musique est si largement composée, Debussy a pénétré dans un étrange et nouveau *wonderland*[2].

1. Lawrence Gilman, *Debussy's* Pelléas et Mélisande, *A Guide to the Opera*, New York, G. Schirmer, 1907, p. 15-17.
2. « First Hearing Here of Debussy's Opera », *New York Times*, 20 février 1908.

Debussy à Chicago et le soutien constructif de Glenn Dillard Gunn

La ville de Chicago a été initiée relativement tard aux œuvres orchestrales de Debussy. Ce n'est qu'en novembre 1906 que le public mélomane de Chicago, en grande partie d'origine allemande, entend pour la première fois le *Prélude à l'Après-midi d'un faune*, interprété par le Thomas Orchestra (précurseur du Chicago Symphony). Grâce aux efforts inlassables du chef d'orchestre Frederick Stock, ardent défenseur de la nouvelle musique française et en particulier de celle de Debussy[1], cette œuvre est programmée à plusieurs reprises pendant les saisons 1906-1907 et 1907-1908. À cette époque, les mélodies de Debussy et ses œuvres pour piano sont si souvent inscrites au programme des récitals que le critique du *Chicago Tribune*, William Lines Hubbard (1867-1950), ironise en affirmant que lorsqu'un récital ne comporte à son programme qu'un seul « bijou » de Debussy, il est considéré comme « incomplet[2] ». La familiarité n'a cependant pas conduit à une réception favorable. Lorsqu'en 1907 le pianiste Rudolph Ganz joue un groupe de pièces de Debussy à Chicago, Hubbard, très conservateur, écrit :

> Les pièces de Debussy au programme sont des histoires bizarres, extrêmement difficiles techniquement, et même pour une oreille habituée à Wagner et à Strauss d'une laideur inégalée. M. Ganz les a jouées à merveille, et il est bien de les avoir entendues – au moins on sait quoi éviter[3].

L'incompréhension que montre Hubbard pour la musique pour piano de Debussy s'étend à sa musique orchestrale. Après une audition du *Prélude à l'Après-midi d'un faune,* fin 1907, il écrit :

> C'est de la musique bizarre ! Ou bien, s'agit-il vraiment de musique – c'est-à-dire, de ce qu'on entend habituellement par musique ? Son matériel thématique semble n'être rien, et pourtant tout. […] Les sons et les bruits éphémères qui viennent sont partis avant que les sens comprennent ce qu'ils ont été[4].

1. James Briscoe, « Debussy in Daleville », dans *Rethinking Debussy*, *op. cit.*, p. 231-233.
2. « Spencer Recital », *Chicago Tribune*, 16 novembre 1908.
3. William L. Hubbard, « News of the Theaters », *Chicago Tribune*, 21 janvier 1907.
4. William L. Hubbard, « Thomas Orchestra », *Chicago Tribune*, 2 novembre 1907.

De *La Mer*, dont la première audition est donnée à Chicago en janvier 1909, Hubbard déplore :

> On peut dire à coup sûr que peu ont compris ce qu'ils ont entendu, et que peu ont entendu quelque chose qu'ils ont compris. Personnellement […] je n'hésite pas à avouer que je n'ai pu appréhender de la composition presque rien de tangible ou de compréhensible[1].

En février 1910, W. L. Hubbard est remplacé au *Chicago Tribune* par Glenn Dillard Gunn, un jeune pianiste intelligent et un talentueux spécialiste de la musique contemporaine. Gunn est un si ardent partisan de Debussy qu'en 1911 par exemple, sur deux cents articles et notices qu'il écrit pour le *Chicago Tribune*, cinquante mentionnent le nom de Debussy d'une façon ou d'une autre[2]. Il a aussi un talent très spécial pour mettre en valeur ses lecteurs – une bonne tactique pour les amener à accepter ce qu'ils ne comprennent pas. Dès le premier jour, Glenn Dillard Gunn utilise le pouvoir de la presse pour faire découvrir au public la musique de Debussy. Le contraste entre sa critique de *La Mer* et celle d'Hubbard est frappant :

> L'emploi que Debussy fait du langage des tons est si nouveau que le mot langage lui-même en tant qu'idiome paraît trop étroit et limité dans ses significations pour décrire sa richesse et son importance. En effet, même ceux qui l'ont étudié sérieusement sont obligés de confesser des doutes quant à l'interprétation de certains des tons employés. Il est donc impossible de déterminer de façon définitive la place que prendra ce compositeur dans l'histoire du progrès musical. Mais une chose est certaine : il est le progrès. Il préfigure la musique de demain, comme les maîtres classiques ont préfiguré la musique du présent et du passé immédiat. […]
> Par conséquent, il est du devoir de tout véritable mélomane d'écouter Debussy avec un esprit ouvert. Rendons ce nouveau langage musical aussi familier dans ses inflexions que celui de l'école allemande, ancienne et moderne, dans lequel nous avons été élevés. Il peut nous ouvrir de nouvelles possibilités, de nouvelles beautés, de nouvelles subtilités dans l'expression[3].

1. William L. Hubbard, « Confusing Novelty », *Chicago Tribune*, 30 janvier 1909.
2. Entre 1910 et 1914, Glenn Dillard Gunn évoque le nom de Claude Debussy dans les articles sur des compositeurs aussi divers que Brahms, Bloch, Charpentier, Massenet, Puccini, Strauss, Wagner…
3. Glenn Dillard Gunn, « Chicago Opera Company Flirting with Members of the Chicago Orchestra ? », *Chicago Tribune*, 27 février 1910.

C'est cette même année 1910 que *Pelléas et Mélisande* est porté à la scène à Chicago, lors de la première saison de la compagnie du Grand Opéra de Chicago. L'opéra de Debussy suscite alors beaucoup d'intérêt à cause de Mary Garden, qualifiée de « Chicago Girl » parce qu'originaire de cette ville. Suivant l'exemple de Lawrence Gilman, Gunn a publié un long article dans le *Chicago Tribune* expliquant le langage musical de Debussy et analysant ses thèmes[1]. Lorsque le public germanophile se montre divisé quant aux mérites de cet opéra, Gunn écrit :

> Pour l'homme qui passe son temps à écouter de la musique ou à en faire, c'est très important de découvrir un compositeur dont l'idiome est imprévisible ; qui ne préfigure pas sa cadence finale dans les huit premières mesures de sa mélodie ; qui peut échapper aux conventions de la forme et de la tonalité, et réussir toujours l'inattendu. C'est d'autant plus satisfaisant que cet élément inattendu est toujours beau, digne, rempli d'images poétiques, de noblesse et d'une éloquence qui est convaincante mais pas rhétorique.
>
> Enfin, cela veut dire beaucoup de choses pour la vie musicale à Chicago que cette musique soit reçue avec pas mal d'opposition. Une controverse est toujours bonne pour l'art. [...] Une fois que le public commence à être divisé sur une œuvre d'art, son succès est assuré[2].

La discussion journalistique concernant *Pelléas* n'est pas toujours sérieuse. Le *Chicago Tribune* est depuis longtemps connu pour sa colonne humoristique, « A Line O' Type or Two », écrite anonymement par Bert Leston Taylor (1866-1921). La colonne donne la vedette à un certain « Docteur Criticus Flub-Dubbe », un musicologue qui a le don du bon mot ; ce personnage peut être considéré comme un équivalent américain de « Monsieur Croche ». Le docteur Flub-Dubbe donne un « cours d'études des programmes musicaux » aux dames cultivées de la bonne société. À partir de 1910, il évoque souvent le nom de Debussy dans ses « leçons » sur la musique moderne. Son analyse de *Pelléas et Mélisande* moque le

1. Glenn Dillard Gunn, « Debussy Writes New Musical Language ; An Analysis of *Pelléas et Mélisande* », *Chicago Tribune*, 9 octobre 1910.

2. Glenn Dillard Gunn, « Music and the Musicians : *Pelléas and Mélisande* Arouses Controversy », *Chicago Tribune*, 18 novembre 1910.

style extrêmement métaphorique utilisé constamment par les commentateurs de la musique de Debussy :

> « Le motif du destin », dit le docteur. « Il a fondu maintenant, remplacé par une nuance perceptible de cobalt, qui à son tour cède la place à un glissando nacré. Et maintenant, entre chien et loup, les couleurs violettes s'approfondissent, et la lumière du clair de lune est tamisée par le feuillage ; et pourtant la solitaire grive des bois continue à répandre sa chanson monochrome. Tenez bon, mesdames, et marchez avec précaution ; car le mystère et la mythologie s'épaississent, et on pourrait bien trébucher sur une tierce doublement diminuée ou tomber sur un accord tonique parfait, abandonné[1]. »

Debussy le célèbre, Debussy le mystérieux

À partir de 1909, de nombreuses interviews de Claude Debussy sont publiées dans les journaux et les magazines. Il est décrit comme un homme à part, indifférent aux usages et aux mœurs des écoles de composition, aussi mystérieux que sa musique. Il est célébré comme un personnage culte, sensuel et impénétrable[2]. La seule publication qui semble regarder Debussy avec une certaine méfiance est *The Etude*, un magazine créé en 1848 et consacré à la musique. Ce magazine, plutôt conservateur, a pour audience des amateurs et des professionnels, et publie un éventail d'articles divers traitant aussi bien de sujets sérieux, de politique que de potins musicaux. En mars 1910, *The Etude* annonce : « Les patrons du New York Symphony se plaignent qu'ils entendent trop la musique de Debussy » ; en août 1913, on peut lire à propos de *Jeux* : « Debussy a mis en musique un match de tennis [...] Il reste maintenant à Sousa à écrire une œuvre pareille sur un match de baseball » ; et, en novembre 1913 : « Un critique australien a récemment parlé de Debussy, dont la musique a apporté

1. « A Line o' Type or Two : Dr. Dubbe's Program Study Class », *Chicago Tribune*, 29 octobre 1910.

2. Voir par exemple « The New Music Cult in France and Its Leader : Claude Achille Debussy Tells of His Present and Future Works », *New York Times*, 16 mai 1909 ; « French Composers Talk », *New York Times*, 14 novembre 1909 ; « Debussy Discusses Music and His Work », *New York Times*, 26 juin 1910 ; [J. MacB], « Music and Musicians », *Baltimore Sun*, 25 octobre 1914.

tant de discorde dans tant de foyers heureux[1]. » En 1914 pourtant, la rédaction semble avoir capitulé devant l'opinion générale favorable à Debussy, car *The Etude* demande à M.-D. Calvocoressi d'interviewer le compositeur. Le long et probant article qui en résulte se conclut avec la déclaration de Debussy selon laquelle « s'imaginer qu'on peut juger une œuvre d'art sur une première impression est la plus étrange et la plus dangereuse des illusions[2] ».

La francité de Debussy, si incompréhensible au premier abord, est devenue un atout lors de la Première Guerre mondiale, époque à laquelle les orchestres cessent de jouer la musique de compositeurs allemands et autrichiens vivants[3]. Le *San Francisco Chronicle* écrit :

> [...] la fin du monopole allemand sur la pensée musicale américaine est enfin arrivée. C'est la guerre qui l'a provoquée, de même que la lutte franco-prussienne une fois terminée a libéré la France du carcan de l'influence teutonique et produit une race de compositeurs qui sont devenus Franck, Debussy et Vincent d'Indy, individualistes fins et sans entraves – héritiers s'il en est de l'esprit français[4].

Réputation posthume

La mort de Debussy suscite beaucoup de réflexions à propos de son influence sur la musique de l'avenir. Le titre de l'article publié dans le *Boston Globe* pose une question simple : « Après Debussy, quoi[5] ? »

1. « The World of Music : At Home », *The Etude* (mars 1910) ; « The World of Music : Abroad », *ibid.* (août 1913) ; « The World of Music : Abroad », *ibid.* (novembre 1913).
2. Michel-Dimitri Calvocoressi, « An Appreciation of Contemporary Music : Claude Debussy », *The Etude*, juin 1914. Traduction française sous le titre « Une appréciation sur la musique contemporaine » (interview par M.-D. Calvocoressi), *Monsieur Croche*, p. 335.
3. Sur cet énorme et complexe sujet, voir, par exemple, Glenn Watkins, *Proof through the Night : Music and the Great War*, Berkeley and Los Angeles, California, University of California Press, 2003, et Kate Hevner Mueller, *Twenty-Seven Major American Symphony Orchestras : A History and Analysis of Their Repertoire, Seasons 1842-43 Through 1969-70*, Bloomington, Indiana, Indiana University Studies [Indiana University Press], 1973.
4. « America, The Mecca of Musicians », *San Francisco Chronicle*, 19 mai 1918.
5. « Music and Musicians : After Debussy, What ? », *Boston Daily Globe*, 31 mars 1918.

D'autres commentateurs, réfléchissant à l'évolution de la réputation du compositeur et à la compréhension de sa musique, tournent leur pensée vers le passé. La mort de Debussy coïncide avec une nouvelle production de *Pelléas et Mélisande* à New York. On peut alors lire dans le *New York Times* :

> Musique de rêve de *Bent Scales and Stained-Glass Attitudes*[1] est la description arbitraire, au mieux la première impression d'une nuit, publiée il y a dix ans sur *Pelléas et Mélisande* du regretté Claude Debussy, lors de sa première à Manhattan produite par l'audacieux directeur, Oscar Hammerstein [...] *Pelléas* a ensuite été déclaré le seul opéra moderne dans lequel les paroles des chanteurs étaient portées sans faille, mot pour mot, à chaque auditeur, sur le tissu arc-en-ciel d'un orchestre au ton feutré, et c'est ainsi que ça s'est passé de nouveau, pour la seizième fois à New York [...] il y a à peine deux mois [...]. La production originale à Manhattan avait été accueillie « avec une attention polie, un silence courtois, comme cela avait été demandé, puis avec une gratitude modérée, et enfin avec les applaudissements déchainés », de l'audience la plus représentative de la métropole cette saison-là.

Le journaliste affirme que, pour le public de 1918, « c'est une manifestation populaire qui acclame *Pelléas et Mélisande* comme un chef-d'œuvre moderne[2] ». En l'espace d'à peine seize ans, de 1902 à 1918, la réputation de Debussy semble s'être établie, en grande partie semblable à celle, triomphante, que nous connaissons aujourd'hui – en Amérique et dans le monde entier.

1. Voir note 1 p. 449.
2. « Debussy's *Pelléas and Mélisande* in New York », *New York Times*, 31 mars 1918.

Le « debussysme » à la polonaise
Sur les traces de la formation d'un mythe

Renata Suchowiejko

Au tournant des XIXe et XXe siècles, de profondes transformations affectent la vie artistique polonaise et font surgir de nouveaux manifestes esthétiques chez les jeunes compositeurs. La musique polonaise se trouve alors à la croisée de deux chemins. Ancrée fortement dans la tradition, elle cherche à s'éloigner du patrimoine romantique et à trouver de nouvelles formes de développement. Les artistes nés dans les années 1870 et 1880 et débutant leur carrière dans la première décennie du nouveau siècle ressentent le besoin impérieux de se démarquer de leurs aînés et de prouver leur singularité. L'école « Jeune Pologne » encadre leurs efforts. Ce mouvement se déploie dans tous les arts (littérature, théâtre, musique et arts plastiques) pendant les années 1890-1918. Il n'est ni stylistiquement homogène ni idéologiquement structuré et rassemble des artistes aux personnalités fulgurantes, n'ayant eu de cesse de se nourrir de conflits internes et de tenter même de réconcilier des orientations contradictoires, voire incompatibles. Loin de tout éclectisme consensuel, ce mouvement témoigne d'un dynamisme profondément créatif.

À la fin du XIXe siècle, le modernisme polonais participe au renouveau artistique européen tout en faisant valoir la singularité politique et sociale d'un pays spolié de son État. Cette occurrence ne prend fin qu'en 1918 et influence le développement de la culture et de l'art polonais de manière décisive. Dans le domaine de la musique, le modernisme polonais naît cependant après-coup. Mieczysław

Karłowicz n'en est le héros que vers 1906[1] et Karol Szymanowski en devint le porte-parole pendant la Grande Guerre[2].

Le débat esthétique autour du nouvel art touche des questions d'identité artistique et de tradition. La jeune génération se démarque d'emblée du nationalisme musical en lui opposant les valeurs européennes d'individualisme et de liberté créatrice. Lorsque le débat sur l'œuvre de Claude Debussy éclate, les jeunes artistes trouvent un moyen de préciser le sens, moins musical qu'idéologique, de leur quête d'identité.

L'accès à la modernité prescrit la négation de la tradition romantique, notamment allemande, que n'en continuent pas moins de défendre de nombreux adeptes. Le conflit « Debussy contre Wagner » cristallise de nombreuses et violentes querelles dans lesquelles les jeunes compositeurs assignent à Debussy un rôle de contrepoids à l'élément germanique qu'ils jugent trop prégnant dans la musique polonaise. La Pologne s'ouvre par ailleurs à la culture française. Les Polonais connaissent parfaitement les œuvres des artistes français et la langue française jouit du statut de *lingua franca*.

Le premier commentaire sur la musique de Debussy est publié en 1901 dans l'*Écho musical, théâtral et artistique* sous forme d'un long article signé par Henryk Opieński (1870-1942)[3] et intitulé « De la musique française la plus récente ». L'article présente un panorama historique de la musique française de Berlioz à Bruneau, dans lequel

1. Mieczysław Karłowicz (1876-1909) est l'un des compositeurs polonais les plus importants du tournant des XIXe et XXe siècles. Ses poèmes symphoniques, notamment *Chants éternels, Rapsodie lituanienne, Les Vagues revenantes, Une triste histoire, Stanisław et Anna Oświecimowie*, témoignent des nouvelles tendances se dessinant dans la musique polonaise de l'époque.

2. Vivement intéressé par les sonorités debussystes, Karol Szymanowski (1882-1937) les adapte aux besoins de son œuvre. Ses pièces de la seconde période, dite « impressionniste », notamment *Mythes* pour violon et piano op. 30, les œuvres pour piano *Métopes* op. 29 et *Masques* op. 34, *Chants de la Princesse des contes de fées* op. 31, *3e Symphonie « Le Chant de la nuit »*, *1er Concerto pour violon*, exaltent la beauté sensuelle du timbre. C'est un « impressionnisme » extrêmement personnel, complètement différent de l'impressionnisme français, né d'expériences artistiques préalables influencées par la musique allemande et celle de Scriabine.

3. Violoniste, chef d'orchestre et critique musical, Henryk Opieński (1870-1942) était un fin connaisseur des réalités musicales françaises. Il étudie à Paris dans les années 1890, le violon dans la classe de Władysław Górski et la composition à la Schola Cantorum. Il est pendant un court laps de temps premier violon de l'orchestre d'Édouard Colonne et joue dans l'orchestre de l'Opéra de Paris.

Franck, d'Indy et Charpentier (sans oublier Chausson, Lekeu, Fauré, Pierné et Dukas) se taillent la part du lion. Ce panorama réserve peu de place à Debussy[1]. Opieński ne présente ni la biographie ni les créations du compositeur français, se contentant d'évoquer son Prix de Rome et le rejet, qualifié « de gifle d'honneur », de *La Damoiselle élue* par les membres de l'Académie, considérant cette œuvre comme une confirmation de la modernité artistique de Debussy. Cependant, Opieński met sa musique sur un piédestal et balaie toute critique :

> En donnant l'exemple d'un goût artistique exquis que domine le talent musical le plus extraordinaire, le plus subtil et le plus original, la création de Debussy évolue dans des chants inspirés par les mots de Baudelaire et de Verlaine, dans le charme du *Prélude à l'Après-midi d'un faune* et dans l'adaptation musicale du *Pelléas et Mélisande* de Maeterlinck[2].

Après avoir affirmé très tôt le génie de Debussy et sa supériorité sur Wagner, le critique Adolf Chybiński (1880-1952)[3] pénètre plus profondément les arcanes de la musique du compositeur français. À l'occasion du cinquantième anniversaire de Debussy, Chybiński dresse un portrait enthousiaste de l'artiste en soulignant l'essence révolutionnaire du *Prélude à l'Après-midi d'un faune,* œuvre tout à la fois révélatrice du génie de son auteur et émancipatrice d'une musique française libérée de l'étreinte de Wagner et des classiques allemands.

Pour Chybiński, la tradition allemande et ses qualités réelles (solidité de la structure, monumentalité, intelligence artistique) ont été stig-

---

1. Il est surprenant qu'Opieński ait traité Debussy de manière laconique. Était-ce par loyauté pour sa propre communauté artistique ? Opieński respectait profondément d'Indy dont il fut l'élève à la Schola Cantorum. Peut-être n'a-t-il pas voulu, pour cette raison, chanter les louanges de Debussy. Ou peut-être lui manquait-il, tout simplement, les compétences pour pleinement saisir la nouveauté des compositions de Debussy. Il a abondamment décrit avec sérieux les œuvres des autres compositeurs français. Son article mérite d'être lu, car il offre, pour la première fois en Pologne, un large panorama critique sur la question du modernisme français.
2. Henryk Opieński, « Z najnowszej muzyki francuskiej » [De la musique française la plus récente], *Echo Muzyczne, Teatralne i Artystyczne* [Écho musical, théâtral et artistique], n° 35, 1901, p. 379.
3. Musicologue et critique musical éminent, Adolf Chybiński (1880-1952) est le fondateur de la chaire de musicologie de l'université de Lwów en 1912. Connaisseur de la musique ancienne et contemporaine, ardent propagateur des musiciens du courant « Jeune Pologne » et précurseur dans le champ des recherches ethnomusicologiques, il fut également le biographe de Mieczysław Karłowicz.

matisées par de « petits esprits doctrinaires et schématiques » comme lourdes et opposées à « la subtilité, la légèreté, la vivacité et la quête d'émotions fortes de l'âme gauloise, toujours prête à manifester son effronterie et son esprit, même pendant le travail intellectuel le plus sérieux[1] ». Dans sa quête de l'âme gauloise, Debussy aurait ainsi trouvé chez Couperin et Rameau « une facture simple et transparente, née de l'esprit et du tempérament romain[2] ». Chybiński loue également l'extraordinaire immédiateté de l'expression debussyste que le compositeur obtient de manière atypique par « la simplicité des moyens, notamment l'utilisation d'un orchestre moins fourni que ceux des maîtres allemands (Mahler, Strauss, Schillings, Pfitzner) pour obtenir un timbre sensible et subtil[3] ».

Le critique souligne aussi les influences que la peinture et la poésie exercent sur l'expression debussyste. D'après lui, le reproche de n'avoir pas de forme propre que l'on fait généralement à ses œuvres est absurde et superficiel : «Voyez comment chaque œuvre expose la logique de sa structure ! » Et Chybiński ajoute : « Une musique dépourvue de fond réaliste, issue de l'au-delà, une musique insaisissable, inconsciente, impondérable, indéfinie, dont les périodes et les thèmes se rencontreraient pour former une totalité organique, doit recourir à une ponctuation régissant contenus et formes. Sans cela, le subtil tissu d'une musique si extraordinaire (comme issue des rayons de l'arc-en-ciel et de la lune) se déchire au moindre tranchant[4]. »

Autre musicologue de talent, Zdzisław Jachimecki (1882-1953)[5] consacre lui aussi beaucoup d'attention à Debussy. Ses analyses le conduisent néanmoins à des conclusions aux antipodes de celles de

1. Adolf Chybiński, « Klaudjusz Achilles Debussy. W 50-tą rocznicę urodzin » [Claude-Achille Debussy. Cinquantième anniversaire de sa naissance], [Revue musicale], n° 20, 1912, p. 9.

2. *Ibid.*

3. Adolf Chybiński, « Klaudjusz Achilles Debussy », *Przegląd Muzyczny*, n° 21, 1912, p. 2.

4. *Ibid.*

5. Zdzisław Jachimecki (1882-1953), musicologue éminent, fondateur de la chaire de musicologie de Cracovie en 1911, compositeur et critique musical. Il fut un observateur et commentateur attentif de la vie musicale de son époque. Savant jouissant d'une grande érudition et d'une profonde sensibilité artistique, Jachimecki a également témoigné de remarquables capacités analytiques. Promouvant des méthodes de recherche différentes et dotés de personnalités dissemblables, Jachimecki et Chybiński ont souvent ardemment polémiqué pour défendre leurs points de vue.

Chybiński. Fin connaisseur de l'art français et maîtrisant parfaitement la langue française, Jachimecki n'en est pas moins un wagnérien convaincu, que l'originalité et la nouveauté de la musique de Debussy intriguent. Pour définir les qualités sonores et les impressions propres à l'univers debussyste, il a systématiquement recours à la métaphore picturale :

« Debussy est le prototype de l'impressionniste musical qui transforme artistiquement les valeurs chromatiques en valeurs acoustiques. [...] Le compositeur imprime l'aura de l'instant dans les sons et y dévoile un clair-obscur, un paysage, une atmosphère. Il n'est cependant pas un compositeur de musique à programme. L'illustration naturaliste des objets ne le tente pas ; elle lui demeure étrangère[1]. »

Jachimecki a écrit sur toutes les œuvres de Debussy interprétées à Cracovie, ville où il réside à partir de 1906. Auparavant, il avait eu l'occasion de découvrir le compositeur français pendant ses études à Vienne dans la classe de Guido Adler. Le musicologue n'a jamais douté que Debussy fût un esprit révolutionnaire. L'interprétation de *Pelléas et Mélisande* à Vienne lui fait grande impression, sans toutefois le ravir. Jachimecki admire la maîtrise instrumentale et le rôle de l'orchestre créant un fond sonore subtil pour le mot et le geste. Il loue l'expressivité des silences, les récitatifs chantés et l'absence de travail thématique. Sur scène, le jeu des lumières faisant poindre et disparaître les décors l'enthousiasme.

Malgré son admiration pour sa technique et sa maîtrise, Jachimecki affirmait que *Pelléas* demeurait inadapté aux besoins du théâtre et provoquait chez le spectateur une fatigue « causée par la monotonie des moyens musicaux et du timbre, ainsi que par l'absence de variations rythmiques émouvantes et de tout ce qui pourrait soutenir notre attention. Tout comme l'œil s'adapte à l'obscurité et discerne en elle les objets, l'oreille réussit à s'orienter dans le murmure ou la semi-obscurité de *Pelléas* sans jamais en retenir quoi que ce soit à l'exception d'un thème sans importance dans l'introduction. Une telle expression musicale demeure étrangère à notre nature [...] cette musique est trop peu musicale[2] ».

1. Zdzisław Jachimecki, « Z muzyki dramatycznej w Niemczech i Francji » (De la musique dramatique en France et en Allemagne), *Przegląd Muzyczny* [Revue musicale], n° 24, 1911, p. 1.
2. *Ibid.*, p. 2.

L'argument ultime, Jachimecki le trouve dans une assertion de Romain Rolland qu'il réfute : « La victoire de *Pelléas* marque une réaction légitime, naturelle, vitale du génie français contre l'art wagnérien. » On ne saurait en effet, selon le musicologue polonais, comparer *Pelléas* à *Tristan* : « Les Français voient en *Pelléas* une victoire sur les Allemands, sur l'art de Wagner, une revanche après l'humiliation de Sedan. [...] mais le contraste existant entre les moyens mis en œuvre par Debussy et Wagner n'induit nulle victoire sur le profond et puissant génie allemand, à moins que cette "victoire" ne soit comprise dans un sens négatif[1]. » Jachimecki chante la supériorité de Wagner, car « chaque cœur s'humanise en écoutant sa musique ».

Avant 1914, le débat autour de Debussy est mené dans un cercle relativement restreint par des spécialistes parfaitement initiés aux subtilités du sujet, voyageant souvent à l'étranger et connaissant aussi bien les écrits de leurs pairs en France que ceux du compositeur lui-même. La musique de Debussy est par conséquent relativement peu connue du grand public à l'époque.

En Pologne, les œuvres de Debussy ne furent représentées que tardivement et uniquement dans les centres musicaux les plus importants : Varsovie, Cracovie, Lwów et Łódź. La première pièce (le *Quatuor à cordes*) est donnée en 1905 à Varsovie. Le public polonais découvre quelques œuvres pour piano à partir de 1907 et des mélodies à partir de 1909. À cette époque, les œuvres symphoniques sont aussi interprétées, notamment le *Prélude à l'Après-midi d'un faune*, les *Nocturnes* et *La Mer*[2], grâce au zèle de deux chefs d'orchestre – Grzegorz Fitelberg[3], qui dirige la première de *Pelléas* à Saint-

1. *Ibid.*, p. 3.
2. Małgorzata Woźna-Stankiewicz étudie les premières interprétations des pièces de Debussy et la réaction des critiques musicaux polonais dans son article « Między impresjonizmem a symbolizmem, czyli pierwsze polskie interpretacje muzyki Claude'a Debussy'ego » [Entre impressionnisme et symbolisme : les premières interprétations polonaises de la musique de Claude Debussy], *Res Facta Nova*, n° 3, 1999, p. 19-38.
3. Violoniste, chef d'orchestre et compositeur, Grzegorz Fitelberg (1879-1853) débute en tant que chef d'orchestre à la Philharmonie de Varsovie en 1904. Proche de Karol Szymanowski, il promeut les jeunes compositeurs polonais. La Russie lui voue une grande reconnaissance. Il est chef d'orchestre des Ballets russes à Paris et se produit sur de nombreuses scènes en Europe et en Amérique du Nord et du Sud.

Pétersbourg en 1916, et Zdzisław Birnbaum[1] – tous deux directeurs de l'Orchestre philharmonique de Varsovie fondé en 1901.

Pelléas n'a jamais été représenté en Pologne sous le régime communiste. Dans les années 1960, des extraits ont été joués et ce uniquement en version de concert. On recense néanmoins une tentative de monter l'opéra. Robert Brussel évoque cette idée lors de son passage à Varsovie en 1926, à l'occasion de l'inauguration de la statue de Chopin et dans le cadre de la préparation d'un projet d'échange franco-polonais avec la collaboration d'artistes polonais[2].

Pendant l'entre-deux-guerres, la situation culturelle se métamorphose. La reconstitution de l'État polonais, le développement d'institutions publiques et une politique culturelle créent les conditions d'un renouveau de la musique. Les coopérations bilatérales engendrant nombre d'événements culturels ont fleuri, notamment les deux éditions du Festival de musique polonaise à Paris (en 1925 et 1932) et le Festival de musique française à Varsovie (en 1928) fortement redevables à l'Association française d'expansion et d'échange artistique dirigée par Robert Brussel. Grâce à ces initiatives, les œuvres de Debussy entrent au répertoire des concerts.

Après 1918, le conflit « Debussy contre Wagner » s'embrase une seconde fois avec beaucoup plus de vigueur. Des personnalités importantes et influentes s'y engouffrent, notamment Karol Szymanowski, adepte convaincu de l'option française. Dans son analyse de la musique contemporaine, Szymanowski souligne le rôle révolutionnaire du compositeur français :

> Debussy a été le premier à rompre le cordon ombilical des influences en provenance d'outre-Rhin. Il s'est libéré du carcan de l'éclectisme

1. Violoniste et chef d'orchestre, Zdzisław Birnbaum (1878-1921) étudie dans les classes de Joseph Joachim à Berlin et d'Eugène Ysaÿe à Bruxelles. Sa carrière de chef d'orchestre, émaillée de nombreux succès, débute en 1904. Il dirige notamment l'orchestre de Lausanne, devient le premier chef d'orchestre du Manhattan Opera House à New York (1909-1911) et dirige l'orchestre de la Philharmonie et du Teatr Wielki de Varsovie.

2. Voir les notes manuscrites de Robert Brussel sur son séjour à Varsovie en 1926 : *Conférence avec* [*Leopold*] *Binental, 19 novembre 1926*, BnF Musique, « Fonds Montpensier – Pologne ». Violoniste, éditeur et spécialiste de Chopin, Leopold Binental (1886-1944) étudie à Paris et obtient, après son retour, le diplôme au Conservatoire de Varsovie. En 1932 il monte à Varsovie une exposition de souvenirs et de documents sur Chopin.

> qui régnait avec exubérance dans la musique française de la seconde moitié du XIXe siècle et a créé une grande œuvre transmettant un sens profond et novateur du point de vue de la forme et du contenu, une œuvre répondant aux exigences de la musique française et aux enjeux de l'époque[1].

En plaçant Debussy sur un piédestal (et Ravel que Szymanowski n'admirait pas moins mais dont il regrettait que son prédécesseur ait quelque peu étouffé la gloire), le compositeur polonais sépare explicitement la musique allemande jugée « d'hier » et la musique française « d'aujourd'hui ». Selon lui, cette négation, alliée à la vivacité de l'inspiration russe, a jeté les bases du renouveau de la musique contemporaine. Szymanowski décrit les différences de personnalité et de style entre Debussy et Ravel, mais révèle également la profondeur du lien spirituel qui les unit : « Une fraternité affective et belle lie Ravel et Debussy dans leur combat pour une grande musique française originale, libérée une bonne fois pour toutes des influences étrangères. Ils témoignent tous deux de la même approche de l'art en tant que produit de caractéristiques raciales et d'une culture spirituelle commune[2]. »

Szymanowski voyait donc dans cette posture antiromantique et antigermanique un modèle nécessaire pour les compositeurs polonais, une condition *sine qua non* de toute création artistique visant à devenir un art proprement polonais : « J'énonce en ce lieu une opinion, une formule mathématique, un axiome, qui ne souffre aucune objection : si nous n'effaçons pas de notre mémoire l'esthétique allemande traditionnelle, la musique polonaise ne deviendra jamais elle-même. Je tiens ce constat de mes instincts raciaux les plus profonds[3]. » Sur le chemin de l'émancipation de la musique polonaise il faut donc suivre l'exemple des maîtres français. Szymanowski constate : « Je ne cesserai jamais d'affirmer qu'un rapprochement véritable de la musique française – exigeant de profondément comprendre son

---

1. Karol Szymanowski, « Maurice Ravel », *Pisma muzyczne* [Écrits musicaux], t. 1, édité et annoté par Kornel Michałowski, Kraków, Éd. Polskie Wydawnictwo Muzyczne, 1984, p. 149.
2. *Ibid.*
3. Karol Szymanowski, « My Splendid Isolation », *Pisma muzyczne* [Écrits musicaux], *op. cit.*, p. 71.

contenu et sa maîtrise de la forme – [...] constitue la seule condition du renouveau de notre musique[1]. »

Dans ce débat, les opinions de Szymanowski, ses écrits comme ses déclarations, sont fortement affectives. La violence des polémiques et des conflits portant à la fois sur les idées et les personnes justifie un tel excès d'émotions. Pour défendre ses idéaux, le compositeur polonais ne craint pas d'attaquer directement ses adversaires et de formuler ses idées dogmatiquement. Ces discussions brassent des opinions esthétiques, mais elles ne sont pas dépourvues de l'écho des débats politiques que la Pologne avait connus après la Grande Guerre et le recouvrement de sa souveraineté. Et bien que Szymanowski ne parle pas directement de politique, on sent dans ses discours une sympathie pour le camp national-démocratique.

Relevons son usage des termes de « nation » et de « race » qui servaient au plus haut point ses réflexions esthétiques. Le compositeur pensait que l'évolution de l'art dépendait de moments clés, dont le plus important est le « moment racial » :

> J'affirme que la musique allemande – malgré sa grandeur – n'est qu'une musique allemande, c'est-à-dire exprimant les profondeurs du psychisme de la race allemande. Cette expression a évolué jusqu'à son étape la plus intéressante, celle de Wagner. Un moment politique s'est malheureusement adjoint à l'édifice : la musique a été délogée de sa sphère propre pour imposer l'idée de grande œuvre romantique servant fidèlement les intérêts du pangermanisme, et ce jusqu'aux limites de l'expression de la germanité. À ce moment-là la musique a commencé à décliner en tant que musique pure[2].

Ce déclin de la musique, l'épuisement de son potentiel, son assujettissement idéologique, provoquent ainsi leur contraire :

> Le vent nouveau a d'abord traversé la France où nous découvrons le talent de bon augure d'un Debussy. [...] Il a su transformer les salles de concert étouffantes en jardins merveilleux, en horizons infinis embrassant les montagnes, les mers et le ciel. Ce « naturisme », cette

1. Karol Szymanowski, « Maurice Ravel », *Pisma muzyczne* [Écrits musicaux], *op. cit.*, p. 150.
2. Karol Szymanowski, « Drogi i bezdroża muzyki współczesnej w świetle krytyki » [Les chemins et les impasses de la musique contemporaine à la lumière de la critique], *Pisma muzyczne* [Écrits musicaux], *op. cit.*, p. 189.

> intrusion panthéiste dans l'essence des phénomènes de la nature, est si éloigné du naturalisme brutal d'un Richard Strauss ! Claude Debussy [...] fait partie des artistes les plus profonds, les plus harmonieux et les plus conscients d'eux-mêmes. Il offre l'expression de l'éternel génie latin. Son frère spirituel Ravel se tient à ses côtés[1].

Pour Szymanowski, la création institue ainsi des moments forts exprimant le potentiel artistique et spirituel d'une nation. Le génie de chaque œuvre libère l'instinct de la race et donne voix aux sentiments et aux nostalgies de l'ensemble de la société. À côté de Wagner, Szymanowski cite Chopin, « ce moderniste génial d'il y a cent ans, qui a su donner au monde ravi l'expression idéale de la polonité et donné l'exemple d'une expression inépuisable des particules raciales de la Pologne » ; Debussy, qui « pour la première fois en France a illuminé le génie musical de son pays », et Stravinsky qui, « faisant éclater tous les carcans musicaux et esthétiques officiels, était le premier à accéder à une vérité si profonde sur sa race »[2].

Szymanowski n'entend pas rabaisser ces propriétés raciales au niveau d'un folklorisme facile. Pour lui, la culture populaire peut constituer le substrat d'une œuvre, mais il n'y a là aucune obligation. Il est important que cette culture n'impose ni formule banale ni exotisme trivial. Szymanowski ne s'intéresse pas aux valeurs formelles ou aux attributs externes de la musique ; il voulait en saisir les contenus les plus profondément spirituels. Les propriétés raciales élevées au niveau supérieur des valeurs musicales deviennent universelles et atemporelles. C'est ainsi que l'art prend une dimension humaine sans perdre de vue son identité nationale et devient, comme chez Chopin, « une expression transcendantale de l'âme nationale[3] ».

En considérant l'âme nationale comme une valeur esthétique et éthique supérieure, Szymanowski procède à sa mythification. Indépendamment du fait qu'elle soit « âme slave » ou « âme gauloise », cette âme crée, selon lui, une source d'inspiration inépuisable pour l'artiste. Elle recèle toutes les forces vitales de la nation. Elle jouit

1. Karol Szymanowski, « Karol Szymanowski o muzyce współczesnej » [Karol Szymanowski sur la musique contemporaine], *Pisma muzyczne* [Écrits musicaux], *op. cit.*, p. 59.
2. Cf. *Pisma muzyczne* [Écrits musicaux], *op. cit.*, p. 299 (Chopin), p. 300 (Debussy), p. 60 (Stravinsky).
3. Cf. *Pisma muzyczne* [Écrits musicaux], *op. cit.*, p. 315.

également de qualités archétypiques, premières, éternelles et universelles. Une telle interprétation de la réalité amène Szymanowski à idéaliser la figure de l'artiste transformé en héros mythique, Chopin devenant le génie de la race polonaise et de la polonité éternelle et Debussy l'expression éternelle du génie latin.

Comment se manifeste ce génie latin dans la musique ? Il est très difficile de l'expliquer. Un auditeur sensible le reconnaît néanmoins immédiatement. Les commentateurs polonais identifient presque d'un commun accord les caractéristiques de ce phénomène. Leurs descriptions des œuvres de Debussy et de Ravel révèlent un ensemble de formules convergentes : « transparence latine et clarté de la forme » et « instinct infaillible surgissant des profondeurs de l'émotion créatrice » (Szymanowski) ; « âme gauloise encline à l'effronterie et à l'esprit » (Chybiński) ; « légèreté et subtilité, qualités innées de la culture gauloise » (S. W.) ; « clarté transparente et logique française » (Drzewiecki)[1].

Zygmunt Mycielski, amateur de musique française et défenseur d'un idéal de beauté fondé sur les canons classiques (harmonie, mesure, équilibre et quiétude) écrit sur la personnalité « latine » de Debussy :

> Le fondement de son génie est l'art français avec son inclination à la pureté du style. En poésie, en architecture, dans les arts plastiques et en musique, il s'agit d'une dominante culturelle typiquement française. Le Français apprécie moins les explosions géniales que le perfectionnement de qualités acquises par l'effort de toute une vie. L'art français se caractérise par une purification de l'idée jusqu'à une forme définitive, dépouillée de tout hasard. [...] Tributaires, depuis des siècles, d'une éducation répondant à d'autres canons esthétiques, nous jugeons parfois que l'art français est froid ou superficiel. Mais ceux qui y ont goûté une fois, ne peuvent plus échapper à la clarté de son charme. À tel point que même les œuvres géniales des autres écoles semblent souvent souffrir d'une surcharge expressive en comparaison de la pure musique française. Car, pour les Français, comme pour les Grecs, la caractéristique chérie et dominante des œuvres humaines est la mesure, l'humanisme et l'espace délimité de la connaissance sensible et spirituelle, au-delà

1. Karol Szymanowski, *Pisma muzyczne* [Écrits musicaux], *op. cit.*, p. 60 et p. 149 ; Chybiński, Adolf, *Przegląd Muzyczny* [Revue musicale], n° 20, 1912, p. 9 ; Zbigniew Drzewiecki, *Kurier Literacko-Naukowy* [Courrier littéraire et scientifique], n° 29, 1938 ; S. W., *Kurier Literacko-Naukowy* [Courrier littéraire et scientifique], n° 31, 1928.

> duquel on ne s'aventure pas, par répugnance pour l'élément obscur et brumeux. […] L'art français, comme jadis l'art grec, enseigne que l'on ne peut exprimer durablement la nostalgie que lorsqu'une discipline sévère encadre les formes du beau, que l'on résorbe le chaos et que l'on passe la fantaisie au crible serré de la critique[1].

Szymanowski a sans nul doute influencé fortement de telles déterminations. Il s'est souvent référé à ces idées, en a fait des armes polémiques et les a transmises à ses successeurs. Il est devenu le guide spirituel de la jeune génération des compositeurs arrivée à maturité dans les années vingt et trente. L'option française prend toute sa force à cette époque. Les élèves de Szymanowski tournaient résolument leur regard vers la France en quête de modèles et d'inspiration. Éduqués dans le culte de Debussy, ils portèrent haut le flambeau de la culture française. Beaucoup d'entre eux s'installèrent à Paris pour parfaire leur formation et développer leur carrière. Certains devinrent élèves de Nadia Boulanger, qui leur transmit l'amour de l'art français et le métier de la composition[2].

Mais il ne leur importait pas seulement de se former au métier de compositeur. Zygmunt Mycielski[3] précise ces motivations : « Nous recherchions une ambiance artistique inconnue en Pologne. […] Nous arrivions d'un pays absent des cartes du monde dix ans auparavant[4]. » Ce fut une expérience nouvelle et précieuse. Fascinés par les richesses et la diversité de Paris, les jeunes Polonais participent activement à la vie musicale de la ville et affichent leur prédilection pour l'idéal latin que Szymanowski leur a inoculé. Mycielski note : « Nous vivions pleinement le culte de ce que l'on nommait clarté

1. Zygmunt Mycielski, « Nie znamy muzyki francuskiej » [Nous ne connaissons pas la musique française], *Ucieczki z pięciolinii* [Fuir les partitions], Varsovie, Państwowy Instytut Wydawniczy, 1957, p. 182-184.

2. Élèves polonais de Nadia Boulanger : 1) Fin des années 1920 : Michał Kondracki, Feliks Łabuński, Zygmunt Mycielski, Kazimierz Sikorski, Stanisław Wiechowicz, Tadeusz Szeligowski, Bolesław Woytowicz. 2) Années 1930 : Grażyna Bacewicz, Michał Spisak, Anna Klechniowska, Witold Rudziński. 3) Après la Seconde Guerre mondiale : Kazimierz Serocki, Juliusz Łuciuk, Wojciech Kilar, Krzysztof Meyer.

3. Compositeur, critique et animateur de la vie musicale, Zygmunt Mycielski (1907-1987) était un membre actif de l'Association des jeunes musiciens polonais de Paris dont il fut le président entre 1934-1936. Après la Seconde Guerre mondiale, il décida de revenir en Pologne pour y reconstruire la vie musicale.

4. Zygmunt Mycielski, « Wspomnienia i Refleksje » [Souvenirs et réflexions], *Muzyka*, n° 3, 1978, p. 39-40.

latine sans pouvoir vraiment le définir. On jetait l'opprobre sur toute musique que l'on qualifiait de pompier : surchargée, épaisse, emphatique et déballant un surplus de notes[1]. »

L'Association des jeunes musiciens polonais est créée à Paris en 1926. Ses statuts prévoient de soutenir l'organisation d'événements artistiques, de concerts, de conférences et la promotion de la musique polonaise. De nombreux interprètes prennent part aux activités de l'Association, ainsi qu'un grand nombre de compositeurs[2]. Son comité d'honneur réunit notamment Nadia Boulanger, Robert Brussel, Maurice Ravel, Albert Roussel, Mme Claude Debussy et Karol Szymanowski. Pour la première fois, la musique polonaise peut alors vivre à l'échelle européenne.

Ce séjour parisien a laissé des traces durables chez les jeunes. Zygmunt Mycielski en témoigne :

> Les Français voulaient avant tout instituer une relation sensuelle à l'art. Ils ne cessaient de le répéter en formulant les expressions « le plaisir de l'oreille » en musique et « le plaisir de l'œil » en peinture. Entendre, voir. Pour ces Latins (ils préfèrent ce terme à celui de Français) le phénomène artistique est d'abord un phénomène sensuel. L'atmosphère de l'époque accentue cette vision qu'en peinture les coloristes polonais, membres du Comité de Paris, rapportent en Pologne. En musique, les artistes transmettent en Pologne l'écoute du son, le plaisir de l'oreille, le plaisir de l'écoute[3].

Il faut comprendre ces mots comme le credo artistique que l'œuvre de Debussy, porte-parole de la sensualité et de l'âme gauloise, a fait pénétrer dans l'âme polonaise.

1. *Ibid.*, p. 41.

2. Quelques interprètes éminents : 1) Chanteuses : Maria Modrakowska, Marya Freund, Zofia Massalska. 2) Pianistes : Zygmunt Dygat, Artur Hermelin, Henryk Sztompka. 3) Violonistes : Michał Wiłkomirski, Wacław Niemczyk, Irena Dubiska, Eugenia Umińska, Roman Totenberg. Les compositeurs : Piotr Perkowski, Feliks Łabuński, Michał Kondracki, Zygmunt Mycielski, Tadeusz Szeligowski, Antoni Szałowski, Bolesław Woytowicz, Roman Palester, Michał Spisak, Witold Rudziński.

3. Zygmunt Mycielski, « Wspomnienia i Refleksje » [Souvenirs et réflexions], *op. cit.*, p. 41.

Debussy et les Proms

Michel Rapoport

Lorsque le 20 août 1904 le *Prélude à l'Après-midi d'un faune* est donné pour la première fois aux Proms, sous la direction de Sir Henry Wood, « le nom de Claude Debussy est familier pour les musiciens depuis un certain temps, bien qu'à Londres sa musique, du moins, ne le soit pas » comme le signale le 24 août le critique du *Times*. Le compositeur a déjà effectué deux voyages à Londres, l'un en juillet 1902 à l'invitation d'André Messager, directeur musical depuis près de deux ans de Covent Garden, l'autre au printemps 1903 comme critique pour le compte du *Gil Blas* – en outre, il a eu des échanges épistolaires avec Henry Wood.

Les Proms, qui en seront à leur 178e saison en juillet 2013, ont vu le jour le 10 août 1895 à l'initiative de Robert Newman, directeur du Queen's Hall de Londres, qui confie à Henry Wood, jeune chef de 26 ans, la première saison et la direction de l'orchestre permanent du Queen's Hall. Il s'agit, avec cette manifestation, d'ouvrir la musique à un large public en pratiquant un tarif bon marché – l'entrée pour un concert est fixée à cinq shillings, l'abonnement pour la saison à une guinée, soit un peu plus d'une livre sterling. Un concert représente à cette époque trois heures de musique, avec un programme chargé : vingt-trois morceaux lors de la première soirée, la première partie du concert étant faite de musique « sérieuse », la seconde de musique plus légère ou plus populaire.

L'intention des deux hommes est aussi de faire découvrir les compositeurs contemporains : il faut attendre la dixième saison pour que Debussy fasse son entrée aux Proms, ce qui peut sembler relativement tardif. Mais de 1904 à 2011, sa présence y a été quasi permanente : en un peu plus d'un siècle, une cinquantaine de ses œuvres ont été jouées au cours de 366 concerts[1].

Après avoir situé la place de Debussy dans les Proms et proposé quelques pistes concernant la programmation de son œuvre, l'analyse du *Musical Times* et du *Times* permet de voir comment un magazine et un grand quotidien rendent compte de la présence du compositeur français aux Proms.

La place de Debussy aux Proms

S'il est loin derrière Wagner, Beethoven et Mozart (les deux premiers ont droit, pendant de nombreuses saisons, à une soirée spéciale), Debussy est parmi les premiers à figurer au « hit parade » des compositeurs français dont l'œuvre est interprétée aux Proms, derrière Berlioz, Saint-Saëns, Bizet et Ravel[2]. Sur l'ensemble de la période 1904-2011, seules trois années (1905, 1983 et 1985) sont dépourvues de programmes comprenant des œuvres de Debussy, sans aucune explication qui puisse justifier ces absences. Les autres années, le nombre de morceaux joués varie grandement, d'un unique en 1904 à dix en 1915.

Jusqu'en 1940, les Proms sont dominées par Sir Henry Wood. Celui-ci inscrit à 135 reprises Debussy dans ses programmations, soit une moyenne de trois morceaux par saison. Mais on oscille entre une œuvre unique, le *Prélude à l'Après-midi d'un faune* joué en 1904 et en 1939, et dix œuvres en 1915, seule année où un nombre aussi élevé est programmé : *Le Martyre de saint Sébastien* le 24 août, *Printemps* le 2 septembre, le *Prélude à l'Après-midi d'un faune*

1. Pour les programmes, nous renvoyons au site de la BBC, www.bbc.co.uk/proms/archive qui permet d'accéder à l'ensemble des programmes, en ce qui concerne Debussy, de 1904 à 2011. Le choix peut se faire par saison ou par titre d'œuvre. Nous avons travaillé à partir de cette base de données, faisant des recoupements, quand nous en avions la possibilité, avec les programmes vendus sur place.

2. Voir le site de la BBC, entrée par compositeurs.

le 8, dans un programme largement français, puis le 30 septembre, *Fêtes galantes, Nocturnes, Ariettes oubliées* et *Mandoline* le 12 octobre, puis *L'Enfant prodigue* et la *Première Rapsodie* le 13 octobre dans un programme où figurent trois Français, trois Allemands, un Russe, un Italien, un Tchèque et où sur onze œuvres jouées, cinq sont françaises. En 1937 et 1939, Wood inscrit encore neuf fois Debussy au programme de la saison.

La guerre marque l'amorce de changements aux Proms, ce qui influe en partie sur la présence de Debussy et les œuvres jouées. Changement de lieu d'abord, puisque le 10 mai 1941 la destruction sous les bombes du Queen's Hall conduit à un transfert finalement définitif à l'Albert Hall. Changement d'hommes ensuite : Sir Henry Wood engage Basil Cameron comme assistant en 1940 et Adrian Boult comme directeur adjoint en 1942 – à sa mort le 19 août 1944, Cameron lui succède comme directeur musical. Wood a inscrit pour la dernière fois Debussy au programme des Proms le 12 septembre 1940 : il dirige alors le *Prélude à l'Après-midi d'un faune*, première œuvre du compositeur qu'il ait introduite aux Proms en 1904 et qu'il a fait figurer à quarante-huit reprises au programme. Son ultime apparition à l'Albert Hall, désormais sanctuaire des Proms, a lieu le 25 juillet 1944 pour l'exécution de la *Septième Symphonie* de Beethoven.

En 1948, Malcolm Sargent rejoint Cameron à la direction des Proms, qui s'ouvrent désormais à d'autres orchestres que les BBC Symphony Orchestra, London Symphony Orchestra ou London Philharmonic Orchestra : en 1953, le Hallé joue *La Mer* sous la direction de John Barbirolli, le 10 septembre 1981, un orchestre étranger, l'Orchestre de Paris, interprète également *La Mer* sous la direction de Daniel Barenboim. D'autre part, sous l'impulsion de William Glock, des chefs étrangers sont accueillis : le 16 septembre 1964, Rudolf Kempe (remplaçant Pierre Monteux qui vient de mourir) dirige les *Nocturnes*, la *Première Rapsodie* et *Iberia*. En 1965, Pierre Boulez inscrit les *Images* au programme de son concert du 7 septembre.

Le nombre de chefs appelés à diriger des Proms s'accroît, surtout à partir des années 1960-1970. Alors que sous le règne d'Henry Wood seul Édouard Colonne avait pris sa place exceptionnellement en 1908 pour diriger « Le Jet d'eau » extrait des *Cinq poèmes de Baudelaire* (29 septembre) et le *Prélude à l'Après-midi d'un faune* (10 octobre), on compte au moins soixante-dix chefs ayant inscrit une ou plusieurs œuvres de Debussy à leur programme entre 1942 et 2011. Trois exemples illustrent cette programmation. Sur les 251 concerts qu'il dirige, Sir Adrian Boult programme Debussy à neuf reprises (soit 4,5 % des œuvres qu'il dirige aux Proms), Ravel à dix-neuf reprises et Berlioz à dix, alors qu'il dirige 118 morceaux ou œuvres de Beethoven – il consacre d'ailleurs quatre Proms à Beethoven et à Brahms, deux à Wagner et une à Mozart et à Elgar. Quant à Simon Rattle, sur les 64 Proms qu'il dirige, il inscrit Debussy au programme de neuf d'entre elles, pour un total de dix œuvres. Des compositeurs français dont il dirige les œuvres, Debussy est le mieux représenté, suivi de Ravel et de Messiaen, sans tenir compte des *Boréades* de Rameau. Sur les 68 Proms dont il assure la direction, Pierre Boulez programme pour sa part quatorze œuvres de Debussy.

Enfin les Proms connaissent une véritable révolution en 1960 quand William Glock, directeur de la musique à la BBC depuis 1959, devient directeur et impose ses vues au comité : l'élaboration de programmes plus structurés et plus cohérents, autour d'un nombre d'œuvres restreint ; l'élargissement du répertoire avec, en particulier, l'ouverture à l'opéra, ce qui explique qu'il ait fallu attendre la saison 1976 pour que *Pelléas et Mélisande* soit donné aux Proms. Sans compter l'internationalisation, Glock renoue aussi avec une pratique des débuts de l'ère Wood consistant à faire découvrir des compositeurs peu connus et contemporains, comme ce fut le cas avec Debussy en 1904 ou Bartók en 1914.

La programmation

Jusqu'en 1940 Debussy est très présent dans les programmes d'Henry Wood. Les œuvres jouées le plus fréquemment sont le *Prélude à l'Après-midi d'un faune* (48 fois), l'œuvre pouvant, jusqu'en 1917, être exécutée plusieurs fois dans la même saison, ce qui témoigne du succès d'une œuvre perçue en termes positifs par la critique ; les *Nocturnes* (14 fois jusqu'en 1937), l'intégrale étant donnée pour la première fois en 1936 ; *L'Enfant prodigue* (20 fois jusqu'en 1939).

1909 est une année où le répertoire s'enrichit considérablement : outre *L'Enfant prodigue* et les *Nocturnes*, sont joués une orchestration de *Fantoches* (cinq exécutions jusqu'en 1935), *Danse sacrée et Danse profane* (1909, 1914 et 1922) et *Romance* (1909 et 1927).

Mais il faut cependant attendre 1934 pour entendre *La Mer* que Wood n'inscrit à son programme qu'à cinq reprises, alors que par le nombre d'exécutions elle est l'œuvre de Debussy la plus jouée. D'autres œuvres ne sont programmées que rarement : *Children's Corner* (1911, 1917, 1918), *La Damoiselle élue* (1935 et 1937), *La Marche écossaise* (1914, 1933 et 1935). Certaines ne connaissent qu'une exécution unique : *Le Martyre de saint Sébastien* et la *Première Rapsodie*, la même année 1915.

La faible représentation de certaines œuvres peut surprendre quand on sait le succès qu'elles ont pu connaître en Angleterre, telle *La Damoiselle élue*. L'entrée tardive de *La Mer* est sans doute à mettre en relation avec l'accueil fort réservé fait à l'œuvre avant la guerre et avec les difficultés rencontrées par Wood, dont rend compte Roger Nichols dans *The Reception of Debussy's Music in Britain*[1].

Un sondage effectué dans les programmes[2] montre que durant l'ère Wood Debussy s'inscrit dans des programmations éclectiques – c'est sensible surtout jusque dans les années 1920. Le 30 août 1904, le *Prélude à l'Après-midi d'un faune* est l'une des seize œuvres figurant au programme et Debussy l'un des quinze compositeurs. L'œuvre est précédée de l'Aria d'*Alceste* de Gluck et suivie par la *Symphonie n° 1* de Guilmant, dans un programme qui comporte en outre des œuvres de Grieg, Wagner, Gounod, Verdi, Berlioz, Haendel, Elgar, Donizetti, John Liptrot Hatton, Bach, Sabine Baring-Gould et John Philip Sousa.

Le 10 septembre 1912, *L'Enfant prodigue* figure au programme parmi quatorze œuvres. La cantate est précédée de la *Valse triste* de Sibelius et suivie du *Königskinder* d'Engelbert Humperdinck, dans un programme que le *Musical Times* qualifie « d'excellent programme populaire[3] ».

1. Roger Nichols, « The Reception of Debussy's Music in Britain », dans *Debussy studies*, Richard Langham Smith (dir.), Cambridge University Press, 1997, p. 139-153.

2. Nous avons choisi d'étudier les années se terminant par 4 et par 9 : le choix des années se terminant par 4 a été déterminé par la première exécution d'une œuvre de Debussy aux Proms (saison 1904) ; tout en étant arbitraire, celui des années se terminant par 9 permet de rythmer de façon égale les décennies.

3. *The Musical Times*, septembre 1912.

Dans la seconde moitié des années 1930, Wood construit à trois reprises des programmes confrontant de façon systématique Debussy à un autre compositeur : à Ravel en 1935 et 1936, à Stravinsky en 1937, les trois programmes comprenant quelques œuvres d'autres compositeurs, russes en particulier pour le concert de 1937. Cette confrontation, directe ou indirecte, n'est pas nouvelle chez Wood. En 1912, en inscrivant dans le même programme le *Prélude à l'Après-midi d'un faune* et la *Symphonie n° 39* de Mozart, le chef invite à confronter deux compositeurs certes très différents mais dont il pense que les préoccupations ne sont pas si éloignées (toucher l'imagination, exalter la grandeur poétique de la musique, suggérer l'insaisissable, personnaliser les instruments, etc.). À de nombreuses reprises il fait voisiner Debussy avec Dukas, Sibelius, Smetana ou Ambroise Thomas. Concernant Ravel, en dehors des deux grandes Proms de 1935 et 1936, on ne repère de voisinage qu'à six reprises, et à chaque fois avec une seule œuvre. En construisant des programmes quasi entiers autour de deux compositeurs, Wood innove. Le 15 août 1935 le programme fait alterner *Ma mère l'Oye*, *La Damoiselle élue*, le *Concerto en sol*, le *Prélude à l'Après-midi d'un faune*, *Shéhérazade* et *La Mer*. Le 20 août 1936, le programme est légèrement différent : les *Nocturnes* ont remplacé *La Damoiselle élue*, la *Rapsodie espagnole* *Shéhérazade*, quant à *La Mer*, elle a disparu. Si la critique a bien reçu le concert du 15 août, soulignant à la fin l'unité du genre et la variété de l'intérêt, celle de l'année suivante ne remporte pas la même adhésion. Dans les deux cas Ravel est davantage apprécié[1].

Quant au concert du 23 septembre 1937, franco-russe mais d'abord construit autour de Debussy et de Stravinsky, il fait se succéder dans une première partie les *Nocturnes* et le *Prélude à l'Après-midi d'un faune*, *Capriccio*, *La Mer* et *La Damoiselle élue* puis *L'Oiseau de feu*. Pour le critique du *Times*, il est difficile d'expliquer pourquoi les deux compositeurs s'associent avec tant d'efficacité dans un même programme sinon par le fait qu'ils se dressent « comme des Dioscures modernes dans le firmament musical pour souligner la divergence entre l'ancienne et la nouvelle musique, Castor, le Français, renversant les tonalités classiques, Pollux, le Russe, la cadence métrique[2] ». En seconde partie, avec *Le Chant des bateliers* de Glazounov, *Les*

1. *The Times*, 16 août 1935 et 21 août 1936.
2. *Ibid.*, 24 septembre 1937.

Fonderies d'acier de Mossolov, les *Douze* et *Six chants* (opus 4) de Rachmaninov, un certain équilibre est rétabli en faveur de cette musique russe si chère à Henry Wood. Le concert se termine avec *Kaleïdoscope* de Goossens.

À partir de 1942, le nombre et la nature des œuvres programmées varient en fonction des chefs et des directeurs musicaux. À cet égard, la présence de William Glock est déterminante, tout comme celle des chefs Pierre Boulez et Simon Rattle. On remarque surtout qu'à partir des années 1960-1970, grâce à ces artistes, des œuvres jusqu'alors non programmées font leur apparition, tandis que d'autres, « incontournables » avant la guerre, sont moins jouées, voire disparaissent. Entrent ainsi au répertoire vingt et une œuvres jamais programmées avant 1960 ; parmi celles-ci *Jeux*, qui est inscrite à treize reprises entre 1960 et 2011, dont neuf entre 1975 et 2011 ; *Pelléas et Mélisande* (1976, 1988 et 1999) ; *Trois Chansons de Charles d'Orléans* (1964 et 1969) ; *Trois Ballades de François Villon* (1984, 1995, 2009) ; *Syrinx* (1978, 1997 et 2003). Certaines disparaissent : *Children's Corner*, une orchestration de *Fantoches*. D'autres resurgissent après un long sommeil, de près de cinquante ans parfois (*Le Martyre de saint Sébastien*, joué en 1915 et repris en 1963, 1988, 1996 et 1997) ou connaissent un souffle nouveau (*La Mer*, programmée à dix-huit reprises entre 1934 et 1964, l'est à nouveau à dix-huit reprises entre 1995 et 2011). Le *Prélude à l'Après-midi d'un faune* est moins joué qu'avant la guerre (vingt et une fois entre 1904 et 1914 ; vingt fois entre 1945 et 1964 ; onze fois entre 1995 et 2011) ; quant à *L'Enfant prodigue*, il n'est joué qu'une seule fois entre 1954 et 1994.

Cette redistribution est faite dans le cadre de programmes mieux construits, dans une plus grande cohérence thématique et autour d'un nombre plus limité tant de compositeurs que d'œuvres jouées, l'ensemble permettant une meilleure mise en valeur de Debussy.

Quelques exemples permettent de repérer ces mutations. Dans le cas d'Adrian Boult, on peut observer une nette évolution : Debussy est l'un des six compositeurs inscrits au programme des deux premières Proms qu'il dirige. Lors de la première, *L'Enfant prodigue* est précédé du *Concerto pour piano n° 3* de Prokofiev et suivi de l'ouverture d'*Amour et Psyché* d'Hindemith ; lors de la seconde, Debussy fait partie d'un groupe de huit compositeurs et le *Prélude à l'Après-midi d'un faune* est encadré d'extraits de *Casse-Noisette* de Tchaïkovski et du *Barbier de Séville* de Rossini. En 1949 et 1968, les programmes sont davantage concentrés. En 1949, *La Mer* ouvre la Prom, suivie du *Concerto pour violon n° 1* de Prokofiev et de la *Symphonie* n° 102 de Haydn. En 1968, les *Nocturnes* sont joués après la *Symphonie « Pastorale »* de Beethoven et la *Première Symphonie* de Schumann.

Treize des Proms que dirige Pierre Boulez comportent des œuvres de Debussy voisinant avec celles d'autres compositeurs, principalement de la génération née entre 1875 et 1885 : Bartók, Stravinsky, Webern à six reprises ; Berg à cinq et Schoenberg à deux ; mais aussi à des compositeurs français : Ravel (deux fois), Messiaen (trois fois) et Boulez lui-même (cinq fois). Boulez rassemble donc autour de Debussy – qui dans la moitié des cas ouvre ou clôt la Prom – des novateurs, au premier rang desquels les compositeurs de l'école de Vienne et Bartók. Il programme les *Images*, le *Prélude à l'Après-midi d'un faune*, *La Mer*, les *Nocturnes*, *Danse sacrée et Danse profane*. Mais surtout, entre 1984 et 1995, Boulez reprend « Le Jet d'eau », qui n'avait été joué qu'en 1908 sous la direction d'Édouard Colonne, *Jeux*, dans une lecture très différente de celle faite par Simon Rattle et il dirige les *Trois Ballades de François Villon*, qui n'avaient jamais figuré à aucun programme. En la matière, les programmations de Boulez aux Proms paraissent être parmi les plus cohérentes, dans cette confrontation de « mystère » à « mystère ».

Sous la baguette de Simon Rattle, la confrontation est plus large : Sibelius, Nielsen, Mahler, Berthold Goldschmitt (de son vivant) ; des compositeurs de la génération d'après guerre, John Coolidge Adams, et de la jeune génération, Mark Anthony Turnage (*Drown Out* composé en 1992-1993 et programmé en 1994), Hanzpeter Kyburz (*Noesis*, dans un programme où figurent les deux livres de *Préludes*). Sur les dix pièces présentées, deux le sont à deux reprises : *La Mer* (1994 et 2004) et *Jeux* (1984 et 1992).

L'exemple de *Jeux* mérite l'attention. Cette œuvre est dirigée en juillet 1982 par Bernard Haitink dans un programme incluant les *Wesendonck-Lieder* de Wagner et la *Première Symphonie* d'Elgar ; en 1992 par Simon Rattle, voisinant au programme avec *Blumine* de Mahler et le *Concerto pour piano n° 2* de Bartók ; en 1995 par Pierre Boulez, qui inscrit en outre à son programme « Le Jet d'eau » et les *Trois Ballades de François Villon* ainsi que la *Musique pour cordes, percussions et célesta* de Bartók et une œuvre de lui, *Le Soleil des eaux*.

En 1982, Stephen Pettitt écrit dans le *Times* :

> Debussy et Elgar suivent des voies différentes avec des incertitudes, un élément qui fait de la nuit dernière une nuit éblouissante. D'abord nous avons entendu *Jeux*, une œuvre qui n'avait qu'une modeste réputation jusqu'à ce qu'au milieu des années cinquante Boulez et d'autres commencent à la reconnaître comme fondatrice. C'est une musique de ballet dont l'histoire exploite *les possibilités sensuelles* de la recherche par deux jeunes filles et un jeune homme d'une balle de tennis perdue. La musique est quasi immobile, n'offrant jamais de pause ou recourant à une classification motivique ou tonale. Mais l'utilisation de la sonorité de l'orchestre comme ponctuation structurelle est révolutionnaire et l'auditeur n'a d'autre choix qu'être sensible à chaque instant[1]...

Suit une sévère critique de la *Première Symphonie* d'Elgar qui « sonne curieusement pour ne pas dire malheureusement à côté de Debussy ». En 1992, Barry Millington note également dans le *Times* :

> Le canevas suggestif qui se déroule dans *Jeux* après la chute de la première balle de tennis [...] trouve son pendant dans l'une des partitions les plus érotiques du compositeur. Quand elle est dirigée avec la sensibilité qui a été celle de Simon Rattle, la musique provoque un frisson évident de tension sexuelle[2].

De la sensibilité on est passé à l'érotisme. Trois ans plus tard, revenant à la sensualité, Barry Millington écrit :

> *Jeux* est un autre classique du XXe siècle. Pour Boulez, à la différence, disons, de Rattle, les sous-entendus sexuels de l'œuvre ne sont pas d'un intérêt majeur, quand bien même il pourrait s'agir des balles de tennis les plus érotiques de l'histoire de la musique. Boulez, d'une manière caractéristique, éclaire non pas les tensions de la passion mais les changements subtils de sonorité qui donnent forme à ce morceau. Le génie de la partition de Debussy repose sur son usage structurel de la couleur, ce que Boulez souligne mieux que personne[3].

---

1. *The Times*, 30 juillet 1982.
2. *Ibid.*, 10 août 1992.
3. *Ibid.*, 27 juillet 1995.

Debussy, les Proms et la critique

Trois journaux ont été retenus pour étudier la réception de Debussy aux Proms : un hebdomadaire de la Colonie française de Londres, publié dans le premier quart du XXe siècle, offrant un regard original sur les Proms, une revue mensuelle spécialisée dans le domaine musical et enfin un grand quotidien britannique. Il s'agit donc de trois regards dont l'approche n'est pas de même nature et destinés à des publics différents.

La *Chronique de Londres*, hebdomadaire des Français de Londres, publié de 1899 à 1924, parle des musiciens français qui se produisent en Angleterre ; dans les années 1900-1914 il rend compte des Proms. Debussy, à la différence de Messager, Gounod, Berlioz ou Ravel, est superbement ignoré, sauf dans le numéro du 3 décembre 1904, date à laquelle le critique note : « Au concert symphonique de samedi dernier M. Henry Wood a fait entendre le *Prélude à l'Après-midi d'un faune* de Claude Debussy. Composition intéressante et d'une orchestration fine et habile. Je doute que le public l'adopte. » Par la suite, jusqu'à la disparition de la *Chronique*, il n'est plus jamais fait mention de Debussy. Ces silences témoignent des goûts traditionnels de l'élite de la colonie française, hermétique aux courants novateurs qui bouleversent la création artistique en ce début de siècle.

L'analyse du *Musical Times* révèle des contradictions. Cette revue musicale publie de nombreux articles sur Debussy et rend compte des ouvrages qui paraissent à son sujet, souvent fort longuement. Mais en ce qui concerne Debussy aux Proms, les comptes rendus sont très irréguliers. De septembre 1904 à octobre 1990, il n'est question de Debussy que dans vingt-neuf articles. C'est dire le nombre d'années où sa présence dans la programmation des Proms est passée sous silence. Quand il est programmé avec Ravel, ce dernier peut faire l'objet de quelques lignes et Debussy être ignoré. De façon générale, quand il est question des deux compositeurs, la place accordée à Ravel est plus importante. Concernant Debussy, le ton de la critique est généralement neutre, l'interprétation prêtant davantage à jugement que l'œuvre elle-même, à quelques exceptions près, lorsqu'il est question :

– de la nouveauté de Debussy : « une musique qui n'est pas familière mais présente d'intéressantes nouveautés » (1915)

– de son caractère « avant-gardiste » (1904), voire « ultra-moderne » (1925)

– de « la beauté de cette musique » (1913, 1918), de « sa couleur » (1925)
– de « sa subtilité et vivacité » (1910)[1].

Mais il est impensable de composer un programme entier d'œuvres de Debussy : « Quand un compositeur n'est pas considéré comme capable de remplir à lui seul un programme on lui trouve un partenaire », Stravinsky en 1937 ou Ravel en 1935 et 1936.

Le *Times* est en revanche davantage disert. Les critiques sont plus nombreuses (de 1904 à 1985, soixante-dix-huit articles consacrés aux Proms parlent de Debussy), plus longues, portant sur la nature du programme où figure Debussy. Ces articles sont parfois titrés : « Debussy et Ravel[2] », « Debussy et Stravinsky[3] », « Programme Berg et Debussy[4] », « Mozart et Debussy[5] », ou encore, en 1995, « History replayed in French accent[6] ». Mais ces cas ne concernent que les Proms où, dans la programmation, Debussy est l'une des figures majeures.

On retrouve cependant dans ce quotidien certaines tendances du *Musical Times*. Dès 1904, le *Times* évoque « la beauté » de sa musique, sa « modernité », terme qui revient fréquemment, son « caractère révolutionnaire », « non familier ». La « couleur scintillante » d'*Iberia* (1913), « la magie » du *Prélude à l'Après-midi d'un faune*, « le romantisme » de sa musique sont soulignés. Quant à *La Mer*, Richard Morrisson y voit « la quintessence de l'impressionnisme français[7] ».

L'un de ces critiques considère que la musique de Debussy « prend au piège les amoureux de la poésie et du ballet ainsi que quiconque est sensible à la pure beauté du son ». Là est peut-être l'explication du choix des chefs qui ont fait de Claude Debussy, depuis 1904, l'une des figures françaises majeures des Proms et l'on ne peut qu'exprimer le souhait de voir de nombreux chefs continuer, de saison en saison, à prendre au piège de cette musique les fervents des Proms. Ce vœu, la saison 2012 l'exauçait : la programmation comportait neuf Proms avec des œuvres de Debussy. Si *Pelléas et Mélisande* était programmé le

1. *The Musical Times*, octobre 1904, octobre 1910, octobre 1913, octobre 1915, octobre 1918 et septembre 1925.
2. *The Times*, 16 août 1935 et 21 août 1936.
3. *Ibid.*, 24 septembre 1937.
4. *Ibid.*, 16 septembre 1955.
5. *Ibid.*, 26 septembre 1912.
6. *Ibid.*, Barry Millington, « History replayed in French accent », 27 juillet 1995.
7. *Ibid.*, 9 juillet 2010.

15 juillet, la Prom du 3 septembre, intitulée « Pierre-Laurent Aimard joue Debussy », était exceptionnelle, puisque pour la première fois dans l'histoire des Proms un concert était entièrement consacré à Debussy. La confrontation Debussy-Ravel se poursuivit lors de trois de ces Proms, en particulier sous la direction de Simon Rattle qui réunit *Jeux* et *Daphnis et Chloé* dans un même programme. Enfin, *La Cathédrale engloutie* fut jouée pour la première fois aux Proms. Dans le programme de la saison 2012, les organisateurs des Proms soulignent à plusieurs reprises que cette ferveur debussyste s'explique par la volonté de célébrer le 150e anniversaire de la naissance du compositeur.

Annexe

Nombre d'exécutions d'œuvres de Debussy aux Proms entre 1904 et 2011

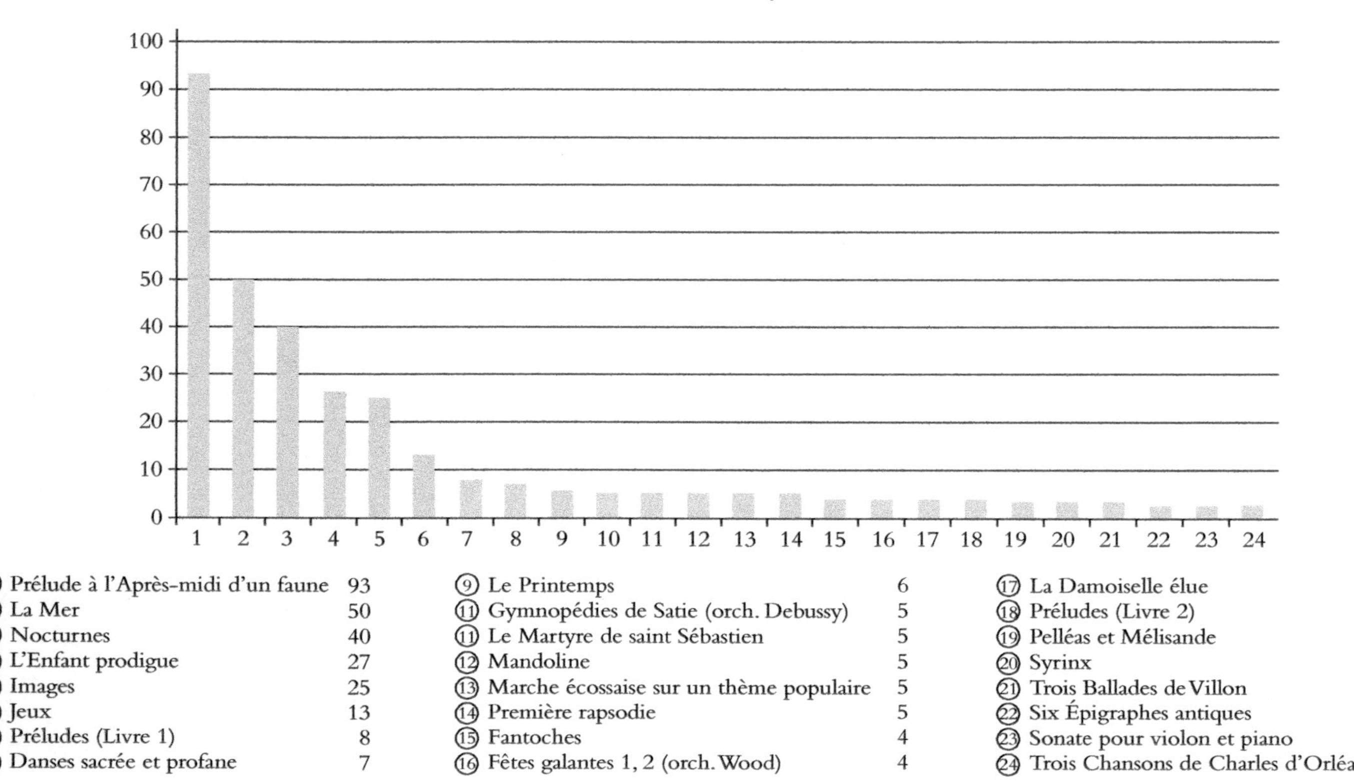

La *generazione dell'ottanta* et la musique de Debussy
Perceptions et réception

Justine Comtois

La musique instrumentale italienne de la seconde moitié du XIXe siècle souffre de plus d'un siècle de domination par l'opéra. Giovanni Sgambati et Giuseppe Martucci comptent parmi les compositeurs[1] qui travaillent à une « œuvre de régénération », c'est-à-dire à un renouveau de la musique instrumentale profondément influencé par Brahms, Wagner et Liszt. À la fin du XIXe et au début du XXe siècle, les compositeurs de la *generazione dell'ottanta*[2] poursuivent l'œuvre de leurs prédécesseurs en tentant de se libérer de certaines conventions, soit en bannissant l'opéra, soit en proposant de le réformer.

Sans volonté affichée d'instituer une nouvelle école musicale nationale[3], ces compositeurs contribuent de manière très personnelle au renouvellement de la musique italienne, puisant leur inspiration non

1. Il faut ajouter également Marco Enrico Bossi, Leone Sinigaglia et Francesco Paolo Neglia.

2. « Génération de 1880 », expression appliquée par le musicologue Massimo Mila à un groupe de compositeurs italiens nés autour de 1880, désigne l'une des générations ayant le plus cherché à changer la musique de la péninsule qui, jusqu'alors, est principalement dominée par l'opéra. Ceux qui se sont le plus démarqués sont sans contredit Franco Alfano (1878-1954), Ottorino Respighi (1879-1936), Ildebrando Pizzetti (1880-1968), Gianfrancesco Malipiero (1882-1973) et Alfredo Casella (1883-1947). Voir Massimo Mila, *Breve storia della musica*, Turin, Einaudi, 1963, p. 419-422.

3. Les tendances sont en effet si diversifiées au sein de la *generazione dell'ottanta* qu'il est impossible de la définir en tant qu'école nationale italienne.

seulement dans la musique allemande et dans les techniques instrumentales européennes les plus modernes, mais d'abord et avant tout dans la grande tradition instrumentale italienne des XVIIe et XVIIe siècles. L'œuvre de Debussy occupe une place très particulière dans la vie musicale italienne de l'époque[1]. Nous proposons une vue d'ensemble de la manière dont elle est perçue et du rôle qu'elle joue dans le renouvellement musical italien, en élargissant notre champ d'étude à la réception de compositeurs moins connus et à celle de musicologues italiens de la même génération. Nous tenterons de démontrer comment ces compositeurs sont parvenus à rejeter l'influence de Debussy ou bien à la marier aux exigences de ce qu'ils définissent comme identité musicale italienne. La profusion d'écrits publiés en italien sur Debussy confirme l'importance accordée à ce compositeur même si les opinions sont très partagées. Certains lui vouent une grande admiration, alors que d'autres ne comprennent ni sa musique ni les raisons de son succès. À la fin du XIXe siècle, les tendances musicales progressistes sont, de manière générale, accueillies avec suspicion en Italie[2] où l'œuvre de Debussy est presque totalement ignorée. Les années 1910 marquent cependant un profond changement puisque les œuvres de Debussy sont très présentes dans les programmes de concerts : la réceptivité des Italiens aux musiques étrangères va grandissant, sans être encore affectée par la xénophobie des années de guerre à venir[3]. Compte tenu de la très récente ouverture de l'Italie aux musiques européennes, rares sont les musiciens de cette génération familiers avec la musique de Debussy – la grande majorité d'entre eux a complété sa formation musicale en Italie. Seuls Franco Alfano, et surtout Alfredo Casella[4]

1. Voir à ce sujet Danilo Villa, « La réception de Debussy en Italie (1905-1918) », *Cahiers Debussy*, n° 21, 1997, p. 25-60. Voir aussi Andrea Stefano Malvano, « Claude Debussy à l'Exposition internationale de Turin en 1911 », *Cahiers Debussy*, n° 36, 2012, p. 25-46.

2. Par exemple, dans un numéro de l'*Approdo Musicale* en hommage à Alfredo Casella, Mario Labroca souligne qu'en février 1915, lors d'un concert à l'Augusteo de Rome, Casella présente *Daphnis et Chloé* de Ravel et *Pétrouchka* de Stravinsky. La première œuvre est accueillie dans un silence glacial, alors que la seconde fait un véritable triomphe.

3. John C. G. Waterhouse, « Debussy and Italian Music », *Musical Times*, mai 1968, n° 1503, p. 414-418.

4. Gianfrancesco Malipiero et Ottorino Respighi ont reçu une partie de leur formation à l'étranger, respectivement en Autriche et en Russie. Seul Alfredo Casella

connaissent bien l'œuvre de Debussy. Arturo Toscanini, Bernardino Molinari ou encore la Società Italiana di Musica Moderna fondée par Alfredo Casella contribuent largement à la reconnaissance de Debussy dans la péninsule[1].

De ce fait, presque tous les compositeurs de la *generazione dell'ottanta* sont influencés par Debussy, d'une façon plus ou moins prononcée. Même chez les moins marqués d'entre eux, on retrouve certaines colorations debussystes : dans les mélodies et les poèmes symphoniques de Francesco Santoliquido, les pièces pour piano de Luigi Perrachio, les mélodies « à mi-voix » ou les *Impressions d'automne* pour piano (1912) de Vincenzo Davico ou encore les œuvres suggestives du jeune Piero Coppola[2]. Si l'on dénote chez eux l'influence plus ou moins consciente des innovations techniques de Debussy, tous ne sont pas prêts à adopter une esthétique généralement qualifiée d'impressionniste. Leur musique est certes évocatrice, mais les contours en sont toujours bien définis, davantage rigides que fluides. Les musicologues italiens de cette génération refusent l'idée d'un rapprochement du vocabulaire debussyste de celui des chefs de file de la musique italienne moderne[3] – dont on ne peut nier cependant l'impact flagrant sur le renouvellement de leur langage. En 1909, Giannotto Bastianelli affirme que ces innovations rythmiques, contrapuntiques et orchestrales méritent d'être étudiées car elles pourraient également renouveler l'air poussiéreux qui étouffe les études musicales traditionnelles[4]. Alfredo Casella, à la fois fervent admirateur et sévère critique de Debussy, écrit qu'on lui doit d'« entrevoir une musique authentique et libérée du vieux diatonisme chromatique[5] » en Italie.

a étudié en France : il a vécu à Paris de 1896 à 1915. Après le déclenchement de la Première Guerre mondiale, Casella demeure encore quelques mois à Paris. Le 4 juin 1915, il organise un concert au profit de la Croix-Rouge italienne. Le concert se déroule à la Salle Gaveau avec le concours de Debussy.

1. Arturo Toscanini dirige Debussy pour la première fois sur les scènes italiennes en 1906 avec « Nuages » et le *Prélude à l'Après-midi d'un faune*. Ces deux œuvres seront les plus représentées en Italie. La critique italienne salue alors la grande ouverture du public à la musique instrumentale. En 1908 Toscanini dirigera *Pelléas et Mélisande* à la Scala de Milan.

2. John C. G. Waterhouse, « Debussy and Italian Music », article cité, p. 414.

3. Alberto Mantelli, « Debussy et Mallarmé », *Rivista musicale italiana*, 1932, p. 551.

4. Giannotto Bastianelli, « Debussy », *La Voce*, I, n° 14, 18 mars 1909.

5. Alfredo Casella, « Debussy et la jeune école italienne », *La Revue musicale*, numéro spécial consacré à Debussy, 1er décembre 1920, p. 213.

Malgré leur forte volonté d'affirmer leur identité italienne, les principaux représentants de cette génération ne peuvent passer outre l'emprise de Debussy, même si elle se fond parmi d'autres sources d'inspiration européennes, notamment celles de Schoenberg, Stravinsky, Strauss, Rimski-Korsakov ou encore Moussorgski. Elle se ressent chez tous dans l'orchestration, l'utilisation de couleurs exotiques et les recherches harmoniques, mais plus particulièrement dans *La leggenda du Sakuntala* (1914-1920) de Franco Alfano ou encore dans les *Fontane di Roma* (1916) d'Ottorino Respighi.

On note également dans les œuvres de Pizzetti une certaine influence de Debussy sur l'harmonie et l'orchestration, mais il est surtout profondément marqué par l'utilisation de la déclamation dans *Pelléas et Mélisande* et souhaite réformer l'opéra italien : il crée dans ses opéras (*La Pisanella* [1913], *Fedra* [1915] et *Deborah e Jaele* [1915-1921]) le *declamato pizzettiano* (la déclamation pizzettienne) consistant en un « arioso flexible, sensible à toutes les nuances du texte et dirigé par le rythme naturel de la langue italienne[1] ». Il cherche le juste milieu entre chant et parole, rompant ainsi avec la tradition de l'opéra italien des XVIIe, XVIIIe et XIXe siècles[2]. Bien que sa déclamation soit grandement inspirée de celle de Debussy, Pizzetti précise que la déclamation musicale de Debussy manque de force expressive, puisqu'elle ne contient pas assez de musique pour enrichir efficacement le texte poétique[3]. Si Pizzetti rejette l'opéra vériste en raison de l'excessivité de l'expression des sentiments, l'impressionnisme de Debussy ne constitue pas non plus une solution à ses yeux : il considère que ce trop grand raffinement exclut petit à petit les émotions de l'œuvre d'art, ainsi confinée dans la volonté de répandre ce qu'il nomme un « subtil poison sucré » permettant d'atteindre le nirvana[4].

---

1. Guido M. Gatti et John C. G. Waterhouse, « Ildebrando Pizzetti », *Grove Music Online,* (http://www.oxfordmusiconline.com:80/subscriber/article/grove/music/21881).
2. Giannotto Bastianelli, *Musica pura : commentari musicali e altri scritti,* Florence, Leo S. Olschki, 1974, p. 121.
3. Ildebrando Pizzetti, « Pelléas et Mélisande », *Rivista Musicale Italiana*, 1908, p. 351.
4. Guido M. Gatti, « Ildebrando Pizzetti », Weston Connecticut, Hyperion Press Inc., 1979, p. 110.

Alfredo Casella, qui a vécu près de vingt ans à Paris[1], affirme : « Je dois à Debussy mon ouverture aux tendances musicales les plus modernes d'Europe[2]. » Comme la plupart de ses compatriotes, il n'a aucune attirance pour l'esthétique dite impressionniste, pour ses évocations et ses ondulations, mais il voue une admiration sans borne aux procédés de création et aux innovations harmoniques de Debussy[3]. Dans ses premières œuvres pour piano on retrouve ainsi des harmonies debussystes[4], mais cette influence est surtout décelable dans les œuvres des années 1910, telles *Notte di Maggio* (1913), les *Nove pezzi* (1914) et les *Pagine di guerra* (1915).

Malipiero n'est pour sa part exposé aux courants modernes européens – Debussy, mais également Stravinsky et Schoenberg – que lors de son séjour parisien de 1913, au cours duquel il assiste à la création du *Sacre du Printemps*. Il n'intègre donc qu'à la fin des années 1910 quelques éléments debussystes à ses œuvres, en l'occurrence certaines formes mélodiques archaïsantes et quelques phrases modales. Pour Malipiero, comme pour la grande majorité des compositeurs de sa génération, ces inflexions debussystes sont transformées, comme par exemple dans les *Pause dal silenzio* (1917) ou les *Sette canzoni* (1918-1919).

Bien que l'on ne puisse parler d'école musicale italienne au XXe siècle, on peut affirmer que tous ces compositeurs et musicologues prônent une musique italienne moderne amalgamant une certaine tendance traditionaliste. Cependant, deux factions s'opposent : les « pro-classiques » (ou néoclassiques) et les « pro-romantiques ». Les premiers considèrent que les compositeurs italiens doivent faire table rase de la période romantique et de ses excès chromatiques et sentimentalistes, alors que les seconds comptent la période roman-

1. Voir François Lesure, « La "Generazione dell'Ottanta" vue de Paris », *Alfredo Casella. Negli anni di apprendistado a Parigi*, atti del convegno internazionale di studi, Venezia, 13-15 maggio 1992, a cura di Giovanni Morelli con una premessa di Guido Salvetti, Firenze, Leo S. Olschki Editore, 1994, p. 7-16.

2. Alfredo Casella, *I Segreti della giara*, Florence, Sansoni, 1941, p. 53.

3. Dans les œuvres de Casella, l'utilisation d'accords parfaits en mouvements parallèles et des modes ecclésiastiques, mais également certains excès chromatiques, évoquent aussi les œuvres de Debussy.

4. On le considère en Italie comme l'harmoniste suprême, comme le « créateur de la musique comme harmonie », à l'opposé de la musique contrapuntique comprenant des éléments d'architectures gothiques. Voir Bastianelli, *Musica pura : commentari musicali e altri scritti*, *op. cit.*, p. 218.

tique parmi les plus glorieuses de leur pays. Cette différence de position entraîne inévitablement une disparité dans leur perception de la musique de Debussy.

On remarque également une volte-face de certains musiciens après la Première Guerre mondiale, les préjugés à l'égard des musiques étrangères, allemandes et françaises, se trouvant ravivés, ce dont souffre la réputation de la musique de Debussy en Italie. La mode du debussysme s'affaiblit déjà en France et dans le reste de l'Europe, et en 1922 la Marche sur Rome inaugure une ère de profond nationalisme italien[1]. Toutefois si, dans leurs écrits, les musiciens italiens rejettent ouvertement les influences étrangères, ce n'est pas aussi clair dans leurs œuvres qui intègrent un certain nombre de ces éléments, dont bien sûr la musique de Debussy. Son œuvre occupe une place prépondérante dans les écrits des théoriciens italiens de cette époque, dont le premier, *Claude Debussy e l'impressionismo musicale* de Vincenzo Tommasini, paraît en 1907. Parmi les essais les plus importants, figurent également *Il Dopo Wagner* de Francesco Santoliquido, paru en 1909, et *Strauss, Debussy e Compagnia bella* de Gaianus (pseudonyme de Cesare Paglia), paru en 1914.

D'une manière générale, les compositeurs et musicologues italiens sont fascinés par les innovations harmoniques et par les raffinements mélodiques de Debussy et lui accordent une place de premier ordre dans la formation de la nouvelle musique italienne. Debussy a permis aux compositeurs italiens de tracer un trait d'union entre la grande tradition italienne et la musique européenne la plus moderne[2]. Bien que l'on fasse en Italie l'éloge des vertus émancipatrices de l'art debussyste, on note l'affirmation presque unanime de l'incompatibilité entre l'identité italienne et le besoin viscéral de se libérer d'« erreurs » qu'aurait entraînées en Italie l'impressionnisme français. Par exemple, Casella définit les réalisations harmoniques de Debussy comme un « phare illuminant la route de l'avenir[3] » des jeunes musiciens italiens, mais il souligne que les Italiens ne sont pas prédisposés à l'impressionnisme, puisque tout dans la nature même de la péninsule serait contraire à cette esthétique.

---

1. John C. G. Waterhouse, « Debussy and Italian Music », *Musical Times*, mars 1968, n° 1503, p. 418.
2. Giannotto Bastianelli, *Musica pura : commentari musicali e altri scritti*, *op. cit.*, p. 91.
3. Alfredo Casella, « Debussy et la jeune école italienne », *La Revue musicale*, numéro spécial consacré à Debussy, 1er décembre 1920, p. 214.

On reproche à Debussy sa pratique de la dissolution des lignes mélodiques, sa négation de la forme au profit des couleurs, sa recherche incessante d'impressions poétiques, son utilisation abusive de chromatismes ou encore de ces fameuses « dégoulinades » qui lui valent, de la part du compositeur Alberto Savinio, le surnom très imagé de « Magister Humidus », inspiré du surnom « Magister Claudius » que lui avait donné le poète D'Annunzio. Pour certains musiciens comme Santoliquido[1], Casella ou Giannotto Bastianelli[2], l'impressionnisme musical dérive trop de la peinture et de la littérature[3] qui sont, selon eux, des arts nordiques incompatibles avec la sensibilité et la nature italiennes qui seraient ataviquement anti-impressionnistes. Plusieurs affirment que les nombreuses références extra-musicales ainsi que les titres évocateurs sont la preuve de la fragilité de l'esthétique impressionniste[4]. « L'italien possède trop de sens plastique pour se complaire dans un art dont la principale caractéristique est justement la négation du dessin et de la forme[5] », explique Casella. Ses propos rejoignent ceux tenus par Giannotto Bastianelli qui affirme que les Italiens doivent laisser au compositeur français le rôle de développer ce qu'il appelle « l'impressionnisme plastique » et le « descriptif musical », mais que les compositeurs italiens n'en commettraient pas moins une grave erreur s'ils ignoraient les réalisations de ce coloriste raffiné[6]. Bastianelli invite donc les compositeurs à assimiler les innovations techniques de Debussy tout en protégeant leur patrimoine et leur caractère national. Il considère que l'adoption de l'impressionnisme par les compositeurs italiens pourrait constituer une menace pour leur identité. C'est également l'opinion du critique Giorgio Barini qui voit dans l'art

1. Francesco Santoliquido, *Il dopo Wagner*, Roma, Libreria di Scienze e lettere, 1922, p. 17.
2. Giannotto Bastianelli, *Musica pura, commentari musicali e altri scritti*, *op. cit.*, p. 88.
3. Giannotto Bastianelli, « Debussy », *La Voce*, 18 mars 1909. Dans cet article, Bastianelli va même jusqu'à affirmer qu'il est impossible de considérer Debussy comme un compositeur. Il le définit davantage comme un poète.
4. Riccardo Malipiero, *Debussy*, Brescia, La Scuola, 1948, p. 16.
5. Alfredo Casella, « Impressionismo e anti-medesimo », *Ars nova*, II, n° 4, mars 1918, p. 5.
6. Giannotto Bastianelli, « Impressionismo musicale », *La Voce*, I, vol. 17, 8 avril 1909. Voir également Alberto Mantelli, « L'influence de Debussy : Italie », dans *Debussy et l'évolution de la musique au XXe siècle*, études réunies et présentées par Édith Weber, Paris, Éditions du CNRS, 1965, p. 290.

debussyste un véritable danger de corruption du style des jeunes compositeurs italiens[1].

Les propositions de Francesco Santoliquido offrent sans doute le meilleur exemple d'un changement radical d'opinion. Alors qu'au début du siècle il vouait une grande admiration à Debussy, il affirme en 1937 voir dans la musique française l'héritage de la corruption musicale hébraïque[2], responsable de l'internationalisation et de la destruction de l'identité musicale italienne. Ce genre de discours est inspiré de ceux du Duce et appuyé par le régime fasciste qui, sans imposer un art officiel, encourage fortement les artistes à puiser leur inspiration au plus profond de la tradition nationale[3].

La compréhension par le public de la musique de Debussy devient le point central des questionnements des musiciens italiens. Pizzetti s'interroge ainsi sur cette musique : « Peut-elle être comprise et appréciée par le bon sens peu raffiné du public italien, trop attaché à la forme, […] bon sens qui reste très éloigné des mysticismes de l'art français aux raffinements distingués et vaporeux[4] ? » Selon lui, la musique de Debussy, en perpétuel mouvement, ne laisse aucun repos à l'auditeur[5]. Il se demande si l'art ne devrait pas plutôt exalter la vie et l'humanité[6]. Un peu plus sarcastique, le musicologue Giacomo Setaccioli va plus loin en affirmant qu'une exposition prolongée à

1. Giorgio Barini, « Claude Debussy », *Nuova antologia*, LIII, vol. 3, 16 mai 1918, p. 139 et 144.

2. Francesco Santoliquido, « La piovra musicale ebraica », *Il Tevere*, 15 décembre 1937, p. 2.

3. Benito Mussolini, « Per le associazioni artistiche », *Scritti e discorsi di Benito Mussolini*, anno 1924, vol. 4, Milan, Ulrich Hoepli editore, 1934, p. 132-133. Voir également Emilio Gentile, *Qu'est-ce que le fascisme ? Histoire et interprétation*, Paris, Gallimard, 2002, p. 51-52.

4. Ildebrando Pizzetti, « Pelléas et Mélisande », *Rivista musicale italiana*, 1908, p. 363.

5. Alberto Mantelli, « Debussy et Mallarmé », *Rivista musicale italiana*, 1932, p. 550.

6. Mentionnons à ce propos qu'Adriano Lualdi souligne également ce manque d'humanité chez Debussy. Voir Adriano Lualdi, « Claudio Debussy la sua arte e la sua parabola », *Rivista musicale italiana* XXV, 1918, p. 284. Le critique et musicologue Carlo Placci va même jusqu'à prescrire la musique de Debussy en très petites doses sans quoi l'auditeur serait agacé, irrité et énervé. Voir Carlo Placci, « Pelleas e Melisanda alla Scala », *Il Marzocco*, 12 avril 1908. Adriano Lualdi voit d'ailleurs dans *Le Martyre de saint Sébastien* l'aboutissement de ce manque d'humanité et de cette intellectualité systématique. Voir Adriano Lualdi, « Il martirio di San Sebastiano », *Emporium*, 1922, p. 318. Gustavo Pesenti, *Debussy musicista aristocratico*, Borgo S. Dalmazzo, Bertello Editore, 1930, p. 27.

la musique de Debussy pourrait entraîner une maladie, la « *debussyte* », dont les étranges symptômes seraient le ramollissement des membres, une pâleur soudaine du visage et l'apparition d'un voile sur les yeux[1] !

Comme plusieurs de ses compatriotes, Giorgio Barini considère que Debussy est un décadent exaltant l'ultra-sentimentalisme héritier du wagnérisme[2]. Voici sans doute le point qui divise le plus les Italiens (tout comme les Français, d'ailleurs) : comment Debussy se situe-t-il par rapport à Wagner ? On trouve dans cette interrogation deux réponses opposées, respectivement associées aux partisans d'une esthétique classique ou romantique évoquées précédemment. Les premiers, comprenant Ricciotto Canudo, Casella ou Bruno Barilli, voient en Debussy le successeur des excès sentimentalistes et de l'art « malade » de Wagner. Les seconds, parmi lesquels Tommasini, Pizzetti, Bastianelli ou Mantelli, voient en Debussy la réaction la plus énergique à Wagner[3], par son caractère analytique, par l'impressionnisme lui-même, par l'abandon de constructions contrapuntiques complexes et enfin par la renonciation au monument musical wagnérien et donc par l'ouverture d'une nouvelle voie pour l'avenir de la musique.

Pour plusieurs Italiens de la *generazione dell'ottanta*, Debussy est un « modiste[4] », un « présentiste », une mode passagère incapable de durer dans le temps, telle une chimère insaisissable[5]. Pour Giannotto Bastianelli, l'œuvre de Debussy ne peut constituer qu'une phase de transition entre le passé et l'avenir : en définitive, elle sera rapidement vétuste.

La perception et la réception de Debussy par les compositeurs de la *generazione dell'ottanta* est très divisée. Cependant, la grande majorité des Italiens qui l'admirent à l'époque croit fermement que sa musique est née d'une conception spirituelle trop distante de celle de

---

1. On peut faire un rapprochement avec les parodies suscitées par l'œuvre de Wagner. Voir en particulier Docteur Cuniculus, *Des maladies wagnériennes, de leur traitement et de leur guérison*, Paris, Paul Dupont, 1893.
2. Giorgio Barini, « Musica della domenica. Riccardo Strauss e Claudio Debussy », *La Tribuna*, 30 mars 1909.
3. Pizzetti affirme enfin que *Pelléas et Mélisande* est la première œuvre qui, depuis Wagner, peut redonner espoir au théâtre musical en France, mais surtout en Italie. Ildebrando Pizzetti, « *Pelléas et Mélisande* », *Rivista Musicale Italiana*, 1908, p. 351.
4. Bruno Barilli, *Il sorcio nel violino*, Turin, Einaudi, 1999, p. 37.
5. Vincenzo Tommasini, « Claude Debussy e l'impressionnismo musicale », *Rivista musicale italiana*, 1907, p. 167.

la leur pour pouvoir être pleinement acceptée, bien qu'elle soit fortement innovante et dotée d'une extraordinaire capacité expressive.

On ne peut parler d'une réception ou d'une appréciation unanime de l'œuvre de Debussy dans l'Italie du début du XXe siècle. Avant 1918, on observe une tendance générale traduisant un immense intérêt pour Debussy qui se métamorphose en un rejet presque total après cette date. Après avoir été considéré comme un innovateur de génie ayant illuminé la nouvelle musique latine, l'Italie fasciste le désigne comme un corrupteur sans vergogne. Il convient toutefois de signaler quelques exceptions : alors que leurs compatriotes s'insurgent contre l'invasion de la musique française en Italie, Bastianelli et Guido M. Gatti se montrent de plus en plus admiratifs de l'œuvre de Debussy. Quant au discours nationaliste de Casella et Malipiero, il est affirmé avec de plus en plus d'aplomb : ils continuent de défendre l'œuvre de Debussy dans l'Italie fasciste, à travers les activités de la Corporazione delle Nuove Musiche fondée en collaboration avec D'Annunzio.

Si tous les musiciens italiens de cette génération ne sont pas prédisposés à attribuer à Debussy une place de premier ordre dans le renouveau de la musique italienne, il est possible d'affirmer aujourd'hui que ce compositeur a fortement influencé le développement de la musique instrumentale en Italie, en particulier par ses innovations techniques et harmoniques, et par les nombreuses polémiques qu'il a suscitées.

Repenser la réception de Debussy par Messiaen

Yves Balmer et Christopher Brent Murray

Des *Préludes* de 1928-1929 à l'exégèse inlassable de *Pelléas et Mélisande*, de ses œuvres à ses écrits analytiques et autobiographiques, l'univers compositionnel et pédagogique d'Olivier Messiaen fait la part belle à Debussy. Ce constat n'est pas neuf, mais vingt ans après la disparition de Messiaen, dix ans après la publication exhaustive du *Traité de rythme, de couleur, et d'ornithologie* et à la faveur de nouvelles sources, il est possible d'élaborer une nouvelle synthèse, moins impressionniste que naguère, de la réception de Debussy par Olivier Messiaen en précisant notamment les clés et modalités de sa lecture de l'œuvre, ainsi que leurs conséquences, notamment en termes d'influence. Le présent article met ainsi en lumière la production par Messiaen de connexions, symboliques ou concrètes, reliant tant son parcours de musicien que son œuvre à la musique de Debussy.

Dans un premier temps, l'étude des écrits de Messiaen illustrera la manière dont il a construit sa propre figure de compositeur dans une relation ambivalente à Debussy, présenté comme catalyseur de sa propre destinée[1]. L'analyse de l'exemplaire de la partition de *Pelléas et Mélisande* ayant appartenu à Yvonne Loriod et porteur de l'intégralité du cours de Messiaen, permettra le second temps du propos : une typologie des axes analytiques de ce phare pédago-

1. Pour une étude approfondie de la création de sa figure publique par Messiaen lui-même voir Yves Balmer, *Édifier son œuvre : Genèse, médiation, diffusion de l'œuvre d'Olivier Messiaen*, thèse de doctorat, Université Charles-de-Gaulle – Lille 3, 2008, 3 vol., 911 p.

gique, sur lequel plane continûment l'ombre des questionnements compositionnels de Messiaen. Nous prouverons alors, chemin faisant, que les passages les plus analysés constituent un réservoir d'objets, une source dans laquelle Messiaen puise, lors de son travail créatif, pour inventer.

À la filiation que Messiaen construit symboliquement et revendique, du moins un temps, s'ajoutent ainsi des emprunts qui unissent matériellement les deux compositeurs ; c'est le portrait d'un Messiaen orfèvre qui se dessine, enchâssant dans les mailles de ses œuvres les « diamants sonores » découverts dans la mine debussyste.

Une rencontre explosive : *Pelléas et Mélisande*

La rencontre avec l'œuvre de Debussy est fondatrice. Messiaen y a maintes fois insisté : *Pelléas* a constitué une impulsion décisive, de telle sorte que la figure de Debussy est inéluctablement liée au récit de ses propres débuts.

> Pour terminer, une merveilleuse histoire que j'ai souvent contée à mes élèves du Conservatoire de Paris : c'est l'histoire d'un petit garçon de 9 ans 1/2 qui témoigne depuis l'âge de 8 ans d'une irrésistible passion pour la musique, joue du piano et compose assez gauchement, comme il se doit. Il vient à Nantes en 1918, avec sa famille, y rencontre son premier professeur d'harmonie qui le prend en affection dès le premier instant et refuse toute rémunération pour les leçons données. Au bout de six mois, élève et professeur doivent se séparer car le petit garçon suit sa famille à Paris. Que laisse le professeur à l'enfant en souvenir des belles leçons ? Un ouvrage classique, un traité d'harmonie ? Non : il lui donna une partition qui passait à l'époque pour le comble de l'audace (un peu comme la « musique sérielle », la « musique concrète », ou la *Sonate* de Pierre Boulez actuellement), il lui donne *Pelléas et Mélisande* de Claude Debussy ! Ce cadeau devait définitivement affermir et orienter la vocation du jeune élève. L'élève : c'était moi ; le maître : c'était Jean de Gibon[1].

Messiaen donne de ces souvenirs de multiples versions, brodées autour d'éléments-clés : un professeur de province qui donne à un

1. Olivier Messiaen, « Hommage à un Maître disparu : Jean de Gibon », *Écho du Pays de Redon*, 26 janvier 1952.

jeune garçon (dont l'âge fluctue quelque peu selon les récits) une partition hautement moderne en cadeau d'adieu à l'occasion du départ du garçon pour Paris. Ces récits sont mis en série dans le tableau 1[1].

Chacune de ces variations, tressant avec des nuances variables les mêmes éléments selon la destination du texte, concrétise l'effet de la partition sur Messiaen : une œuvre qui le marque à vie et influence sa destinée. Il affirme : « *Pelléas et Mélisande* : voilà ce qui a décidé de ma vocation de compositeur[2]. » Par différents truchements, Messiaen, pour accroître la force du récit, convie la modernité de *Pelléas et Mélisande* dans le but d'en expliquer la fonction de détonateur ; la révélation de sa destinée provient d'une œuvre qualifiée de « comble de l'audace », comparée à la musique sérielle, la musique concrète ou celle de Boulez, considérée comme une « bombe », éventuellement « atomique » et même – de manière incompréhensible – désignée comme « injouable [à l'époque] » et écrite « par un demi-fou[3] ». La récurrence de cette anecdote, passage obligé des discours autobiographiques, ne la construit cependant pas en vérité. Définir les canaux réels de la connaissance de Debussy par Messiaen reste toujours aujourd'hui assez complexe : une lettre du jeune Messiaen à la famille de sa mère mentionne, parmi d'autres cadeaux de Noël, la partition de *Pelléas et Mélisande*, détail qui laisse planer un doute certain quant à l'année de rencontre et la source réelle du cadeau[4]. Debussy, du reste, figurait déjà au rang des compositeurs que le jeune

1. Dans l'ordre de leur occurrence, quoique souvent publiés plus tard, les entretiens sont : Antoine Goléa, *Rencontres avec Olivier Messiaen*, Paris, René Julliard, 1958, p. 27 ; Jean Boivin et Malou Haine, « Trois entretiens inédits d'Olivier Messiaen avec Stéphane Audel (1958) », *Revue musicale de Suisse Romande*, vol. 62, n° 3, septembre 2009, p. 35 ; Claude Samuel, *Entretiens avec Olivier Messiaen*, Paris, Pierre Belfond, 1967, p. 124 ; Martine Cadieu, « Debussy, amant des phénomènes naturels », entretien avec Olivier Messiaen publié dans *Les Lettres françaises* du 3 avril 1968, reproduit dans *À l'écoute des compositeurs : entretiens 1961-1975*, Paris, Minerve, 1992, p. 184 ; Patrick Szersnovicz, « Olivier Messiaen, La liturgie de l'art-en-ciel », *Le Monde de la musique*, juillet-août 1987, p. 39-45 ; Brigitte Massin, *Olivier Messiaen : une poétique du merveilleux*, Aix-en-Provence, Alinea, 1989, p. 38.

2. Brigitte Massin, *Olivier Messiaen : une poétique du merveilleux*, *op. cit.*, p. 38.

3. Antoine Goléa, *Rencontres avec Olivier Messiaen*, *op. cit.*, p. 27.

4. Peter Hill et Nigel Simeone, *Olivier Messiaen*, traduit par Lucie Kayas, Paris, Fayard, 2008, p. 29-30. « Messiaen reçut peut-être *Pelléas* comme cadeau d'anniversaire, ou pour Noël, en décembre 1919. Dans un brouillon de lettre de nouvel an (non daté, mais rédigé sans doute fin décembre 1919) ».

« [Jehan de Gibon] me donna gratuitement, pendant six mois, des leçons d'harmonie et me fit cadeau d'une partition de *Pelléas et Mélisande* de Debussy. *Chose inouïe*, que ce professeur de province, donnant à un enfant de dix ans *une partition considérée à l'époque comme une œuvre injouable écrite par un demi-fou…* Ce cadeau devait exercer sur moi une influence telle que, maintenant encore, près de quarante ans après, je peux analyser de mémoire pour mes élèves cette partition tout entière. »	« [Jehan de Gibon] a été en somme mon premier maître. C'était un petit professeur de province qui me donnait des leçons d'harmonie gratuitement, ce qui était admirable, car il était très pauvre. *Et chose extraordinaire*, il me fit cadeau d'une partition de *Pelléas et Mélisande* [de Debussy], *c'est-à-dire une bombe atomique pour l'époque.* […] Et ce cadeau a eu évidemment une influence considérable sur mon style et mon évolution par la suite. »	« [Jehan de Gibon] m'a fait travailler, comme il se devait, le traité de Reber et Dubois, mais il m'a aussi offert, quand j'avais dix ans, une partition de *Pelléas et Mélisande. C'était toute de même autre chose que les Estampes ! C'était une véritable bombe qu'un professeur de province mettait entre les mains d'un tout petit garçon.* Cette partition fut, pour moi, une révélation, un coup de foudre ; je l'ai chantée, jouée et rechantée indéfiniment. Je discerne là probablement l'influence la plus décisive que j'ai reçue. »	« Après la guerre, je suivis mon père à Nantes et je devins l'élève de Jehan de Gibon qui me fit un fabuleux cadeau : la partition de *Pelléas et Mélisande.* J'avais 9 ans et demi, nous étions en 1918. Debussy venait de mourir. *Dans cette petite ville de province, une telle partition, c'était vraiment une bombe dans la vie d'un petit garçon !* Je l'ai jouée au piano, chantée, j'ai pleuré comme une fontaine… »	« J'ai été converti définitivement à la musique lorsque j'avais neuf ans par un cadeau que m'a fait mon premier professeur d'harmonie, Jehan de Gibon, à Nantes. C'était la partition de *Pelléas et Mélisande.* »	« [Jehan de Gibon] fut mon tout premier professeur d'harmonie. C'est lui qui m'a appris à distinguer un accord parfait d'un accord de sixte, c'était un enseignement très élémentaire mais je lui dois ce premier enseignement. Je luis dois autre chose encore, c'est lui qui m'a fait cadeau d'une partition de *Pelléas et Mélisande. Vous vous rendez compte : quel cadeau pour un enfant qui vient tout juste d'atteindre ses dix ans, c'était me donner une bombe,* et ça n'a pas manqué son effet. »

Tableau 1. Mise en série des récits de Messiaen sur sa rencontre avec *Pelléas et Mélisande*

Messiaen connaissait pour en avoir entendu la musique de piano au concert, et posséder quelques partitions, dont les *Estampes*[1].

De l'influence mouvante de Debussy sur l'œuvre de Messiaen

Si l'influence sur sa destinée et sa vocation est clairement énoncée et toujours conservée dans les propos de Messiaen, des années 1930 à sa mort, il en va autrement des discours concernant l'influence de Debussy sur sa musique, dont l'articulation diffère selon les périodes de sa vie. Au début de sa carrière, jeune compositeur diplômé du Conservatoire, Messiaen ne semble pas revendiquer de lien particulier avec le compositeur de *Pelléas*. Il évoque même alors, avec un enthousiasme appuyé, les compositions de Malipiero, Tournemire, Pierre-Octave Ferroud et Conrad Beck, au détriment de Debussy[2]. Ce n'est qu'à la fin des années trente que s'observe l'affirmation d'une influence debussyste (« Mes modèles ont été : Debussy d'abord, et puis le plain-chant, et encore l'admirable rythmicien hindou du XIIIe siècle Carngadeva[3] »), régulièrement reprise ensuite, dans ses ouvrages théoriques (« Ceux qui m'ont influencé : [...] le génial *Pelléas et Mélisande* de Claude Debussy[4] ») ou dans ses entretiens (« [*Pelléas*] fut pour moi une révélation, un coup de foudre [...] Je discerne là probablement l'influence la plus décisive que j'ai reçue[5] »).

Vers la fin des années 1960, au moment où sa carrière internationale se développe considérablement et où il apparaît définitivement comme une figure incontournable de la musique française[6], Messiaen

1. Claude Samuel, *Entretiens avec Olivier Messiaen, op. cit.*, p. 122 (cité dans Peter Hill et Nigel Simeone, *Olivier Messiaen, op. cit.*, p. 26).

2. José Bruyr, *L'Écran des musiciens* (seconde série), Paris, Corti, 1933, p. 124-131.

3. Olivier Messiaen, « Autour d'une parution », *Le Monde musical*, 30 avril 1939, p. 126.

4. Olivier Messiaen, *Technique de mon langage musical*, Paris, Leduc, 1944, p. 4.

5. Claude Samuel, *Entretiens avec Olivier Messiaen, op. cit.*, p. 124.

6. Pour une étude du développement de la carrière internationale de Messiaen voir Yves Balmer, *Édifier son œuvre : Genèse, médiation, diffusion de l'œuvre d'Olivier Messiaen, op. cit.*, p. 515-608, et « La diffusion internationale de l'œuvre d'Olivier Messiaen : Une entente réciproque entre le compositeur et l'Association française d'action artistique », dans *Propositions pour une historiographie critique de la*

infléchit son discours et relativise l'influence debussyste : « Je ne crois pas que Debussy, que j'ai tant aimé, ait eu une influence profonde sur ma musique. L'une de mes premières œuvres, *Préludes* pour piano, porte des titres qui furent considérés comme debussystes, à cette époque, mais la musique ne l'est pas tellement. Ma "parenté" avec Debussy est difficile à expliquer [...][1]. » Il dit également : « Je ne crois pas avoir tenté de refaire *Pelléas*. Au contraire il me semble que j'aurais plutôt cherché à m'en éloigner mais ce qu'il y a d'absolument certain, c'est bien que mon avenir s'est décidé avec cette partition[2]. »

Si l'importance décisive de *Pelléas* dans sa destinée de musicien est, comme toujours, confirmée, il en minimise – pour l'intégralité de sa production – l'influence pourtant quelques années plus tôt affirmée sans ambiguïté, au profit d'une obscure « parenté ». La progressive mise à distance de Debussy aboutit, dans l'un des derniers textes de Messiaen, à un étonnant retournement : Debussy devient une étape du langage musical menant à Messiaen, et ses qualités partiellement fondées sur sa capacité à avoir anticipé le langage harmonique du compositeur du *Quatuor pour la fin du temps* :

> Prenez un prélude pour piano comme *Feuilles mortes* : après un thème et son petit commentaire, un passage qui n'a l'air de rien. Mais c'est justement cela qu'il développe ! D'abord avec la gamme par tons, puis avec *mon* mode à transposition limitée ; et le plus fort, c'est que Debussy orthographie ses accords en mode 2 ! Il s'agit là d'une prescience extraordinaire[3].

Dernier pas d'un compositeur au faîte de sa gloire, Messiaen s'insère tant dans la généalogie qu'il s'est créée qu'il n'hésite plus à parler de Debussy comme de l'un de ses prédécesseurs, ayant effacé de son discours toute trace d'influence de ce dernier sur lui-même[4].

---

création musicale après 1945, Anne-Sylvie Barthel-Calvet (dir.), Metz, Centre de recherche universitaire lorrain d'histoire, 2011, p. 50-98, ainsi que Peter Hill et Nigel Simeone, *Olivier Messiaen*, *op. cit.*, p. 331-360.

1. Martine Cadieu, « Debussy, amant des phénomènes naturels », entretien avec Olivier Messiaen, *op. cit.*, p. 184.

2. Brigitte Massin, *Olivier Messiaen : une poétique du merveilleux*, *op. cit.*, p. 38.

3. Jean-Christophe Marti, « "J'ai subi et suivi une inspiration", Rencontre avec Olivier Messiaen », *Avant-scène opéra*, n° 223, p. 55 (*nous soulignons*).

4. Sur ce sujet, voir Yves Balmer et Christopher Murray, « De l'harmonie à la composition : Messiaen prophète de son propre style », dans *Horizons de la*

Debussy : le compositeur le plus analysé et discuté par Olivier Messiaen

Dès les années 1930, l'œuvre de Claude Debussy figure au cœur du dispositif critique d'Olivier Messiaen, jeune journaliste musical, qui convoque avec régularité ce maître-étalon pour juger la musique nouvelle[1]. Plus tard, les nombreux entretiens que toute sa vie il accorde, de même que ses ouvrages pédagogiques ou quelques textes de circonstance[2], font du commentaire de l'œuvre debussyste un passage obligé[3]. Quatre des *20 leçons d'harmonie* lui sont consacrées[4], le nom même de Debussy est le titre d'un chapitre de *Technique de mon langage musical* (« Harmonie, Debussy, notes ajoutées ») et, au sein du *Traité*, outre qu'il figure aux côtés de Wagner et Chopin comme seul compositeur présent dans l'ensemble des sept tomes, Debussy constitue le sujet d'un volume entier[5]. L'importance majeure accordée par Messiaen à Debussy dans ses récits autobiographiques trouve donc sa correspondance directe dans ses écrits théoriques.

Grand classique de son enseignement au Conservatoire, *Pelléas* est l'œuvre de Debussy la plus analysée par Messiaen[6]. De cette analyse

---

musique en France : 1944-1954, Alain Poirier et Laurent Feneyrou (dir.), Paris, Vrin, à paraître.

1. Voir Stephen Broad, *Olivier Messiaen : Journalism 1935-1939*, Farnham, Ashgate, 2012, 184 p.

2. Voir notamment : « Texte écrit en 1962 par Olivier Messiaen, pour servir d'exergue aux fêtes du Centenaire Claude Debussy au Japon », publié dans Olivier Messiaen, *Traité de rythme, de couleur, et d'ornithologie*, t.VI, Paris, Leduc, 2001, p.XIII ; Olivier Messiaen, Préface de Françoise Gervais, « Étude comparée des langages harmoniques de Fauré et Debussy », *La Revue musicale*, n° 272, 1971, p.7-8.

3. Dans Claude Samuel, *Permanences d'Olivier Messiaen*, Arles, Actes Sud, 1999, Debussy est le compositeur le plus cité, devant Mozart (cf. p.474).

4. Olivier Messiaen, *Vingt leçons d'harmonie*, Paris, Leduc, 1939. Précisons ici que, à nouveau, Messiaen se place dans une conception chronologique de la langue musicale, comme le successeur direct de Debussy et de Ravel. Voir Yves Balmer et Christopher Murray, « De l'harmonie à la composition : Messiaen, prophète de son propre style », article cité.

5. Olivier Messiaen, *Traité de rythme, de couleur, et d'ornithologie*, *op. cit.*, t.VI. Pour une analyse du contenu musical et théorique du *Traité*, voir Yves Balmer, « Religious literature in Messiaen's personnal library », dans *Messiaen the theologian*, Andrew Shenton (dir.), Aldershot, Ashgate, 2010, p.15-27.

6. « Chaque année, Olivier Messiaen l'analysait pour ses élèves, la jouant au piano, la chantant, ajoutant chaque fois des commentaires nouveaux. Il connaissait si bien *Pelléas et Mélisande* qu'il l'analysait de mémoire. » Commentaire éditorial anonyme

ne subsistent toutefois que quelques fragments : seul reste, dans le *Traité*, le commentaire des scènes 1 et 3 de l'acte I et les interludes des IIe et IIIe actes. Deux analyses de la scène préférée de Messiaen (acte I, scène 3) coexistent, Yvonne Loriod considérant la seconde comme le dernier texte écrit par Messiaen en 1991. *Pelléas* constitue ainsi l'*alpha* et l'*oméga* de la relation que Messiaen entretient à la musique : révélateur de sa vocation, cette partition l'accompagne sur son lit de mort. L'aspect performatif de ces analyses, qui manque à la lecture du *Traité*, est évident dans les rares films visualisant le compositeur au piano : tout commentaire est illustré par des exemples musicaux, complétant l'impact des observations par une communication musicale non-verbalisée. Cette absence explique une part de l'incompréhension que suscitent certaines remarques de Messiaen dans le *Traité*, une fois cristallisées sur le papier. Deux sources permettent toutefois d'affiner la connaissance de l'analyse de *Pelléas* par Messiaen. D'une part, le commentaire filmé de l'analyse, pendant une classe, du début de l'opéra[1]. D'autre part, et surtout, si nous ne disposons pas, pour l'heure, de son exemplaire de l'opéra[2], celui d'Yvonne Loriod porte, prise en note, l'analyse par Messiaen de l'intégralité de l'œuvre[3]. Malgré le statut auctorial ambivalent de ce document, il ne fait aucun doute, au regard de l'identité parfaite des commentaires portés par Yvonne Loriod et de ceux connus de Messiaen, qu'il s'agit de l'analyse de ce dernier[4]. Ce document vient compléter notre

---

[mais attribuable certainement à Yvonne Loriod] porté dans Olivier Messiaen, *Traité de rythme, de couleur, et d'ornithologie*, *op. cit.*, t.VI, p. 79.

1. Denise Tual et Michel Fano (réal.), *Olivier Messiaen et les oiseaux* [film couleur de 58 min. 30 s.], [s. l.], [s. n.], 1973. Jean Boivin a retranscrit le contenu de cette œuvre dans son ouvrage *La Classe de Messiaen*, Paris, Christian Bourgois, 1995, p. 214-223.

2. D'après le compositeur Gerald Levinson, Messiaen apportait son exemplaire d'enfant lors des classes, présenté comme une relique de ses liens anciens avec Debussy. Cf. Vincent Benitez, « A Conversation with Composer Gerald Levinson about Olivier Messiaen », http://oliviermessiaen.net/sitedocs/papers/Levinson.pdf (consulté le 27 août 2012), p. 11.

3. Claude Debussy, *Pelléas et Mélisande*, Paris, Durand, 1907, 310 p., partition chant et piano avec annotations manuscrites de la main d'Yvonne Loriod (CNSMDP, Médiathèque Hector-Berlioz, Mc 47022).

4. L'état actuel des recherches ne permet pas de dater cette analyse ni surtout d'en connaître le contexte. La forte congruence entre les notes prises par les étudiants de Messiaen et l'analyse publiée des mêmes œuvres qu'il a livrée plus tard a déjà été remarquée par Mark Delaere à propos des notes de Karel Goey-

connaissance de la pensée de Messiaen sur Debussy, par son regard sur l'ensemble de l'œuvre, et non sur quelques passages circonscrits. Il permet ainsi de catégoriser les remarques analytiques de Messiaen (voir tableau 2), et d'observer à grande échelle le vocabulaire propre à ses techniques compositionnelles projeté sur l'œuvre de Debussy[1].

1. Indications d'orchestrations
2. Repérages des « leitmotive » ou « thèmes » et de leur évolution
3. Chiffrages d'accords et analyse harmonique
4. Identification du langage (tons, modes divers…)
5. Références intertextuelles à d'autres compositeurs[2]
6. Analyses rythmiques
7. Analyses mélodiques
8. Commentaires dramaturgiques
9. Appréciations personnelles

Tableau 2. Axes d'analyse de *Pelléas et Mélisande* par Messiaen

À l'instar de ce que l'on observe dans ses écrits, l'analyse n'est jamais exhaustive. Messiaen propose une lecture pointilliste et fragmentaire, une pléiade d'observations qui gravitent autour de moments-clés. La conduite des événements ne semble pas attirer son attention : aucun commentaire relatif à la forme ou à l'organisation d'une scène ou d'un acte ne figure dans ses analyses. L'ensemble de ces

vaerts, notamment concernant l'analyse du *Sacre du printemps* (voir Mark Delaere, « Olivier Messiaen's Analysis Seminar and the Development of Post-War Serial Music », *Music Analysis*, vol. 21, n° 1, p. 39).

1. Le vocabulaire « messiaenien » déployé dans les annotations de Loriod se résume ainsi : références aux modes hindous et chinois ; au « mode 2 de O. Messiaen » ; au rythme « anacrouse-accent-désinence » ; à des cris d'« oiseau de nuit » ; aux intervalles privilégiés de Messiaen ; à la « musique russe » ; aux « accords de résonance » ; aux « litanies » (harmoniques, rythmiques et mélodiques).

2. Compositeurs cités dans l'analyse : Monteverdi (2 fois), Rameau (1 fois), Moussorgski (5 fois), « Russes » anonymes (2 fois), Wagner (5 fois), Massenet (1 fois), Fauré (2 fois), Ravel (4 fois), Schmitt (1 fois), Berg (1 fois), Honegger (1 fois), Stravinsky (4 fois). D'autres œuvres de Debussy citées dans l'analyse : *Chansons de Bilitis* (4 fois), *Prélude à l'Après-midi d'un faune* (4 fois), *Reflets dans l'eau* (2 fois), *Brouillards* (1 fois), *Nuages* (3 fois).

observations est parfaitement confirmé par l'étude des annotations prises par Pierre Boulez sur son exemplaire du *Sacre du printemps*[1], autre phare analytique de Messiaen, mais aussi par la manière dont il synthétise le regard analytique de son maître : « Quand il analysait les œuvres, [...] il les analysait en fonction de ce qu'il y trouvait. Beaucoup plus que dans une espèce de style objectif d'analyse qui, pour un compositeur, n'est pas celui qu'il recherche. Ce que cherche le compositeur, c'est vraiment ce qu'il peut y trouver, pour lui[2]. » Cette lecture entre ainsi en cohérence avec ses pratiques compositionnelles, elles aussi fragmentaires et séquencées, que l'on pense à la forme ou à son vocabulaire harmonico-rythmique[3].

Ce que l'analyse de *Pelléas* par Messiaen nous révèle de Messiaen et de son œuvre

Prenons la première page de *Pelléas*, et arrêtons-nous sur le premier accord analysé par Messiaen : « [Il s'agit de] la septième de dominante avec tonique à la place de la sensible, comme dans la 8e *Novelette* de Schumann, comme dans l'Ouverture de *Carmen*[4]. »

Pelléas et Mélisande, acte I, scène 1, mesures 8-9

1. Exemplaire consulté à Bâle, à la Fondation Paul Sacher, Fonds Pierre Boulez.
2. Propos de Pierre Boulez retranscrits d'après un entretien avec Alain Poirier et Olivier Mille reproduit sur le DVD accompagnant Anne Bongrain (dir.), *Messiaen 2008 : Messiaen au Conservatoire. Contributions du Conservatoire national supérieur de musique et de danse de Paris aux célébrations du centenaire de la naissance d'Olivier Messiaen*, Paris, CREC, 2008.
3. Yves Balmer, Thomas Lacôte et Christopher Murray, *Les Techniques du langage musical d'Olivier Messiaen*, Lyon, Symétrie, à paraître.
4. Olivier Messiaen, *Traité de rythme, de couleur, et d'ornithologie*, *op. cit.*, t. IV, p. 58.

Les deux références convoquées sont éminemment absconses, déliées du piano sur lequel Messiaen, selon toute vraisemblance, devait les jouer lorsqu'il professait : elles sont la trace verbale d'une pratique orale de cours au clavier, et le reflet d'une tendance dominante de sa technique analytique, c'est-à-dire l'isolation et l'exégèse d'objets harmoniques privés de leur contexte. Messiaen n'analyse pas cet accord au sein du mouvement auquel il appartient, il l'abstrait et construit à son occasion une constellation d'œuvres contenant ce même objet.

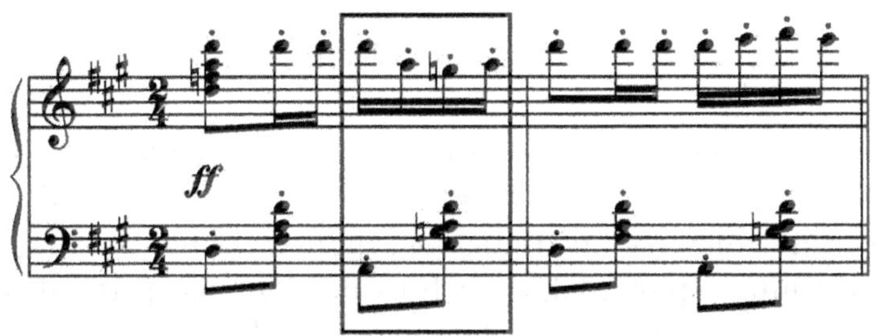

Bizet, *Carmen,* Prélude, mesures 5-6

Schumann, *Novelette,* n° 8 « Fortsetzung und Schluss »

Ces réflexes de repérage harmonique remontent à ses débuts comme professeur d'harmonie au Conservatoire[1]. Dans la liste des « formules d'harmonie » qu'il avait constituées pour ses élèves, et dont leurs cahiers

1. Yves Balmer et Christopher Murray, « La classe d'harmonie de Messiaen : retour aux sources », dans *Une musique française après 1945 ?*, Alain Poirier et Emmanuel Ducreux (dir.), Lyon, Symétrie, à paraître.

– ceux de Boulez en particulier – portent trace, on retrouve le même accord, avec mention de sa provenance double chez Schumann et Bizet[1].

Formule d'harmonie n° 11

Ces deux compositeurs ne sont pourtant pas, loin s'en faut, les deux seuls à avoir utilisé ce même accord ; toutefois Messiaen a tôt cristallisé un savoir pédagogique, qu'il continue à véhiculer des dizaines d'années plus tard, en dehors du contexte particulier d'une classe d'harmonie. Il y a ainsi fréquemment dans l'analyse de *Pelléas*, comme dans les techniques analytiques de Messiaen plus généralement, la mémoire de son enseignement de l'harmonie et d'automatismes conçus dès le début de sa carrière.

Le commentaire, classique, de la seconde itération du thème de Golaud, connu dans ses écrits sous l'expression « accords de Golaud », se comprend de la même manière.

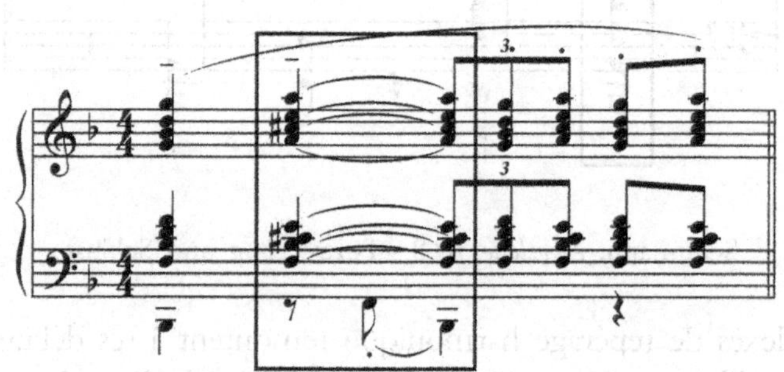

Pelléas et Mélisande, acte I, scène 1, mesure 11, « accords de Golaud »

1. Bâle, Fondation Paul Sacher, Fonds Pierre Boulez, Mappe A, Dossier 2a, 1, « Formules ».

L'observation de cet accord chez Ravel, Stravinsky et Milhaud permet à Messiaen de construire une fiction analytique, considérant très sérieusement la possibilité que ces derniers auraient pu emprunter ou faire dériver l'accord entendu chez Debussy :

> Deux analyses harmoniques : 1) accord parfait de *si* bémol majeur avec sixte ajoutée, avec triple broderie. 2) on isole la seconde sonorité pour l'entendre polytonalement : *la* majeur sur *si* bémol mineur [...]. *C'est ainsi que l'ont entendu les jeunes de l'époque.* [...] Dans la « Danse générale » (Bacchanale) de *Daphnis et Chloé*, *Ravel a renversé* la polytonalité [...]. *Milhaud use* des deux effets (voir les *Choéphores* et la mélodie « Ténèbres »)[1].

> À la première page de *Pelléas* vous rencontrerez encore – et ici, la gestation est curieuse – un accord de *la* majeur superposé à une quinte : *si* bémol, *fa* ; cet accord dans Debussy est une simple broderie ; *Ravel va s'en repaître* jusqu'à la vulgarité dans *La Valse* et *il deviendra* une des polytonalités sanguinaires de Darius Milhaud[2].

> Rappelons que ces deux accords de *Pelléas ont suscité* la « Danse générale » de *Daphnis* (Ravel) et une polytonalité chère à Milhaud[3].

Cette invention analytique est emblématique de la manière dont Messiaen imprime ses propres techniques compositionnelles à sa lecture des œuvres du passé. Nul autre que lui-même, en réalité, n'emprunte cet objet à Debussy, lui seul l'inclut consciemment, et à plusieurs reprises, dans diverses œuvres de *La Nativité* à la *Transfiguration*[4]. L'analyse qu'il élabore reflète sa technique musicale, construite pour une large part sur l'emprunt d'objets issus d'œuvres de compositeurs antérieurs ou contemporains[5], technique dont il projette le fonctionnement, sa formulation l'atteste, sur

1. Olivier Messiaen, *Traité de rythme, de couleur, et d'ornithologie*, t.VI, p. 58-59 (*nous soulignons*).
2. Olivier Messiaen, « Billet parisien : De la procession Debussy-Ravel », *Syrinx*, fév. 1938 (*nous soulignons*).
3. Olivier Messiaen, *Technique de mon langage musical*, *op. cit.*, p. 72 (*nous soulignons*).
4. Voir par exemple l'emploi de « l'accord Golaud » signalé dans « Dieu parmi nous » (*La Nativité du Seigneur*), mes. 44, par Olivier Latry et Loïc Mallié, *L'Œuvre d'orgue d'Olivier Messiaen : œuvres d'avant-guerre*, Stuttgart, Carus Verlag, 2008, p. 176.
5. Cette démonstration est l'objet de Yves Balmer, Thomas Lacôte et Christopher Murray, *Les Techniques du langage musical d'Olivier Messiaen*, *op. cit.*, dont les conclusions ont déjà été présentées lors de multiples colloques relatifs à Messiaen.

d'autres compositeurs. Cette analyse permet en outre légitimation et autojustification : en recyclant cet objet harmonique qu'il apprécie particulièrement, il se situe symboliquement, par le récit analytique causal qu'il construit, dans une lignée moderne qui a pour origine Debussy[1].

D'autres emprunts de Messiaen à Debussy sont repérables[2], lignes mélodiques, objets ou marches harmoniques, de même que des séquences rythmiques, qui n'ont pas empêché Messiaen d'affirmer qu'il n'avait jamais réussi à atteindre la liberté rythmique debussyste[3].

La mélodie « Montagnes », extraite du recueil *Harawi*, est construite sur un extrait rythmique de *Pelléas*, acte I, scène 1, où le quatuor de cors accompagne le récit de Golaud, perdu dans la forêt à la poursuite d'un sanglier. Les valeurs rythmiques sont parfaitement identiques, Messiaen n'y change pas un seul rythme. À cet emprunt rythmique à Debussy, Messiaen superpose un emprunt harmonique au premier tableau de *Noces* de Stravinsky, créant ainsi une séquence musicale par hybridation de deux de ses modèles favoris.

Pelléas et Mélisande, acte I, scène 1 (9e mesure après le chiffre 17)

1. Voir Yves Balmer et Christopher Murray, « De l'harmonie à la composition : Messiaen prophète de son propre style », article cité.
2. Nous renvoyons pour le détail de ces conclusions à Yves Balmer, Thomas Lacôte et Christopher Murray, *Les Techniques du langage musical d'Olivier Messiaen*, *op. cit.*
3. « Debussy contemplait tout avec amour… Il y a en sa musique ce rythme ondulé que j'ai toujours admiré sans arriver à l'atteindre, cette ondulation n'appartient absolument qu'à lui. Mes rythmes sont beaucoup plus proches de ceux de l'Inde » (Martine Cadieu, « Debussy, amant des phénomènes naturels », entretien avec Olivier Messiaen, *op. cit.*, p. 184).

Stravinsky, *Les Noces*, Tableau 1, numéro 10 (réduction pour piano)

Messiaen, *Harawi*, « Montagnes », mesures 1-5

De même que pour l'accord de Golaud, l'analyse de Messiaen montre que le présent passage de *Pelléas* dans lequel il puise a attiré toute son attention : de fait, les passages que Messiaen a le plus commentés sont tous susceptibles de se retrouver, d'une manière ou d'une autre, dans son œuvre. Messiaen admire la qualité compositionnelle de cet extrait (« encore une nouvelle harmonisation [du thème de Golaud]. [...] Elle est traitée en marche d'harmonie, chaque terme la transposant plus bas. Le travail est ici extraordinaire. [...] Le dernier ralenti fond le thème de Golaud dans celui de Mélisande[1] »), dont son emprunt porte la marque. En effet, Messiaen conserve la marche descendante présente chez Debussy lors de son adaptation des harmonies empruntées à Stravinsky. S'il conserve à la main gauche les hauteurs originales de *Noces*, à la main droite les quintes parallèles descendent progressivement, par ton puis demi-ton, pour atteindre, *in fine*, les hauteurs de l'extrait emprunté à Stravinsky.

Au-delà de l'omniprésence dans les écrits de Messiaen d'un Claude Debussy présenté comme moment-clé de sa généalogie, la

1. Olivier Messiaen, *Traité de rythme, de couleur, et d'ornithologie*, *op. cit.*, t.VI, p. 61-62.

présente contribution illustre de manière concrète les rouages de l'influence que ce dernier a pu exercer sur l'un des maîtres du XXe siècle : orfèvre-musicien, Messiaen a collectionné les joyaux trouvés lors de ses analyses de l'œuvre de Debussy, pour les enchâsser dans ses nouvelles créations, serties parfois d'autres pierres issues de son jardin musical. Repenser aujourd'hui une relation que l'on croyait bien connue montre ainsi que de nouvelles voies, inexplorées et inattendues, restaient à ouvrir, permettant de reconsidérer la force que le message debussyste a exercée sur le XXe siècle musical et ses effets qui n'ont, très manifestement, pas encore fini de livrer toute leur mesure.

Le regard de Xenakis sur Debussy

Anne-Sylvie Barthel-Calvet

En 1980, Iannis Xenakis déclarait au musicologue Bálint András Várga : « Quand j'entendis pour la première fois du Debussy (très tard, à l'époque de la guerre contre les Britanniques en décembre 1944 ; c'était aussi l'époque où j'ai découvert Bartók), je sentis que sa musique était ce qu'il y avait de plus proche de ce que je cherchais. Plus que Bach, Mozart, Beethoven ou Brahms, dont j'avais entendu la musique plus souvent que celle de Debussy ou Ravel[1]. » En l'état des connaissances actuelles, il n'est pas possible de préciser sur quoi reposait, à l'époque, cette proximité d'emblée ressentie. Cependant, la suite du parcours de Xenakis permet d'éclairer le rapport qu'il établit avec Debussy, malgré la radicale différence de leurs démarches esthétique et compositionnelle.

1. Bálint András Varga, *Conversations with Iannis Xenakis,* Londres, Faber & Faber, 1996, p. 51-52 (« When I first heard Debussy (very late on, at the time of the war against the British, in December 1944 ; that was also when I became acquainted with Bartók) I felt that his music was closest to what I was searching for. More than Bach, Mozart, Beethoven or Brahms, whose music I heard more often than Debussy's and Ravel's »).

Les notes prises par Xenakis sur Debussy à la classe de Messiaen

C'est indéniablement dans la classe d'Olivier Messiaen, où il fut auditeur durant trois années scolaires (d'octobre 1951 à juillet 1954), que Xenakis eut à plusieurs reprises l'occasion d'analyser véritablement la musique de Debussy. Les notes qu'il prit durant ces cours sont contenues dans deux carnets numérotés 7 et 9[1] ; le carnet 7, intitulé « XENAKIS 1952 Rythmes MESSIAEN », est un petit carnet de musique de format à l'italienne et le carnet 9, sur la couverture duquel il est simplement inscrit « Carnet 1952 », un carnet à carreaux de plus grande taille. Le premier contient uniquement des exemples alors que le second renferme les notes de cours proprement dites. Pour le carnet 7, la première date (3-4-52) apparaît à la page 5 ; le contenu des pages précédentes apparaît donc antérieur[2], tandis que les exemples suivants (p. 8-11) sont indiqués avoir été notés en octobre et novembre 1953. En revanche, le carnet 9 ne commence qu'en octobre 1952 et s'achève en juillet 1954. Les deux carnets ne sont donc pas synchrones et l'on peut supposer qu'il en existait un autre utilisé avant octobre 1952 ainsi qu'un cahier de musique pour les exemples des cours auxquels Xenakis a assisté entre novembre 1953 et juillet 1954, et que ceux-ci ont disparu pour une raison indéterminée. Cependant, ces carnets ne reflètent pas la totalité de l'enseignement de Messiaen durant ces trois années – et plus particulièrement les cours qu'il a consacrés à Debussy. On peut avancer avec une quasi-certitude que les lacunes dans les notes de Xenakis reflètent ses absences à la classe. Il faut à cet égard rappeler que Xenakis, qui travaillait alors à l'Atelier Le Corbusier, pouvait difficilement se libérer pour suivre tous les cours (qui se déroulaient les mardi, jeudi et samedi)[3]. Il est également possible qu'il ait

1. Cette numérotation correspond à celle de l'inventaire consultable au département de la Musique de la BnF, qui conserve les microfilms de quarante carnets du compositeur.

2. Ces pages contiennent des notes sur la musique grégorienne ; or, selon le relevé donné par Jean Boivin dans son ouvrage *La Classe de Messiaen* (Paris, Bourgois, 1995, p. 437-438), la musique médiévale a été le sujet du cours du 5 janvier 1952.

3. Il faut souligner à ce propos qu'en 1953, Le Corbusier lui confie la direction du chantier du Couvent de la Tourette, or on ne relève plus aucune note aux cours de Messiaen de janvier à juillet 1953.

renoncé à assister à des séances au cours desquelles étaient étudiées des œuvres déjà travaillées les années précédentes[1]. Cependant, il faut noter que Xenakis n'a – pour des raisons indéterminées – pris aucune note ni sur les *Vingt Regards sur l'Enfant-Jésus* de Messiaen (étudiés en 1951-1952 et en 1952-1953), ni sur les *Préludes pour piano* de Debussy, pourtant analysés par Messiaen en février 1952 et pendant l'année 1953-1954. Hasard des empêchements ou choix délibéré ? Il est pour l'heure impossible d'apporter un élément de réponse à une telle question.

Sur l'ensemble du carnet 9, les notes sur Debussy ne sont pas très nombreuses. Elles portent en fait seulement sur deux œuvres, le *Prélude à l'Après-midi d'un faune* (analysé les 16 décembre 1952 et 23 novembre 1953) et *Pelléas et Mélisande* (les 26 novembre et 5 décembre 1953)[2] et ne sont pas toutes aussi détaillées. Le plus grand contraste concerne ainsi l'opéra de Debussy : aux pages 35 à 39, Xenakis prend des notes très précises, principalement sur l'harmonie et l'orchestration de la scène 3 de l'acte I[3] ; en revanche, page 40, le 5 décembre 1953, il inscrit seulement « Scène de la fontaine[4] », suivi d'un graphisme géométrique sans grand rapport avec le thème, puis il écrit : « gamme par tons dans les deux transpositions pour harmoniser une mélodie ». Un tel dessin semble traduire un certain ennui ou une grande fatigue : à cette époque, Xenakis vivait à un rythme infernal, passant ses journées à l'Atelier de Le Corbusier et composant la nuit. On peut aussi supposer que Messiaen a simplement fait écouter l'œuvre à ses élèves.

Ce sont surtout ses notes riches et denses qui sont intéressantes en ce qu'elles révèlent à la fois de l'enseignement de Messiaen et de ce qu'en retient Xenakis. Il s'agit, en grande majorité, de notes concernant le langage harmonique et l'orchestration de Debussy, l'analyse

1. Xenakis prend des notes précises et méticuleuses sur les « rythmes hindous » en novembre et décembre 1952 (carnet 9, p. 6-8) ; quand Messiaen, un an plus tard, annonce qu'il y consacrera à nouveau ses séances du mardi (*id.*, p. 35), plus aucun relevé n'apparaît à ce sujet. On peut supposer que Xenakis avait décidé de ne pas assister à ces séances.

2. Voir pages 11 et 28 à 34 pour le *Prélude à l'Après-midi d'un faune* et pages 35 à 40 pour *Pelléas*.

3. Le recoupement avec les exemples musicaux relevés dans le carnet 7 (les thèmes de Golaud et de la forêt, p. 11) permet de dater ces notes du carnet 9 du 26 novembre 1953.

4. Vu la restriction des indications, il peut aussi bien s'agir de la scène 1 du deuxième acte que des scènes 3 ou 4 du quatrième.

du *Prélude à l'Après-midi d'un faune* portant plutôt sur l'harmonie debussyste, tandis que celle des extraits de *Pelléas* est surtout tournée vers des questions d'orchestration. Dans les deux cas, les notes de Xenakis ne présentent pas un exposé systématique et structuré de principes d'écriture (comme celles concernant les modes hindous ou les structures rythmiques de la *Turangalîla-Symphonie*[1]), mais déroulent une succession de remarques faites vraisemblablement au fil d'une lecture de l'œuvre au piano.

Dans son analyse du *Prélude à l'Après-midi d'un faune*, Messiaen met surtout en exergue le fait que Debussy a cherché à harmoniser de manière toujours différente la même mélodie : « harmonisations jamais pareilles dans tout l'ouvrage[2] ». S'il est difficile, faute d'indications, de savoir à quel passage se rapportent ses remarques, celles-ci sont révélatrices de la manière dont Messiaen comprend la modalité debussyste :

> Nouvelle harm.
> Sonorité gamme par tons
> Visage grimaçant.
> (deux transpositions)
> couleur : noir, sombre, criarde (?)[3]

et un peu plus loin :

> Dernière harmonisation
> géniale comme sonorité
> enchaîne. du mode 2[4].

Messiaen semble avoir aussi évoqué à propos du *Prélude* des questions d'orchestration, en particulier en 1952, lors de la première séance consacrée à cette œuvre. En effet, en date du 16 décembre 1952, Xenakis note sporadiquement :

> Faune de Debussy. Le 3e cor remplacé par les violons sur la 4e corde. C'est pour assombrir le timbre des cors[5].

1. Carnet 9, respectivement p. 6-8 et p. 46-65.
2. *Ibid.*, p. 28.
3. *Ibid.*, p. 30. Le dernier mot est peu lisible.
4. *Ibid.*, p. 31.
5. *Ibid.*, p. 11. Il s'agit de la sixième mesure de [2] ou de la troisième ou quatrième de [6].

En ce qui concerne *Pelléas*, les notes de Xenakis portent sur une partie des scènes 2 et 3 du premier acte et sont particulièrement intéressantes parce qu'elles se font l'écho d'une tout autre vision de l'œuvre que celle qui apparaît dans la fameuse analyse filmée par Denise Tual et Michel Fano dans *Messiaen et les Oiseaux*, analyse retranscrite par Jean Boivin dans son ouvrage *La Classe de Messiaen*[1]. En effet, Xenakis y note quelques remarques d'harmonisation, mais essentiellement des observations concernant l'orchestration.

L'harmonie debussyste y fait surtout l'objet, comme pour le *Prélude à l'Après-midi d'un faune*, de relevés sporadiques : structures d'accords pour lesquelles Messiaen insiste sur les composantes modales, les connotations psychologiques ou coloristiques, etc. ; à aucun moment les notes de Xenakis ne reflètent une approche véritablement fonctionnelle du langage debussyste. Il relève ainsi, sans indication de repères, ce qui ne permet pas de situer le passage dans la partition :

> accord polytonal maj+ min, 9e + 6te ajoutée en mode de sol[2],

puis des remarques à connotation psychologique :

> accords de 5tes et 4tes (antique)
> après la décision d'Arkel que Pelléas reste.
> ----------------------------
> appogiature sans résolution = stupidité
> absurdité[3].

Les remarques d'orchestration apparaissent plus intéressantes ; Messiaen s'y montre à la fois analyste doué d'une érudition orchestrale étonnante et orchestrateur. Il compare ainsi l'écriture debussyste à celle de Ravel – page 46, au chiffre 35 :

> D, T, 2 flûtes en 3^ce^ et CB et cor. Le reste altos+violons = soupirs plaintes d'archet.
> Ravel aurait groupé par trois les cordes, effet plus intense[4].

---

1. Jean Boivin, *La Classe de Messiaen*, *op. cit.*, p. 214-223.
2. Carnet 9, p. 35.
3. *Ibid.*, p. 36.
4. *Ibid.*, p. 37. Il s'agit très précisément des deux mesures avant [36]. Les indications de pages de Messiaen correspondent à celles de l'édition Fromont de 1904.

Fait révélateur de son mode de description des timbres instrumentaux et plus particulièrement de leurs alliages, Messiaen recourt également assez souvent à des comparaisons avec d'autres types de sonorités. Par exemple, pour le passage qui se trouve quatre mesures avant le chiffre 33, il note : « p. 42 les soufflets /musique concrète[1] » et, à propos de l'écriture de cordes quatre mesures avant [43] :

> p. 59 dern. mesure. pizz + arco ~ piano
> ---------------------
> imitation du piano[2]

Certaines de ses remarques sonnent enfin comme des conseils ou des mises en garde à de futurs compositeurs :

> <u>Scène du jardin</u>
> Musique de jardin
> Flûte 3 et clar. 2, puis une flèche à partir de « flûte » et :
> au-dessus parce que l'inverse serait
> les flûtes trop fortes et cl. trop faibles[3]

et un peu plus loin :

> 1re mesure avant chiffre 45.
> Trémo. violons sur la touche. <u>Sonor. très faible</u>.
> Attention sonorité flûtes dans grave. Les cors font écho.
> (Un peu plus haut on aurait
> pu mettre les htbois ou bien flûtes[4])

Avec ce type de remarques, incidentes mais très détaillées, Messiaen s'adressait à de futurs compositeurs pour lesquels ces questions d'orchestration étaient primordiales. La méticulosité de leur relevé par Xenakis montre aussi l'intérêt particulier de ce dernier pour le sujet à cette époque. Rappelons qu'il vient alors de finir *Le Sacri-*

1. *Ibid.*, p. 37.
2. *Ibid.*, p. 38.
3. *Ibid.*, p. 36. Cette remarque semble concerner l'orchestration de la scène 1 de l'acte II.
4. *Ibid.*, p. 39. Il s'agit de la fin de la scène 3 de l'acte II.

fice, troisième volet des *Anastenaria*, œuvre qui développe tout un travail sur les timbres, avec en particulier des jeux d'interférences acoustiques[1].

Ses préoccupations compositionnelles du moment éclairent d'ailleurs d'un jour particulier un de ses rares commentaires personnels à une remarque de Messiaen. Le 23 novembre 1953, à propos du *Prélude à l'Après-midi d'un faune*, il note une synthèse consacrée à la manière dont Debussy harmonise une mélodie :

> Théorie Messiaen
> Une seule harmonie vraie pour une mélodie.
> Chez Debussy
> 1) sans harmonie
> 2) harmonie 1 ton plus bas
> 3) est la vraie. → assez compliquée
> « chaude naturelle »
> (pour moi platte) [*sic*]
> Les critiques l'appellent sensuelle[2]

L'expression « pour moi platte » qui contredit le reste du commentaire semble pouvoir être attribuée à Xenakis. Tout d'abord, l'emploi du « pour moi » ne peut logiquement venir que du jeune compositeur (il aurait sinon indiqué « pour Messiaen »). De plus, l'œuvre qu'il vient d'achever (*Le Sacrifice*) met en jeu un travail de modifications harmoniques de clusters par des interférences acoustiques à côté duquel l'harmonie debussyste « chaude naturelle » décrite par Messiaen comme étant la « vraie » – bien qu'il n'en précise pas le contenu – a pu lui paraître « plate ».

Par la suite, la mise en œuvre de principes de structuration abstraite tels que le sérialisme de *Metastasis* et la stochastique dont le développement s'amplifie de *Pithoprakta* au programme *ST* va éloigner Xenakis de toute référence à Debussy.

---

1. Concernant la genèse du *Sacrifice*, voir Anne-Sylvie Barthel-Calvet, « L'apport historiographique d'une étude d'esquisses : une note à propos du cycle des *Anastenaria* et de *Métastasis* de Iannis Xenakis », dans *Propositions pour une historiographie critique de la création musicale après 1945*, Anne-Sylvie Barthel-Calvet, (dir.), Metz, CRULH, 2011, p. 147-161 ; et « A creative mind in eruption : Xenakis composing the *Anastenaria* cycle in 1953 », *Proceedings of the* Xenakis International Symposium, Southbank Centre, Londres, 1-3 avril 2011, www.gold.ac.uk/ccmc/xenakis-international-symposium.
2. Carnet 9, p. 29.

Debussy au cœur de la théorie xenakienne du temps dans les années 1960

La référence à Debussy va resurgir d'une manière relativement inattendue dans les années 1960 avec l'élaboration d'une théorie originale du temps musical que Xenakis développe à cette époque. L'élaboration de la réflexion du compositeur se déroule en deux étapes.

Au début de la décennie, il l'expose d'abord dans trois textes : « La musique stochastique – Éléments sur les procédés probabilistes de composition musicale » de 1961[1], la conférence « Trois pôles de condensation » prononcée pour Radio Varsovie en 1962[2] et, en 1963, le chapitre V de *Musiques formelles* intitulé « Musique symbolique »[3]. Il y définit tout d'abord deux fonctions du temps : une fonction ordonnatrice (qu'il appelle « lexicographique ») et une fonction métrique[4]. La première correspond à la relation de succession et se caractérise par les propriétés mathématiques d'asymétrie et de non-commutativité, tandis que la deuxième, symétrique et commutative, se rapporte aux relations entre les intervalles de temps à partir d'une unité métrique de référence. Dans ce premier état de sa théorie, il répartit les composantes musicales en trois ensembles, le *hors-temps*, le *temporel* et l'*en-temps*, tous trois structurés algébriquement.

Relèvent du *hors-temps* les composantes du son dont la structure n'est pas modifiée par leur déploiement dans le temps. Xenakis y fait bien sûr figurer les intervalles de hauteurs (la structure d'une gamme, par exemple, indépendante de son mode de manifestation dans le temps), les intensités, mais aussi – fait plus surprenant – les durées, dans la mesure où, élaborées « sous forme de multiple d'une unité temporelle », elles sont indépendantes du placement des sons

1. Iannis Xenakis, « La musique stochastique – Éléments sur les procédés probabilistes de composition musicale », *Revue d'Esthétique* vol. 14 n°s 3-4, 1961, p. 294-318, repris dans *Musiques Formelles-Nouveaux Principes de composition musicale* (*La Revue musicale,* double n° spécial n°s 253-254, Paris, Richard-Masse, 1963) où il constitue l'essentiel du chapitre I.

2. Publiée ultérieurement dans Iannis Xenakis, *Musique-Architecture*, Tournai, Casterman, 1971, p. 26-37.

3. Iannis Xenakis, *Musiques Formelles…, op. cit.*, p. 185-207.

4. Voir Iannis Xenakis, *Musiques formelles…, op. cit.,* p. 16-17.

les uns par rapport aux autres et donc, de la dimension lexicographique du temps.

L'algèbre *temporelle* s'applique aux intervalles de temps séparant les événements sonores :

> Une composition musicale examinée du point de vue temporel montre que les événements sonores créent, sur l'axe du temps, des durées qui forment un ensemble [...] structuré à l'aide d'une *algèbre temporelle* indépendante de l'algèbre hors-temps[1].

Enfin, l'algèbre *en-temps* définit la mise en correspondance des ensembles *hors-temps* et *temporel.*

Dans « Musique Symbolique », Xenakis élabore, à partir de ces définitions, une formalisation fondée sur la théorie des ensembles, qu'il va mettre en œuvre dans *Herma* pour piano seul[2].

Quelques années plus tard, dans trois textes successifs parus entre 1965 et 1968, Xenakis développe à nouveau cette conception du temps musical, à la fois en la simplifiant et en lui conférant une fonction de lecture de l'histoire de la musique. Ces trois textes sont, par ordre chronologique : « La voie de la recherche et de la question », paru en 1965 dans la revue *Preuves*[3], «Vers une philosophie de la musique », publié initialement en allemand et en anglais dans les *Gravesaner Blätter* en 1966[4] et enfin «Vers une métamusique », paru dans la revue *La Nef* en 1967[5]. Xenakis n'y définit plus trois

1. Iannis Xenakis, *Musique-Architecture, op. cit.,* p. 36. Les intervalles de durées ainsi définis sont à distinguer des durées propres des sons, que Xenakis inclut dans le hors-temps.

2. Iannis Xenakis, *Musiques formelles..., op. cit.*, p. 200-208.

3. Iannis Xenakis, « La voie de la recherche et de la question », *Preuves* n° 177, nov. 1965, p. 33-36 (repris dans *Keleütha*, Paris, L'Arche, 1994, p. 67-74). Ce texte fut publié dans le cadre de l'enquête sur la musique sérielle menée par André Boucourechliev de 1965 à 1967 auprès de compositeurs, mais aussi d'artistes et d'intellectuels. Il faut dire que – à l'instar d'un certain nombre de personnes interrogées – Xenakis n'y répond pas du tout aux questions soulevées par Boucourechliev dans son texte préliminaire.

4. Iannis Xenakis, «Vers une philosophie de la musique », *Gravesaner Blätter* n° 29, juin 1966, p. 23-52, repris en français, modifié et augmenté : *Revue d'Esthétique* vol. 21 n°s 2-3-4, 1968, p. 173-210 ; version reprise dans *Musique-Architecture, op. cit.*, p. 71-119.

5. Iannis Xenakis, «Vers une métamusique », *La Nef* (nouvelle série), 24e année, cahier n° 29, janv.-mars 1967, p. 117-140, repris dans *Musique-Architecture, op. cit.*, p. 38-70.

catégories, mais deux, le *hors-temps* et l'*en-temps*, en des termes d'ailleurs moins techniques que dans les textes du début de la décennie :

> Ce qui se laisse penser sans changer par l'avant ou l'après est hors-temps. Les modes traditionnels sont partiellement hors-temps, les relations ou les opérations logiques infligées à des classes de sons, d'intervalles, de caractères… sont aussi hors-temps. Dès que le discours contient l'avant ou l'après on est en-temps. L'ordre sériel est en-temps, une mélodie traditionnelle aussi. Toute musique, dans sa nature hors-temps, peut être livrée instantanément, plaquée. Sa nature en-temps est la relation de sa nature hors-temps avec le temps. En tant que réalité sonore il n'y a pas de musique hors-temps pure ; il existe de la musique en-temps pure, c'est le rythme à l'état pur[1].

Xenakis adosse à cette conception du temps musical ce qu'il appelle deux « axiomatiques », celle des cribles et celle qui fait appel à la théorie mathématique des groupes. Ces nouveaux principes de formalisation portent sur des structures finies et des processus déterministes qui s'inscrivent dans une perspective diamétralement opposée à la poïétique stochastique. Avec eux, Xenakis sort d'une démarche de pure recherche poïétique pour développer un véritable projet *théorique* à partir duquel il propose une lecture de l'histoire de la musique qu'il déroule de l'Antiquité à nos jours et dans laquelle Debussy occupe une place névralgique.

Cette lecture historique est particulièrement développée dans « Vers une métamusique » et dans « Vers une philosophie de la musique ». Dans le premier de ces deux articles, Xenakis commence par un exposé très détaillé sur les modes de la musique grecque, antique et byzantine qu'il estime mal comprise à l'époque où il s'exprime, en raison, selon lui, de « l'oubli imposé par la croissance de la polyphonie, création originale de l'Occident barbare et inculte et par le schisme des Églises ». Pour lui, l'organisation de cette musique est « un témoignage élégant et vivant de ce qu'[il s'] efforce de définir comme catégorie (algèbre, structure) *hors-temps* de la musique[2] », et l'évolution de la musique occidentale traduit une « dégradation

1. Iannis Xenakis, « La Voie de la recherche et de la question », article cité, p. 34 ; *Keleütha*, p. 68.

2. Iannis Xenakis, « Vers une métamusique », article cité, p. 130-131 ; *Musique-Architecture, op. cit.*, p. 56-57.

progressive des structures hors-temps[1] » au profit des structures en-temps de plus en plus prédominantes avec le développement et la complexification des structures polyphoniques. Il explique ainsi dans « Vers une philosophie de la musique[2] » : « Après Monteverdi et durant trois siècles environ ce sont surtout les architectures en-temps exprimées par les fonctions tonales (modales) qui dominent partout en Europe du centre et occidentale », les constructions polyphoniques complexes d'un Jean-Sébastien Bach représentant pour lui de pures structures en-temps. Au début du XXe siècle, il voit d'ailleurs dans l'atonalisme, puis dans la structure d'ordonnancement de la série un stade ultime de la prédominance de l'en-temps et de la dégradation du hors-temps :

> L'atonalisme final, préparé par la théorie et par la musique des romantiques, fin XIXe et début XXe, abandonna pratiquement toute structure hors-temps. Ce qui fut confirmé par la suppression dogmatique des Viennois, qui n'acceptent que l'ultime « ordre total » de la gamme tempérée chromatique. Des quatre formes de la série, seule l'inversion des intervalles se rapporte à une structure hors-temps. Naturellement des regrets, conscients ou pas, se font sentir et des relations intervalliques de symétrie sont greffées sur le total chromatique dans le choix des notes de la série mais toujours dans la catégorie en-temps. Depuis, cette situation n'a guère changé chez les post-wébérniens[3].

Si, pour Xenakis, cette prédominance croissante de l'en-temps au détriment des structures hors-temps caractérise l'originalité de la musique occidentale, elle représente également à ses yeux un « risque d'impasse » parce que, selon lui, seules les structures hors-temps ont une plus grande abstraction et donc un plus grand potentiel de généralisation, voir d'universalité :

> Cette dégradation des structures hors-temps de la musique à partir du bas Moyen Âge est peut-être le fait caractéristique de l'évolution musicale de l'Occident européen. Dégradation qui conduit à l'excroissance des structures temporelles et en-temps inégalées. C'est en cela que réside son originalité et son apport à la culture universelle. Mais

1. Intertitre de son article, *Musique-Architecture, op. cit.*, p. 58.

2. Iannis Xenakis, « Vers une philosophie de la musique », article cité, p. 180, *Musique-Architecture, op. cit.*, p. 82.

3. Iannis Xenakis, « Vers une métamusique », article cité, p. 132, *Musique-Architecture, op. cit.*, p. 59.

> c'est en cela que réside aussi son appauvrissement, sa perte de charge et qu'apparaît un risque d'impasse. Car telle qu'elle a évolué jusqu'ici, la musique européenne est inapte à donner au monde un champ d'expression à l'échelle du globe, une universalité, elle risque de s'isoler et de se couper des nécessités historiques[1].

Il plaide donc pour un développement des structures hors-temps dont il attribue la réintroduction dans le cours de la musique occidentale à…. Debussy. Il note ainsi :

> Pourtant la renaissance des préoccupations hors-temps se produit en France avec Debussy et son invention de la gamme par tons[2].

et un peu plus loin :

> Je veux pourtant mettre ici l'accent sur le fait que c'est en France avec Debussy et Messiaen que la catégorie hors-temps est réintroduite en musique, face à l'évolution générale qui aboutit à son atrophie au bénéfice des structures en-temps[3].

Il reviendra d'ailleurs sur cette idée dans un texte d'hommage à Messiaen paru à l'occasion de la création de *Saint François d'Assise* où, faisant référence aux « notions d'échelles, de gammes, de modes, aussi vieilles que la musique », il affirme :

> Brusquement, Debussy, avec sa gamme par tons jette un regard neuf et ouvre la voie du renouvellement de ces notions et de leur abstraction […] Olivier Messiaen, lui, va plus loin encore et crée consciemment de nouvelles échelles avec, comme point de départ, une idée abstraite plus générale, celle des invariants possibles lors des transpositions[4].

C'est ainsi, par son utilisation de la gamme par tons, que Debussy est décrit par Xenakis comme un point d'infléchissement majeur dans une trajectoire d'évolution de la musique occidentale moderne vue comme continue jusqu'alors. Pour Xenakis, Debussy introduit une rupture avec cette tendance à la prédominance des structures en-

1. *Ibid.*, p. 133.
2. Iannis Xenakis, « Vers une philosophie de la musique », article cité, p. 180, *Musique-Architecture*, *op. cit.*, p. 82.
3. *Ibid.*
4. Iannis Xenakis, « Olivier Messiaen », *Opéra de Paris* n° 12, nov. 1983, p. 6.

temps développées jusqu'alors et rouvre une voie qu'il juge féconde, contrairement au sérialisme décrit comme une impasse depuis « la Crise de la musique sérielle[1] ». Il considère ainsi Debussy comme initiateur d'une démarche largement amplifiée par la suite par Messiaen.

À cet égard, la première version, manuscrite et inédite, de « Vers une métamusique » souligne le lien établi par Xenakis entre les deux compositeurs français[2]. Le titre alors retenu est « Structures harmoniques/hors-temps », mais en tête d'un certain nombre de feuillets figure simplement la mention « Messiaen ». Dans cette version première, le texte est en effet un véritable hommage à Messiaen[3] alors que la version publiée en définitive, dans laquelle tous les développements consacrés à ce compositeur sont supprimés, mettra plutôt en évidence l'originalité des théories développées par Xenakis. La première feuille de ce manuscrit présente le plan du texte qui met clairement en évidence la manière dont l'auteur conçoit la filiation Debussy-Messiaen :

> Messiaen
> Problème fondamental
> Le sens des gammes des modes ?
> Les étages des structures
> L'atonalité → la neutralité
> La série négation et uniformisation
> Son despotisme apauvrissant (sic)
> Debussy → Polytonalité en France →Messiaen →1950 [...]

À l'origine des cribles xenakiens : la gamme par tons debussyste

Selon Xenakis, l'usage de la gamme par tons par Debussy marque donc le point de départ d'un travail d'exploration des

1. « La crise de la musique sérielle », *Gravesaner Blätter* n° 1, juil. 1955, repris dans *Keleütha*, p. 39-43. Il faut noter cependant que cette critique s'inscrit ici dans une perspective historique beaucoup plus large que celle du manifeste de 1955.
2. Ce texte manuscrit est conservé dans le fonds Xenakis du département de la Musique de la BnF (Écrits 1/6).
3. Voir à ce sujet Anne-Sylvie Barthel-Calvet, « The Messiaen-Xenakis Conjunction », dans *Messiaen Perspectives*, Christopher Dingle & Robert Fallon (dir.), Aldershot, Ashgate, à paraître.

structures hors-temps que sont les structures d'échelles, travail qu'il voit développé dans le système modal messiaenien. C'est sur ces structures d'échelles qu'il va fonder l'élaboration du principe de formalisation par cribles. L'une des premières formules de crible données par Xenakis est d'ailleurs celle, très simple, de la gamme par tons.

Se plaçant dans le cadre de l'axiomatique des nombres de Peano, Xenakis définit une échelle[1] par :

– son origine notée 0,

– une unité qu'il appelle DEL[2] (déplacement élémentaire) qui peut être d'un ton, un demi-ton, un quart de ton, etc.

et la traduit en valeurs numériques.

Ainsi, la gamme par tons : *do*, *ré*, *mi*, *fa*♯, *sol*♯, *la*♯, correspondra à la classe d'entiers (en prenant *do* comme origine et le demi-ton comme unité) : 0, 2, 4, 6, 8, 10. Cette succession de valeurs, représentée de manière synthétique, correspond à la classe des entiers naturels dont la division par 2 a pour reste 0, c'est-à-dire la classe résiduelle de 0 modulo 2, que Xenakis écrit : 2_0.

Pour obtenir l'autre forme de la gamme par tons (*do*♯, *ré*♯, *fa*, *sol*, *la*, *si*), il faut modifier ou bien l'origine du crible (c'est-à-dire prendre *do*♯ comme origine) ou bien la classe résiduelle qui devient 1 (et qui donne la succession suivante : 1, 3, 5, 7, 9, 11) et qui est notée 2_1.

Pour construire des structures plus complexes, avec des périodicités plus ou moins larges, Xenakis fait appel aux opérations logiques d'intersection, réunion, complémentarité[3].

---

1. « Termes premiers : l'origine, une note, le successeur de… Cinq propositions premières : 1) l'origine est une note ; 2) le successeur d'une note est une note ; 3) plusieurs notes quelconques ne peuvent avoir le même successeur ; 4) l'origine n'est le successeur d'aucune note ; 5) si une propriété appartient à l'origine et si, lorsqu'elle appartient à une note quelconque, elle appartient aussi à son successeur, alors elle appartient à toutes les notes (principe d'induction). » (Iannis Xenakis, « La Voie de la Recherche et de la Question », *Keleütha*, p. 70).

2. Iannis Xenakis, « Vers une philosophie de la musique », article cité, p. 181, *Musique-Architecture*, *op. cit.*, p. 84.

3. Le texte – nettement plus tardif – du chapitre IX intitulé « Sieves » de l'ouvrage de Xenakis, *Formalized Music – Thought and Mathematics in Music* (2e ed., New York, Pendragon, 1991, p. 268-276) propose un exposé à la fois détaillé et synthétique de la construction et de l'utilisation des cribles.

Pour Xenakis, l'intérêt des cribles est qu'ils peuvent formaliser toute structure de type scalaire, qu'il s'agisse de hauteurs ou de durées, qu'elles aient une très forte régularité ou bien, au contraire, que leur périodicité soit tellement large qu'elles en soient perçues comme irrégulières. Xenakis les a employées d'ailleurs en ce sens, pour construire des échelles de hauteurs non octaviantes (par exemple dans *Jonchaies*), mais aussi, rythmiquement, pour élaborer des structures dont la périodicité était tellement large qu'elle en excédait la taille de la section où elles étaient développées et en devenait non-perceptible, comme dans son œuvre pour percussion *Psappha*. En ce sens, la formalisation par cribles lui a permis d'englober les deux pôles de régularité et irrégularité qui orientent toute sa poïétique. Mais il faut souligner qu'à ses yeux, la gamme par tons debussyste a été la première étape dans le regain d'intérêt pour ces structures scalaires.

Au-delà de l'originalité de cette théorie, le regard de Xenakis sur l'évolution historique récente de la musique occidentale, et plus particulièrement sur la filiation Debussy-Messiaen, apparaît tributaire de celui que Messiaen lui-même portait sur Debussy. En effet, cette lecture prolonge celle qu'avait exposée Messiaen dès *Technique de mon langage musical* lorsqu'il mettait en évidence le « charme des impossibilités » de transposition de la gamme par tons décrite comme le premier des modes à transposition limitée, même s'il disait en éviter l'usage après Debussy et Dukas[1]. La théorie xenakienne du hors-temps et celle des cribles apparaissent alors comme une extension de celle de Messiaen, avec une réelle ambition d'universalité.

Mais comme Messiaen, même s'il en a moins parlé que lui, Xenakis à l'écoute de Debussy a été sensible à la recherche de couleurs sonores qu'il a lui-même poursuivies par ses voies propres. C'est peut-être la raison pour laquelle, dans ses années d'apprentissage à la classe de Messiaen, il notait – parfois fébrilement – les secrets de l'orchestration debussyste.

1. « Le premier mode est divisé en 6 groupes, de 2 notes chacun ; il est deux fois transposable : c'est la "gamme par tons". Claude Debussy (dans *Pelléas et Mélisande*) et après lui Paul Dukas (dans *Ariane et Barbe-Bleue*) en ont fait un usage si remarquable qu'il n'y a rien à ajouter. Nous éviterons donc soigneusement de nous en servir » (Olivier Messiaen, *Technique de mon langage musical,* Paris, Leduc, 1944, p. 85).

Debussy et l'Académie de France à Rome après 1960
De l'*exemplum* au matériau mémoriel

Malika Combes

Dans le Journal qu'il rédige à la villa Médicis, Gérard Pesson écrit : « Florence [...] joue *Reflets dans l'eau*. À l'échelle de l'âge de la terre, dit Philippe, Debussy passait là sous nos fenêtres il y a un millième de seconde. C'est bien ce qu'il m'avait semblé[1]. » Lors d'un entretien qu'Igor Ballereau m'accorda en ce même lieu en 2004, le spectre de Debussy qui était apparu à Pesson et à Philippe Mion fit aussi frémir le compositeur pensionnaire. Le ciel était à l'orage, on entendait au loin une répétition du *Prélude à l'Après-midi d'un faune* et Ballereau dit : « On devient fou ici ; et c'est étrange, ce ciel lourd... et Debussy... » Le lieu, encore aujourd'hui, plus d'un siècle après son passage, semble hanté par le compositeur Grand Prix de Rome.

Pourtant, Debussy s'était volontairement détaché de ce prix et de l'Académie des beaux-arts, institution qui le gère jusqu'en 1968. L'esprit indépendant de celui qui n'appartint pas au cénacle des académiciens et qui ne se priva pas d'émettre des critiques virulentes contre le prix de Rome fait de Debussy une personnalité que l'on peut difficilement assimiler à cette institution. D'ailleurs, le contexte qui lui avait valu de remporter le concours de Rome était une exception dans l'histoire du prix : dans la décennie 1880-1890, un accent particulier fut accordé à l'originalité des candidats, suite, comme l'a montré Jann Pasler, à l'influence du ministre de l'Ins-

1. Gérard Pesson, *Cran d'arrêt du beau temps. Journal 1991-1998*, Paris, Van Dieren, 2004, p. 30.

truction publique et des beaux-arts qui encourageait l'innovation. Du reste, l'Académie ne manqua pas de critiquer chacun de ses envois, lui reprochant de faire « du bizarre, de l'incompréhensible, de l'inexécutable », du « vague », de l'« impressionnisme »[1]. Ce prix accordé à Debussy déroge donc à la vocation de l'institution qui repose sur la notion de métier et vise à ne former que de bons musiciens et non à produire des génies, après leur long parcours d'études au Conservatoire – une ambition maintenue jusqu'à la disparition du prix de Rome en 1968.

Debussy, *outsider* de l'Académie, est néanmoins devenu une figure canonique du discours de cette dernière ; dans les années 1960, il est ainsi présenté par la section de composition musicale comme un exemple actuel pour la musique française. Nous nous proposons d'étudier cette fortune paradoxale du compositeur dans une Académie de France à Rome profondément ébranlée et remaniée par la politique culturelle qui suit la nomination en 1959 d'André Malraux comme ministre des Affaires culturelles. Nous montrerons comment se construit l'exemplarité de Debussy et décrirons les enjeux esthétiques et stratégiques de sa mise en valeur dans un contexte de marginalisation de l'Académie. Il sera ainsi question du discours de l'institution académique et de la manière dont il construit à son usage une certaine figure de Debussy – figure opposée à celle que propose l'avant-garde à la même époque[2]. Mais la question est aussi celle du devenir du lien unissant la villa Médicis et Debussy après la réforme qui détache le lieu de l'institution[3], de la manière dont Debussy, indépendamment de l'exemplarité académique, demeure pour les pensionnaires un matériau mémoriel privilégié.

---

1. Jann Pasler, « Politique nationale et Prix de Rome », *Musiques du prix de Rome. Claude Debussy*, vol. 1, San Lorenzo de El Escorial, Glossa Music, 2009, p. 31-34.

2. « Le *fait Debussy* exclut tout académisme » (Pierre Boulez, « Debussy », *Encyclopédie de la musique*, Paris, Fasquelle, 1958, repris dans *Relevés d'apprenti*, Paris, Seuil, 1966, p. 346 , rééd. dans *Points de repère,* t. I, *Imaginer*, Jean-Jacques Nattiez et Sophie Galaise (éd.), Paris, Christian Bourgois/Seuil, 1995, p. 220. Voir aussi « La corruption dans les encensoirs », *ibid.*, p. 34-36, rééd. *ibid.*, p. 155-160).

3. En 1968, le prix de Rome est supprimé et l'Académie de France à Rome passe sous la tutelle exclusive de l'État. De nouvelles modalités de sélections sont définies en 1971. Sur ce point voir Malika Combes, « Fin et devenir du prix de Rome », dans *Le Concours du prix de Rome de musique (1803-1968)*, Julia Lu, Alexandre Dratwicki (dir.), Lyon, Symétrie/ Palazetto Bru Zane, 2011, p. 787-803.

L'Académie des beaux-arts des années 1960 et « l'exemple de Claude Debussy »

Dans le cadre académique, le nom de Debussy apparaît d'abord occasionnellement dans la liste stéréotypée des compositeurs-modèles parmi les Grands Prix de Rome, qui s'adresse aux nouveaux lauréats avant leur départ pour la villa Médicis. Chronologiquement parlant, il est même souvent, après Berlioz, Gounod, Bizet et Massenet, le dernier de ces modèles, suivi à de rares occasions du nom de Florent Schmitt, décédé en 1958.

En 1962, lors de la séance publique annuelle qui réunit les cinq Académies à l'Institut de France, Emmanuel Bondeville présente une communication qui explicite et synthétise ce en quoi Debussy est exemplaire aux yeux de l'Académie des beaux-arts dont il est le délégué (et bientôt Secrétaire perpétuel). Conformément au contexte dans lequel il est énoncé, ce discours est l'occasion de rappeler la cohérence du système des Beaux-Arts, ce que Bondeville fait à partir de la définition de la musique, qui serait « permettre des exégèses où interviennent les *termes* liés aux autres arts : le *discours*, le *développement, l'exposition des idées* – la *palette* orchestrale, les *couleurs* des timbres, le *dessin* d'une ligne mélodique –, le *modelé* d'une courbe, le *volume* sonore, *la succession, la superposition des plans*, l'*architecture* de l'œuvre[1] ». Ainsi, la réunion des arts, à savoir la musique, la déclamation, la peinture et l'architecture, reste la base de ce système : les synesthésies entre la musique de Debussy, la peinture et la poésie sont alors entendues comme un élément qui en renforce la cohérence.

C'est l'imitation réussie de la nature dans son œuvre qui donne à Debussy une place de choix dans ce système. En effet, Bondeville prend soin de relier la manifestation de la nature chez le compositeur à la *mimèsis* dans l'acception forgée sous l'Ancien Régime, puisque c'est là le fondement de la réunion des arts[2]. Dans l'allocution qu'il prononce pour l'hommage de la France à Claude Debussy, il le fait de manière explicite en reprenant la citation de Rameau : « Il faut

1. Emmanuel Bondeville, « L'exemple de Claude Debussy », Institut de France, *Séance publique annuelle des cinq Académies*, 25 octobre 1962, Paris, Firmin-Didot, 1962, p. 4. C'est nous qui soulignons.
2. Notion forgée par Charles Batteux dans *Les Beaux-arts réduits à un même principe*, 1746.

cacher l'Art par l'Art lui-même », « conseil » que Debussy aurait « magnifié »[1]. Référence à l'esthétique classique, cette citation énonce que le musicien habile est celui qui parvient à cacher les artifices qui permettent de révéler la vérité essentielle de la nature, réussissant ainsi à produire une musique qui « fait plaisir » – comme le dit ailleurs Bondeville reprenant Debussy[2]. L'élargissement des modes dans la musique de Debussy aurait eu pour seul but de mieux imiter la nature. D'après Bondeville, la nature debussyste semble également adopter les aspects sensualistes et humanistes de la conception de Rousseau, pour mieux s'opposer à la nature tourmentée du Romantisme allemand. De plus, lui-même compositeur, il attribue une valeur supérieure à la musique dans sa capacité à imiter la nature, et voit en Debussy celui qui a permis à cet art de reprendre ses lettres de noblesse sur le texte poétique[3].

Debussy incarnerait ainsi ces deux traditions du XVIIIe siècle, Rameau et Rousseau, en principe antithétiques, mais ici confondues en vertu d'un syncrétisme nationaliste. Il révélerait la nature par une technique musicale qui sait se faire oublier grâce à des caractéristiques proprement françaises : « cette clarté dans l'expression, ce précis et ce ramassé dans la forme, qualités particulières et significatives du génie français », tel que Debussy les résume lui-même dans sa critique de *Castor et Pollux* de 1903[4]. Cet idéal s'oppose aux « procédés qui dessèchent » dont parle Bondeville et qui visent ceux de la musique d'avant-garde. On peut y voir également l'influence du néo-humanisme français, qui s'était développé à partir des années 1930 et défendait une musique du cœur, humaine, contre un art froid et « machinique ».

Les inflexions nationalistes de cette lecture répondent au devoir de défense de la musique française qui cimente la section de composition musicale de l'Académie des beaux-arts et dont le prix de

1. Emmanuel Bondeville, « Allocution », Comité national pour la célébration du centenaire de Claude Debussy, *Claude Debussy*, *La Revue musicale*, numéro spécial 258, 1964, p. 29.
2. Emmanuel Bondeville, « L'exemple de Claude Debussy », article cité, p. 7.
3. Emmanuel Bondeville, « Notice sur la vie et les travaux de Florent Schmitt (1870-1958) [...] par M. Bondeville (son successeur) », Institut de France, Académie des beaux-arts, *Séance publique annuelle*, 21 octobre 1959, Paris, Firmin-Didot, p. 15.
4. Claude Debussy, « À la Schola Cantorum », *Gil Blas*, 2 mars 1903, repris dans *Monsieur Croche*, p. 91.

Rome apparaît comme un outil de contrôle : tous les membres qui y siègent dans les années 1960, aux parcours plus ou moins éclectiques, s'y appliquent – Henri Busser, Marcel Dupré, Paul Paray, Emmanuel Bondeville, Jacques Ibert, remplacé après sa mort par Georges Auric, et Louis Aubert. Ces inflexions s'expriment dans l'image d'un Debussy qui sauve la musique française du danger wagnérien et, au-delà de Wagner, de toute influence étrangère. Et c'est en cela aussi que se trouve l'actualité de son exemple, un grand nombre de néoclassiques percevant alors le sérialisme comme une musique d'obédience allemande : « La grandeur de son exemple est précieuse, dans un temps où [...] la musique française accueille et subit des influences », déclare Bondeville[1].

La référence à Debussy s'inscrit donc dans une logique de système, une logique institutionnelle : en passant à la postérité en tant que Prix de Rome, Debussy contribue à légitimer l'Académie de France à Rome. Il entre alors *de facto* dans le panthéon des Prix de Rome. À ce titre, il figure en 1966 parmi les compositeurs joués sous la coupole pour le tricentenaire de l'institution : l'orchestre de l'Opéra interprète des extraits d'*Iberia* au côté d'œuvres de Berlioz et de Bizet ainsi que de la cantate primée[2], qui annonce l'avenir.

Le « modernisme sans outrance » de Debussy comme stratégie de défense

Cette perception de Debussy n'est pas surprenante dans le cadre traditionaliste de l'Académie des beaux-arts. Plus étonnante est l'insistance de Bondeville sur la modernité de Debussy, un mot que l'on rencontre plutôt rarement dans les textes de l'institution qui refuse encore largement l'image romantique de l'artiste moderne tourné vers la recherche de l'expression de son intériorité et non plus vers la reproduction des canons de la tradition[3] : « En [Debussy] s'exprime une nouvelle sensibilité dans une nouvelle langue. L'âme moderne,

1. Emmanuel Bondeville, « L'exemple de Claude Debussy », article cité, p. 13.
2. *La Muse qui est la Grâce*, musique de Monique Cecconi sur un texte de Paul Claudel.
3. Selon la définition de Nathalie Heinich, *Être artiste. Les transformations du statut des peintres et des sculpteurs*, Paris, Klincksieck, 2005, p. 97-98.

avec ses inquiétudes, ses recherches et ses doutes, a trouvé en lui son traducteur parfait[1]. » Il présente également Debussy comme le libérateur du langage musical[2], s'éloignant des traditionnalistes purs qui ne voient pas la nécessité de modifier ce langage transmis par les maîtres et considéré comme naturel. Tony Aubin, professeur de composition au Conservatoire dont la plupart des Prix de Rome des années 1960 furent les élèves, disait ainsi : « Nous disposons d'un langage lentement et soigneusement établi. Respectons-le[3]. » Bondeville semble au contraire reconnaître que ce langage ait pu se trouver dans une impasse, et face au désordre des tendances de l'époque et au danger de l'amateurisme, Debussy est présenté comme celui qui apporte des solutions du point de vue formel.

C'est justement sur la question de la forme que l'on peut mesurer le fossé entre la lecture académique et une nouvelle lecture de l'œuvre de Debussy, internationaliste et liée au sérialisme, née dans les années 1950. Dans plusieurs écrits, Pierre Boulez, Karlheinz Stockhausen et Jean Barraqué, parmi d'autres, ont été les premiers à rattacher Debussy à une tradition de la modernité qui repose sur une conception d'un langage musical objectivé et tendu vers le progrès[4]. Debussy est considéré comme celui qui initie cette tradition, par une révolution qui touche à l'émancipation des formes et des hiérarchies harmoniques et à l'élargissement des domaines rythmique et sonore[5]. À l'opposé, l'Académie défend ce qu'elle appelle, dans le rapport sur les envois de Rome de 1958, un « modernisme sans outrance »,

---

1. Emmanuel Bondeville, « L'exemple de Claude Debussy », article cité, p. 14.

2. « Claude Debussy, véritable libérateur des échanges de notes, d'accords, de tonalités » (Emmanuel Bondeville, « Notice sur la vie et les travaux de Florent Schmitt », article cité, 1959, p. 22).

3. Bernard Gavoty, Daniel-Lesur, *Pour ou contre la musique moderne ?*, Paris, Flammarion, 1957, p. 47.

4. Dans l'acception restreinte Cézanne-Mallarmé-Debussy pour Boulez, Webern-Debussy pour Stockhausen.

5. Sur les premiers écrits de Boulez, voir Philippe Albèra, « Modernité – I. Le matériau sonore », dans *Musiques. Une encyclopédie pour le XXIe siècle*, Jean-Jacques Nattiez (dir.), t. 1, Musiques du XXe siècle, Arles/Paris, Actes Sud/Cité de la musique, 2003, p. 221. Pour les observateurs plus traditionnels, comme Gisèle Brelet, le rapprochement des compositeurs sériels avec Debussy est en quelque sorte ce qui les rend écoutables. Elle parle alors d'« école sérielle française » qu'elle inscrit dans la tradition de la musique française. Voir Gisèle Brelet, « Musique contemporaine en France », dans *Histoire de la musique*, Roland-Manuel (dir.), Paris, Gallimard, Bibliothèque de la Pléiade, 1964, p. 1775.

qui prône le recours à la forme contre les dangers que représentent une trop grande liberté et l'attrait de la mode[1]. Le préambule du rapport de 1960 cite dans ce sens les propos de Debussy, qui tout en n'ayant eu de cesse de revendiquer sa liberté, s'élevait contre l'anarchisme et affirmait l'importance de la forme. Le compositeur incarne ainsi l'alliance parfaite entre liberté et ordre. Outre Debussy, ce préambule convoque d'autres compositeurs de la modernité pour défendre le même objectif, à savoir Schoenberg et Stravinsky[2]. Dans « L'exemple de Claude Debussy », Bondeville exprime clairement les limites que l'institution assigne à ce modernisme : alors que Boulez souligne la révolution du langage musical déclenchée par le compositeur, il se prononce pour une évolution des formes qui doit se faire dans le cadre tonal, sur la base de « connaissances profondes », sous-entendu celles que fournit le Conservatoire et dont le prix de Rome est la dernière étape. Elle doit surtout rester fidèle aux maîtres et, plus précisément, « aux cadres des XVIIe et XVIIIe siècles : sonate, symphonie[3] ». Dans la conception sérielle, au contraire, Debussy est celui qui émancipe la forme du cadre tonal en faisant des structures sonores des formes autonomes, immédiatement sensibles. Le son n'est alors plus un motif, un thème, une couleur ou un effet qui s'ajoute à une structure, comme cela reste le cas dans le « modernisme sans outrance » de l'Académie.

Si cette dernière se positionne ainsi par rapport au sérialisme alors susceptible de tenter les jeunes Prix de Rome, la conjonction, émanant des textes sur Debussy, du rappel de ses fondements institutionnels et de la mise en valeur de sa modernité, s'adresse aussi au ministère de la Culture. Pour bien comprendre ces écrits, il faut en effet avoir à l'esprit l'orientation de la politique culturelle de l'époque. Dans les années 1960, l'Académie des beaux-arts a des raisons tout à fait objectives de se sentir menacée dans ses prérogatives par la politique de Malraux qui, en 1961, désigne contre son avis le peintre Balthus à la direction de la villa Médicis et annonce une réforme. Il impose par ailleurs des jurés adjoints pour le concours

1. « Rapport sur les envois de Rome des pensionnaires de musique 1958 », Académie de France à Rome, [2-117-3-6], article 527, Promotion 1959.
2. « Rapport sur les envois de Rome des pensionnaires de musique 1960 », Académie de France à Rome, [2-117-3-6], article 527.
3. Emmanuel Bondeville, « L'exemple de Claude Debussy », article cité, p. 10.

de Rome, affaiblissant ainsi le pouvoir des membres de l'Académie. De surcroît, ces derniers sont bien souvent informés par voie de presse des décisions du ministre. Enfin, les relations entre Balthus et l'Académie ne sont pas bonnes : il est plusieurs fois reproché au directeur de ne pas veiller à ce que les pensionnaires accomplissent les envois et de négliger la rédaction du rapport de ces envois. Comme souvent dans son histoire, les attaques régulières de la presse contre le prix de Rome viennent s'ajouter à ce climat tendu.

Dans ce contexte, l'Académie multiplie les démarches pour faire valoir ses droits et son rôle de conseillère auprès de l'État en tant que spécialiste en art. À la lumière de cette observation, il est probable que Bondeville utilise Debussy, ancien Prix de Rome, pour contrer les accusations d'académisme et montrer l'institution sous un jour plus favorable en revendiquant un compositeur mis en valeur par l'avant-garde à laquelle le ministère commence à être sensible. L'occasion lui en est offerte par sa participation au Comité national pour la célébration du centenaire de Claude Debussy. Lors de l'hommage national, l'allocution qu'il prononce en Sorbonne s'accorde à la tonalité générale de l'événement. On y retrouve une couleur nationaliste, constante des milieux conservateurs, une défense d'un art moderne modéré, non contradictoire avec celui plutôt pictural défendu par Malraux, et une référence discrète, conformément au positionnement académique, au « génie » créateur, qui est au centre de la célébration nationale[1]. L'académicien s'empare par ailleurs de certains termes de l'avant-garde, qualifiant d'initiateur de la « musique contemporaine » le Debussy du *Prélude à l'Après-midi d'un faune* et parlant de « révolution debussyste ». Mais il ne faut pas s'y méprendre : pour lui, cette révolution est le retour au classicisme français, à Rameau, dont Debussy reprendrait la tradition.

Debussy-Prix de Rome est ainsi une figure cruciale dans la stratégie de défense et illustration des vertus du système académique, qui implique aussi une part d'autocritique puisque Bondeville se sent obligé de revenir sur l'attitude initialement négative de l'Académie

1. Une note interne de l'UNESCO, intitulée « Le passé vivant », indique bien la tonalité de cette commémoration : « Prendre conscience de notre dette envers les génies du passé qui ont contribué à élaborer la civilisation qui est aujourd'hui la nôtre », UNESCO, Distribution générale, « Célébrations d'anniversaires de personnalités éminentes et d'événements historiques », 31 août 1962.

à l'égard du compositeur : « Debussy a donné bien plus à l'Institut qu'il n'en a reçu, puisqu'il est la vivante démonstration que le prix de Rome ne peut nuire au créateur le plus original[1] ! » Arguer du fait qu'elle ne peut nuire au génie apparaît comme une stratégie de défense *a minima* pour une Académie en perte d'autorité.

De Debussy-musicien français à Debussy-matériau

L'influence de Debussy selon le modèle académique est attestée chez les derniers Prix de Rome, comme en témoignent les critiques des concerts romains des années 1960, qui s'en réjouissent[2] ou la déplorent[3]. On relève aussi chez certains pensionnaires un intérêt pour les recherches de timbres et de rythmes extra-occidentaux, tel Alain Kremski-Petitgirard qui dit suivre ainsi les pas de Debussy. Le « chronotope » de Debussy est par ailleurs source d'inspiration pour plusieurs d'entre eux, notamment le symbolisme et l'orientalisme : Thérèse Brenet s'inspire des *Chants de Maldoror* de Lautréamont et d'un texte de Franz Toussaint ; quant à Yves Cornière, il compose une *Salomé* à partir d'un texte d'Henri de Régnier[4].

Mais l'étude, sur une période élargie, de la liste des œuvres programmées en concert par l'Académie de France à Rome permet de constater une évolution. Jusqu'à la fin des années 1950, le programme-type était un entrelacs d'œuvres françaises du XXe siècle dont les auteurs étaient des académiciens, des pensionnaires et, très régulièrement, Debussy et Ravel – on relève le pic de la présence

---

1. Emmanuel Bondeville, « Allocution », article cité, p. 28.
2. À l'instar du chroniqueur musical de l'organe de presse du Vatican, Luigi Fait : « I "Pensionnaires" dell'Accademia di Francia » (*L'Osservatore romano*, 10 juillet 1964). Il est par ailleurs l'auteur d'un article intitulé « Claude Debussy "Prix de Rome" » (*Studi Romani* n° 10, 1962, p. 562-571).
3. Voir les critiques négatives parues dans les journaux de gauche : Emme, « Concerto a Villa Medici », *Avanti !*, 18 juin 1966 ; Raffaele Calabrese, « Ricerca di effeto costante nella musica di Petitgirard », *La Voce repubblicana*, 22 juin 1966.
4. Thérèse Brenet, *Aube morte*, poème lyrique pour baryton et orchestre (1966) et *Nuit de Maldoror*, pour soprano, violon, violoncelle et piano (1967), œuvres composées sur des extraits des *Chants de Maldoror* de Lautréamont ; *Sept poèmes chinois*, pour baryton et orchestre de chambre (1966) sur un extrait de *La Flûte de Jade* de Toussaint. Yves Cornière, *Salomé*, poème pour soprano solo et orchestre, sur des paroles d'Henri de Régnier (envoi de 1967).

des œuvres de Debussy en 1939. Le style debussyste est alors placé sous le sceau d'une musique française, légère et charmante[1]. Or ce programme-type n'est plus d'actualité à partir de 1958 et les œuvres de Debussy disparaissent complètement au bénéfice exclusif des œuvres de pensionnaires, peut-être sous l'influence de la direction de Balthus à partir de 1961. Cette période méconnue de l'histoire de l'institution se caractérise par une certaine diversité esthétique chez les lauréats, qui se divisent eux-mêmes entre « traditionnels » et « modernes », ces derniers se cherchant une voie entre le néo-classicisme académique agonisant et décrié et le sérialisme en passe de trouver droit de cité. Le fait qu'en 1963 la bibliothèque de la villa Médicis achète, à la demande des pensionnaires, les partitions de *Jeux*, de *La Mer* et des *Nocturnes* montre la sensibilité de certains pour la lecture avant-gardiste de Debussy. Ces partitions figurent en effet parmi les œuvres les plus commentées par l'avant-garde. Cette même commande comprenait les ouvrages suivants : *Technique de mon langage musical* de Messiaen, *Schoenberg et son école* de Leibowitz, *Éléments de musique stochastique* de Xenakis et *Musiques formelles* de Stockhausen[2].

Cette démarche constitue un indice important de l'écart creusé entre l'idéologie défendue par l'Académie et les aspirations des pensionnaires, qui font d'ailleurs l'objet de réprimandes de plus en plus marquées : mises en garde, rappel du modèle des anciens, réclamation des envois, etc. Mais la stratégie de l'Académie reste vaine : à partir de 1971, la villa Médicis devient un lieu de résidence à durée réduite pour jeunes artistes recrutés sur dossier par le ministère de la Culture.

On voit alors y arriver des compositeurs issus de l'avant-garde. Majoritairement élèves de Messiaen d'abord, adeptes de la musique spectrale avec et après le séjour de Tristan Murail (pensionnaire en

1. Voir sur ce sujet l'article de Caroline Potter, « Debussy et Dutilleux », *Cahiers Debussy* n° 17-18, 1994, p. 122 *sq*, qui rapporte comment Dutilleux composa dans ce style, y compris pour la cantate qui lui valut le Prix en 1938. Dutilleux renia les œuvres de cette époque qu'il jugea trop marquées par cette influence et s'insurgea contre cette image de Debussy porteur d'une musique « "bien française", bien élégante, bien distinguée », comme il le formula en 1962. Il continua à composer en mobilisant la référence à Debussy, mais de manière différente, en reprenant chez son aîné des procédés compositionnels.

2. « Achats bibliothèque musicale 1963 », Académie de France à Rome, [2-117-36], article 464.

1971) et de Gérard Grisey (pensionnaire en 1973), ou de la musique sérielle, ces musiciens s'inscrivent dans la filiation de Debussy, souvent associée à celle de Mallarmé[1]. Cette filiation n'étant pas proprement liée au lieu de séjour des compositeurs ni à l'histoire de l'institution, nous ne donnerons qu'un exemple, celui de Frédéric Durieux, qui dans un texte intitulé « L'héritage transgressé », publié en 1988 dans la revue de la villa Médicis, évoque la « conjonction Debussy-Webern, seuil essentiel de toute modernité musicale[2] ». Il emprunte cette conjonction à Stockhausen, avant d'énumérer les procédés musicaux qu'il utilise et qui en sont issus.

Mais l'évocation de Debussy dans le cadre de la villa Médicis peut aussi faire l'objet d'une interprétation dans laquelle le lieu, comme lieu de mémoire, joue un rôle majeur. Malgré la réforme, on peut en effet percevoir dans l'histoire de l'Académie de France à Rome des continuités[3] qui relèvent de la tension entre « sédimentation » et « réactivation » propre à toute institution, selon la définition de Maurice Merleau-Ponty[4]. Debussy se trouve ainsi être l'une de ces strates régulièrement réactivées depuis quarante ans. Trois exemples illustrent ce phénomène.

Dans la période immédiatement postérieure à la réforme, Alain Louvier, dernier Grand Prix de Rome mais dont le séjour à la villa Médicis se déroule après le changement de tutelle, compose *Promenade* pour flûte en sol[5], interprétée lors du concert annuel des pensionnaires de 1972. Proche du théâtre instrumental, l'œuvre joue sur les gestes et les clichés scéniques et impose un parcours précis au flûtiste, en l'occurrence Pierre-Yves Artaud, qui doit à la fin de l'exécution s'éloigner tout en continuant à jouer, même après avoir « franchi la porte ». La fin de cette courte pièce est une

---

1. Relevons l'organisation en 1984 de l'exposition « Debussy et le symbolisme » par Guy Cogeval et François Lesure.

2. Frédéric Durieux, « L'héritage transgressé », *Villa Medici*, fév/mars 1988, p. 34. L'article sera repris sous le titre « Héritage/ Propositions » dans la revue *InHarmoniques* en septembre 1988.

3. Les dossiers de candidature s'appellent « projets romains » et les candidats au séjour, sans que cela leur soit officiellement demandé, recherchent encore bien souvent à motiver ce projet par un lien avec le lieu.

4. Voir Maurice Merleau-Ponty, *L'Institution. La Passivité. Notes de cours au Collège de France (1954-1955)*, Paris, Belin, p. 99.

5. Alain Louvier, *Promenade. Pour flûte en sol*, Paris, A. Leduc, 1972, date de composition : Rome, 26 décembre 1970.

citation du thème du faune. La partition précise : « Cet hommage au Grand Faune Achille doit durer aussi longtemps que le son de la flûte peut rester perceptible à l'auditeur le plus attentif… » Lorsque cette porte débouche sur les jardins de la villa Médicis – et P.-Y. Artaud termina en effet l'exécution en déambulant dans les jardins – cela donne à l'œuvre une résonance particulière qui ne manque pas de gêner les nostalgiques de l'ancien système. En témoigne la critique d'André Lavagne, chroniqueur au *Figaro* et lui-même Second Grand Prix de Rome en 1938 : « Pas une des ficelles opportuno-révolutionnaires ne manquait : cordes grattées, frappées, bande magnétique, bruitage, bref la panoplie au complet. […] Hélas, une citation de *L'Après-midi d'un faune* terminait l'œuvre. Quelle imprudence ! En quelques notes, Debussy mettait en poussière les bricolages de ce musicien, enchanté de faire oublier le sérieux de ses études[1]. » Pour le critique, la citation de Debussy permet de condamner, par comparaison, une œuvre contemporaine, et pour le compositeur, elle est d'abord un hommage, mais les conditions d'exécution la font apparaître comme un marqueur du lieu et de son histoire dont il s'amuse. Cette impression est renforcée par la programmation, au même concert, d'une *Cantate du camembert* composée par Tristan Murail et tournant en dérision la cantate du concours de Rome qui venait d'être abolie.

Vingt ans plus tard, en 1992, pour un récital à la villa Médicis, Gérard Pesson compose ce qu'il appelle « une œuvre de circonstance, ou un feuillet d'album, ou bien encore, pour être mallarméen, un éventail[2] ». Il s'agit de *La vita è come l'albero di natale*, « à partir de deux mesures de la *Sonate pour violon* de Debussy (ex-pensionnaire) », précise le compositeur dans le sous-titre de l'œuvre. La pièce, notamment par le travail de la texture instrumentale, laisse alors entendre comme des réminiscences sous forme de fragments de la *Sonate* de Debussy. Une sonate désossée dont on n'entendrait que les traits les plus saillants. Prendre Debussy « ex-pensionnaire » comme point de départ d'une œuvre composée à Rome pour un concert de pensionnaires s'inscrit dans une démarche consciente chez Pesson

1. André Lavagne, « Les propos du mélomane. Le camembert de la villa Médicis », *Le Figaro*, 15 septembre 1972.

2. Livret du disque monographique *Gérard Pesson*, Ensemble FA, dirigé par Dominique My, Quatuor Parisi, Accord/ una corda, 1996, p. 9.

de se mettre dans les pas des Prix de Rome en englobant toute la mémoire du lieu, de l'institution, et même du *voyage à Rome* : dimension picturale, travail sur le motif, etc.[1]

Quant à Frédéric Verrières, il menait déjà un travail sur *Poissons d'or* lorsqu'il arrive à Rome en 2001. Il est d'abord frappé par une cohérence entre ses recherches et la ville de Rome, du fait de la « superposition des époques », de « la fusion de différents niveaux architecturaux », selon ses mots qui caractérisent la ville. Partant en effet du principe selon lequel tout a déjà été inventé en musique, il s'appuie dans son travail sur un matériau préexistant, afin de rechercher « les sources de ce que l'on croit inventer ». La découverte de l'anamorphose du Père Maignan qui se trouve dans le couvent de la Trinité-des-Monts, voisin de la villa Médicis, le conduit plus loin encore dans cette démarche. En effet, l'œuvre picturale lui suggère de reprendre ce qui est un procédé bien connu de la musique spectrale, l'anamorphose ou *morphing* sonore, pour réaliser une fusion entre l'œuvre de Debussy et celle du compositeur romain Giacinto Scelsi[2], ce dernier ayant aussi été une figure de la villa Médicis qui exerça une grande influence sur les pensionnaires, jusqu'à sa mort en 1988. Dans cette pièce inédite, *L'Anamorphose de la Trinité-des-Monts*, Scelsi et Debussy, à travers des extraits de leurs œuvres ainsi fusionnés, se trouvent réunis dans un lieu que tous deux avaient fréquenté à un siècle de distance[3].

À travers ces exemples se dessine une figure de Debussy qui n'est plus un modèle académique ou avant-gardiste, national ou universel, mais un matériau mémoriel « sédimenté » et « réactivé ». Émancipée du système des Beaux-arts, l'Académie de France à Rome, laissant une grande liberté aux pensionnaires, n'en est pas pour autant devenue un lieu neutre, sans histoire ni mémoire. Dans ce jeu mémoriel où le présent retrouve le passé, Debussy, le Prix de Rome le plus évoqué, occupe une place unique.

---

1. Il compose aussi une œuvre pour piano, *Ver Rom*, dans la lignée des *Années de pèlerinage* de Liszt dont on connaît le séjour à la villa Médicis (d'après notre entretien avec Gérard Pesson, Paris, 2003).
2. D'après notre entretien avec Frédéric Verrières, Paris, 19 février 2003.
3. Cette recherche compositionnelle a vu son aboutissement dans l'opéra *The Second Woman* créé en 2011 à Paris aux Bouffes du Nord. L'opéra, sujet initial du « projet romain » de Verrières, repose sur des anamorphoses d'œuvres de Debussy (*Pelléas et Mélisande* notamment) parmi d'autres compositeurs.

Approcher Takemitsu *via* Debussy
L'Est et l'Ouest dans la réception de Debussy par Toru Takemitsu

Mauro Fosco Bertola

> « à pleines brassées, les contradictions non résolues, les ambiguïtés non dissipées »
>
> Pierre Boulez,
> *En marge de la, d'une disparition*[1]

Fidèle à la poétique toute postmoderne de la multiplicité, Italo Calvino a publié en 1981 un court article dans lequel il proposait jusqu'à quatorze réponses pour une seule question : qu'est-ce qu'un classique ? La huitième de ces réponses est la suivante : « Un classique est une œuvre qui fait naître sans cesse une poussière de discours critiques, mais qui s'en débarrasse toujours[2]. » Face à l'extraordinaire prolifération de discours critiques à laquelle une figure désormais « classique » de la musique moderne comme Debussy a donné lieu au cours des cent-cinquante ans qui nous séparent de sa naissance, on ne peut qu'approuver la définition que donnait Calvino du classique. Notre propos est d'examiner un des discours critiques portant sur la musique de Debussy, et plus précisément l'interprétation qu'en a donnée le compositeur japonais Toru Takemitsu. Au moyen d'une

1. Il s'agit de la nécrologie écrite par Pierre Boulez à l'occasion de la mort de Theodor W. Adorno en 1969. Voir Pierre Boulez, *Points de repère*, t. II, *Regards sur autrui*, Jean-Jacques Nattiez et Sophie Galaise (éd.), Paris, Christian Bourgois/Seuil, 2005, p. 659-660.

2. Texte publié pour la première fois en 1981 et repris dans Italo Calvino, *Perché leggere i classici*, Milan, Mondadori, 1995, p. 8 ; trad. fr. Paris, Seuil, 1996.

analyse de celle-ci, replacée dans le contexte de la pensée esthétique de Takemitsu, nous entendons proposer une nouvelle interprétation de sa musique.

À cette fin, nous tenterons de déconstruire le discours esthétique élaboré par Takemitsu : en mettant en évidence ses contradictions internes et en analysant sa réception particulière de Debussy, il s'agit de réinterpréter la dichotomie entre Est et Ouest qui structure toute la réflexion esthétique de Takemitsu. Il n'est pas question d'en nier la validité, mais plutôt de mettre en lumière, conformément au sens de la déconstruction derridienne, un autre niveau de signification, parallèle et concomitant à celui que le compositeur formule explicitement dans ses écrits. L'ensemble du discours critique sur Takemitsu s'est en effet développé jusqu'à maintenant en s'appuyant sur cette dichotomie, sans pour autant en explorer les éventuelles significations implicites. Cela a fini par produire, selon nous, une certaine saturation interprétative qui risque de faire perdre conscience de la fascination intrinsèque qu'exerce cette musique. Notre intention est donc d'ouvrir ici une voie permettant de sortir de cette impasse.

Composer des dichotomies culturelles : le projet de composition de Takemitsu et sa réception de Debussy

À partir du début des années 1970 surtout, et jusqu'à sa mort en 1996, Takemitsu a formulé les lignes directrices de son propre projet de composition dans de nombreux articles et dans diverses interventions à des colloques ou lors de *master classes*, dans lesquels il en revient toujours au thème d'une nette distinction entre l'Est et l'Ouest. Dans un de ses écrits les plus développés, intitulé « Mirrors », rédigé en 1974, il met en évidence non seulement le caractère irréductible de l'Est et de l'Ouest ainsi que la polarité structurelle entre les types de musique qui leur correspondent respectivement, mais il inscrit cette véritable alternative esthétique et musicale dans un réseau serré d'associations et d'analogies : à un Est que caractérisent le Naturel, le Collectif et le Local, Takemitsu oppose un Ouest qui est le lieu géographique et culturel de l'Artificiel, de l'Individuel et du Global[1]. Loin de définir seulement deux aires géographiques sur la carte ou deux différents types de musique, Est et Ouest deviennent deux visions du monde (*Weltanschauungen*) à la fois opposées et complémentaires. Takemitsu les considère comme de véritables données naturelles, inscrites presque biologiquement « dans la sensibilité d'une race[2] ». Produits de différences inscrites dans la nature même des choses, l'Est et l'Ouest sont donc conçus par le compositeur comme des éléments existant depuis toujours, comme de véritables substances. En tant que tels, ils dépassent la volonté de l'individu et représentent les infranchissables colonnes d'Hercule de ses actions[3].

À partir de ces prémisses essentialistes, Takemitsu formule clairement et à plusieurs reprises son projet de composition en se servant de la métaphore du miroir, ou plutôt *des* miroirs :

> Je croyais autrefois que faire de la musique, c'était me projeter moi-même sur un énorme miroir appelé l'Ouest. En entrant en contact avec la musique traditionnelle japonaise, j'ai pris conscience du fait qu'il existait un autre miroir. Bientôt, des bruits de l'effondrement de cet énorme miroir, l'Ouest, parvinrent également à mes oreilles. [...] Le miroir de la musique non occidentale [...] repose sur une logique dont l'essence diffère de celle de cet énorme miroir occidental[4].

Dans ce passage devenu célèbre dans les discussions critiques sur le compositeur, Takemitsu explicite les éléments essentiels de son credo esthétique. La métaphore des miroirs lui permet de formuler ses deux présupposés fondateurs : en premier lieu, l'idée de l'existence de cultures précises, bien définies – les miroirs singuliers, qui ne sont pas par hasard délimités par des bords clairs –, lesquelles, même si elles sont closes sur elles-mêmes, présentent la possibilité d'un dialogue entre elles (les miroirs reflètent mutuellement la lumière). Ensuite, la métaphore traduit la situation historique particulière dans laquelle Takemitsu estime se trouver et travailler, et qui serait marquée par une profonde crise de la culture musicale occidentale : après avoir été dominante, celle-ci serait aujourd'hui

1. Toru Takemitsu, « Mirrors », *Perspectives of New Music*, 30, 1992, p. 42-43.
2. *Ibid.*, p. 48.
3. Cela est explicité directement dans l'article cité, lorsque Takemitsu se réfère à la tradition japonaise. Voir *ibid.*, p. 42, 44 et 55.
4. *Ibid.*, p. 47.

réduite à n'être plus qu'un miroir brisé. Mais à l'aide de la métaphore des miroirs, Takemitsu parvient aussi à donner une définition précise de l'objectif final de son projet artistique. Ce dernier est caractérisé en des termes évoquant une « errance incessante parmi les labyrinthes éternels » créés par les jeux de réfraction entre les miroirs de l'Est et de l'Ouest, dont il intensifie les oppositions et les contradictions[1].

Dans ce projet de dialogue interculturel, qui prend forme d'emblée au pur niveau de la composition, comme dans le célèbre *November Steps* de 1967 pour *biwa*, *shakuhachi* et orchestre, pour devenir peu à peu une réflexion plus spécifiquement esthétique, Takemitsu trouve dans la tradition occidentale un *alter ego* en Claude Debussy. À ses yeux, le compositeur français résume dans sa personne et dans sa musique l'essence même d'un tel projet ; c'est ainsi qu'il écrit par exemple en 1975 :

> Il y a plusieurs décennies, le compositeur français Debussy, après avoir entendu un spectacle de gamelans à Paris, fut profondément influencé par cette musique. Qui plus est, cette expérience renforça le sens logique de la musique de Debussy[2].

Debussy devient ainsi une variante supplémentaire de la métaphore des miroirs que l'on vient d'évoquer : il se dresse comme la contrepartie occidentale du projet musical de Takemitsu. Le compositeur français représente, d'une part, la dimension du *temps mythique*, qui fonde et légitime le projet de Takemitsu par la référence à un ancêtre légendaire et presque hors du temps. D'autre part, en tant que contrepartie occidentale d'un projet désormais défendu par un compositeur japonais, il sert à établir une fois encore la dichotomie entre l'Est et l'Ouest qui structure toute l'argumentation de Takemitsu. À plus d'un niveau, voici que *Claude de France* s'élève pour personnifier symboliquement la recherche musicale de Takemitsu, telle que le compositeur la formule et la conceptualise dans ses écrits. Debussy devient le symbole d'une « création musicale » comprise comme un dialogue entre différentes cultures, d'un art de composer qui est un acte créatif orienté en dernière instance,

1. *Ibid.*, p. 71.
2. *Ibid.*, p. 94.

d'après les propres paroles de Takemitsu, vers une « compréhension mutuelle interculturelle[1] ».

L'aporie du texte : déconstruire l'Est et l'Ouest

S'il est vrai que Takemitsu conçoit ses propres compositions comme une opération multiculturelle, tout son discours esthétique recèle pourtant une contradiction de fond qu'il laisse irrésolue et à laquelle on n'a jusqu'à présent pas porté une attention suffisante : il s'agit de l'opposition entre le Global et le Local. En se brisant, l'énorme miroir universel de la musique occidentale a ouvert, selon Takemitsu, un espace pour d'autres miroirs particuliers, comme celui de la culture musicale japonaise, qui sont entrés en dialogue avec les divers fragments de l'Occident. Mais si le dialogue interculturel caractérise la période actuelle, le compositeur japonais voit dans la reconstitution d'une musique universelle à travers le dialogue l'objectif final de l'évolution musicale : il s'agirait d'une musique universelle surmontant les particularités des cultures-miroirs singulières, d'une musique donc qui nie ou ignore le local, le spécifique et le singulier. Takemitsu définit cette musique comme un « œuf culturel universel », « *universal cultural egg*[2] ».

Néanmoins, comme on l'a vu, il conçoit les cultures comme des miroirs-univers particuliers, clos en eux-mêmes, possédant chacun une essence spécifique et immuable : comment est-il possible, alors, qu'un dialogue interculturel puisse parvenir à créer cette nouvelle musique universelle ? Pareille musique, telle une super-substance, serait réalisable seulement au moyen d'une négation des cultures particulières. Mais ces cultures singulières sont, justement, des essences immuables, données depuis toujours, auxquelles chaque individu appartient indépendamment de sa propre volonté. Elles ne sauraient être niées : il est logiquement impossible d'accéder à une dimension unificatrice qui soit en même temps hors du dialogue entre les cultures-miroirs singulières et supérieure à lui. Et pourtant,

1. Toru Takemitsu, « Contemporary Music in Japan », *Perspectives of New Music*, 27, 1989, p. 204.
2. Toru Takemitsu, « Mirror and Egg », *Confronting silence. Selected writings*, Oxford, Scarecrow Press, 1995, p. 92.

Takemitsu ne se lasse pas de répéter cette aporie tout au long de ses écrits.

Il convient de ne pas ignorer ou de ne pas minimiser les contradictions du discours esthétique de Takemitsu. Prenons au contraire au sérieux cette aporie, en la considérant non pas comme une bévue idiosyncrasique du compositeur, mais comme l'expression du fait qu'il entend vraiment dire *et* l'une *et* l'autre chose. Dans ce paradoxe du discours esthétique de Takemitsu qui affirme et nie en même temps ses deux catégories fondatrices elles-mêmes, la « vérité » ne réside pas dans l'un de ces deux moments : pour Takemitsu, ils sont tous les deux vrais. L'aporie qui résulte de cette double assertion paradoxale affirmant et niant la même chose ne signifie pas que ces catégories esthétiques ne sont pas valides : le « texte » de la réflexion esthétique de Takemitsu (la pratique de la composition musicale comprise comme un dialogue multiculturel entre l'Est et l'Ouest) est vrai, mais il n'épuise pas la réflexion du compositeur sur sa musique ; c'est précisément pour cette raison que les catégories à l'aide desquelles ce discours a été constitué peuvent être *également* niées. L'aporie est pour ainsi dire le *symptôme* du fait que composer signifie pour Takemitsu aussi quelque chose d'autre ; quelque chose que le niveau du texte ne lui permet pas d'exprimer de manière exhaustive. Sous les catégories esthétiques explicites examinées jusqu'à présent, et avec elles, on décèle donc aussi un autre niveau de sens, un « texte latent ». La négation du texte est l'expression *ex negativo* de ce texte latent, parallèle et concomitant au texte, qui le recoupe mais ne coïncide pas avec lui.

Comment l'analyse doit-elle procéder ? Comment saisir la dimension du texte latent ? Une fois encore, il suffit de prendre Takemitsu à la lettre et, comme il le suggère lui-même par l'aporie qui est au cœur de son discours esthétique, il convient de lire le texte dans sa négation. Pour utiliser la métaphore célèbre que Derrida reprend à Heidegger, il s'agit de « raturer » (« *durchstreichen* ») le texte[1]. Concrètement, cela signifie qu'il faut d'une part maintenir les catégories d'Est et d'Ouest utilisées par Takemitsu comme lignes directrices pour analyser son projet de composition, de l'autre les relire en fonction de leur négation, c'est-à-dire en niant (en déconstruisant) la prémisse principale à l'aide de laquelle celles-ci ont été pensées

1. Jacques Derrida, *De l'esprit. Heidegger et la question*, Paris, Galilée, 1987, p. 83.

par le compositeur, et donc sa conception essentialiste du concept de culture.

Considérons donc les cultures singulières, l'Est et l'Ouest, non pas comme des essences qui existeraient de manière autonome, mais comme leur contraire exact, c'est-à-dire comme des entités socialement construites, au cours d'un processus d'interaction communicative. De ce point de vue, les concepts d'Est et d'Ouest ne renvoient pas à deux substances immuables et éternelles, pourvues de qualités inhérentes, gravées d'une encre indélébile dans l'Être, comme le voudrait Takemitsu. L'Est et l'Ouest sont au contraire des constructions sociales, des concepts élaborés dans un dialogue interpersonnel, passant du plan des essences à celui des « conventions » et devenant comme tels constamment modifiables : de ce point de vue, la réponse à la question « qu'est-ce que l'Est ? qu'est-ce que l'Ouest ? » varie en fonction du contexte de communication dans lequel elle est à chaque fois posée. Elle dépend alors des personnes ou des groupes sociaux impliqués dans la discussion, de leurs intérêts et de leurs objectifs respectifs. En adoptant ce point de vue génériquement constructiviste, la question essentielle devient donc dans notre cas : dans quel contexte de communication la distinction entre l'Est et l'Ouest et les définitions que leur donne Takemitsu sont-elles formulées ? Et donc quels sont les intérêts et les objectifs que celui-ci poursuit en employant ces deux concepts ?

Prétendre reconstituer le contexte de communication dans lequel Takemitsu a élaboré sa distinction de l'Est et de l'Ouest est une tâche qui, de toute évidence, dépasse les limites de cet article. Mais, dans ses écrits, Takemitsu souligne à plusieurs reprises le fait que l'horizon culturel de référence qui a été primordial pour sa formation musicale a été celui de l'avant-garde occidentale[1]. En prenant acte de ce fait, c'est justement le personnage de Debussy qui va nous permettre de nous assurer d'une première étape dans notre parcours de recherche.

1. Voir par exemple Toru Takemitsu, « Contemporary Music in Japan », *op. cit.*, p. 201.

Debussy et l'avant-garde : Takemitsu *versus* Boulez

Comme on l'a vu, Takemitsu donne une interprétation de Debussy qui fait du compositeur français une véritable personnification symbolique du projet de musique interculturelle qu'il est en train d'élaborer. Takemitsu justifie ce choix avant tout par la fascination que la musique javanaise et les gamelans en particulier avaient exercée sur le compositeur français lors de l'Exposition universelle de Paris en 1889. Mais en 1956, dix-neuf ans avant l'essai de Takemitsu, était paru un article explosif, écrit par un des protagonistes de l'avant-garde musicale de l'époque, dans lequel la personne de Debussy, et plus précisément l'épisode des gamelans, jouaient un rôle fondamental. Il s'agit de « La Corruption dans les encensoirs » de Pierre Boulez[1]. Avec ce texte, Boulez balaie d'un coup la réception critique de Debussy qui dominait alors, élaborant du même coup une généalogie précise pour l'avant-garde musicale de Darmstadt.

Mettant en évidence la fascination exercée par la musique javanaise sur Debussy, Boulez souligne dans son article comment celui-ci, grâce à cette découverte de l'Autre, a provoqué « la rupture du cercle d'Occident », devenant un « corps étranger à la musique d'Occident »[2]. Jusqu'ici, Takemitsu aurait pu être lui-même l'auteur de ces phrases. Néanmoins, à y regarder de plus près, Boulez parle certes d'une rupture que Debussy aurait provoquée dans le discours musical occidental, mais il ne replace pas sa musique dans une autre culture, pas plus qu'il ne cherche à la resituer dans le contexte d'un dialogue interculturel. Il parle en revanche à propos de l'épisode des gamelans d'un véritable malentendu : Debussy ignore tout des règles rigides qui régissent en réalité la musique javanaise, et le choc de sa rencontre avec l'Autre ne le conduit pas à découvrir une autre culture, mais plutôt à se libérer de la sienne propre[3].

1. Pierre Boulez, « La Corruption dans les encensoirs », *La NRF*, 1er décembre 1956 ; rééd. dans *Points de repère*, t. I, *Imaginer*, Paris, Christian Bourgois/Seuil, 1995, p. 155-160.
2. *Ibid.*, respectivement p. 159 et 158.
3. *Ibid.*, p. 159. À propos de la fonction de la musique non européenne dans le discours de l'avant-garde occidentale, voir Gianmario Borio, « Fine dell'esotismo : l'infiltrazione dell'Altro nella musica d'arte dell'Occidente », Fondazione Cini, 2009, que l'on peut lire à l'adresse suivante : http://www.cini.it/it/pubblication/page/99 (consulté le 31 juillet 2012). L'auteur remercie le professeur Borio pour cette indication bibliographique.

Quel est donc finalement le sens que Boulez attribue à la figure de Debussy ? À vrai dire, le Debussy de Boulez n'est pas sans rappeler une autre grande figure historique française. Il ne s'agit pas d'un musicien, mais d'un philosophe : Descartes. Comme Descartes, Debussy est, d'après Boulez, celui qui le premier a soumis la musique à un doute systématique, la libérant de l'esclavage des conventions et de la tradition, bref, de son essence occidentale. En repensant tous les paramètres musicaux, il a rendu la musique vraiment universelle[1]. Pour Boulez, Debussy représente donc, avec Cézanne et Mallarmé, la source de la modernité artistique[2].

L'article de Boulez constitue certainement une référence essentielle pour comprendre le contexte de communication dans lequel Takemitsu élabore son propre projet de composition. Il faut alors confronter l'appropriation critique de la figure de Debussy par Boulez avec celle qu'opère Takemitsu. Il est évident que le Debussy de Takemitsu représente le renversement exact et systématique de l'interprétation proposée par Boulez une vingtaine d'années auparavant. Le « choc » des gamelans n'est pas le moment qui libère la musique des chaînes d'une tradition particulière, moment nécessaire pour qu'elle puisse atteindre une valeur universelle. Il est plutôt pour Takemitsu le signe d'une crise de l'Occident, devenu incapable de s'élever au rang de norme universelle. Debussy devient le symbole d'une découverte du particulier, du local, la reconnaissance du fait que l'universel ne se manifeste jamais comme un tout, mais seulement sous la forme d'un dialogue entre parties.

Possibilité du texte latent : Takemitsu ou de la composition comme pratique dialectique ?

Ayant ainsi clarifié, dans ses grandes lignes, le rapport de Takemitsu avec son contexte de communication de référence, il est à présent possible d'avancer une hypothèse interprétative à propos de

1. « Le courage d'être autodidacte par volonté a obligé Debussy à repenser tous les aspects de la création musicale ; ce faisant, il a accompli une révolution radicale, sinon toujours spectaculaire » (*ibid.*, p. 158). Plus loin, il définit Debussy « cet unique Français universel » (*ibid.*, p. 160).

2. *Ibid.*, p. 155. Le lien entre la modernité et le doute universel cartésien a été explicitement formulé par Boulez dans un texte de 1954 : « Probabilités critiques du compositeur », *Points de repère*, t. I, *Imaginer*, Paris, Bourgois, 1995, p. 31.

l'objectif dernier de son projet de composition dans son ensemble : c'est seulement à un premier niveau de signification que ce projet semble être une reformulation de la pratique musicale dans un sens multiculturel. Mais une autre dimension est en même temps implicitement présente à ce niveau, un texte latent, rattaché au texte explicite, qui conduit à lire dans la réflexion esthétique de Takemitsu une critique du projet culturel de l'avant-garde musicale tel qu'il avait été élaboré à Darmstadt pendant ces années où Boulez écrivait son article sur Debussy. Il en attaque le présupposé fondamental, que ses principaux acteurs ont souvent formulé comme un credo scientifique, à savoir l'équation modernité-rationalité[1] : armé des instruments du multiculturalisme, Takemitsu détruit en effet la construction logique et argumentative entière qui se trouve à la base du discours de Darmstadt. À l'aide du concept de culture comprise comme un horizon de sens spécifique et particulier, donné *a priori*, indépassable et déterminant la création artistique de chacun, il supprime en effet toute marge de manœuvre pour cette rationalité universaliste que l'on poursuivait à Darmstadt et qui était censée libérer la musique de toutes les normes préexistantes, en matière d'esthétique ou de composition.

Dans la logique argumentative de Takemitsu, Debussy est donc seulement à un premier niveau le symbole d'une pratique multiculturelle de composition musicale : son Debussy est *aussi* la formulation symbolique d'une modernité alternative, qui ne se définit pas exclusivement par le concept de raison. En un sens, Takemitsu développe, avec les moyens de la musique et par la construction d'un dialogue interculturel, une critique de la vision d'un futur de l'humanité reposant sur les seules lumières de la raison. En même temps, il ne refuse pas complètement un pareil projet : sa musique n'est pas celle d'un « conservateur », on y trouve de nombreuses techniques de compositions élaborées par l'avant-garde. Takemitsu ne nie pas la modernité, il la critique, pour ainsi dire, de l'intérieur.

C'est précisément de ce point de vue interprétatif que l'hésitation permanente de son argumentation entre l'exaltation du particulier et le rêve d'un « *universal cultural egg* » prend son sens. Si, par la

1. Dans cette perspective, le célèbre essai de Milton Babbitt « The Composer as Specialist », *Esthetics Contemporary*, New York, Prometheus Books, 1978, p. 280-287, reste exemplaire.

déconstruction du texte, on aborde le texte latent des catégories d'Est et d'Ouest qu'emploie Takemitsu, on constate que son projet de composition semble vouloir se poser comme le pendant musical d'un autre ouvrage essentiel de cette époque, dont un des auteurs fut une personnalité fondamentale justement dans le contexte de l'avant-garde de Darmstadt : je veux parler de la *Dialectique de la raison* (*Dialektik der Aufklärung*) de Theodor W. Adorno et Max Horkheimer. Dans cette étude, sans abandonner la vision qu'avaient les Lumières d'une modernité comme accroissement progressif du contrôle rationnel de l'homme sur la nature et sur ses propres actions, les deux auteurs mettaient en évidence les apories inhérentes à cette conception : ils montraient comment une rationalisation qui oublie son propre versant négatif en vient nécessairement à produire – en se réalisant – son propre contraire, comme dans le cas paradigmatique de la gestion rationnelle de l'irrationnel que représente la Shoah. Pour sortir d'une telle aporie, ils plaidaient pour une philosophie qui soit une constante réflexion critique de la modernité sur elle-même, élaborant le projet d'une rationalité purement dialectique, consciente de cela même qu'elle exclut en se réalisant.

Le discours esthétique sur lequel s'appuie Takemitsu pour structurer ses propres compositions semble formuler un projet comparable du point de vue musical : conçue dans les termes d'une tension irrésolue entre le particulier (Est) et l'universel (Ouest), entre la rationalité constructrice et la nature, tension qui ressort à l'évidence par exemple de l'utilisation de techniques de composition d'avant-garde pour élaborer des structures musicales directement inspirées du monde naturel (les thèmes récurrents de l'eau, du jardin ou aussi du rêve), la musique de Takemitsu se fait conscience critique des apories du discours musical de l'avant-garde occidentale, sans pour autant prendre le parti de sa négation radicale, comme entendait le faire un John Cage, par exemple. Takemitsu renonce aux « grandes narrations » et s'ouvre sans nul doute à cette multiplicité de perspectives dont on a donné ici un exemple avec la référence liminaire à Calvino. Au-delà de cette ouverture à la pluralité, ses compositions conservent cependant une dimension dialectique fondamentale par rapport au projet de la modernité : il ne rejette pas l'avant-garde et la modernité, mais, de l'intérieur de celles-ci, il en fait voir le côté obscur, la fragilité et les paradoxes intrinsèques. Et Debussy devient, pour Takemitsu, l'*alter ego* en matière de composition, le symbole de cette auto-conscience critique qu'il souhaite au discours musical occidental et qu'il entend lui aussi réaliser dans sa musique. Mais il faut sûrement renvoyer à une autre occasion la tâche d'approfondir comme il se doit ces aspects, ce qui exigera, outre une réflexion supplémentaire sur le discours esthétique de Takemitsu et sur son contexte de communication, d'aborder le niveau de l'analyse musicale.

Traduit de l'italien par Laurent Cantagrel

Index des œuvres de Debussy

Index des noms

Table

Politique et littérature

Théâtre et mélodies

Interprétations

Penser la composition

Réception et héritages

Cet ouvrage a été imprimé en France par
CPI Bussière
à Saint-Amand-Montrond (Cher)
en mai 2013

Photocomposition Nord Compo
Villeneuve-d'Ascq

Pour l'éditeur, le principe est d'utiliser des papiers composés de fibres naturelles, renouvelables, recyclables et fabriquées à partir de bois issu de forêts qui adoptent un système d'aménagement durable.

En outre, l'éditeur attend de ses fournisseurs de papier qu'ils s'inscrivent dans une démarche de certification environnementale reconnue.

36-56-3644-6/01

Dépôt légal : mai 2013.
N° d'impression : 2002454.